D1276424

BAHAMAS

***

UN PARADIS PERDU

SÉRIE BAHAMAS

Chaque volume peut être lu indépendamment des autres.

*La liste des ouvrages du même auteur
figure en fin de volume.*

Maurice Denuzière

BAHAMAS

Tome troisième
Un paradis perdu

roman

Fayard

Toute ressemblance des personnages fictifs avec des êtres vivant
ou ayant vécu ne pourrait être que fortuite.

Toute infidélité à l'histoire et à ses acteurs authentiques
ne pourrait être qu'involontaire.

Chercher à localiser,
sur un globe terrestre ancien ou sur une carte contemporaine,
Soledad et Buena Vista,
parmi les sept cents îles qui constituent l'archipel des Bahamas,
serait vain.

© Librairie Arthème Fayard, 2007.
ISBN 978-2-213-62376-4

On souhaiterait souvent d'être né dans une île
des mers du Sud, d'être ainsi qualifié de Sauvage,
afin de jouir, ne serait-ce qu'une fois, sans aucun
mélange trompeur, et dans toute sa pureté, d'une
existence d'homme.

JOHANN WOLFGANG VON GOETHE, 1749-1732,
Conversations recueillies par Eckermann, 1828,
traduction d'Émile Délerot,
Bibliothèque Charpentier,
Eugène Fasquelle éditeur, Paris, 1912.

Il s'en va maintenant celui qui de la main de la vie
N'a reçu ici nulle peine, nul bonheur,
Et parce qu'il ne peut laisser rien d'autre, ici
Il abandonne aussi une part de son âme.

HUGO VON HOFMANNSTHAL, 1874-1929,
Avant le jour, traduction de Jean-Yves Masson,
Orphée-La Différence, 1990.

PREMIÈRE ÉPOQUE

Le Temps des promesses

1.

— Combien sont-ils ? demanda le commandant du port au patron du caboteur.

— Nous en avons douze ; mais il y avait, paraît-il, quatre-vingt-seize personnes à bord. Beaucoup ne sont pas là. Ces gens disent que le vapeur s'est écarté de sa route dans la tempête et qu'il a heurté un récif. Le feu a pris et le bateau s'est couché. La mer était grosse et le vent d'est fort. On a fait ce qu'on a pu, acheva le marin, d'un ton las.

Les naufragés du *Missouri*, vêtus d'habits de fortune, furent hissés par des mains secourables sur le quai de Nassau, capitale de l'archipel des Bahamas. La veille, ils avaient été recueillis alors qu'ils dérivaient sur une chaloupe.

Après leurs premiers pas hésitants sur la terre ferme, ces passagers, hébétés par la nuit qu'ils venaient de passer, entassés à bord d'un bateau de pêche, en pleine tempête, prirent enfin conscience d'avoir échappé aux flammes, puis à la noyade, et s'étonnèrent d'être encore en vie, ce jour d'octobre 1872.

Des femmes qui, la veille, poudrées, parfumées, faisaient assaut d'élégance à l'heure du thé, dans le salon du vapeur postal de l'Atlantic Steamship Company, avançaient sous la pluie battante, soutenues par des débardeurs, des Noirs dont elles n'eussent pas, en d'autres circonstances, supporté le contact. Cheveux collés aux joues, visage décoloré, yeux baissés, comme honteuses de se montrer en aussi grotesque tenue, elles allaient docilement vers l'abri de la commanderie du port. Les hommes jeunes, plus gaillards, s'appliquaient, en titubant comme des ivrognes, à marcher seuls, alors que les plus âgés s'affalaient sur les rouleaux de cordages, incapables de tenir debout. Parmi ces gens, se trouvaient plus d'insulaires et d'hommes d'affaires américains que de vrais touristes, la pleine saison ne commençant, avec l'ouverture annuelle du Royal Victoria Hotel, que le 1er novembre, pour s'achever en mai.

Charles Desteyrac et le commandant Lewis Colson[1], qu'un transport d'éponges avait conduits de Soledad à Nassau, se trouvaient dans la foule silencieuse, tandis que des employés de la douane arrivaient, pour assister ces voyageurs sans bagages. Conduits à l'abri des hangars, car la pluie cinglante et le vent d'est aggravaient encore leur mal-être, les rescapés, jusque-là silencieux, interrogeaient les douaniers. La gorge nouée, ils voulaient savoir si d'autres bateaux avaient sauvé ceux qu'ils espéraient encore revoir, mari, femme, enfants.

Le commandant du port leur laissa un vague espoir.

– Il faut attendre la fin du gros temps, que tous les pêcheurs des Berry Islands et d'Andros soient rentrés et qu'ils nous préviennent s'ils ont trouvé des gens en mer. Ça pourra prendre deux ou trois jours.

Il disait cela bien que les marins du caboteur n'aient vu aucune autre embarcation sur les lieux du naufrage, alors que le vapeur sombrait.

Colson connaissait un des mécaniciens du *Missouri* et s'en

---

1. Tous les événements du passé, familiaux, politiques ou économiques, auxquels il sera fait référence ou allusion dans le présent volume ont été racontés dans *le Pont de Buena Vista* et *Retour à Soledad*, du même auteur, chez le même éditeur. Tous les mots français, anglais, voire déformés par les Indiens ou les Noirs, ayant une acception particulière, qui ont été précédemment définis dans les deux premiers tomes, figurent en fin de volume dans le glossaire (voir page 769). Chaque volume de la série peut néanmoins être lu séparément.

approcha. Le marin, bien que trempé et enveloppé d'une couverture, semblait moins affaibli que les passagers sauvés des eaux.

— Nous avions à bord Lewis Cleveland, le directeur du Victoria, qui revenait de New York avec son frère. Ils manquent tous deux à l'appel. Sûr que ça va faire une histoire. Leur frère, Grover Cleveland, est un homme politique important de l'État de New York, shérif de Buffalo, à ce qu'on m'a dit[1].

On eut bientôt la triste certitude qu'on ne reverrait jamais les quatre-vingt-quatre passagers et membres d'équipage manquants du *Missouri*. Ce naufrage du mardi 1er octobre 1872 fut mentionné, par les journaux de Nassau, comme le plus meurtrier depuis ceux provoqués par l'ouragan de 1866, qui, dans l'archipel, avait coûté la vie à Ounca Lou Cornfield-Desteyrac, à Eliza Colson, au major Edward Carver et à bien d'autres.

Une semaine plus tard, naviguant vers Soledad, à bord de l'*Apollo*, sur l'Océan enfin calmé, Charles et Lewis tombèrent d'accord pour regretter que l'Imperial Lighthouse Service ne mît pas plus de célérité à construire, sur les côtes frangées de récifs coralliens, les phares promis.

— Entre 1850 et 1860, on a recensé trois cent deux naufrages et, plus tard, quarante-huit pour la seule année 1864, soixante et un en 1865. Depuis l'ouragan de 1866, qui a détruit soixante-trois bateaux, l'Imperial Lighthouse Service et l'Amirauté ont obtenu, non sans mal, qu'on ajoutât aux phares construits pendant les années trente, malgré l'opposition des pilleurs d'épaves, de nouveaux feux sur Cat Island et Inagua, rapporta le commandant Colson.

— L'an prochain, va commencer sur Bird Rock, au nord

---

1. Grover Stephen Cleveland, 1837-1908, membre du parti démocrate, élu maire de Buffalo en 1881, gouverneur de l'État de New York en 1882 puis, en 1885 et 1893, vingt-deuxième et vingt-quatrième président des États-Unis.

de Crooked Island, l'érection d'un phare éclairé à l'acétylène. Haut de cent quinze pieds, équipé d'une lentille à diffraction de Fresnel, ce sera le plus moderne de la colonie. Mais les travaux seront longs et difficiles[1] dans une zone où beaucoup de navires s'éventrent, chaque année, sur les rochers à demi immergés, compléta Charles Desteyrac.

— À ce propos, où en est votre projet d'un phare à Buena Vista ? s'enquit Colson.

— Il attend le bon vouloir de lord Simon et des autorités coloniales. Mais, dès notre retour à Soledad, je vais presser Sa Seigneurie pour qu'elle obtienne enfin l'autorisation de l'Imperial Lighthouse Service. Étant donné l'augmentation du trafic maritime et de la navigation de plaisance, un phare est devenu indispensable au Cabo del Diablo, trop bien nommé par les marins. Mes plans sont prêts, dit l'ingénieur.

— Mon ami, rien ne bougera avant qu'une catastrophe ne se produise. Les propriétaires et les administrations sont ainsi. Ils n'agissent que contraints et forcés par les événements, dit Colson.

Dès le lendemain de son retour sur l'île, Desteyrac se rendit à Cornfield Manor, où lord Simon Leonard Cornfield le reçut, comme toujours, avec chaleur.

Après avoir fait le compte rendu des affaires traitées à Nassau, Charles Desteyrac aborda le sujet qui le préoccupait. L'ingénieur tenait de ses ancêtres auvergnats une obstination inouïe et savait en user. Lord Simon en avait souvent éprouvé de l'agacement, avant d'en reconnaître les bons effets.

— Après le naufrage du *Missouri*, qui a coûté la vie à quatre-vingt-quatre personnes, dont le directeur du Royal

---

1. Le phare n'entra en service que trois ans plus tard, en 1876.

Victoria Hotel, nous devons, lord Simon, construire le phare du Cabo del Diablo sur Buena Vista. J'ai obtenu, il y a trois ans déjà, l'accord de votre sœur, lady Lamia, et je sais qu'elle ne reviendra pas sur sa parole. Elle m'avait confié en ce temps-là que vos investissements dans une société qui fournit des wagons à la Standard Oil de John Davison Rockefeller ne vous permettaient pas d'engager de grosses dépenses pour le phare.

— Exact : j'ai quelques bonnes actions dans cette affaire, reconnut Cornfield, investisseur satisfait.

— Et vous avez gagné beaucoup d'argent, si l'on en juge par les cours de Wall Street, n'est-ce pas ?

— Où voulez-vous en venir ? bougonna le lord.

— À ce que vous vous décidiez à obtenir l'autorisation de l'Imperial Lighthouse Service et à consacrer une part de vos bénéfices à la sauvegarde de ceux qui naviguent près de votre île, répliqua Charles avec aplomb.

Comme lord Simon, sourcils froncés, préparait une réponse à cette insolence, l'ingénieur ajouta un argument dont il connaissait la portée.

— La construction du phare est la seule affaire qui puisse me retenir à Soledad. À quarante-trois ans, je ne compte pas cesser mon activité et, si je suis inutile ici, je puis être utile ailleurs. Mon ami Albert Fouquet, qui connaît mes compétences, me propose d'entrer dans l'équipe que rassemble Ferdinand de Lesseps pour étudier le percement de l'isthme de Panama. Les Américains explorent déjà plusieurs tracés mais Lesseps, qui a fait le canal de Suez, a de meilleures idées, asséna Charles.

Comme chaque fois qu'il était ému ou contrarié, lord Simon jaillit de son fauteuil en rugissant, le visage empourpré, l'œil mauvais.

— Ça s'appelle du chantage, Charles et...

— C'est du chantage, en effet, coupa l'ingénieur avec un sourire qui atténuait l'aveu.

Lord Simon Leonard regagna son siège, l'air chagrin.

– Je vais déjà être privé de mon petit-fils dès l'an prochain, puisque vous envoyez Pacal à Harvard. Quitte à le perdre pour plusieurs années, j'aurais préféré qu'il allât en Angleterre, à Oxford. C'est, hélas, une affaire réglée. Mais il ne manquerait plus que vous emmeniez Otti chez les sauvages du Nicaragua pour que je reste seul, à attendre la mort, en me desséchant comme un vieux champignon au creux d'un chêne ! reprit Cornfield, d'une voix dont il exagérait à dessein le ton lamentable.

Charles aimait le vieil Anglais. Il connaissait tous ses tics et son art de la jérémiade quand il s'agissait d'apitoyer un interlocuteur intime.

– Je suis certain que, si lady Lamia disposait de capitaux suffisants, elle financerait seule la construction du phare, car elle voit de près les conséquences des échouages, parfois meurtriers, sur la côte ouest de son îlot. Votre sœur a ce que les chrétiens appellent « l'amour du prochain », insista Charles.

– Bon ! Bon ! Bon ! répéta lord Simon, plus rageur que résigné.

– Notre dossier pour l'Imperial Lighthouse Service est en ordre. Il vous reste à le signer avant de l'expédier au gouverneur. Usez de votre autorité pour qu'il le transmette au plus vite à Londres, conseilla Charles.

– Non, mon ami ; si je me décide, je l'expédierai directement à l'Amirauté, à Londres. J'enverrai seulement une copie du dossier au gouverneur, de qui je n'ai pas à solliciter l'aval pour construire ce que bon me semble sur mon domaine. Les Cornfield ne sont-ils pas lords propriétaires de Soledad depuis 1640 ? rappela Simon.

Ses titres, son âge, sa position particulière dans les West Indies, reconnue par la Couronne, et ses relations avec le ministre des Colonies et le Colonial Office autorisaient celui que les insulaires appelaient le lord des Bahamas, à se dispenser d'un intermédiaire.

Charles estima acquis l'engagement du maître de Soledad. Toutefois, connaissant la susceptibilité du gouverneur, représentant de la reine à Nassau, quand il s'agissait de ses prérogatives ou du respect d'une étiquette coloniale exagérément pointilleuse, il crut bon de mettre lord Simon en garde.

– Sir George Strahan sera ulcéré si vous dédaignez son concours, risqua-t-il.

– Dans un mois, il ne sera plus là. Son successeur est nommé. C'est un ami, sir John Pope-Hennesy. Il est attendu en janvier prochain, précisa lord Simon, avec le clin d'œil de l'homme informé.

Quand Pibia, le majordome, eut servi un jus d'ananas relevé d'alcool de banane, lord Simon se pencha vers Desteyrac.

– Ne tenez pas compte, cher Charles, de l'indiscrétion de ma question. Où en êtes-vous avec Ottilia ? Ces temps-ci, je la trouve moins radieuse qu'au moment de son retour d'Angleterre, il y aura bientôt un an. J'avais cru comprendre ce jour-là, que vous, veuf de ma fille Ounca Lou, elle, veuve du pauvre Malcolm Murray, vous alliez, comment dire... vous entendre pour partager une nouvelle vie. Me serais-je trompé ? Parlez-moi comme au père que je veux toujours être pour vous, dit lord Simon.

– Nous nous entendons bien et nous sommes souvent ensemble. Nous allons demain rendre visite à lady Lamia, bafouilla l'ingénieur, visiblement gêné par la question de son beau-père.

– Vous vous entendez bien : ça, je le sais et je le vois, mais elle habite ici à Cornfield Manor, parce qu'elle ne veut plus dormir à Exile House, tandis que vous continuez à résider à Valmy. Or, Otti m'a dit que Malcolm lui avait légué les plans d'une maison conçue pour vous deux, même pour vous trois, car je n'oublie pas Pacal. Il voyait en vous un couple qui, semble-t-il, n'existe pas. Pas encore, insista Cornfield.

Comme Charles se taisait, déconcerté par ces propos, lord Simon vida son verre et se leva, mettant fin à l'entretien. Il prit le bras de l'ingénieur pour l'accompagner sur la galerie du manoir.

– Je comprends que vous ne puissiez oublier Ounca Lou, ce qu'Ottilia ne vous demandera pas. Mais vous êtes dans la force de l'âge, prêt à construire un phare à Buena Vista et, je l'espère à diriger sur Soledad d'autres travaux que j'ai en tête. Alors, ne rejetez pas l'amour que ma pauvre Rosebud vous offre. Car elle vous aime depuis longtemps, Charles, autant, hélas qu'elle puisse aimer, à sa façon.

– Je sais et j'ai pour Otti un sentiment qui répond au sien, mais j'hésite encore à le qualifier, répondit Charles en faisant signe à Timbo d'avancer le boghei jusqu'au pied du grand escalier.

Passé le portail du parc de Cornfield Manor, Charles Desteyrac prit les rênes, renvoya son domestique à Valmy et se mit en route au petit trot vers le nord de l'île, où il aimait se rendre seul, quand il voulait s'abstraire des influences insulaires.

Arrivé au promontoire de Deep Water Creek, il s'assit dans un creux de rocher. En contrebas de la falaise, l'Océan se frottait aux récifs, tantôt caressants tantôt fougueux. Chassées par les vagues, les mouettes s'envolaient en criant puis, après le reflux, revenaient se poser avec des frémissements de femelles outragées. Près des roches, où le flux languissant glissait sur le sable rose en ondes lisses, muettes, sans un feston d'écume, l'eau avait des transparences cristallines, à peine colorées. Dans la baie, sous le soleil d'automne, à quelques brasses du rivage, le clapot diapré frétillait et, tel le diamant taillé à facettes, libérait des réfringences aveuglantes. Mais, plus le regard s'éloignait de la terre, plus l'Océan s'assombrissait, passant du bleu turquoise au bleu cobalt qui couvre les abysses.

Desteyrac était bien le seul insulaire à voir, depuis la suggestion de son ami Malcolm, dans la forme du promontoire corallien qu'il avait élu pour lieu de méditation, une réplique, défigurée par l'érosion et les vents d'est, du sphinx de Guizèh. Pareille au monstre accroupi, taillé dans le roc par les artisans égyptiens, la falaise allongeait deux étroites chaussées parallèles, comme des pattes de fauve au repos. Entre elles, l'Océan s'insinuait à marée basse, les couvrait à marée haute. Assis sur la tête de la bête imaginaire, l'ingénieur se sentit à l'aise pour réfléchir à la franche évocation, par lord Simon, de ses rapports avec Ottilia.

La malformation congénitale qui interdisait à cette femme la jouissance charnelle exigeait qu'on lui portât un amour hors du commun, épuré de l'étreinte sexuelle, cantonné au cérébral, d'une tendresse ardente, teintée d'abnégation. Pour Charles, cet amour restait à inventer.

La quarantaine confirmait chez Ottilia l'harmonie d'un corps flexible, aux formes vénusiennes. Elle eût posé avec charme pour *Esther à sa toilette*, le tableau de Théodore Chassériau, dont une copie, offerte autrefois par Malcolm Murray, ornait à Valmy le cabinet de travail de l'ingénieur. Pour l'architecte défunt, Chassériau était le seul peintre français capable de peindre les femmes aussi bien que son ami Dante Gabriel Rossetti, le préraphaélite.

Tel un fruit à son exacte maturité, cette beauté sereine éveillait, chez l'ingénieur, le plus humain des désirs. Ce désir était-il partageable, malgré l'impossible aboutissement ? Était-il charitable de tenter de le provoquer et d'encourager les mouvements d'abandon d'Ottilia, ses épanchements confiants, la perspective d'une vie commune, d'un mariage sans doute, qu'il avait imprudemment laissé entrevoir par exaltation, puis entretenue par le silence. Il se devait maintenant, par loyauté, de clarifier la situation, de sortir de l'équivoque dont lord Simon avait deviné le danger.

L'apaisement des sens, que ne pouvait procurer Ottilia, il pourrait certes l'acheter chez les filles de Nassau, comme il l'avait déjà fait depuis la mort d'Ounca Lou, quand la bête se manifestait trop crûment. Mais l'expédient lui répugnait autant que le contraignait la chasteté. La meilleure preuve d'amour qu'il donnerait à Ottilia, s'il décidait de s'abandonner à l'attirance profonde ressentie pour cette femme, serait de lui sacrifier le plaisir qu'elle ne pouvait partager ni peut-être concevoir. Lui revint à l'esprit cette phrase que l'on prêtait à un ami de Chateaubriand, vieil amant d'une Juliette Récamier souffrant de la même malformation congénitale qu'Ottilia : « Les joies de l'œil et de la main lui suffisent. »

Le soir même, il aurait avec Otti la conversation que lui imposait la seule alternative offerte : quitter Soledad pour n'y plus revenir ou demander la main de la fille de lord Simon.

Comme souvent en fin d'après-midi, il se rendit au Loyalists Club, où l'on pouvait lire les journaux et les magazines étrangers, apportés chaque semaine par le bateau-poste et, parfois inopinément, par des membres du club au retour d'un voyage dans la capitale. C'était aussi le lieu où convergeaient, par les voies mystérieuses du cabotage, informations, rumeurs et ragots touchant la vie de l'archipel et de ses habitants.

Ce jour-là, on parlait de l'installation prochaine, depuis longtemps espérée, du télégraphe électrique entre les États-Unis et les Bahamas. Le câble partirait de Jupiter, en Floride, pour aboutir sur New Providence, à l'est de Nassau, entre Arawak Cay et North Cay. Grâce à cette liaison, les Bahamiens pourraient envoyer des télégrammes dans la plupart des grandes villes américaines, déjà reliées entre elles, et, de là, en Grande-Bretagne, le câble transatlantique fonctionnant au mieux. La *General Assembly* se préparait à voter une subvention de deux mille livres sterling pour couvrir les premières dépenses[1].

Forts de cette bonne nouvelle, les commentaires allèrent bon train. La plupart des membres présents approuvèrent l'initiative des autorités. Par la magie du télégraphe électrique, l'isolement de l'archipel serait comblé et tout le monde y trouverait son compte, les transactions commerciales, de plus en plus fréquentes entre les Bahamas et le continent américain, souffrant d'une lenteur fort préjudiciable aux affaires. Les exportateurs de primeurs et de fruits devaient en effet compter sur le courrier pour recevoir, souvent après deux ou trois semaines d'attente, les commandes des négociants en gros de New York ou de Boston. À la satisfaction majoritaire, le docteur Kermor, Uncle Dave pour les intimes, mit un bémol chauvin.

– Le gouvernement ferait mieux de dépenser pour installer le télégraphe entre Nassau et les Out Islands plutôt que l'offrir aux hommes d'affaires et aux hôteliers de New Providence. Le télégraphe sauverait des vies dans nos îles sans médecin. Le temps que je sois prévenu d'un cas de fièvre jaune à Bimini ou d'une congestion pulmonaire chez nos pêcheurs d'éponges de Long Island et j'arrive pour constater un décès ou trop tard pour soigner utilement.

Charles Desteyrac et Philip Rodney, le commandant du *Centaur*, approuvèrent ce point de vue, dont Lewis Colson assura qu'il devait être partagé par lord Simon et de nombreux natifs des îles extérieures.

– L'influence politique des anciens planteurs esclavagistes des Carolines et de Virginie, qui se sont établis dans l'archipel dès 1865, n'est pas étrangère à l'installation du télégraphe. Ces gens traitent beaucoup d'affaires avec les États du Sud, même avec les États du Nord, alors qu'ils continuent à maudire les Yankees, observa le pasteur Russell.

---

1. Le câble n'entra en service qu'en 1891.

– Ces gens, y voudraient bien pouvoir traiter les nègres[1] comme autrefois les esclaves. J'en connais qui veulent les faire travailler, du lever au coucher du soleil. Mais, chez nous, c'est la loi des West Indies, pas vrai, la loi anglaise, et ça plaît guère à ces Américains, qui sont toujours sur le dos de leurs ouvriers. Ils les paient en farine moisie et en mauvais café, dit Sharko, le mulâtre, gérant et barman du club, se mêlant à la conversation.

– Ces Sudistes ont maintenant des élus dans les assemblées et nos Bahamiens, trop indolents, ont tendance à se laisser impressionner par ces gens mieux instruits qu'eux, dit Kermor.

Avant de quitter le club, Charles prit Colson à part.

– J'ai décidé lord Simon à financer la construction du phare, au Cabo del Diablo, sur Buena Vista. J'aurai besoin de votre aide et de vos charpentiers, car il faudra remettre en état les barges qui servirent autrefois au transport du train. J'ai l'intention de faire venir des pierres des États-Unis : notre calcaire corallien manque de densité.

– Cette activité me sera salutaire, mon ami. Car, à cinquante et un an, je risque d'être mis à la retraite par lord Simon. Le *Phoenix*, qui fera bientôt, comme bon nombre de voiliers de sa classe, figure de pièce de musée, ne navigue plus souvent, et lord Simon a l'intention d'acquérir un yacht moderne. Il en confiera le commandement à un officier habitué à la gouverne des vapeurs. Je vois John Maitland tout désigné pour cette fonction. Il a fait son temps dans la Navy et je sais, par un capitaine qui l'a rencontré à la Jamaïque, qu'il cherche un commandement, dit Lewis Colson, désabusé.

Charles savait par Ottilia que John Maitland et sa femme

---

1. Dans ce volume, comme dans les précédents de cette série romanesque, les personnages emploient le mot nègre pour Noir, conformément à l'usage de l'époque.

Myra, maintenant mère de deux enfants, étaient disposés à s'installer à Soledad. Myra, la plus jeune fille du défunt Bertie III Cornfield, de Charleston, était, depuis la fin de la guerre civile américaine, en révolte contre ses frères, que l'on désignait comme activistes du Ku Klux Klan et grands lyncheurs de Noirs. Elle avait fait vœu de ne jamais retourner en Caroline du Sud, bien que la plantation familiale de Clarendon House eût été rendue à ses frères et fût à nouveau en exploitation.

L'ingénieur s'abstint de communiquer ces informations à son ami Lewis. La perspective d'être, à brève échéance, supplanté comme maître de la flotte Cornfield par un officier britannique, décoré de la Victoria Cross pour s'être illustré pendant la rébellion des Noirs à la Jamaïque, ce qui impressionnait fort lord Simon, rendait Colson mélancolique. Les travaux que Charles comptait lui confier constitueraient une salutaire diversion pour ce veuf sans enfants.

Les deux hommes prirent rendez-vous pour le lendemain, à Valmy, et Charles regagna Cornfield Manor, où son couvert était toujours mis, près de celui d'Ottilia. Le lord n'imaginait pas laisser Charles Desteyrac dîner seul à Valmy, dans une maison déserte, où tant de souvenirs devaient, supposait-il, contrarier l'appétit de son gendre. Le vieil homme, de qui on célébrerait bientôt le soixante-douzième anniversaire, restait très attaché à l'étiquette anglaise, qui exigeait que l'on s'habillât pour dîner. Charles dut s'arrêter chez lui pour passer un costume et nouer, sous le col d'une chemise fraîche, une cravate de soie noire, cadeau d'Ottilia.

Du fait de ce détour, il arriva trop tard au manoir pour participer au rite de la boisson apéritive d'avant dîner. Tandis qu'il posait le pied sur la dernière marche de l'escalier, il entendit tinter le bronze de la cloche, qui annonçait le service. Le majordome, qui venait de remplir cet office, comme chaque soir depuis un demi-siècle, vint au-devant de l'ingénieur.

– Nous avons, ce soir, M. le Pasteur Russell et son épouse, le docteur Weston Clarke et madame... et aussi un cochon de lait farci, envoyé par Old Gentleman... mais cuit par nos soins, compléta Pibia, de qui Charles appréciait l'humour.

Maoti-Mata, le cacique des Arawak – Old Gentleman pour les Bahamiens blancs –, était un ami qu'il avait toujours plaisir à voir. La conversation de ce vieux sage restait des plus enrichissante pour l'esprit, et ses échanges avec lord Simon, son complice de longue date, réjouissaient l'auditoire. L'Indien et l'Anglais pratiquaient la joute oratoire sur les sujets les plus variés, feignant de s'opposer sur les termes, pour mieux se retrouver sur les principes.

La conversation porta, d'abord, sur l'installation du télégraphe et le naufrage du *Missouri*.

– Grover Stephen Cleveland a écrit au consul des États-Unis à Nassau, pour connaître les raisons du naufrage au cours duquel ses deux frères ont perdu la vie, révéla lord Simon.

– Pourquoi le gouvernement bahamien est-il allé chercher un Américain pour diriger le Royal Victoria Hotel ? s'insurgea le pasteur Russell.

– Parce que la clientèle du Victoria est essentiellement américaine. On attend cette année plus de cinq cents touristes de New York, de Boston et même de Philadelphie, précisa Charles.

– Ces gens feraient mieux de rester chez eux ! Ils viennent ici, avec leurs dollars et leurs mœurs dépravées, corrompre notre société, malmener nos nègres, détourner la jeunesse de ses devoirs, s'écria Margaret Russell avec une véhémence outrée.

– Son mari n'a pu l'empêcher de boire un troisième verre de vermouth à l'apéritif, souffla Ottilia à Charles.

Devant l'air confus du pasteur, lord Simon s'empressa de demander à Maoti-Mata des nouvelles de ses innombrables petits-enfants. Le cacique connaissait, comme tous les familiers du Cornfieldshire, le vice récemment déclaré de Margaret Russell. Il entra dans le jeu et, monopolisant l'attention, satisfit avec force détails la curiosité de son ami Cornfield.

Tout le Cornfieldshire savait maintenant que l'épouse du pasteur s'adonnait à la boisson depuis que ses filles jumelles, Emphie et Madge, éduquées dans les meilleurs collèges américains et maintenant majeures, avaient ouvert à Nassau, sur Bay Street, à l'enseigne The Shop of Intimate Things, une boutique de lingerie féminine importée d'Europe.

On trouvait, chez les sœurs Russell, des robes d'intérieur en drap fin, turquoise ou céladon, des petits pantalons de satin noir ou de taffetas rose, avec garniture de dentelle, des matinées – camisole et jupon – en percale crème, des écharpes de mousseline, des déshabillés vaporeux, en voile de soie, avec incrustations de guipure, des liseuses de linon blanc, des mantelets d'ottoman moiré, semés de petites roses en satin, des bas de soie, des chemises de jour en crêpe de Chine myosotis ou saumon, bordées de valenciennes, des chemises de nuit en voile aux transparences coquines, des jarretières à rubans, des bonnets de tulle, des gants de chevreau et de coton, des châles de cachemire, des boîtes à poudre, des mouchoirs de batiste irlandaise et, surtout, ces nouveaux corsets français, munis de bustiers à goussets, dans lesquels les femmes logeaient leurs seins pour les exhausser et affirmer leur présence !

La violente sortie, due à l'excès de boisson de Margaret Russell, n'étonna pas, et même réjouit, Dorothy Weston Clarke. Le matin même, cette femme, chez qui l'amertume se traduisait en perfidie, avait infligé une humiliation supplémentaire au pasteur et à son épouse en mettant sous les yeux du couple puritain la page d'annonces du *Nassau Guardian*. Un encart de The Shop of Intimate Things invitait les dames et demoiselles de Nassau à découvrir les derniers arrivages de lingerie de corps de Paris, dont les noms seuls

– Frivolité, Cœur volant, Fine mouche, Cajoleuse, Frileuse, Ingénue, Corset à la sirène –, égrenés comme autant de coups d'épingle, avaient fait monter le rouge de la honte aux joues de Margaret Russell.

Ajoutée au fait que tous les insulaires qui rentraient d'un voyage à Nassau – les femmes surtout – félicitaient les Russell pour la réussite commerciale de leurs filles, dont le magasin était le mieux achalandé de Bay Street, cette annonce confirmait publiquement aux époux Russell que leur nom était désormais associé à la dissolution des mœurs, au libertinage, aux dessous pour cocottes.

Le dîner s'acheva sans nouvel incident. Quand vint l'heure de la séparation et que tous les invités eurent pris congé du maître de maison, Charles entraîna Ottilia sur la galerie. Il estimait le moment venu d'un entretien décisif.

Lord Simon, ayant deviné que Desteyrac souhaitait un tête-à-tête avec sa fille, s'éclipsa avec un signe de la main.

– J'ai le sentiment que nous allons avoir un orage. Les chiens s'agitent, dit-il en s'éloignant, ses lévriers sur les talons.

Charles qui, pendant tout le dîner, s'était préparé à une conversation sérieuse, s'assit près d'Ottilia et lui prit la main.

– Votre père s'inquiète de notre avenir. Il m'a fait part de sa perplexité, commença-t-il.

– Notre avenir..., ou plutôt nos avenirs ne le regardent en rien, répondit-elle.

– Je crois qu'il les a imaginés communs, Otti.

– Moi aussi, un moment. Mais j'ai sans doute mal interprété votre gentillesse, vos élans, vos attentions, les paroles que vous avez prononcées quand vous m'avez accueillie au port de Nassau, à mon retour d'Angleterre, il y aura bientôt un an.

– Je n'ai pas oublié ce moment, Otti.

– Quand je vous ai dit : « Qu'allons-nous faire maintenant », vous m'avez répondu : « Le bonheur de chacun dépend de sa capacité d'illusion » et vous avez ajouté, ce que j'ai pris comme une promesse : « Nous allons conjuguer nos illusions, mais aussi nos forces et nos faiblesses, pour vivre ensemble. » Vous en souvenez-vous ? Mes illusions sont restées des illusions.

– Ne sommes-nous pas ensemble ?

– Je suis souvent avec vous, c'est vrai. Mais ce n'est pas vivre ensemble, c'est vivre côte à côte, n'est-ce pas. Sans doute est-ce très bien ainsi. Je ne puis être plus qu'une amie, vous le savez depuis longtemps, dit-elle, avec une trémulation des lèvres, signe d'un chagrin contenu.

Charles quitta son siège, vint à Ottilia, lui prit les deux mains et l'obligea à se lever car l'orage venait d'éclater et une grosse pluie, fouettée par le vent, aspergeait la galerie.

– Rentrons, dit-il, prenant son bras pour la conduire dans la pénombre du salon.

Ils s'assirent sur un canapé et Charles, avec douceur, l'obligea à poser la tête sur son épaule. Le souffle tiède d'Ottilia sur son cou éveilla en lui une émotion mêlée de désir. Il ne pouvait se défendre de la convoiter, telle qu'elle était, telle que la nature l'avait faite, inapte aux jeux de l'amour mais habitée d'une passion souveraine, d'autant plus intense et sincère qu'elle ne pouvait l'exprimer comme la première amoureuse venue.

Après un moment de silence, il s'engagea.

– De l'amie, je veux faire une épouse, ma femme, Otti.

Elle se redressa, raidie, comme outragée.

– Vous obéissez à mon père, n'est-ce pas ! Il a besoin de Monsieur l'Ingénieur pour construire un phare, améliorer les routes, distribuer l'eau... Ou alors, vous avez pitié de la femme incomplète, ou...

Charles l'empêcha de poursuivre et, lui prenant les joues entre ses mains, lui plaqua sur la bouche un baiser insistant. Elle y répondit avec un touchant manque d'aisance. Sans ôter les mains de son visage, il fixa le regard d'Ottilia et vit combien, dans la pénombre, ses yeux clairs brasillaient sous les larmes.

— Ce sera peut-être difficile car nous devrons, Otti, réinventer l'amour. Oui, il nous faudra inventer un amour à nous, qui ne ressemblera à aucun autre. Sachant cela, voulez-vous m'épouser ?

Elle jeta les bras au cou de Charles avec une violence propre à sa nature.

— Oh, rien ne m'importe, qu'être en profonde harmonie avec vous. Faire écho à votre patiente tendresse, jusqu'à la mort. Voilà mon souhait.

Esprit pratique, celui qui venait de sauter le pas en vint bientôt aux dispositions à prendre.

— Si vous le voulez, nous pourrons nous marier avant Noël, car il nous faudra, en janvier prochain, accompagner Pacal à Boston pour que Bob Lowell le prépare à entrer à Harvard, à la fin de l'été 73, puisqu'il n'a pu obtenir une inscription cette année. Les étudiants étrangers ne sont admis qu'à seize ans révolus.

— Pacal ! Pacal ne va-t-il pas me considérer comme une intruse ? Il aimait si fort sa mère !

— Rassurez-vous, il m'a déjà demandé : « Qu'attendez-vous pour épouser Tatoti ? » Car je crains bien qu'il ne vous appelle toujours ainsi, Ottilia.

— Mon Dieu, Charles, que je suis heureuse ! Je vis un soir béni de ma vie.

— Une nuit d'orage plutôt, rappela-t-il.

La lueur bleue et brutale des éclairs faisait apparaître, de temps à autre, comme des curieux à la fenêtre, dans leurs cadres tarabiscotés, les ancêtres Cornfield, moustache sévère, regard soupçonneux. Charles les imagina furieux de n'avoir pas été consultés.

« Peut-être pensent-ils qu'une lady va épouser un roturier », se dit-il. Puis, il se promit de conduire un jour la fille du lord à Esteyrac, terre auvergnate de ses aïeux, qui valaient bien les anciens Cornfield, éleveurs de moutons.

Comme l'orage redoublait et qu'à travers les vitres du salon, ruisselantes de pluie, le balancement des palmiers ébouriffés révélait la force de la tempête, Ottilia, savourant le moment, se blottit avec un soupir d'aise au creux de l'épaule de Charles.

— Vous ne pouvez rentrer à Valmy par ce temps. Vous dormirez ici cette nuit. Je vais sonner Pibia pour qu'il prépare une chambre.

— Ne dérangez personne. Il est tard. Je ne crains pas la pluie. Et puis, tel que je connais Timbo, il est tout près, attendant dans le boghei capoté que je sorte. Demain sera un nouveau jour, Otti.

Après un dernier baiser plus chaste, Charles quitta le salon. Dans le hall, il releva le col de sa redingote et sortit sur la galerie.

Restée immobile sur le seuil, Ottilia vit le boghei, lanternes allumées, s'avancer, avant même que Desteyrac eût descendu la dernière marche de l'escalier. L'ingénieur s'engouffra dans la voiture qui, aussitôt, s'éloigna. La fulguration des éclairs en chapelet rendit féerique ce départ, dans la nuit et sous l'ondée, de l'homme qu'elle aimait.

« Oui, demain sera un jour merveilleux », se répéta-t-elle, enjouée, se retenant de battre des mains.

Le bonheur promis serait d'essence grave, hors du commun, secret, mais elle savait maintenant qu'elle le partagerait avec Charles, aux yeux de tous, tel un couple banal, pour le temps qu'il leur restait à vivre.

Le lendemain, Charles Desteyrac se fit éveiller tôt et se mit en selle avec l'intention de se rendre à Cornfield Manor, afin de rencontrer lord Simon avant qu'il ne quittât sa demeure pour sa chevauchée matinale. Il le trouva sur la galerie du manoir, impatient, frappant la balustre de son stick dans l'attente de sa jument qu'un lad tardait à lui conduire.

– Ah ! Charles ! vous êtes le bienvenu. Je vais faire un tour au port oriental. L'ancien hangar aux éponges se serait effondré cette nuit et le quai aurait été submergé. Venez-vous avec moi ?

– Allons voir ensemble ce qu'il en est. Le hangar, construit au temps de votre père, menaçait ruine depuis longtemps. Je ferai construire un abri plus solide pour entreposer nos sacs d'éponges, dit Charles.

Au petit trot de leurs montures, les deux hommes prirent, en sortant du parc, la route de l'est. La tempête avait été brève mais violente. Des feuilles hachées, arrachées aux arbres, jonchaient les chemins. Si les palmiers royaux, au tronc flexible, avaient résisté, les pins australiens et les cajeputs, variété d'eucalyptus bahamien, avaient perdu des branches et plusieurs bananiers gisaient, déracinés. Lord Simon, plein de sollicitude virile, s'arrêta pour réconforter les fermiers qui réparaient les toitures de palmes, ravagées par le vent. On pataugeait dans les cours de fermes, transformées en bourbier, et, dans les prairies, les vaches, penaudes, attendaient que le soleil asséchât l'herbe.

Après avoir constaté les dommages subis par les installations du port oriental, les cavaliers, botte à botte, regagnèrent Cornfield Manor en devisant.

Pacal accompagnait souvent son grand-père dans ses sorties du petit matin, sachant qu'au retour il partagerait le copieux breakfast servi par Pibia. Ce jour-là, l'adolescent étant à Buena Vista chez lady Lamia, sa marraine, lord Simon convia Charles à ce premier repas.

Ils s'installèrent devant **un** guéridon, pour ce rite respecté par tous les Anglais, sous toutes les latitudes de l'Empire. Sur une nappe blanche légèrement amidonnée – lord Simon exigeait que les plis du repassage restent apparents – était disposé le service en porcelaine de Minton offert à la grand-mère de Simon par le roi George II. Sous le dôme d'argent d'un couvre-plat frappé du blason des Cornfield, comme théière, pot à lait, confituriers et couverts, des œufs brouillés tiédissaient.

– Seule Agatha, l'épouse de Pibia, sait préparer ce mets. Je crois qu'elle y ajoute, en cours de cuisson, tout en remuant sans faiblir les œufs, une cuillerée de crème. Mais vous ne le lui ferez pas dire, c'est son secret, expliqua lord Simon en moulinant sur son assiette du poivre blanc.

Desteyrac attendit que le plat eût été dégusté en silence pour en venir à la question qui l'avait conduit à Cornfield Manor.

– Peut-être est-il trop tôt dans la matinée, peut-être aurais-je dû me présenter en habit avec des gants beurre frais pour vous demander la main de lady Ottilia, dit-il.

Lord Simon, occupé à beurrer un toast avec application, reposa pain et couteau et saisit, par-dessus les couverts, la main de Charles, qu'il serra fortement.

– Allons, allons, mon ami. Pas de protocole entre nous. Je suis certain que si Rosebud a une chance de trouver un bonheur à sa mesure, c'est avec vous. Vous êtes le fils que je n'ai pas eu et je partirai tranquille sachant ma fille, mon petit-fils et Soledad, en de bonnes mains, dit Simon, plus ému qu'il ne voulait paraître.

– Nous voudrions nous marier avant Noël.

– Eh bien, nous allons organiser ça. Nous ferons publier les bans à Nassau, à Londres et à Paris. Russell et Taval vous béniront, Maoti-Mata vous offrira un javelot pour défendre votre épouse, Otti recevra une calebasse pour préparer vos repas, tel est le rite des Arawak. Nous tuerons le veau gras, comme il est dit pour l'enfant prodigue dans l'Évangile de saint Luc, et tout le monde sera content, moi le premier, conclut lord Simon, avec un rire bref qui vira en sourire mélancolique.

— Avec vous, je n'aurai eu qu'un seul gendre pour mes deux filles. Je sais tout le bonheur que vous a donné notre chère Ounca Lou. Années inoubliables, sans doute. Avec Rosebud, vous le savez, les choses seront différentes. Et c'est bien ainsi, n'est-ce pas ?

— Ce sera différent et c'est bien ainsi, concéda Charles.

Un jour de décembre, la procédure détaillée ce matin-là par lord Simon se déroula comme annoncée. Sans cérémonie – une veuve épousait un veuf – le père Taval, descendu de son ermitage, bénit les époux, après que le pasteur Russell eut célébré leur union suivant le rite anglican.

Au soir du mariage, un grand dîner réunit tous les intimes, à Cornfield Manor. Personne, sauf Dorothy Weston Clarke, ne s'étonna de la présence du fils de Charles.

À quinze ans, Pacal en paraissait dix-huit. Teint mat, yeux en amande et cheveux de jais, lisses et lustrés, révélaient une petite dose de sang des Arawak, léguée par sa mère. Il inaugurait pour la circonstance un spencer bleu de nuit, qui mettait en valeur l'étroitesse de ses hanches et sa carrure athlétique. Sa complicité avec son grand-père, de qui il avait adopté les goûts et même les tics, était telle que tous voyaient déjà, dans l'adolescent, le futur maître de Soledad.

Ce soir-là, Ottilia lui avait donné pour cavalière la plus jeune des cinq filles du pasteur Russell, Violet, d'un an son aînée. Blonde au long visage osseux, peu loquace, dont le regard était empreint d'inquiétude. Elle craignait que sa mère, au fil des libations, ne fît scandale.

— Il est rare qu'un garçon assiste au mariage de son père avec une demi-sœur de sa défunte mère, observa d'un ton acerbe Dorothy Weston Clarke.

– Il est encore plus rare, madame, qu'une telle union ait été souhaitée par un orphelin, répliqua Violet avec aplomb, pour éviter à Charles de répondre à une femme de qui tout le Cornfieldshire redoutait les propos venimeux.

Contrainte de suivre son mari dans l'exil, Dorothy n'avait jamais pu s'acclimater à Soledad. Elle regrettait Mayfair, où elle était née, les théâtres et les belles boutiques de New Bond Street, les thés chez les bourgeoises cancanières, les brillantes réceptions de la Medical and Chirurgical Society, dont Albert Weston Clarke avait été exclu pour faute professionnelle.

Les félicitations adressées aux nouveaux mariés furent chaleureuses mais discrètes et lord Simon laissa le soin à Maoti-Mata, doyen de l'assemblée, de prononcer le toast de circonstance.

Le cacique, connaissant l'âge de la mariée – Ottilia était entrée dans la quarantaine – et sachant sans doute son incapacité à procréer, s'abstint de toute allusion à la fécondité possible du nouveau couple. Il rappela seulement que, chez les Arawak, le célibat était considéré comme une tare.

– Un homme sans épouse risque de dériver, comme un voilier sans voiles, et de faire naufrage, conclut-il.

Le cadeau de lord Simon, une parcelle du Cornfieldshire, située sur la côte ouest, à quelques miles au nord de Cornfield Manor, permit à Charles d'entreprendre aussitôt, d'après les plans offerts par Murray, la construction d'une vaste demeure à un étage, avec combles et galerie périptère. Les époux décidèrent de nommer leur résidence Malcolm House, en souvenir de l'architecte.

Ce fut dans cette ambiance, à la fois active et sereine, que, huit jours avant Noël, les Lowell annoncèrent leur visite, avec leurs deux enfants. Viola, restée très attachée à sa famille arawak et respectueuse des aînés, tenait à présenter Leontyne et Richard, âgés de trois et deux ans, à leur parentèle, de l'arrière-grand-père, Maoti-Mata, au dernier de leurs petits-cousins. Il fut décidé qu'en janvier Pacal partirait avec eux pour Boston, ce qui dispenserait Charles d'un voyage, au moment où il s'affairait pour accélérer la construction de Malcolm House, qu'Ottilia se disait impatiente de décorer.

Au commencement de l'année, la veille du départ de Pacal Desteyrac-Cornfield pour Boston, lord Simon donna un petit dîner pour les époux Lowell, qui prenaient en charge son petit-fils puisque le futur étudiant logerait chez eux. C'était la première fois que Viola, beauté indienne mais autrefois simple nurse de Pacal à Valmy, se trouvait à la table du maître de l'île. Bien qu'intimidée, elle se comporta en convive parfaite, assez fière que son mari, amputé depuis la bataille de Shiloh, en 1862, fît usage de ses mains artificielles sans difficulté.

Le lendemain, tandis qu'il regagnait le chantier de Malcolm House, après avoir accompagné les Lowell et son fils au port occidental, où ils s'étaient embarqués sur le bateau-poste pour Nassau, Charles aperçut, de loin, lord Simon, hiératique sur son cheval, campé au bord de la falaise. Le vieil homme, muni d'une longue-vue, suivait la marche du bateau, qui s'éloignait sur l'Océan, animé, ce matin-là, par une paisible houle.

Le soir, à Cornfield Manor, le maître de l'île ne parut pas au dîner, mais Charles et Ottilia entendirent, tard dans la nuit, les torrents de sons déversés par les tuyaux d'étain de l'orgue. Tous jeux ouverts, lord Simon demandait à Jean-Sébastien Bach de le consoler de la longue absence de son petit-fils.

Au cours des mois qui suivirent, Charles et Ottilia s'installèrent dans la vie conjugale. Deux chambres et un salon leur avaient été aménagés à Cornfield Manor, lord Simon estimant que les époux devaient dormir, sinon ensemble, du moins sous le même toit, en attendant d'avoir le leur.

Pour construire Malcolm House, l'ingénieur avait fait tailler des centaines de blocs de calcaire corallien qui, mis en place, constituaient le soubassement de la maison, telle que l'avait prévue Murray. Les murs seraient constitués de briques fumées, d'un ocre lumineux, commandées en Georgie, ancien État sudiste, où les esclaves avaient acquis une parfaite maîtrise de la fabrication des briques, matériau souvent utilisé pour la construction des manoirs de plantation.

Lord Simon, qui n'entendait pas lésiner sur la dépense, avait autorisé Charles à faire abattre autant de pins que nécessaire pour l'établissement de la galerie de sa maison. La fabrication des planchers, escaliers, colonnettes et balustres avait été confiée à Thomas O'Graney et à ses charpentiers irlandais.

Tandis que Charles surveillait le chantier, Ottilia choisissait, à Exile House, le mobilier qu'elle entendait conserver. Aidée d'Anacona, dite Fleur-d'Or, la petite orpheline ramenée de Cuba, jolie fillette d'une douzaine d'années, la nouvelle épouse Desteyrac faisait aussi extraire, des combles de Cornfield Manor, des commodes, des armoires et des tables, meubles anciens, souvent de style Adam ou Chippendale, que les ébénistes de marine furent chargés de restaurer. D'autres objets et tableaux viendraient d'Exile House et aussi, de Valmy, des souvenirs auxquels Charles semblait tenir.

Quand vint le moment de prévoir un cabinet de travail pour l'ingénieur, celui-ci surprit sa femme en proposant de faire reproduire à l'identique, dans le parc de leur résidence, le bungalow de brique construit par Murray derrière Exile House pour abriter son étude d'architecte.

– Le décor raffiné du lieu conçu par Malcolm mérite d'être conservé, ainsi que le mobilier, sa belle table à la Tronchin, les tableaux et la bibliothèque composée de plusieurs centaines d'ouvrages, la plupart consacrés à l'architecture, à la sculpture et à la peinture. Dans mon cabinet de travail, je donnerai à tout cela la même disposition que dans celui de Malcolm, expliqua-t-il.

– Je pense qu'il serait heureux de savoir que vous tirez des plans sur sa planche à dessin, approuva Ottilia.

– Je me vois déjà, travaillant sous le regard de son aïeul à barbe rousse, ce Balthazar James Murray, laird de Barington et de Mangreat, sous Henri VIII, dont Malcolm m'a raconté la destinée, dit Charles, enthousiaste.

– Comme la plupart des Murray d'autrefois, grands buveurs et trousseurs de bergères, ce Balthazar était un fou. Malcolm a dû vous dire que cet homme, à la fin de sa vie, se prenait pour un oiseau et vivait dans une volière, rappela Ottilia en riant.

– Je sais tout des Murray d'Écosse. Quelle lignée ! Mais le portrait de Balthazar, peint par un élève de Holbein, est superbe, n'est-ce pas ?

– Je vous le concède et suis heureuse que vous le conserviez. Mais, comptez-vous aussi déménager ou tenir en l'état le sous-sol du bungalow ? Et garder son contenu ? Vous savez, bien sûr, qu'il contient un étrange cabinet de curiosités. Avant de mourir, Malcolm m'a dit que vous étiez seul à posséder la clef de cet antre sulfureux, dit Ottilia.

– C'est exact. Et je suis assez perplexe quant à la destination qu'il nous faudra donner aux pièces de cet étrange musée. Mais j'ignorais que vous connaissiez l'existence de ce cabinet souterrain, dit Charles.

– Malcolm ne me cachait rien, vous ne l'ignorez pas. Il me savait d'une grande indulgence pour ses choix pervers et ses mœurs dépravées. Cependant, quand, après m'avoir montré sa hideuse collection de moulages des seins de ses conquêtes, il me proposa d'y ajouter celui de mon buste, je l'ai giflé.

– Il l'avait certes mérité. Encore qu'on ne savait jamais, avec lui, s'il ne s'agissait pas seulement de provoquer l'autre, atténua Charles.

– Le lendemain de la gifle, il m'offrit le plus précieux des bijoux hérités de sa grand-tante, une tiare en diamants que je n'ai coiffée qu'une fois pour une réception au palais Saint James. Malcolm était ainsi, Charles, provocateur certes, et presque aussi fou que ce Balthazar, qui se prenait pour un gerfaut, mais aussi capable d'une élégante générosité. Je l'aimais comme un frère, vous l'aimiez aussi et lui aussi vous aimait, acheva Ottilia.

– Par respect pour la mémoire de Malcolm, quand j'aurai vidé le bureau, je ferai murer l'accès du cabinet de curiosités par O'Graney, qui construisit autrefois la salle souterraine sans en connaître la destination. Ainsi, personne ne pourra plus y pénétrer.

– Ce sera le tombeau d'une folie de Malcolm, de nous seuls connue, admit Otti en prenant la main de son mari.

– Peut-être que, dans un siècle ou deux, des archéologues, disciples de ce savant allemand, Heinrich Schliemann, qui fouille en Grèce les ruines de Troie, trouveront à Soledad matière à s'interroger sur la vie dans les West Indies au temps de la reine Victoria, augura Charles, badin.

2.

Charles Desteyrac était informé des événements de France par la correspondance de sa mère, plus régulière depuis que la veuve du général de Saint-Forin vivait, presque en recluse, chez les sœurs visitandines, en raison de son grand âge et de la difficulté qu'elle avait à se déplacer. C'est par elle qu'il apprit, en février, la mort de Napoléon III, le 9 janvier, à Chislehurst, résidence anglaise de l'empereur déchu, dans le Kent.

« L'empereur est mort ! En lui s'éteint une pensée pleine des destinées et de la grandeur de la France, un cœur dévoué à tous sans distinction, mais surtout aux faibles et aux pauvres », avait-elle écrit, citant un extrait de la nécrologie rédigée par Granier de Cassagnac dans le journal *L'Ordre*, organe des Bonapartistes.

Car Mme de Saint-Forin restait fidèle à la mémoire de Louis Napoléon, même si le demi-frère de Charles, Octave de Saint-Forin, maintenant colonel, aide de camp du gouverneur de Paris, servait la république chancelante d'Adolphe Thiers.

« La seule chose qui me chagrine, c'est qu'Octave semble se satisfaire du célibat. D'ailleurs, il n'accepte dans son état-major que de jeunes officiers célibataires et généralement beaux. » Cette précision avait fait sourire les Desteyrac.

La mère de Charles n'avait jamais eu de sympathie pour Ounca Lou, la première épouse de son fils. Elle la tenait pour une demi-sauvage. En revanche, elle avait tout de suite adopté Ottilia. Le fait que celle-ci fût « une lady, fille de lord », la comblait d'aise et, dans ses lettres, la veuve du général ne manquait jamais d'ajouter un ou deux paragraphes aimables destinés à sa bru. Elle espérait, écrivait-elle, « pouvoir, avant de mourir, la rencontrer », ainsi que l'enfant de son fils, « bien qu'un des prénoms de ce garçon fût peu chrétien ».

Le jour où, dans une nouvelle lettre, elle souhaita l'envoi d'une photographie du couple, Otti dut convaincre Charles de satisfaire à cette demande. Lors d'un voyage à Nassau, ils posèrent devant l'objectif du meilleur photographe de l'archipel et Ottilia adressa à sa belle-mère une épreuve où elle apparaissait souriante, au bras d'un mari renfrogné.

Ottilia reçut, par retour du courrier, c'est-à-dire trois semaines plus tard, une courte mais chaleureuse lettre de Mme de Saint-Forin. Après des remerciements pour l'envoi de la photographie, la mère de Charles concluait : « Mon fils aîné, que je n'ai pas vu depuis plus de vingt ans, ressemble, ayant pris de l'âge, trait pour trait, à son défunt père, si j'en juge par son portrait où je retrouve le peu d'aménité des Desteyrac. Il a eu la chance de trouver enfin en vous une épouse selon mon cœur et mon vœu le plus ancien. Votre saine beauté et votre distinction me permettent-elles d'espérer, ma chère fille, que vous puissiez me rendre grand-mère de beaux enfants ? »

Charles, ayant reconnu sur l'enveloppe la haute écriture anguleuse de sa mère, guettait, amusé, la réaction de sa femme à la lecture de la lettre qu'il venait de lui remettre. Quand elle replia le feuillet, il jaillit de son fauteuil en voyant des larmes sourdre des yeux d'Otti.

– Qu'écrit-elle ?... Le tact n'a jamais été le fort de ma mère. Écrit-elle des choses désagréables ? Pourquoi ce chagrin ?

– Non, Charles. C'est une lettre gentille, pour vous

comme pour moi... simplement celle d'une vieille dame qui souhaite avoir des petits-enfants. Lisez vous-même.

Ottilia, la gorge nouée, tendit la lettre à son mari. Desteyrac parcourut la missive, la jeta sur le guéridon et vint s'asseoir sur le canapé, près de sa femme, qu'il attira tendrement contre lui.

– On ne peut lui en vouloir, Otti. Pour ma mère, un homme se marie afin d'assurer sa descendance. Or, pour elle, Pacal restera toujours l'enfant d'une Indienne des îles, ce qui ne compte guère. Elle aurait voulu des petits-enfants de pure race blanche, français si possible, dit-il en essuyant du bout de l'index les larmes qui, sur les joues d'Ottilia, glissaient jusqu'à la commissure des lèvres.

– Et puis, elle ne connaît ni mon incapacité à procréer ni mon âge. Elle me prend pour plus jeune que je ne suis, dit-elle.

– Ma mère a cependant, croyez-moi, l'œil exercé, mais comme vous paraissez dix ou quinze ans de moins que votre âge, elle révèle ses espérances, dit Charles en riant.

– Se pourrait-il que le bonheur rajeunît les femmes ? risqua-t-elle.

Timbo ayant annoncé le dîner, Charles prit la main d'Otti pour la conduire à la salle à manger.

Pacal avait promis à son grand-père une lettre mensuelle. Comme il devait aussi donner régulièrement des nouvelles à son père et à lady Lamia, il opta, sur le conseil de Robert Lowell, pour la lettre circulaire. Le professeur estimait qu'écrire pour rapporter des banalités était faire mauvais usage du temps.

– La pratique épistolaire reste une affaire de femme désœuvrée. Après Mme de Sévigné et Mariana Alcoforado, la Religieuse portugaise, de nombreuses Américaines

ᵣaines, Sudistes ou Nordistes, de qui on publie
ᵣant les lettres écrites entre 1861 et 1865, s'y sont
ᵣes, souvent avec sensiblerie, parfois avec emphase,
ironῐa-t-il un jour.

Pour Bob, écrire en trois lignes à ses parents que l'on est
en bonne santé et que la vie suit son cours suffisait ample-
ment. Seules comptaient, pour le mentor de Pacal, les heures
consacrées à l'étude des phénomènes physiques, chimiques
ou mécaniques, la résolution d'équations, le calcul des engre-
nages, la course d'une bielle dans un cylindre.

Heureusement pour les siens, Pacal ne se limitait pas au
laconisme prôné par son maître. Calligraphiées avec soin et
recopiées, ses lettres étaient augmentées, pour chacun de ses
correspondants, de quelques paragraphes personnels, en
français pour son père. Ce dernier, craignant que son fils ne
perdît le vocabulaire et l'orthographe de la langue paternelle,
exigeait cet exercice.

Dès février, on se mit à guetter, à Cornfield Manor,
l'arrivée du bateau-poste. Quand parvint à lord Simon la
première missive de son petit-fils, appréciant l'épaisseur de
l'enveloppe timbrée à l'effigie de George Washington, il
s'enferma dans son cabinet de travail pour goûter seul cette
lecture. À Malcolm House, où les Desteyrac achevaient de
s'installer, Charles partagea avec Ottilia le compte rendu
circonstancié que l'étudiant faisait de sa découverte de
Boston et de la vie en Nouvelle-Angleterre. Quant à Fish
Lady, elle répondit immédiatement à son filleul et glissa un
billet de cinq dollars dans l'enveloppe.

Pacal faisait part de ses premières impressions, datées du
25 février 1873.

« Boston est une grande ville, si grande que l'on peut s'y
perdre, et l'étranger qui ne prend pas de repères risque de
ne pas retrouver sa maison. Aujourd'hui souffle une bise
cinglante, qui vous coupe la figure, surtout sur les grandes
avenues comme Beacon Street ou Commonwealth Avenue.

Pour la première fois de ma vie, à mon arrivée, j'ai vu de la neige autrement que sur les gravures des vieux livres de grand-père. On dit qu'il en restera sur le sol jusqu'au mois de mars, car là où les nègres, employés de la municipalité, n'ont pas balayé, elle forme des croûtes sales. Bob Lowell m'a montré le Capitole, couvert d'un dôme superbe, la grande bibliothèque, des maisons construites par les premiers colons. On voit beaucoup de voitures tirées par des chevaux, certaines jaunes, qui ressemblent à des wagons et roulent sur des rails, comme le train. On les appelle tramways. Je suis allé, avec Viola et les enfants, jusqu'à la Charles River. C'est un fleuve gris comme le ciel qui s'y reflète, mais il paraît qu'en été ses berges sont un lieu de promenade charmant et que les étudiants de Harvard y font du canotage. Il y a eu ici, le 9 novembre de l'an dernier, un grand incendie, qui a détruit beaucoup de maisons et tué treize personnes. Depuis, les Bostoniens ont peur du feu et construisent des citernes en bois qu'ils emplissent d'eau.

» Heureusement, nous habitons Cambridge, sur la rive nord de la Charles, en face de Boston, où l'on peut se rendre facilement par plusieurs ponts. La ville compte plus de cinquante mille habitants et paraît toute dévouée à l'université Harvard, la plus vieille et la plus riche des États-Unis. Elle a été fondée comme collège en 1636. Bob Lowell m'a conduit dans les deux grandes cours rectangulaires qui constituent le domaine de l'université, peut-être cinq fois plus grand que le parc de Cornfield Manor, en plein dans la vieille ville. Il y a le Massachusetts Hall, construit en 1720, et le plus ancien bâtiment, University Hall, qui date de 1815, abrite les bureaux où Lowell m'a fait inscrire pour la rentrée. J'ai vu la bibliothèque qui contient quatre cent mille livres. Le Thayer Hall, immeuble récent qui abrite soixante-huit salles de classe, aurait coûté cinq cent soixante-quinze mille dollars. On est en train d'ériger une tour, qui dominera le palais le plus considérable de l'université. Sur les murs du vestibule, on a gravé les noms de tous les membres de Harvard, professeurs et étudiants, qui furent tués pendant la guerre de Sécession, qu'on appelle ici *Civil War*.

» En marchant dans les allées, mon maître m'a montré des pavillons, presque tous faits de brique rouge, qui abritent des laboratoires de physique et de chimie, un auditoire de théologie, les écoles de droit, dentaire, de médecine et même vétérinaire. J'ai vu le musée d'histoire naturelle empli des collections rassemblées par Louis Agassiz. Ce professeur est venu de Suisse en 1846. Bob Lowell et tous ses collègues ont pour ce savant une grande estime, surtout depuis qu'il a exploré à la drague les côtes de l'Amérique du Sud, au cours d'une expédition dont tout le monde parle. J'ai bon espoir d'être présenté à cet éminent professeur.

» En rentrant de notre visite à l'université, Bob m'a fait faire le tour du Massachusetts Institute of Technology, où il enseigne. C'est là que j'étudierai pendant quatre années pour obtenir, si je travaille bien – ce que j'ai l'intention de faire – un diplôme de *Bachelor of Sciences*, très prisé paraît-il dans toute l'Amérique. Je dois reconnaître que le MIT, comme tout le monde l'appelle ici, est d'aspect plutôt austère. Ce sont des bâtiments de brique, couverts de rideaux de lierre et entourés d'un épais gazon. Avant de rentrer à la maison, où j'ai une chambre confortable avec une grande table pour travailler, Bob Lowell m'a montré l'orme, vieux de plus de trois siècles, sous lequel George Washington accepta, le 3 juillet 1775, de prendre la tête de la révolution des colons. De là, nous sommes allés, sur Mont Auburn Street, dans un établissement nommé The Blue Parrot, où l'on boit et l'on mange. Bob Lowell m'a offert un festin de crêpes. C'est le plus vieux café de Cambridge, très fréquenté par les étudiants. »

Pacal terminait sa longue lettre par une série de salutations à transmettre à ses connaissances, « sans oublier Anacona, Alida, Shakera, Tokitok, Kameko et Timbo ».

Sur la lettre destinée à son père, il avait ajouté une confidence, qui inquiéta Charles.

« J'ai le sentiment que Viola, qui aime beaucoup son mari et ses enfants, n'est pas ici très heureuse. Elle a pleuré quand nous avons quitté Soledad, et encore quand nous avons quitté Nassau. Le professeur n'était pas content et l'a envoyée se cacher dans leur cabine. Il faut dire qu'à Cambridge elle est peu invitée dans les familles de professeurs amies de Lowell. Souvent, il va seul aux dîners et aux réceptions. Il passe aussi beaucoup de soirées au Temple Club, où il retrouve d'anciens camarades de guerre. Je crois que Viola n'est pas invitée parce qu'elle est arawak et que beaucoup de gens d'ici n'aiment pas plus les Indiens que les nègres. Je sens moi-même, quand Bob Lowell m'envoie chercher du tabac ou de la bière dans les boutiques, que les marchands n'ont pas, pour moi, le même regard que pour les autres clients. J'ai senti la même curiosité au théâtre Sanders, où Bob m'a mené voir *Othello*, une pièce de William Shakespeare. Mais je suis décidé à ne pas me laisser impressionner par ces gens, qui parlent un anglais bizarre. Par exemple, ils disent *yeah* pour dire *yes*. »

Les Desteyrac ne soufflèrent mot à Alida, la sœur de Viola, restée à leur service comme femme de chambre d'Ottilia, des constatations de Pacal quant à l'attitude des gens de Boston envers ceux et celles qui, comme l'épouse de Robert Lowell, n'étaient pas de purs *WASP*. Ounca Lou, étudiante au Rutgers College[1], à Camden, près de New York, avait, autrefois, souffert d'un tel ostracisme.

— Pacal saura, je l'espère, s'accommoder de cette situation et démontrer, le cas échéant, que l'intelligence et le goût des études ne tiennent pas à la couleur de peau, dit Ottilia.

— Nous le saurons bientôt. Mais je ne comprends pas que Bob Lowell, qui fait figure de héros de la guerre civile,

---

1. Devenu université en 1924.

n'impose pas son épouse dans une société qu'il a, au prix de ses deux mains, aidée à triompher des esclavagistes sudistes. Un mari n'accepte pas d'invitation à dîner sans sa femme, protesta Charles, déçu par l'attitude de son ami.

– On rencontre, chez les puritains de Nouvelle-Angleterre, une bonne dose d'hypocrisie. Savez-vous qu'une femme de ménage ne veut pas travailler pour un homme seul ! Nos cousins de Boston, à qui mon père a écrit pour leur annoncer que son petit-fils se préparait à entrer à Harvard, n'ont, semble-t-il, pas encore invité Pacal à leur rendre visite, constata Ottilia.

Très occupés par l'aménagement de Malcolm House, Charles et Ottilia oublièrent bientôt des remarques que Pacal ne renouvela pas dans ses lettres de mars et avril. La vie insulaire reprit son cours et vint le jour de mai où les intimes du couple furent conviés à la pendaison de crémaillère.

Tous les invités, lord Simon le premier, apprécièrent la résidence Desteyrac, comme une parfaite illustration du style anglo-colonial des West Indies.

Sur un rez-de-chaussée, surélevé par un soubassement fait de blocs réguliers de calcaire corallien, sous lequel se trouvaient cave, cellier et resserre, s'élevait un étage de brique, couvert d'un toit à quatre pentes, percé de mansardes. Une galerie – sur laquelle ouvraient toutes les pièces du premier niveau par des portes-fenêtres – ceinturait la maison. En façade, au bout d'une allée de jeunes palmiers, on accédait à ce promenoir périptère par un large escalier de bois, flanqué de deux rampes, dont Tom O'Graney et ses charpentiers avaient tourné les balustres, ainsi que les fines colonnettes, soutiens de l'avant-toit.

La porte d'entrée à deux battants, surmontée d'une imposte vitrée en éventail, avait été inspirée à Murray par celles des hôtels particuliers de Park Lane, clin d'œil londonien.

Un large vestibule traversait la maison, reliant la cour

d'entrée au parc ordonné sous de grands palmiers royaux que Charles Desteyrac avait tenu à conserver. Par ce hall, meublé de consoles et de commodes supportant lampes à pétrole de porcelaine, statuettes antiques – dont deux Tanagra, héritage de Malcolm Murray –, un bol à punch en argent de l'époque Queen Ann, une paire de vases de Wedgwood et bien d'autres objets d'art, rassemblés par lady Ottilia, on pénétrait dans les pièces de réception. Des portes de chêne à deux vantaux, importées de Caroline du Nord, ouvraient sur grand et petit salons, salle à manger, fumoir, bibliothèque et boudoir d'Ottilia. Une pièce était dévolue au billard offert par lord Simon à son gendre. Le maître de Soledad viendrait souvent y jouer. Ottilia avait fait suspendre aux murs du hall des portraits de famille et, dans le grand salon, des copies de paysagistes : un Canaletto, *la Tamise vue de Richmond*, *la Chasse de lord Grosvenor*, de George Stubbs, une *Venise*, de Turner, *Un lac*, de Joseph Wright of Derby et *la plage de Brighton*, par John Constable.

Séparée du petit salon – où Otti avait fait placer son piano à queue – par une cloison pliante, tel un paravent, la pièce d'apparat pouvait être agrandie, les jours de bal.

Côté parc, une étroite allée couverte reliait Malcolm House au bungalow qui abritait le cabinet de travail de l'ingénieur. Comme prévu, Charles avait imité en cela l'organisation de Malcolm Murray, à Exile House, mais cette construction ne comportait ni chambre à coucher ni sous-sol secret.

Les chambres, cabinets de toilette et garde-robes, distribués à l'étage, composaient les appartements séparés des époux. Une annexe, reliée à la maison par une galerie claustrale, identique à celle qui conduisait au cabinet de travail du maître de maison, abritait le logement des domestiques.

Le fidèle Timbo, au service de Charles Desteyrac depuis vingt ans, s'était enfin décidé à épouser Bernice, une femme de chambre de Cornfield Manor, depuis longtemps sa maîtresse. Il avait été promu majordome et son épouse gouvernante. Ce mariage tardif s'expliquait par le fait que lord Simon n'avait jamais voulu, dans la domesticité de Cornfield Manor, de femme mariée autre que l'épouse de Pibia. Fier d'arborer, les jours de dîner, habit noir, chemise blanche à plastron et cravate, Timbo, toison niellée d'argent, gestes pleins de rondeur, prenait ses fonctions avec le sérieux d'un butler de Mayfair. Au bout de quelques jours, Charles dut tempérer son zèle et la rigueur dont il faisait preuve envers valets et servantes.

Le dîner inaugural, présidé par lord Simon, ne fut pas suivi d'un bal, comme l'avaient espéré certains invités et, dès le lendemain, Charles et Ottilia abordèrent une nouvelle existence, celle d'un couple installé dans son intimité. L'ingénieur, qui venait de passer plusieurs années seul, renoua avec une vie conjugale réglée, repas et soirées partagés. Souvent, après le dîner, Ottilia se mettait au piano et jouait une *Sonate* de Beethoven, un *Caprice* de Chopin, ou tirait de l'album *les Années de pèlerinage*, de Franz Liszt, les morceaux préférés de Charles : *les Cloches de Genève*, ou *la Vallée d'Oberman*. La fille de Simon partageait l'engouement de son mari. Ces airs n'avaient-il pas été composés alors que le musicien vivait, à Genève, un amour passionné avec Marie d'Agoult ?

Affranchi du sentiment d'infidélité à la mémoire d'Ounca Lou, qui l'avait un moment habité, Charles, rasséréné par les sonorités du grand Steinway, s'abandonnait alors à ces moments de paix domestique, comme à une félicité inédite. En tirant sur un cigare, il suivait le jeu de l'interprète et ne découvrait que des raisons de se réjouir.

Parfois, il ne pouvait cependant se défendre du souvenir du passé sulfureux d'Ottilia et de sa propre détestation de la lady rencontrée pour la première fois, en janvier 1853, à bord du *Phoenix*, arrogante, effrontée, femme ô combien différente de celle qui était devenue son épouse.

Un soir, quand le silence se fit et qu'Ottilia eut pris place dans un fauteuil, Desteyrac décida d'élucider une attitude récente de sa femme, qu'il n'avait pas comprise.

— Quand, la semaine dernière, je suis allé passer trois jours à Buena Vista pour lancer les travaux de terrassement du futur phare de Cabo del Diablo, j'ai, comme vous le savez, logé chez Fish Lady. Pourquoi n'êtes-vous pas venue me rejoindre, le soir, comme nous nous y attendions, Lamia et moi ?

Surprise par la question, Otti observa un instant de silence. Bien qu'elle se retînt de trop le manifester, l'amour qu'elle portait à Charles confinait à la vénération.

— Parce que je ne veux pas être une épouse possessive. Je suis certaine que vous avez besoin d'être seul, parfois. Je vais peut-être vous paraître stupide, mais cela relève du respect que je vous porte, dit-elle.

Charles écrasa son cigare dans un cendrier et vint au-devant d'elle, l'obligeant à quitter son siège en lui prenant les mains.

— Otti, Otti ! Je n'ai que faire de votre respect. Le respect est à l'amour ce que l'eau est au vin. Il affadit et interdit l'ivresse. Sachez que je ne me sens pleinement moi-même que lorsque vous êtes à portée de mon bras, lança-t-il en l'étreignant.

Elle répondit à l'étreinte et le baiser qu'ils échangèrent la combla. Charles, grisé par le contact de ce corps de femme, ferme et tiède sous la robe de soie, osa, pour la première fois, solliciter davantage.

— Auriez-vous, ce soir, une place dans votre lit, afin que je vous ôte tout sentiment de respect à mon égard, dit-il, souriant.

Ottilia savait comment le désir submerge parfois les hommes les plus maîtres de leurs sens. Chaque fois qu'elle avait répondu à cet appel animal, avec l'espoir qu'enfin un amant triompherait de sa désespérante malformation, elle avait été, non seulement déçue, mais affreusement humiliée. Bien que Charles sût, lui, à quelle frustration il s'exposait, elle éprouva soudain une peur panique de le perdre, de se sentir, une fois encore, honteuse, avilie.

Au silence gêné qui répondit à sa proposition crûment exprimée, Charles Desteyrac devina que ce n'était pas la pudeur qui retenait Ottilia, mais bien la certitude de ne pouvoir assouvir le désir impatient qui l'assaillait.

— Pardonnez cette forte envie que j'ai, depuis longtemps, de vous tenir nue dans mes bras, de vous prouver combien vous êtes désirable et...

— Venez, coupa-t-elle, d'un ton résolu en lui prenant la main.

Ils traversèrent le hall, encore éclairé par une applique à pétrole, et gravirent l'escalier. Au seuil de sa chambre, Otti s'arrêta.

— Mon lit est étroit, murmura-t-elle.

— Tant mieux, souffla Charles.

S'étant dévêtus, ils s'allongèrent côte à côte dans l'obscurité, se tenant par la main, gisants de chair, silencieux, aussi embarrassés l'un que l'autre, elle consciente du danger qu'allait courir leur relation, lui redoutant les suites du défi téméraire qu'il avait lancé. L'immobilité d'Otti, figée, dans une attitude aussi craintive que confiante, le convainquit de son attente. Dans la pénombre, il savoura un moment, du regard, la nudité vénusienne et sereine de celle de qui il ne pouvait attendre un plaisir convenu. Elle céda, sans réticence, quand il l'attira contre lui.

Peu à peu, il trouva les mots, les effleurements délicats, les baisers vagabonds, qui conduisirent la femme longtemps crispée à la détente, puis de l'abandon à la connivence. Il l'initia aux audaces voluptueuses des amants, dont elle semblait tout ignorer, jusqu'à ce qu'elle connaisse, enfin, une jouissance aussi délicieuse que celle, trop aisée et commune, que la nature lui refusait.

Bientôt, la spontanéité du plaisir partagé assura Charles qu'Ottilia n'était pas déçue.

— Je suis comme sur un nuage. Je craignais le chagrin, vous m'offrez la béatitude, dit-elle.

À l'aube naissante, elle s'endormit dans les bras de son mari devenu son amant, souple, rassasiée, « enfin femme », comme elle le dit, avant d'avouer une douce lassitude, inconnue d'elle à ce jour.

Dès lors, les effusions, souvent plus tendres qu'épicées, tirant volupté des sens accordés avec délicatesse, meublèrent les nuits des époux. De là émergea une Ottilia transformée, épanouie, enjouée, d'une vitalité nouvelle, que tous remarquèrent.

Dorothy Weston Clarke, qui, faute d'occupations, passait le plus clair de son temps à épier les familiers du Cornfieldshire, proclama haut et fort son appréciation.

— Le mariage semble réussir à cette femme de plus de quarante ans, grinça-t-elle.

— Elle a, en effet, rajeuni, concéda l'épouse du commandant du port.

— Elle a quitté son air pincé et perdu une bonne part de son arrogance aristocratique. À croire qu'il lui fallait un homme dans son lit, renchérit la femme du médecin.

— En effet, je ne l'ai jamais vue aussi belle et aussi aimable avec tous. Dommage qu'à son âge elle ne puisse, sans doute, plus faire d'enfant, commenta Margaret Russell.

Lord Simon, lui-même, exulta. Sa fille ne craignait plus, devant lui, de se dire heureuse. Plusieurs fois, il l'entendit chantonner, quand elle venait à Cornfield Manor jouer la maîtresse de maison, les jours de réception obligée.

Souvent, le matin, on voyait les Desteyrac galoper côte à côte, sur les chemins ou les plages, se rendre, à bord de leur coupé, au village des artisans pour des emplettes, parfois gravir le mont de la Chèvre, pour visiter le père Taval, qui, souffrant de rhumatismes, ne se déplaçait plus que rarement. Parfois, en fin d'après-midi, ils allaient se baigner et nager à Pink Bay, avant de passer le pont de Buena Vista pour se présenter chez lady Lamia à l'heure du dîner.

Parmi les insulaires que le mariage de lady Ottilia avait réjouis, figurait Maoti-Mata. Le vieux cacique, à qui rien n'échappait, savait que Malcolm Murray, peu sympathique aux Indiens, n'avait jamais été un véritable mari pour la fille du lord. L'ami d'Old Gentleman, l'ingénieur Desteyrac, en ferait un meilleur, plus raisonnable et moins enclin au libertinage.

Quand, bien des années plus tôt, lord Simon avait révélé au cacique, sous le sceau du secret, l'infirmité de sa fille aînée, avec l'espoir que la médecine des Arawak pourrait guérir, là où les praticiens de Londres et de Paris avaient échoué, le dernier homme-médecine des Taino avait étudié les livres anciens, interrogé les zemis, organisé une cérémonie votive, autour de la Cahoba[1] du village. Puis il avait donné à son vieil ami anglais une réponse décevante. Les pratiques occultes ancestrales, connues des seuls initiés, avaient pu rendre l'usage de ses jambes à Ann, la fille de Jeffrey Cornfield, parce qu'il s'agissait des suites d'un accident. Elles ne pouvaient remédier à une malformation congénitale. « On ne modifie pas ce que les dieux imposent », avait déclaré Maoti-Mata. Maintenant, à voir le sourire et l'aisance de lady Ottilia, quand elle s'arrêtait au village des Arawak, le cacique avait compris que son ami français avait su dépasser la quête des plaisirs charnels, pour offrir à la femme incomplète un bonheur d'une plus rare qualité.

---

1. Statuette de bois, coiffée d'un plateau sur lequel on brûlait une poudre hallucinogène, censée faciliter le contact avec les esprits savants.

L'autorisation de construire un phare au Cabo del Diablo ayant été accordée à lord Simon par l'Imperial Ligththouse Service, Charles s'était mis au travail et passait beaucoup de temps sur le chantier. Les ouvriers, recrutés parmi ceux qui, autrefois, avaient construit le pont de Buena Vista, dirigés par le contremaître Sima, montraient d'autant plus de zèle qu'ils appréciaient cette activité lucrative, depuis que les profits, même modestes pour eux, tirés des trafics liés à la guerre civile américaine, étaient épuisés. Après une période faste, les familles noires ou indiennes retombaient dans la précarité. Les hommes, quand ils n'allaient pas s'embaucher à Nassau, au service des touristes, revenaient aux activités ancestrales : agriculture, pêche des éponges, vannerie et pillage des épaves. Les naufrages, aux frontières de l'archipel, étaient, hélas pour eux, de moins en moins fréquents, depuis que les bateaux à vapeur et à hélice remplaçaient les voiliers du commerce et que les autorités encourageaient la construction de phares sur les Out Islands.

Fish Lady avait craint, un moment, que les gens de Buena Vista ne tentent de s'opposer à la construction d'un phare, qui risquait de les priver des dernières ressources du *wrecking*. Elle fut rassurée quand Charles Desteyrac annonça le montant des salaires alloués aux terrassiers et que Tom O'Graney, accompagné de ses charpentiers irlandais, fit des rondes pour décourager toute tentative de sabotage. Car on se souvenait, à Soledad, des incidents qui avaient retardé, pendant vingt-cinq ans, entre 1838 et 1863, la mise en service du phare d'Elbow Cay !

Au commencement de l'été, la signature d'un nouveau contrat de navigation, entre le gouvernement bahamien et la compagnie Alexandra and Sons, de New York, fut discutée, tant à Cornfield Manor qu'au Loyalists Club. La compagnie s'engageait à assurer une liaison directe New York-Nassau toutes les trois semaines, en échange d'une subvention de trois cents livres sterling par voyage, versée par les autorités de l'archipel.

Lewis Colson, véritable mémoire maritime des West Indies, rappela à ses amis qu'en 1840 les navires de la Cunard assuraient vingt-quatre traversées de l'Atlantique par an.

– Maintenant, chaque jour, on compte six départs pour l'Europe chaque jour et autant d'arrivées. Cent quatre-vingt-quinze navires sont en service sur les lignes Europe-Amérique. L'an dernier, ces bateaux ont transporté deux cent quatre-vingt mille tonnes de fret et plus de trois cent mille passagers. Et la traversée ne dure pas plus de dix à douze jours, en moyenne, dit le marin.

– L'accélération des traversées, due à la vapeur, et la fréquence des liaisons nous feront paraître l'Atlantique plus étroit, commenta le capitaine Philip Rodney, goguenard.

– Plus étroit, mais tout aussi traître. Le 1er de ce mois, l'*Atlantic*, de la Compagnie britannique White Star Line, a fait naufrage sur un banc de Terre-Neuve. Cette catastrophe a coûté la vie à cinq cent quatre-vingt-cinq personnes. Le capitaine, qui, lui, est sauf, a déclaré qu'au départ on ne lui avait pas donné assez de charbon. Quand il s'est approché des côtes pour compléter sa provision, le navire a heurté le récif Mar's Rock, bien connu de tous les navigateurs. Quand le bateau a chaviré, les passagers qui n'avaient pas été engloutis se sont réfugiés sur la coque. Ils sont presque tous morts de froid, avant qu'on eût pu établir un va-et-vient avec la terre ferme, cependant toute proche. Moins d'un mille ; c'est en tout cas ce qu'écrivent les journaux, rapporta Colson.

– D'après le représentant de l'Amirauté à Nassau, l'affaire fait grand bruit à Londres. Un membre du parlement,

Samuel Plimsoll, s'en est pris aux compagnies transatlantiques, compléta Rodney.

— On dit qu'il va faire des propositions à la Chambre des
communes[1], précisa un membre du club qui rentrait de
Nassau.

— Savez-vous que le Bureau Veritas a compté, l'an
dernier, dans les mers du globe, la perte de 2 682 navires à
voiles, dont 1 310 bâtiments anglais et 211 américains. Sur
ces voiliers disparus, 135 n'ont jamais donné de nouvelles et
nul ne sait où ils sont engloutis. Les vapeurs ont été moins
touchés : 244 ont fait naufrage, dont 142 anglais et
56 américains, poursuivit Colson.

— La vapeur finira par éliminer la voile ; les voiliers ne
serviront bientôt plus qu'aux membres du Yacht Club pour
disputer des régates, ajouta Uncle Dave.

— Je crois bien que les bateaux à vapeu' sont mieux pour
naviguer. Quand j'étais *stew* sur les grands clippers, j'ai
souvent eu peu' de pas revoi' la terre, dit Sharko.

Puis il servit une nouvelle tournée de *pink gin*, à la
demande de Philip Rodney, qui partait le lendemain, avec le
Centaur, livrer des éponges au *Sponge Market*, à Nassau.

— La vapeur, parlons-en, Sharko ! L'an dernier, vingt-
deux chaudières ont explosé, et on ne compte plus les avaries
de machines, les blessés par fuites de vapeur brûlante, les
arbres de couche cassés, les pertes d'hélices, précisa Lewis,
indéfectible partisan de la voile.

— Voile ou vapeur : les dangers de la mer existent et exis-
teront toujours, pour tout ce qui navigue, conclut Uncle
Dave.

---

1. Le député libéral Samuel Plimsoll (1824-1898) fit voter, en 1876, un acte
de navigation, *Merchants Shipping Act*, qui imposa aux armateurs l'apposition sur
leurs navires de marques de franc-bord définissant la distance entre le niveau de
la mer et la partie supérieure du pont à la demi-longueur du bateau. Les marins
britanniques appellent toujours *plimsoll*, cette marque qui figure sur tous les
navires marchands.

Ce soir-là, l'autre sujet de conversation fut le départ pour l'Afrique d'un détachement bahamien du *First West Indies Regiment*, basé à Nassau, et l'arrivée de cent douze soldats anglais du *Ninety-third West Indies Regiment* de la Jamaïque, sous commandement du capitaine O'Toole, pour remplacer les indigènes mobilisés.

– Que diable nos Bahamiens vont-ils faire là-bas ? demanda le pasteur Russell.

– La guerre, mon Révérend, la guerre aux Ashanti, dit Pietro Belmonte, le gérant du General Store, au village des artisans, récemment élu membre du club.

– Qui sont ces gens ? demanda Uncle Dave.

– Les sujets d'un petit royaume très prospère, situé en Afrique occidentale, sur le golfe de Guinée. On l'appelle aussi Gold Coast, dit Rodney, qui avait navigué dans ces parages.

– Et quel crime ont commis ces nègres pour qu'on leur fasse la guerre ? insista le médecin.

– Les Ashanti détestent les colons britanniques, pourchassent et tuent ceux qui s'aventurent sur leur territoire. Ce sont de bons artisans, des commerçants avisés et des guerriers intrépides. Ils exploitent des mines d'or et cultivent l'arbre qui produit le cacao. À Kumasi, capitale du royaume – une belle ville, d'après les rares Européens qui l'ont visitée –, ils travaillent les métaux et vendent des bijoux. Malgré cet aspect civilisé, ils ne le sont guère. Ces nègres, bien que musulmans, pratiquent des sacrifices humains, révéla le capitaine Rodney.

– Se pourrait-il que les financiers de Londres convoitent les mines d'or des Ashanti ? persifla Colson.

– Quelle puissance européenne ne serait pas intéressée par des mines d'or ! répliqua Charles Desteyrac.

– Certes, mais depuis 1824, les Ashanti, peuple fier, attaché à son indépendance, interdisent à coups de fusil l'approche de leurs mines par les Britanniques. C'est en représailles aux dernières attaques contre nos compatriotes que le gouvernement de Sa Très Gracieuse Majesté a décidé d'envoyer, à Kumasi, un corps expéditionnaire, commandé par sir Joseph Garnet Wolseley, compléta Philip Rodney.

– Et, comme on a besoin de soldats habitués aux fortes chaleurs, le ministre de la Guerre prend des hommes dans le régiment de Nassau ! Pourquoi n'envoie-t-il pas des Anglais, des Gallois ou des Écossais, ça leur ferait voir du pays ! pesta le docteur Kermor.

– Les Anglais arriveront, comme d'habitude, quand la région aura été pacifiée par nos Indiens, risqua Charles Desteyrac.

Personne ne releva l'impertinence du propos. Seul Sharko acquiesça, d'un large sourire. Le mulâtre désapprouvait, sans pouvoir le dire devant les membres du club, qu'on expédiât en Afrique de jeunes Bahamiens, qui risqueraient leur vie pour John Bull, tandis que des militaires blancs prendraient de confortables quartiers à Nassau.

En août, une lettre de Robert Lowell anonça à Charles Desteyrac que son fils Pacal était admis au Massachusetts Institute of Technology. Le garçon avait subi avec succès les interrogations destinées à juger de sa capacité à suivre les cours du MIT. Bob ajoutait : « La maturité de Pacal et ses connaissances en mathématiques et en sciences, bien supérieures à celles de la plupart des nouveaux étudiants, ont étonné mes collègues. Ces derniers ne lui ont cependant pas facilité les choses, en raison du fait que votre fils vient d'une colonie britannique, dont les natifs ne peuvent pas être de purs Blancs, ce que révèle discrètement, mais révèle tout de même, le physique de Pacal. »

Quelques jours plus tard, la lettre mensuelle de l'adolescent confirmait son admission et donnait le détail des cours auxquels il était inscrit. En plus de ceux du MIT, il avait obtenu d'assister, à Harvard, au cours facultatif du professeur Francis Bowen, qui enseignait John Locke et la philosophie du XVIIIᵉ siècle, et à celui du Français Ferdinand Bocher, chargé de faire apprécier aux jeunes Américains Molière et les comédies françaises au XVIIᵉ siècle. « J'ai aussi pu me glisser, grâce à un ami que je me suis fait, Thomas Artcliff – son père est architecte à New York –, dans la classe de James Russell Lowell[1]. C'est le plus populaire des professeurs de Harvard, car il a succédé, dans la chaire de littérature moderne, à Henry Wadsworth Longfellow, le poète duquel je viens de lire *Evangeline*. C'est un long poème qui raconte le douloureux destin des Acadiens, colons français, chassés du Canada par les Anglais en 1755. »

Lord Simon avait secrètement espéré qu'on ne voudrait pas de son petit-fils à Harvard, ce qui lui eût permis de proposer pour Pacal une éducation anglaise à Eton. Il ne laissa rien paraître de sa déconvenue et se contenta de soupirer.

– On nous enlève donc Pacal pour quatre années. J'espère que nous le verrons aux vacances. S'il ne vient pas à Soledad, nous irons le voir à Boston, déclara-t-il, péremptoire.

En septembre, le premier ouragan de la saison traversa l'archipel. Il causa peu de dégâts dans les îles, mais la forte marée qui, comme souvent, succéda à la tempête tropicale, submergea une partie de New Providence et envahit Nassau. L'eau arriva jusqu'au palais du gouvernement, balayant tout

---

1. Écrivain américain, 1819-1891. Il avait succédé à Longfellow en 1855. En plus de ses fonctions d'enseignant, il dirigea deux magazines fameux : *The Atlantic Monthly*, de 1857 à 1861, puis la *North American Review*, de 1863 à 1872. Il fut ambassadeur des États-Unis à Madrid, de 1877 à 1880. Ses essais littéraires ont été publiés en français, sous le titre *Parmi mes livres*.

sur son passage. Les rez-de-chaussée furent inondés et le nettoyage des rues prit plusieurs jours, tandis que les débardeurs récupéraient caisses et ballots, enlevés des quais et malignement dispersés, à travers la ville, par le flux rageur, à l'intention des pillards.

Par l'hebdomadaire *L'Illustration*, envoyé par son ami Fouquet, Charles Desteyrac apprit que, le 20 novembre, le maréchal de Mac Mahon, arrivé au pouvoir après la chute de Thiers, le 24 mai 1873, avait été confirmé pour sept ans président de la République, deux semaines après que le général Ulysses Grant eut été réélu président des États-Unis.

Cette république, troisième du nom, ne pouvait satisfaire l'ingénieur, fidèle à la conception qu'en avait eue son père. Adolphe Thiers avait tenté, après la sanglante répression de la révolution communarde, d'imposer ce qu'il nommait lui-même une « république tempérée », propre à contenir « le communisme des ouvriers qui rendrait tout commerce impossible et ruinerait le pays ». On avait donc vu naître un parlementarisme favorable aux affaires. Les bourgeois s'étaient ralliés à la république, non par conviction mais avec le désir de gérer les choix politiques et économiques les plus profitables à leur classe. À cette république molle et étriquée du patriote Thiers, succédait, avec le risque à peine conjuré d'un retour à la monarchie, celle de Mac Mahon. Le héros de la guerre de Crimée avait un moment rêvé être le Monk[1] du duc de Bordeaux, comte de Chambord, dernier représentant de la branche aînée des Bourbons. En exigeant le rejet du drapeau tricolore et le retour du drapeau blanc, le fils

---

1. George Monk, duc d'Albemarle (1608-1670). Assura le retour sur le trône d'Angleterre de Charles II, exilé aux Pays-Bas après la prise de pouvoir par Cromwell.

posthume du duc de Berry avait rendu le maréchal à des sentiments plus républicains !

« La restauration monarchique a fait long feu, mais on voit revenir, dans les ministères et dans les préfectures, d'anciens fonctionnaires de l'administration impériale », écrivait Albert Fouquet à Charles, dans une lettre annonçant son passage aux Bahamas, sur la route de Panama, en 1874.

Lord Simon, venu faire, avant de dîner, comme souvent maintenant, une partie de billard à Malcolm House, ironisa sur les militaires entrés en politique, quand Desteyrac commenta pour lui les nouvelles reçues de France.

Puis, le lord fit part à Charles de son inquiétude pour son cousin Jeffrey, de New York, pris depuis l'automne dans les tourbillons d'une crise financière et économique qui menaçait de s'étendre, depuis le récent krach de Vienne, à ce qu'il nommait « les nations civilisées ». Il fallait entendre par « nations civilisées » les États capitalistes. Charles, rompu à la dialectique de son beau-père, ne s'y trompait pas et demanda quels risques nouveaux menaçaient ce brave Jeffrey, qui n'avait jamais eu de chance en affaires.

– La ruine, mon cher, la ruine, tout simplement. Jay Cooke Company, à New York, a déposé son bilan le 17 septembre dernier et la banque de Cooke, à Philadelphie, a dû cesser ses paiements. Une énorme débâcle pour la Northern Pacific Railway, dont Jeffrey doit avoir un paquet d'actions. Et cela intervient après que vingt-cinq compagnies de chemins de fer, dans lesquelles il avait certainement des intérêts, ont fait faillite, dit Cornfield.

– J'ai lu que la Bourse de Wall Street est restée fermée dix jours. On annonce une crise financière mondiale, de grande ampleur, dit Lewis Colson, invité ce soir-là.

– Je ne connais pas grand-chose à la haute finance, mais comment ce Cooke en est-il arrivé là ? demanda Charles.

– Comme tous ceux qui se croient plus malins que Rockefeller ou Vanderbilt. Jay Cooke, on ne sait trop par quels moyens, avait été nommé, en mars 1863, en pleine guerre de Sécession, agent exclusif du gouvernement pour « populariser la vente des bons de guerre », destinés à financer les fournitures et matériels de l'armée fédérale. On lui octroya de fortes commissions, qui lui permirent de fonder une banque à Philadelphie. Après la guerre, toujours en faveur auprès du gouvernement, il réussit une autre opération financière, quand le Congrès promulgua une nouvelle charte, qui confirmait les concessions de terres attribuées à la Northern Pacific Railway, que Cooke venait de racheter pour peu à ses premiers concessionnaires. Ceux-ci n'avaient pas pu réunir les capitaux nécessaires pour construire la ligne de chemin de fer qui devait relier le lac Supérieur à l'État de Washington. Cooke obtint un accord à sa mesure puisqu'on lui offrit deux cents dollars en actions pour chaque obligation de mille dollars vendue. Et le gouvernement ajouta à cette manne une commission de douze pour cent. Du coup, Cooke créa une autre banque à New York et une à Londres, expliqua lord Simon.

– Belle affaire, à coup sûr, dit Charles.

– Belle affaire, certes, mais Cooke devait placer cent millions de dollars de titres pour construire la ligne de la Northern Pacific. Il comptait pour cela sur les marchés européens, que l'on disait avides de placements américains. C'était compter, mon cher Charles, sans votre guerre contre la Prusse, la défaite de Napoléon III et l'avènement de votre chère république. Difficile de placer des titres dans un pays où les financiers sont devenus extrêmement méfiants. Dans le reste de l'Europe, la situation n'est pas meilleure. En Autriche, les capitaux manquent pour financer la construction de voies de chemin de fer, de routes, de barrages et d'immeubles, à tel point que, cette année, au mois de mai, la Bourse de Vienne vécut un véritable krach. La panique a gagné l'Allemagne, puis l'Angleterre et la France, jusqu'au Japon et à l'Australie. Personne ne veut plus, ni obligations ni actions des sociétés américaines. Encore moins depuis que l'emprunt de huit cents millions de dollars, lancé en janvier par le Trésor américain, n'a pas été couvert. Une crise mondiale, vous dis-je.

– Si l'on ajoute à cela les scandales de Tammany Hall, dont le *boss*, comme on dit à New York, un certain William Tweed[1] a été arrêté et condamné pour corruption, on comprend que les épargnants américains soient devenus méfiants, surtout quand chaque jour apporte son lot de faillites et que les banques de New York, qui ont prêté de fortes sommes aux compagnies de chemins de fer, n'ont plus de réserves et manquent de numéraires pour faire face aux retraits de leurs plus modestes clients, compléta Lewis Colson.

– Vous avez lu, comme moi, dans la dernière lettre de Pacal, que les chômeurs sont de plus en plus nombreux dans les cités industrielles du nord des États-Unis, rappela Charles.

– On peut se demander si la ligne de la Northern Pacific sera jamais construite. Cooke, qui a déjà dépensé quinze millions de dollars, n'a établi que cinq cents miles de voies ferrées, grommela lord Simon.

Un événement d'un autre genre, survenu à Cuba, suscita une grande émotion dans l'archipel, toujours attentif à ce qui se passait dans la proche colonie espagnole.

---

1. William Marcy Tweed, dit *Boss* Tweed (1823-1878). Petit entrepreneur et capitaine d'une compagnie de pompiers, il organisa à New York, avec la complicité des élus municipaux démocrates, appelés par les New-Yorkais « les quarante voleurs », un système d'extorsion de fonds, de pots de vin sur les marchés publics et de spéculation foncière et immobilière au profit du parti démocrate et à son propre bénéfice. On estima à plus de deux cents millions de dollars les sommes ainsi détournées. Condamné à douze ans de prison, il s'évada et trouva un moment refuge à Cuba. Livré aux États-Unis par les autorités espagnoles, il fut à nouveau incarcéré et mourut en prison en 1878.

La lutte des Noirs et des créoles pour l'indépendance de
« la perle des Antilles » était latente depuis 1868. Les
Cubains installés en Floride, à Jacksonville et à Tampa, où
ils fabriquaient des cigares, et la *Junta Cubana* des indépendantistes, active à New York et à Washington, soutenaient
la guérilla qui, sur l'île, menait des actions ponctuelles contre
les Espagnols, parfois contre des sucreries et des usines
propriétés de citoyens américains. Des bateaux, affrétés par
les exilés cubains aux États-Unis et chargés d'armes et de
munitions, empruntaient le vieux canal des Bahamas, pour
livrer leurs cargaisons sur les côtes cubaines. Des Américains, et parfois des Britanniques, participaient à ce trafic,
assimilé à de la flibuste par les autorités espagnoles et
réprimé comme tel.

C'est par John Maitland qui, à la veille de quitter la Royal
Navy, effectuait sa dernière croisière dans les West Indies,
avec d'autres navires de l'escadre de la Jamaïque, que
l'on apprit, à Soledad, ce nouvel épisode sanglant d'une
guerre d'indépendance dont on refusait, à Madrid comme à
Washington, de prononcer le nom.

Reçu à Cornfield Manor, au cours de l'escale de sa frégate
Hawk, l'époux de Myra, la plus jeune fille du défunt
Bertie III, raconta ce qu'il avait vécu, quelques semaines
plus tôt, à Santiago de Cuba, où son navire relâchait, en
compagnie d'autres bâtiments de la Royal Navy.

– Le *Virginius*, bateau parti de Tampa, qui naviguait frau-
duleusement sous pavillon américain et transportait des
hommes et des armes pour les rebelles cubains, fut arrai-
sonné, le 31 octobre, dans les eaux cubaines, par la frégate
espagnole *Tornado*. Tous les hommes qui se trouvaient à
bord furent arrêtés et conduits à Santiago. Le jugement de
ces gens, qualifiés de flibustiers, commença aussitôt. Le
capitaine du bateau, ainsi que trente-six hommes d'équipage,
dont plusieurs Américains, furent passés par les armes.
Apprenant cette répression sans merci, le commandant du

HMS Niobe, sir Lambton Loraine, envoya, sur-le-champ, un message comminatoire au général espagnol Burriel, gouverneur de Santiago, pour que cessât immédiatement la répression.

– C'était là se mêler d'une affaire qui ne concernait pas la Grande-Bretagne, fit observer lord Simon.

– Sir Lambton en était bien conscient, puisqu'il écrivit ces phrases, gravées dans ma mémoire, car elle font honneur à notre marine : « Je n'ai aucune instruction de mon gouvernement, qui est dans l'ignorance de ce qui se passe ici ; mais j'assume la responsabilité de ma démarche et je suis convaincu que ma conduite recevra l'approbation de Sa Très Gracieuse Majesté, étant donné que j'interviens au nom de l'humanité et de la civilisation. J'exige que vous suspendiez, immédiatement, l'immonde boucherie en cours. Je pense qu'il n'est pas nécessaire de vous dire ce que serait ma façon d'agir si ma demande ne retenait pas votre attention. » Et il signa : « Lambton Loraine, 8 novembre 1873 ».

– Intervention énergique et courageuse, commenta Lewis Colson.

– Menace fort risquée, dit lord Simon.

– Quel fut le résultat ? demanda Charles Desteyrac.

– Les exécutions cessèrent immédiatement et une centaine de vies furent sauvées[1], précisa Maitland.

– Cela ne mettra pas fin à la guérilla des paysans cubains. La junte des indépendantistes trouve maintenant, au Congrès américain, assez de complaisances pour qu'un jour, peut-être prochain, Ulysses Grant et son gouvernement

---

1. Le 24 février 1922, une stèle rappelant la salutaire intervention de sir Lambton Loraine fut dévoilée, face à l'hôtel de ville de Santiago, par l'épouse du chargé d'affaires britannique à La Havane, Godfrey Haggard. On pouvait y lire : « Témoignage de gratitude et de justice de la nation cubaine. » Le commandant Lambton Loraine (1838-1917) termina sa carrière dans la Royal Navy avec le grade de vice-amiral.

relancent l'idée d'une annexion de Cuba, conclut lord Simon.

On apprit, quelques jours plus tard, alors que John Maitland venait d'accepter la succession de Lewis Colson, au commandement de la flotte Cornfield, que le gouvernement américain avait envoyé une protestation diplomatique au gouvernement espagnol, des citoyens américains qui se trouvaient à bord du *Virginius* ayant été exécutés à Santiago.

Le 29 novembre, le gouvernement espagnol, républicain pour quelques semaines encore[1], présenta des excuses officielles aux États-Unis, promit de rendre le *Virginius* à son armateur américain et versa quatre-vingt mille dollars d'indemnité aux familles des citoyens américains, d'origine cubaine, qui avaient été fusillés.

---

1. Proclamée le 11 février 1873, la République espagnole prit fin après le *pronunciamiento* de Sagonte, le 29 décembre 1874, qui rétablit la monarchie des Bourbons en la personne d'Alphonse XII.

3.

Par un bel après-midi du printemps 1874, un homme jeune et fort, teint vermillon, regard assuré, sourire onctueux, débarqua du bateau-poste de Nassau. Sa jaquette noire étriquée, aux manches trop courtes, d'où sortaient des mains épaisses et rouges, sa chemise blanche, au col boutonné jusqu'au menton, son feutre aux ailes rigides révélaient à cent pas le missionnaire en tournée évangélique.

Sharko, gérant du Loyalists Club, occupé, avec deux Noirs, à charger sur une charrette, tonnelets de bière, gallons de whisky et tonneaux de vin de Bordeaux, arrivés par le même bateau que le révérend John Lester, identifia aussitôt un des prédicateurs qui, depuis quelques mois, visitaient ce que les gens de Nassau nommaient les Out Islands, les îles extérieures, pour recruter des fidèles, que certains qualifiaient de sectaires.

Ayant fait quelques pas sur le quai, John Lester avisa le mulâtre et s'en approcha, pour demander comment on pouvait se rendre à Cornfield Manor. Toutefois, avant de poser sa question, il jugea sacerdotal un préambule moralisateur.

– Mon frère, si tu veux servir Dieu et faire respecter par les habitants de cette île la sobriété que Notre Seigneur exige de ses enfants, tu dois vider le contenu de ces récipients dans la mer, dit le ministre, d'un ton patelin, simulant une pieuse souffrance.

Un triple éclat de rire lui répondit et les deux aides de Sharko, augurant l'aubaine d'une pause, s'assirent sur les tonneaux, pour donner plus confortablement libre cours à leur hilarité. Le mulâtre, reprenant son sérieux, s'adossa à la charrette.

— Le vin et le whisky, c'est bon pour les hommes, mauvais pour les poissons. Et Not' Seigneu' a jamais défendu de vider què'ques pichets à sa gloire. Je sais mon Évangile, mon Révérend, et, aux noces de Cana, Not' Seigneu' a fait miracle pour que tout le monde y boive bien à sa soif et même un peu plus.

Les aides applaudirent et le prédicateur tira de sa jaquette un mouchoir, de la dimension d'un torchon, pour s'éponger le front. L'évêque de Boston avait prévenu : « Aux Bahamas, le printemps est chaud comme un été de Nouvelle-Angleterre et les nègres, descendants d'esclaves, peuvent se montrer d'une grande insolence. »

— Je ne vais pas engager avec toi, mon frère, une discussion théologique. Indique-moi seulement la résidence de lord Simon Leonard Cornfield. Je dois le voir en premier.

— Oh ! Oh ! C'est qu'on ne s'en vient pas à Cornfield Manor, sans être attendu, M'sieur le Pasteu' !

— J'ai une lettre d'introduction de son cousin de New York, l'honorable Jeffrey Cornfield, mon garçon. Et puis, de plus grands seigneurs que lord Simon m'ont reçu, même des gouverneurs d'État, sais-tu ! ajouta-t-il avec impatience.

Sharko, nullement impressionné, désigna d'un geste la route, bordée de palmiers, qui s'élevait en lacets au flanc de la colline.

— Cornfield Manor est à deux bons miles d'ici, de l'autre côté de la montée.

Lester, clignant de l'œil dans le soleil, évalua la pente, soupira et posa son sac à terre.

— On ne voit point de cab sur ton port. Comment vais-je là-bas ? dit-il.

— Vous n'avez qu'à monter sur ma charrette. Je va livrer ces tonneaux à Cornfield Manor. On vous portera avec, proposa Sharko.

Non sans une grimace réprobatrice, le pasteur se hissa sur un tonnelet de whisky et l'attelage prit la route empierrée du Cornfieldshire.

— Vous savez, dès l'enfance, le Conchy Jo, le nègre et le mulâtre sont tous, ici, de l'Église d'Angleterre. Nous avons un très bon ministre anglais, le révérend Russell, que tout le monde aime bien, prévint Sharko.

— Sous le ciel, mon frère, il y a place pour plusieurs Églises, toutes vouées au service du Seigneur. C'est bien le cas dans le Massachusetts, dans le New York et même à Nassau, observa le pasteur.

— Nous avons déjà quèques baptistes chez des nègres venus des Carolines, une famille de quakers qui rient jamais, un médecin luthérien et même un ermite catholique romain, qui vit là-haut sur la Chèvre, avec sa servante et les enfants qu'elle lui a faits, précisa Sharko en désignant la montagne.

— Un prêtre catholique avec des enfants ! Mais sais-tu bien que l'Église de Rome, au contraire de la nôtre, exige le célibat de ses prêtres, mon garçon ! s'exclama le missionnaire, scandalisé.

— Oh ! mais y sont pas mariés, M'sieur le Pasteu'. Manuela, c'est sa gouvernante, pas son épouse.

— Ah ! ces papistes, quelle engeance !

— Nous manque plus qu'un méthodiste, crut bon de remarquer finement le mulâtre.

— Et bien, il ne vous manquera plus. Je suis méthodiste, de la doctrine de John Wesley, le fondateur du méthodisme, qui prononça quarante mille sermons et écrivit cinquante volumes. Je compte ouvrir ici une école, pour les enfants des pêcheurs d'éponges, dont on m'a dit l'éducation religieuse fort négligée. À Eleuthera, notre Wesley Methodist Church prospère depuis 1850, dit le missionnaire, entre deux cahots.

– On fait pas l'école ici, sans la permission de lord Simon, m'sieur. Parce que c'est lui qui construit les classes et paie les maîtres et les maîtresses. M'sieur le Pasteu' Russell est comme qui dirait le chef de tous les maîtres de l'île. Margaret Russell tient l'école des filles du Cornfieldshire. Vous verrez bien ça avec lord Simon, m'sieur.

Sharko, ainsi nommé parce qu'un requin lui avait autrefois mangé une fesse, avait souvent entendu des membres du Loyalists Club parler de missionnaires baptistes, méthodistes ou adventistes, envoyés dans l'archipel pour convertir les indigènes. Les baptistes ne baptisaient que les adultes et les trempaient dans l'eau jusqu'aux yeux ; les méthodistes, les plus zélés, disait-on, assuraient qu'un chrétien pouvait accéder à la sainteté de son vivant en faisant la sieste ; les adventistes attendaient la seconde venue du Christ. Quant aux ritualistes, entraînés depuis 1850 en Grande-Bretagne, par un professeur d'hébreu d'Oxford, Edward Bouverie, dit Pusey, ils avaient réussi à restaurer, dans l'Église anglicane, certaines pratiques de l'Église catholique romaine. Toutes ces obédiences s'opposaient aux évangélistes, qui acceptaient d'entendre prêcher le premier venu prétendument élu pour traduire la parole de Dieu.

Le fait qu'on eût, en Grande-Bretagne, reconnu des droits aux Églises dissidentes, lesquelles n'étaient plus contraintes, depuis 1868, de payer une taxe ecclésiastique à l'Église établie, avait stimulé, dans les colonies, le prosélytisme des sectes.

Sharko, mulâtre instruit, avait servi comme steward dans la marine de Sa Très Gracieuse Majesté, puis comme aide-comptable à la capitainerie du port, avant de devenir gérant du Loyalists Club. Toujours bien informé, il n'ignorait rien des conflits d'intérêts qui opposaient, depuis des années, les Églises des Bahamas.

Dès 1840, les ministres anglicans avaient compris que les missionnaires des Églises dissidentes, venus des États-Unis dans les îles, menaçaient la suprématie de l'Église d'État en réclamant les mêmes prérogatives. L'Église anglicane – dont les évêques, nommés par la Couronne, siégeaient à la Chambre des lords – détenait alors, dans les colonies britanniques, le monopole des écoles et de l'administration des sacrements, ainsi que la gestion des cimetières publics, l'organisation des mariages et des enterrements.

Ces activités passaient pour lucratives aux Bahamas où, par un reste de paganisme, les familles les plus modestes n'hésitaient pas à s'endetter pour faire d'une noce, comme d'une inhumation, une célébration festive qui pouvait durer plusieurs jours. Pour marier une fille ou un fils, pour accompagner à sa dernière demeure un père ou une mère, parents et amis achetaient des vêtements neufs, louaient des musiciens, invitaient des notables locaux, toujours prêts à parader, faisaient préparer de véritables ripailles, au cours desquelles on palabrait, buvait abondamment, échangeait des plaisanteries. Si l'on dansait au cours des mariages, on ne se privait pas, lors des funérailles, de raconter des histoires qui mettaient en scène le défunt, de boire à sa santé éternelle, de manger, de chanter et de pleurer, avec ensemble et frénésie, afin d'user ostensiblement des mouchoirs que la famille du mort avait fait confectionner puis distribuer et qui, souvent, portaient, finement brodé, le nom du disparu, assorti d'une sentence du genre : « On ne peut oublier un tel homme » ou : « Je pleure l'ami parfait. »

Après douze années de vaines réclamations, pour obtenir des autorités bahamiennes ce qu'on nommait le désétablissement de l'Église établie, les marguilliers, administrateurs des Églises baptiste et méthodiste, avaient reçu, en 1862, le soutien d'un membre de la *General Assembly*, R. H. Sawyer. L'élu avait proposé à ses collègues la suppression du monopole de l'Église anglicane et une égalité de traitement de toutes les Églises représentées dans les îles. Avec quatre voix de majorité, ce projet révolutionnaire avait été adopté, mais le Conseil exécutif avait refusé de l'entériner. Ce conflit entre le législatif et l'exécutif avait contraint le gouverneur Rawson à mettre l'Assemblée en congé pendant trois mois. En 1869, après de nouvelles élections, les partisans du désétablissement de l'Église anglicane étaient revenus à la charge et, cette fois, l'avaient emporté.

La *Church Commission*, sorte de Conseil des cultes, créé à cette occasion, avait aussitôt réduit, non seulement les juteuses prérogatives de l'ex-Église établie, mais aussi les subventions dont elle seule bénéficiait jusque-là. Les émoluments des pasteurs anglicans étaient passés de deux cent cinquante livres par an à cent cinquante livres. Les fidèles devaient désormais compléter les ressources de leurs ministres, participer à l'entretien de leurs églises, assumer les revenus des catéchistes et des maîtres d'école.

Au mois de février, dès le retour de Benjamin Disraeli comme Premier ministre, était apparue une nouvelle cause de discorde, au sein même de l'Église anglicane désétablie. À la demande de la reine Victoria, Dizzy, ainsi qu'on nommait familièrement le locataire du 10 Downing Street, avait dû faire voter une loi, pour en finir avec les pratiques catholiques romaines introduites dans l'Église anglicane par les ritualistes. Les clergymen qui avaient rétabli l'usage de l'encens, la confession auriculaire, la quête, l'exposition du saint sacrement, toutes manifestations rappelant les rites du catholicisme romain, devaient revenir à la sobre liturgie protestante. Ils seraient poursuivis en justice si leurs vêtements sacerdotaux, l'apparat de leurs autels et la pompe des offices « risquaient d'offenser la vue des protestants ».

Aux Bahamas, les ritualistes ne désarmèrent pas pour autant et Mgr Addington Venables, évêque autrefois promu par sir Robert Peel, devenu ardent zélateur du ritualisme, maintenait l'usage de l'encens, restait fidèle aux parures et aux rites procatholiques. Ayant acquis un vieux bateau de pêche qu'il baptisa *Message of Peace*, il naviguait d'une île à l'autre, pour porter ce qu'il considérait être la bonne parole anglicane et recueillir des fonds destinés à compenser la réduction des subventions attribuées à l'Église anglicane. Accueilli à Soledad par lord Simon, il ne quittait jamais Cornfield Manor sans avoir partagé avec son hôte un bon repas et reçu un don substantiel.

L'évêque de la Jamaïque, qui avait autorité sur l'évêque de l'archipel, ne partageait pas les sentiments ritualistes de Mgr Venables. Il soutenait que l'Église anglicane se devait de respecter les lois britanniques et exigeait des ritualistes bahamiens qu'ils rentrent dans le rang. On comprit dès lors que le séjour de Mgr Addington Venables aux Bahamas allait bientôt prendre fin et que serait nommé un évêque moins accommodant pour les ritualistes[1].

Lord Simon Leonard Cornfield était entré en fureur dès qu'il avait eu connaissance des ordres et intentions du prélat jamaïcain. Il s'était rendu à Nassau, pour dire son sentiment au gouverneur en le priant de transmettre son indignation circonstanciée à l'évêque de la Jamaïque.

Le représentant de la Couronne avait rappelé au lord que, depuis plusieurs années, le gouvernement britannique faisait preuve d'une rare mansuétude à l'égard des Églises dissidentes. À Londres, William Gladstone, Premier ministre, n'avait-il pas fait voter, avant d'être chassé du pouvoir le 17 février 1874, le désétablissement de l'Église anglicane en Irlande, après que lord Palmerston, sur les conseils de son gendre, lord Shaftesbury, chef du parti évangélique, et de l'archevêque de Canterbury, eut attribué des sièges épiscopaux à des ministres de la Basse-Église, proches des évangélistes et ennemis jurés des ritualistes.

Lord Simon, membre de la Haute-Église, chère aux conservateurs, appartenait au courant ritualiste de l'Église

---

1. Mgr Venables, remplacé en 1875 par l'évêque Cramer-Roberts, quitta les Bahamas pour les États-Unis, où il mourut en 1876, à l'âge de quarante-huit ans.

anglicane. Sans aller jusqu'à approuver la désertion du prélat John Henry Newman[1], converti, en 1845, au catholicisme romain, ni reconnaître dans la personne du pape le représentant de Dieu sur la terre, il invitait ses amis à la tolérance envers les papistes.

Charles Desteyrac voyait dans cette mansuétude une façon de masquer la secrète indifférence du lord aux croyances des uns et des autres.

Depuis plusieurs générations, les Cornfield accordaient leur foi, leurs prières et leurs dons à la seule Église anglicane, religion d'État, dont le chef était, depuis l'acte de suprématie de 1534, établi au bénéfice d'Henry VIII, le roi ou la reine d'Angleterre.

Les coups portés au ritualisme par le gouvernement Disraeli ne pouvaient donc que déplaire à Cornfield, dans la mesure où cette action ne manquerait pas d'encourager, sous couvert d'antipapisme, les prétentions des Églises dissidentes les plus pugnaces.

« Quoiqu'on décide, demain à Londres, l'Église anglicane conservera, sur mon île, sa position dominante et ses privilèges », avait-il déclaré au gouverneur.

Comme la plupart des insulaires – Blancs, Noirs ou Indiens – de Soledad et de Buena Vista, Sharko se méfiait des pratiques autres que celles de l'Église d'Angleterre, dont les ministres acceptaient des fidèles de couleur qu'ils s'adonnent encore à d'inoffensives pratiques païennes, vénèrent leurs zemis, protecteurs tutélaires des Taino et des Arawak. Tous les pasteurs savaient que lord Simon exigeait, dans ce domaine, une extrême bienveillance, s'interdisant lui-même de critiquer les superstitions locales.

---

1. 1801-1890. Fils de banquier, après ses études à Oxford il devint vicaire anglican, puis choisit le catholicisme. Ordonné prêtre à Rome en 1847, il fut recteur de l'université catholique de Dublin et nommé cardinal par le pape Léon XIII, en 1879.

Sharko, ce matin-là, donnait donc peu de chance de succès au projet du missionnaire américain.

En arrivant devant les communs de Cornfield Manor, il conseilla au méthodiste, perché sur son tonneau, d'attendre qu'il eût annoncé la présence d'un visiteur à Pibia, le major-dome de lord Simon. John Lester, estimant qu'un homme de sa qualité devait être dispensé d'une telle procédure, descendit de la charrette et fit mine de suivre Sharko. Aussitôt, l'un des aides le saisit par les épaules et l'immobilisa.

— M'sieur Sharko, il a dit rester là, pas vrai ?

— Ôtez vos sales mains ! s'écria le pasteur, outragé.

Contre toute attente, et bien qu'il fût d'humeur maussade, parce qu'une lettre de son petit-fils venait de lui ôter tout espoir de voir Pacal à Soledad cet été-là, lord Simon accepta de recevoir le missionnaire. Sharko accompagna le visiteur jusqu'à l'escalier de la galerie, sur laquelle apparut aussitôt le maître de Soledad. Après un bref salut, Cornfield invita le pasteur à le rejoindre. Prenant connaissance du message de son cousin Jeffrey, que lui tendit Lester, il trouva répugnante la moiteur de la lettre, extraite de la poche d'un homme en sueur. Sans commenter la recommandation de Jeffrey, il invita le visiteur à s'asseoir sur la véranda et ordonna à Pibia de servir du jus d'ananas.

— Bien frais, car monsieur semble souffrir de la chaleur, précisa l'Anglais.

— J'apprécierai certes une boisson fraîche, dit le méthodiste, intimidé par la prestance et l'attitude du vieux lord.

— Ainsi, vous appartenez à l'Église méthodiste, une Église détachée de l'Église anglicane, à laquelle ici, à Soledad, nous sommes fidèles depuis Henri VIII, commença Cornfield.

— Henri VIII, un roi six fois marié, qui fit décapiter deux de ses épouses et dont le seul mérite est d'avoir délivré l'Angleterre de l'influence de la papauté, parce que Rome lui refusait le droit de divorcer ! Pauvre référence ! observa le méthodiste.

– C'était un grand théologien et nous autres, Anglais, lui devons notre Église réformée indépendante, rétorqua Cornfield.

– Oh ! Peu de chose sépare notre Église de la vôtre. Nous croyons à la prédestination, à la justification par la foi et accordons le droit aux laïques de donner une instruction religieuse aux enfants. C'est tout, résuma Lester.

Lord Simon émit un grognement, dans lequel un homme qui l'eût mieux connu que son visiteur eût deviné de l'agacement.

– Nos trois pasteurs, sous l'autorité du révérend Russell, notre archidiacre, dispensent régulièrement, suivant les règles et principes de l'Église d'Angleterre, l'instruction qui convient à nos enfants qu'ils soient noirs, blancs ou descendant d'Indiens. Aussi, quand mon cousin Jeffrey, qui est, je crois, de votre Église, m'annonce que vous êtes ici pour créer une école méthodiste, je crains que votre zèle ne soit superflu et que votre déplacement ne se révèle inutile. Nous avons, à Soledad, tout ce qu'il nous faut en matière religieuse. Il n'y a rien à ajouter à cela, dit Cornfield.

– Sans doute ; mais la liberté religieuse n'implique-t-elle pas que toutes les doctrines soient enseignées, afin que les croyants puissent, en toute connaissance de cause, faire leur choix ?

– Comme on choisit un chapeau chez le chapelier ou un cheval à la foire, par exemple, ironisa lord Simon.

Le missionnaire but avec un plaisir évident une large rasade de jus de fruit, qui sembla aussitôt se transformer en gouttes de sueur. Il s'épongea sous le regard dédaigneux du lord. Pour un aristocrate habitué au climat des Bahamas, seul un plébéien américain pouvait autant transpirer.

Nullement découragé par les propos du maître de l'île, le

méthodiste ouvrit son sac, en tira des brochures, qu'il posa sur le guéridon, devant lord Simon.

– Je voudrais que vous lisiez ces textes du superintendant général de notre Methodist Church, sir. Ils définissent notre doctrine et détaillent le programme d'enseignement en cours dans nos écoles.

Lord Simon commença à perdre sa belle humeur et, d'un geste sec, repoussa les brochures.

– Je n'aurai pas le temps de lire ça avant que vous nous quittiez, monsieur. Le bateau-poste par lequel vous êtes arrivé repasse par Soledad à six heures de l'après-midi, après son escale à Cat Island. Je vous conseille de ne pas le manquer, dit Simon de son ton de commandement.

– Mais... Je n'ai pas l'intention de m'en aller si vite, sir, fit le ministre, interloqué. Je compte m'installer sur cette île pendant quelque temps, pour faire connaissance des chrétiens qui s'y trouvent et voir les possibilités de création d'une communauté méthodiste.

Lord Simon se contint, mais sa voix trahit son agacement.

– Votre évêque américain vous a sans doute mal informé. Vous êtes ici en territoire britannique. Cette île est un domaine privé, propriété des Cornfield depuis 1640. Je suis donc seul à décider qui peut y séjourner et y faire de l'apostolat ou des affaires.

– Dieu est partout chez lui, sir, répliqua avec aplomb le missionnaire.

– Dieu, peut-être, mais pas les marchands de religions, lança Cornfield.

Se levant vivement, il appela Pibia.

– Tu vas servir à l'office une collation à ce monsieur et tu le feras accompagner au bateau de six heures. Jusque-là, il ne quitte pas Cornfield Manor. Entendu.

Le missionnaire, éberlué, ramassa les brochures, les remit dans son sac et donna libre cours à sa déception.

– Je ne m'attendais pas à pareille réception. Nous autres, Américains, nous avons un autre sens de l'hospitalité.

– Je connais l'Union. C'est un fait qu'on y reçoit n'importe qui, ironisa Cornfield.

– Ministre de l'Église méthodiste, ma mission est de propager partout l'Évangile, sir ; et n'est pas chrétien celui qui s'oppose, en quelque lieu que ce soit, aux interprètes de la parole du Christ.

– Ici, nous nous méfions des interprètes. Les Trente-Neuf Articles[1] suffisent à nous éclairer et à nous conduire.

Le regard flamboyant, lord Simon prit une forte inspiration. Dressé de toute sa taille derrière le fauteuil qu'il venait de quitter, il agrippa le haut du dossier, comme pour occuper des mains qui eussent volontiers jeté l'intrus par-dessus la balustre de la galerie. On entendit craquer le rotin sous la pression des doigts.

– Allez évangéliser les banquiers de Wall Street et les anciens tyranneaux esclavagistes des Carolines, mon garçon, et ne venez pas susciter ici des concurrences de boutiquiers !

S'étant incliné avec raideur, lord Simon traversa la galerie et entra dans la maison, dont il repoussa violemment la porte.

La mésaventure du missionnaire méthodiste, rapportée par Sharko le soir même au Loyalists Club, amusa les gentlemen présents et, plus que d'autres, le pasteur Russell.

– Lord Simon est sage de nous tenir à l'abri des querelles

---

1. Les Trente-Neuf Articles sont considérés comme les principes chrétiens essentiels de la religion anglicane. Élaborés en 1562, sous le règne d'Élisabeth, ils furent révisés en 1571, puis en 1604, par une conférence ecclésiastique. Ils réglèrent l'organisation de l'Église anglicane et renforcèrent l'influence royale sur les affaires religieuses, la nomination des évêques, notamment, relevant exclusivement du souverain et de son gouvernement.

théologiques qui empoisonnent nos communautés depuis que des dissidents ont pris pied dans l'archipel, dit le ministre.

– Il semble que les Églises méthodiste, baptiste et adventiste, la dernière venue, soient riches et puissantes aux États-Unis. Elles reçoivent de nombreux dons des hommes d'affaires, des négociants et des banquiers, même de Jeffrey Cornfield, le cousin de lord Simon, expliqua Lewis Colson.

– Les mormons me plaisent davantage, intervint John Maitland, de qui on célébrait l'entrée au Club.

– Depuis qu'en 1820 le jeune puritain Joseph Smith vit un ange et entendit des voix célestes, on sait que, pour avoir une chance de conserver, après la mort, notre corps divinisé, il faut pratiquer la polygamie. C'est le moyen le plus charitable et le plus agréable d'assurer le salut de nombreuses femmes qui, si elles restaient célibataires, se dissoudraient dans le néant, compléta le marin.

– Le harem serait donc l'antichambre du paradis, lança le docteur Kermor.

– Il n'y a qu'une seule Bible et qu'un seul Christ et je trouve malséant le commerce qu'on fait de la religion chrétienne, sous couvert d'interprétations où le mercantilisme tient plus de place que la foi, reprit le commandant Colson.

– Ces missionnaires de toutes obédiences font, en effet, penser aux marchands du Temple. Ils vendent des doctrines, comme à Jérusalem on vendait des dattes, ajouta Russell.

– Que pense de cela notre ami Desteyrac, qui a été élevé dans la foi catholique, demanda Kermor, se tournant vers Charles.

– Au risque de vous paraître à tous un fieffé païen et bien qu'instruit en religion par les pères jésuites, il me plaît de croire que Dieu et la nature ne font qu'un. D'ailleurs, les religions sont nées de la terreur qu'a toujours inspirée aux hommes la puissance incontrôlable des forces naturelles.

– Le christianisme, né de Jésus-Christ, donne heureusement une autre image de la puissance divine, fit observer le pasteur Russell.

– Le christianisme, Monsieur le Pasteur, est une religion récente. Elle n'a pas deux mille ans d'existence. Nous ne devons pas oublier qu'il y eut, depuis que l'homme primitif se prosternait devant des totems, bien d'autres religions, de la Chine à la Grèce, en passant par l'Inde et l'Égypte. La vue d'une orchidée, d'un colibri, d'un grand marlin, l'arrivée d'un ouragan, le simple retour du soleil chaque matin, ou encore les observations des savants sur la mécanique céleste, suffisent, pour moi, à confirmer l'existence d'une puissance inqualifiable et inimaginable avec notre cerveau et nos sens. Nous l'appelons Dieu par commodité, dit Charles.

– Ce n'est pas médire de notre lord que rappeler qu'il considère la religion chrétienne, d'abord comme une morale indispensable aux peuples de notre temps, fit remarquer Colson.

– Napoléon Bonaparte, qui demanda un jour à un astronome en désignant les étoiles : « Qui a fait cela ? », admettait déjà l'importance de la religion pour régler la conduite morale et sociale des hommes. C'est lui qui, après la Révolution et bien qu'anticlérical, décida, par le Concordat, de rétablir l'Église romaine dans une partie de ses prérogatives, rappela Charles.

– Pour en revenir à l'esprit de conquête des âmes, qui anime les missionnaires des sectes américaines, c'est bien la séparation de l'Église et de l'État, décidée par l'un des dix amendements à la Constitution des États-Unis, votés en 1790, qui ouvrit la voie aux Églises dissidentes, si actives aujourd'hui. En prohibant toute Église officielle et en garantissant la liberté des cultes, les Américains ont lancé une compétition religieuse sans précédent. Dieu merci, il ne viendrait à personne, en Grande-Bretagne, ni dans nos colonies, de mettre les sectes baptistes, méthodistes ou évangélistes, au même rang que notre Église anglicane dont, vous le savez, le chef suprême est Sa Très Gracieuse Majesté la reine Victoria, rappela le pasteur Russell.

Comme chaque fois que le nom de la souveraine était prononcé, tous se levèrent, lancèrent un *God Save the Queen* retentissant et vidèrent leur verre avec ensemble.

Charles Desteyrac s'associait toujours à ce rite, dans lequel il voyait un acte de foi dans les destinées de l'Angleterre. Seul un grand peuple pouvait ainsi, sous toutes les latitudes, exprimer sa cohésion et son unité, en portant un toast à celle qui, chaque fois que ses sujets se réunissaient, n'importe où dans le vaste monde, se trouvait ainsi symboliquement parmi eux.

En regagnant Malcolm House, en compagnie de Colson, Charles apprit du commandant retraité que les Bahamas avaient été, de tout temps un lieu de compétition en matière de religion.

— Comme tous les membres de notre Église établie, j'ai entendu raconter comment les méthodistes avaient pris pied dans l'archipel, dès 1787. Cette année-là, William Willy, un planteur anglais loyaliste, qui refusait de devenir américain, fit venir à Nassau un pasteur méthodiste, pour soutenir le prosélytisme d'un esclave libéré, venu de Louisiane, Joseph Paul, installé depuis 1783 à Abaco. Le pasteur émigré construisit la première chapelle méthodiste, à l'angle d'Augusta Street et de Heathfield Street. Cette église de bois à disparu dans un incendie, précisa Colson.

— Il semble que les méthodistes n'aient jamais eu de chance avec leurs oratoires. Souvenez-vous que l'ouragan de 1866 a détruit la Trinity Methodist Church, construite, sur Frederick Street, en 1861, rappela Desteyrac.

— Elle est en cours de reconstruction, avec l'aide des méthodistes américains[1], précisa Lewis.

— Les États-Unis nous ont envoyé, l'an dernier, plus de cinq cents touristes et, cette année, des missionnaires.

---

1. L'église, reconstruite sur le même emplacement, fut à nouveau détruite, par un ouragan, en 1928.

Tourisme et religion ne seraient-ils pas les nouvelles forces de l'expansion américaine ? demanda Charles.

— N'oublions pas que, l'an dernier, vous avez aussi vendu aux Américains trois cent mille douzaines d'ananas, des tonnes de tomates, des primeurs, des éponges et de l'écaille de tortue. De quoi faire accepter cette forme moderne de colonialisme, n'est-ce pas ? rétorqua Colson en riant.

— Nous entrons dans un monde où tout sera commerce et affaires, mon ami. Pacal ne cache pas, dans ses lettres, que le premier but des Américains est de gagner des dollars en répandant à travers le monde la bonne parole démocratique, reconnut Charles.

Au cours de l'été, Nassau fêta le retour d'Afrique des soldats du *First West Indies Regiment*, qui avaient participé à la guerre contre les Ashanti. Plusieurs étaient morts en combattant, mais la plupart des absents avaient succombé aux fièvres des marais. L'un des rescapés, le sergent Regis Mosko, était originaire de Soledad et neveu de Sharko, le gérant du Loyalists Club.

Lord Simon, soucieux d'honorer le sous-officier mulâtre, voulut que l'on organisât une réception dans le parc de Cornfield Manor. Au jour dit, le sergent, qui séjournait chez son oncle, se présenta, dans un uniforme frais. Le lord, entouré des familiers du manoir, le reçut avec les égards dus à un Bahamien qui venait de risquer sa vie pour la plus grande gloire de Sa Très Gracieuse Majesté la reine Victoria.

Après le discours, tout de reconnaissance patriotique, du maître de l'île, le sergent, pressé de questions, prouva qu'il s'était préparé à satisfaire la curiosité de l'assemblée. Il venait de participer à une guerre ignorée de la plupart des insulaires.

— Nous nous demandons tous, ici, ce qui a bien pu justifier cette guerre, dit Dorothy Weston Clarke, de qui l'amertume englobait tous les choix du gouvernement britannique, depuis la flétrissure professionnelle infligée à son mari.

– Il faut savoir, m'ame, qu'au mois de janvier de l'an passé, les Ashanti sont descendus des montagnes et ont, pendant huit mois, ravagé tous les commerces et les maisons des Anglais installés sur la partie la plus riche de la Guinée, la Côte-de-l'Or, Gold Coast. Ces sauvages ont tué, pillé, brûlé, car ils sont belliqueux et barbares. Ils sont aussi bons cultivateurs et négociants malins, mais ne pensent qu'à faire la guerre.

– Vraiment ? risqua Uncle Dave, incrédule.

– Oui, docteur. Pour un Ashanti, ne pas mourir à la guerre est une honte. Ils ont voulu s'en prendre aux colons anglais d'Elmina et de Cape Coast. Les quelques soldats de la Royal Navy qui se trouvaient là n'ont pas pu résister, expliqua le sergent.

– Mais ils ont attaqué soudain. Sans raison !

– On m'a dit, docteur, que les Ashanti s'étaient mis en colère parce des Anglais avaient pris la liitière, toute d'or et d'argent, où reposait le corps de leur roi Quahou-Duah, mort quelques jours plus tôt, et que son fils, le nouveau roi Coffi-Calcalli, faisait transporter on ne sait où. C'est pour venger cette offense que les Ashanti avaient décidé de détruire tout ce qui était anglais, rapporta Mosko.

– C'est donc pour protéger nos colons et leurs biens que William Gladstone, alors Premier ministre, a décidé d'envoyer un corps expéditionnaire, commandé par le général Joseph Garnet Wolseley, dit Lewis Colson.

– Sir Joseph est un fameux officier de l'armée des Indes, où il servit avec mon regretté ami Edward Carver. Il a fait la guerre de Crimée, la guerre de Chine et il est entré à Pékin avec les Français. Il n'a que quarante-deux ans, mais une grande expérience des affaires coloniales, précisa lord Simon, à l'intention de ses invités.

— Et Gladstone décida aussi d'envoyer nos braves Bahamiens risquer leur vie en Afrique pour secourir des gens qui considèrent les Africains comme des bêtes de somme, taillables et corvéables à merci, déclara, fort amer, Uncle Dave.

Cette sortie valut au vieux médecin un regard sévère de lord Simon et suscita l'étonnement du sergent. Ce natif des Bahamas ne voyait nul abus dans le fait qu'une partie de son régiment eût été envoyée en Afrique. Servir, loin de chez lui, une reine qu'il ne verrait jamais, était un honneur qui le mettait au-dessus de tous les militaires blancs, en garnison à Nassau ou à la Jamaïque.

— En arrivant en Afrique, nous avons été très bien équipés. Deux uniformes et une chemise de caoutchouc pour nous protéger de la pluie qui, là-bas, tombe à verse sans prévenir. Nos officiers nous ont donné des conseils d'hygiène, pour nous protéger des fièvres, et nous ont distribué des filtres à eau, car l'eau des rivières n'est pas toujours bonne à boire. On nous a aussi remis une provision de café et un moulin pour le moudre. On pouvait aussi bien avoir du thé et une bouilloire. Quand nous avons été quatre mille, rassemblés sur la côte, nous avons marché sur Kumasi, la capitale des Ashanti, perchée sur un plateau de roches entouré d'une grosse rivière boueuse. Il a fallu traverser des forêts, des marais qui sentaient mauvais...

— Comment étaient armés les guerriers ashanti ? interrompit lord Simon.

— Ils étaient presque nus. Tous avaient des arcs, des lances et, au cou, une sorte de collier où ils suspendaient plusieurs couteaux bien aiguisés. Quelques-uns avaient de vieux fusils, apportés par les navires français, hollandais... et même anglais, *my lord*.

— Des fusils de rebut, sans doute. Et leurs chefs, sergent, étaient-ils bons stratèges ? demanda Simon Leonard.

– Leurs chefs, *my lord*, c'était un vrai *junkanoo*[1]. Ils étaient coiffés de bois de cerf, de plumes d'aigle, de queues de cheval et cachaient leur visage sous un masque d'or. Ils avaient aussi des bracelets et des breloques, fabriqués avec l'or et l'argent tirés de leurs mines par des esclaves nègres, qu'ils vont capturer chez les peuples voisins. Ils avaient, bien sûr, l'avantage de connaître mieux que nous la forêt, pleine de fauves, de serpents et de moustiques, et les défilés où ils nous ont tendu des embuscades.

– Y a-t-il eu bataille ? demanda Charles.

– Et comment ! Nos officiers pensaient qu'il suffirait de nous montrer et de faire entendre nos canons pour effrayer les Ashanti. Mais ces gens, qui ne craignent pas la mort, sont courageux. Nous avons brûlé des villages et tué pas mal de guerriers déguisés, mais quand on a su que le roi Coffi-Calcalli pouvait réunir cent mille hommes, alors que, chez nous, les gens tombaient sous les flèches et les balles des Africains ou mouraient de la fièvre des marais, le général Garnet Wolseley, qui fut lui-même en danger, décida la retraite vers la côte en attendant des renforts. Des nègres qui n'aimaient pas les Ashanti sont venus se battre avec nous, et leurs femmes portaient sur leur tête nos caisses de munitions. On s'est bien battu et quand nous sommes arrivés devant Kamusi, où le roi s'était enfermé avec ses meilleures troupes, nous avons mis le siège autour de la capitale. Il a duré du 30 janvier au 5 février et grâce à l'artillerie, nous avons vaincu. Dès que nous sommes entrés dans cette ville,

---

1. Chaque année, du 26 décembre au 1er janvier, se déroulent aux Bahamas des parades costumées. C'est le Mardi gras avant la date. À Nassau et dans les Out Islands, les gens se déguisent, portent des masques effrayants, agitent des cloches, frappent des tambours, sifflent afin de faire le plus grand vacarme. Cette sorte de carnaval, aujourd'hui fort apprécié des touristes, date de l'époque de l'esclavage, quand les Noirs étaient autorisés à faire la fête, à festoyer et à circuler librement pendant trois jours. Le nom de *junkanoo* viendrait de celui d'un esclave, nommé John Canoe, qui aurait été le premier à obtenir de son maître le droit de parader.

tout le monde a été étonné de voir des rues larges et bien tracées, beaucoup d'assez belles maisons et le palais royal, une grande bâtisse aux appartements bien décorés, avec beaucoup d'objets d'or et d'argent. L'ordre a été donné de tout détruire et de tout brûler. Cela décida le roi à demander la paix et un traité fut conclu entre Coffi-Calcalli et notre général, dit le sergent.

— Et que rapporte à l'Angleterre ce traité avec un roi des Sauvages ? s'enquit Weston Clarke.

— On a fixé la frontière entre les possessions anglaises et le royaume des Ashanti ; le roi s'est engagé à payer une grosse indemnité en poudre d'or et à supprimer les sacrifices humains, précisa Mosko.

— Les sacrifices humains ! s'exclama Ottilia.

— *Yes, my lady*. Pendant leurs fêtes, les Ashanti égorgent des esclaves. C'est la mode chez eux. Quand un propriétaire meurt, on tue ses esclaves domestiques. Même quand le roi meurt, on tue, avec ses esclaves et serviteurs, tous les membres de sa famille, frères, sœurs, oncles, tantes, cousins, tous sauf le fils, héritier du trône, qui fait aussitôt occire les généraux et les fonctionnaires qui ont servi son père. C'est comme ça, *my lady* ; les Ashanti sont des bêtes féroces, qui boivent du sang humain, mêlé au vin de palme, et décorent leurs maisons avec les ossements de leurs victimes, crânes, tibias, pieds et mains, proprement apprêtés, acheva Regis Mosko, en bon conférencier sûr de son effet, au milieu des gloussements horrifiés des dames.

Pibia tendit au maître de l'île un bol à punch, que le lord remit au soldat avec mission de le placer au mess de son régiment, à Nassau. On y avait gravé la date de la prise de Kumasi et l'emblème du *First West Indies Regiment*.

Comme tous congratulaient le valeureux sergent, pour la plus grande fierté de son oncle Sharko, ce dernier demanda à lord Simon s'il accepterait un trophée rapporté par son parent.

Un tel souvenir ne se refusait pas et le cercle des invités devint attentif. Tel un prestidigitateur, Mosko tira d'un sac de cuir une tête de bélier, enrobée d'une épaisse pellicule d'or et qui portait entre les cornes des signes cabalistiques, dont le sous-officier dit ignorer la signification.

– Je l'ai prise moi-même dans le palais du roi des Ashanti, dit-il en tendant l'objet au lord, qui le reçut avec gravité.

– Ç'eut été une belle pièce pour le cabinet de curiosités de notre cher Malcolm, souffla Charles Desteyrac à Ottilia.

Privé de la présence de son petit-fils, contraint par Robert Lowell à suivre des cours d'été pendant les vacances, lord Simon se prit d'un intérêt soudain pour les travaux de terrassement du futur phare du Cabo del Diablo. Il se rendit souvent, du Cornfieldshire à la pointe sud de Soledad, à bord de son wagon-salon et, ces jours-là, le jeune Takitok, promu depuis peu aide-mécanicien, devait brûler dans la chaudière de la locomotive le bois qui produirait le moins de fumée. Une trace d'escarbille sur le costume crème ou le panama du maître de l'île eût valu à l'adolescent, arrière-petit-fils de Maoti-Mata et meilleur ami d'enfance de Pacal, l'exilé, une admonestation sévère. Au terminus du train, lord Simon faisait prévenir lady Lamia, qui envoyait son dog-cart pour transporter son frère sur l'îlot.

Depuis quelques semaines, une équipe d'ouvriers recrutés par Sima était à l'ouvrage sur Buena Vista. Charles Desteyrac, obligé d'intervenir sur le chantier, avait fait réhabiliter le petit bungalow de Pink Bay, autrefois nommé Little Manor par Mark Tilloy. Il avait occupé cet abri, chargé de souvenirs heureux, pendant la construction du pont qu'il devait maintenant franchir chaque jour. Bien que l'ouvrage eût été plusieurs fois repeint depuis le drame de

1866, et sa chaussée de madriers remplacée par un revêtement de pierres concassées, le pont restait, pour l'ingénieur, un lieu maudit. Une étrange oppression lui bridait la poitrine chaque fois qu'il passait devant l'écu de bronze où l'on pouvait lire l'inscription dictée par lord Simon : « Ici, le 3 octobre 1866, Ounca Lou Desteyrac-Cornfield, Eliza Colson et Edward Carver rencontrèrent la mort. »

À la pointe d'un éperon rocheux qui, telle la proue d'un vaisseau, avançait dans l'Océan, face au grand large, sur la côte est de l'îlot, il s'agissait d'abord de créer une plateforme taillée dans le calcaire corallien, sur laquelle on étalerait, à même la roche aplanie, une couche de ciment de trente centimètres d'épaisseur. Là, se dresserait le phare dont le dessin ravissait le lord.

Charles proposait une tour ronde, sorte de tronc de cône élancé, qui offrirait moins de prise au vent que les tours carrées ou octogonales. Il convenait de prévoir le passage des ouragans saisonniers et les orages tropicaux, parfois accompagnés de fortes rafales.

— Notre phare aura cinquante pieds de haut ce qui, avec l'élévation de la côte en cet endroit, mettra le feu tournant à près de soixante pieds au-dessus du niveau de la mer. Avec les dernières lentilles à rayons concentriques d'Augustin Fresnel, dont mon ami Fouquet m'a envoyé les caractéristiques, notre feu portera à plus de vingt-cinq milles, expliqua ce jour-là l'ingénieur à son beau-père, venu sans se faire annoncer.

— Quand fonctionnera-t-il, ce phare ? demanda Simon.

— Pas avant quatre ou cinq ans, je le crains, estima Desteyrac.

— Quoi ! Mais je ne le verrai pas éclairer la mer, votre phare ! J'ai soixante-treize ans ! Faites plus vite, mon ami. Après tout, construire une tour n'est pas une telle entreprise qu'il faille plusieurs années, maugréa le lord.

— La construction des phares relève, en France, de la

seule compétence des ingénieurs des Ponts et Chaussées, nous avons été formés pour ça. Dans les pays où l'on dispose de tout le nécessaire, la construction d'un phare prend toujours plusieurs années. Les travaux du phare d'Ar-Men, en Bretagne, auquel travaille l'ingénieur Paul Joly, ont commencé en 1869 et ne sont pas achevés[1]. Léonce Reynaud, aujourd'hui responsable du service des phares et balises, a mis cinq ans, entre 1835 et 1840, pour construire le phare de Bréhat ! Et vous savez que le phare de Bird Rock, sur Crooked Island, dont la construction par l'Imperial Lighthouse Service a commencé en janvier 1873, ne sera pas en service avant 76 ou 77. Admettez qu'avec nos moyens cinq années me paraissent une durée correcte, développa Charles, avec un peu d'humeur.

– Bien, bien ! Puisque la construction d'un phare, à Buena Vista, demande plus de temps que la construction du château de Windsor, j'espère que Dieu patientera pour me permettre de voir s'éclairer votre lanterne, s'exclama Simon.

– Regardez travailler nos terrassiers. Ils attaquent au pic le calcaire corallien, pour atteindre la couche dure. On ne peut exiger d'eux plus de rapidité. C'est un travail harassant. Si les intempéries ne nous empêchent pas de travailler, un an, au moins, sera nécessaire pour obtenir une plateforme d'au moins vingt pieds de diamètre. Ensuite, il faudra étaler quelques tonnes de ciment, pour faire la dalle dans laquelle sera ancrée la tour. Une maçonnerie homogène et solide est indispensable pour s'accrocher à la roche.

– Et ce ciment, où le prendrez-vous ? Vous comptez le fabriquer ici avec des coquilles de conches ? demanda Simon Leonard.

– Nous devrons acheter du ciment hydraulique à Portland, aux États-Unis, dit Charles.

Devant la moue de lord Simon, Desteyrac préféra, quitte

---

1. Ce phare n'entrerait en service qu'en 1881.

à exaspérer plus encore son beau-père, évoquer les autres étapes de la construction.

– Ensuite, nous aurons à construire la tour, c'est-à-dire à faire tailler au gabarit un bon millier de blocs de pierre arqués, dit-il.

– Mais, vous allez faire de Buena Vista une carrière ! Il ne restera plus un morceau de calcaire sur l'îlot. Préparez-vous à entendre grincer les dents de ma sœur, Charles !

– Il n'est pas question d'utiliser la pierre d'ici. Le calcaire corallien se corrode ou s'exfolie. Le mieux serait le granit breton, mais cela coûterait une fortune. Je pense que nous trouverons, aux États-Unis, une bonne pierre à bâtir. Je vais demander avis à mon ami Robert Lowell, conclut l'ingénieur.

– Parlons-en, de votre ami Lowell ! Ne trouvez-vous pas qu'il exagère en privant Pacal de vacances pour l'emmener, je ne sais où, suivre des cours de sciences naturelles, tonna Simon.

– Il s'agit d'une école d'été, où l'on enseigne les sciences de la nature. L'école se trouve sur l'île de Penikese, dans l'archipel Elisabeth, au large du New Jersey. Elle a été fondée, l'an dernier, par le savant suisse Louis Agassiz, mort le 14 décembre 1873. Un homme que Lowell et Pacal admiraient beaucoup.

– Je sais, je sais. Pacal m'a écrit qu'au cimetière de Mont Auburn, à Cambridge, où il est enterré, on a placé, sur la tombe de cet Agassiz, un bloc de rocher que l'on a fait venir, à grands frais, du glacier de l'Aar, en Suisse, où le défunt avait fait, paraît-il, autrefois d'importantes trouvailles.

– Pacal nous manque, à Otti et moi, autant qu'à vous, Simon.

– Mais, moi, je suis un vieil homme, Charles. J'ai de plus en plus de mal à me mettre en selle et, quand j'y suis, je crains de tomber. Et cette garce de goutte me revient de plus en plus souvent. Mon vieil ami Uncle Dave voudrait me priver du porto et du gin. Il dit que le vin et l'alcool réveillent la goutte. Hein ! quelle idée saugrenue !

Charles Desteyrac considéra son beau-père d'un regard attendri. L'homme conservait un aspect robuste, même si la voussure des épaules modifiait, quand il ne la corrigeait pas en se redressant au prix d'un effort nécessaire, la rigidité de sa haute silhouette de condottiere. Moustache blanche, sourcils buissonneux, toison argentée et drue conféraient maintenant à lord Simon l'allure d'un patriarche d'une intacte virilité. Il ressemblait de plus en plus au portrait de son ancêtre, James Edward Cornfield, premier baronet de la dynastie, suspendu dans le hall de Cornfield Manor.

— Peut-être irons-nous à Boston, au printemps prochain, voir Pacal. Vous pourriez venir avec nous, proposa Charles, ému par la morosité soudaine du vieil homme, appuyé sur sa canne.

— J'irai avec vous si je tiens encore debout et je pousserai jusqu'à New York. Je voudrais, une fois encore, voir ce vieux Jeffrey, dont les affaires vont si mal, décida-t-il.

— Lady Lamia m'a fait dire qu'elle nous attendait pour le *lunch*, dit Charles.

— Eh bien, allons chez la sorcière. J'espère que Ma Mae nous aura cuit un homard avec un bonne portion de riz, accommodé à la sauce dont elle a le secret, dit-il en prenant le bras de Charles.

4.

Loin des chicanes religieuses, des cancans mondains, des discrètes dissipations d'une société insulaire où tout événement, si ténu fût-il, était accueilli comme une aubaine, propre à rompre la monotonie de l'existence, Pacal Desteyrac-Cornfield, étudiant de première année au MIT de Cambridge, Massachusetts, découvrait les attraits et les rugosités de la vie américaine. Dans ses lettres, il se révélait d'un précoce chauvinisme pour son collège et en répandait l'histoire.

Dès l'origine, cette institution s'était donné pour but « de garantir la prospérité américaine dans une époque fertile en inventions dans tous les domaines ». On citait volontiers aux nouveaux étudiants, et Bob Lowell ne manqua pas de le faire devant Pacal, une phrase de son premier président, William Barton Rogers, l'homme qui, en 1860, en avait conçu les plans : « Nous lisons, dans l'histoire du progrès, que les études abstraites et les recherches des philosophes ont souvent été les sources fécondes des inventions utiles. »

Au MIT, on enseignait toutes les matières nécessaires à la formation d'ingénieurs : mathématiques, physique, chimie, géologie, minéralogie, électricité, mécanique appliquée et domestication de l'électricité.

« En Amérique, un ingénieur n'est pas un clubman aux mains blanches. C'est, à la fois, un savant et un contremaître » avait dit Lowell à Pacal.

Pour assurer cette formation, l'institut disposait d'ateliers, où les étudiants apprenaient à conduire une perceuse, un tour, une fraiseuse, et d'autres machines-outils. Pacal y vit une presse de deux cents tonnes, qui pesait sur une construction de brique pour en éprouver la résistance jusqu'à écrasement. La résistance des matériaux, la force hydraulique, la tension des courroies de transmission, la pression des gaz, la compression de la vapeur faisaient aussi l'objet d'études, comme les nouveaux freins à air comprimés, invention de George Westinghouse que les compagnies de chemins de fer avaient chargé le MIT d'éprouver, avant de les adopter.

Cet enseignement, réaliste et pratique, faisait de l'institut une véritable école scientifique, sans pareille dans l'Union. Après quatre années d'enseignement, les étudiants diplômés trouvaient aussitôt à s'employer dans l'industrie, les chemins de fer ou les mines.

Sur les terrains de jeux de la tutélaire Harvard University, on pratiquait aussi les sports : hockey, football, base-ball et gymnastique. Un bon étudiant se devait de cultiver ses muscles autant que son esprit. Avec quelque prétention et une bonne dose de naïveté, les maîtres s'inspiraient de l'adage de Juvenal : *mens sana in corpore sano.*

Complétant la formule du poète latin par un conseil de morale puritaine, le président de l'institut, dès le premier jour, avait invité les nouveaux étudiants « à observer la chasteté jusqu'au mariage ». Il parut à Pacal que la plupart de ses condisciples étaient prêts à adhérer à cette abstinence et à éviter la rencontre des quelques demoiselles de petite vertu de Boston, de qui les aînés se communiquaient les adresses et de qui il avait déjà entendu vanter les compétences tarifées.

« Les descendants d'obscurs bourgeois anglais », qui composaient la bonne société bostonienne, faisaient mine d'ignorer l'existence de ces femmes accueillantes. Cette feinte indifférence relevait, sans doute, d'une vertueuse hypocrisie.

La société américaine, ses règles puritaines, ses rythmes

établis, son sens pratique, ses commodités domestiques ne rappelaient en rien la liberté de mœurs, la rusticité bucolique, le nonchaloir de la vie insulaire. Ici, l'existence était régie par un code du savoir-vivre social et mondain, et le temps avait un prix. Les hommes ne cessaient de tirer leur montre de leur gousset, alors qu'à Soledad on ne se souciait pas toujours, sauf à Cornfield Manor, de remonter horloges et pendules. Aux Bahamas, le soleil et les marées fournissaient aux indigènes une heure approximative, et le vocabulaire insulaire ignorait l'expression « être en retard » qui, à Boston, sonnait comme une menace. Un des premiers achats de Pacal, avec compas, rapporteur d'angles, règle à calcul, planche à dessin, avait été, sur l'injonction de son mentor, une montre à remontoir, dont Bob Lowell devait parfois rappeler à son élève l'existence et l'utilité !

D'un naturel scrupuleux et travailleur, le fils de Charles Desteyrac se pliait sans regimber aux exigences de ce qu'on nommait à l'institut « l'emploi du temps », afin d'inviter tous et chacun à ne pas gaspiller les heures, ni même les minutes, comme si le temps était, aux États-Unis contrairement à Soledad, une denrée épuisable.

Des horaires de cours, comme de la vie domestique régulière chez les Lowell, Pacal s'accommodait, bien conscient que le savoir ne s'acquiert pas sans efforts ni discipline. Lui manquait le grand air, les chevauchées matinales avec son grand-père, la pêche au harpon avec Fish Lady, la plongée aux éponges avec Sima, les parties de volant et d'osselets avec Takitok et Shakera, la chasse au hutia, au porc sauvage, au pigeon couronné, aux oiseaux de mer. Ces activités improductives lui paraissaient autrement nécessaires à la vie que le diktat des pendules. L'idée de rendement lui avait été, jusque-là, aussi étrangère que la sonnerie d'un réveil-matin ! Aussi, toute occasion d'aller courir dans la campagne ou sur le stade, nager ou canoter sur la Charles River, était bienvenue.

Plus difficile restaient, après six mois au MIT, ses contacts avec certains étudiants de Harvard. C'est à une altercation avec plusieurs d'entre eux qu'il dut la naissance de son amitié avec le jeune New-Yorkais Thomas Artcliff.

Comme les autres étudiants admis cette année-là, Artcliff avait dû chercher un logement à Cambridge, au plus près du MIT, où ce fils d'architecte, passionné de charpente métallique, allait faire des études qui lui permettraient, un jour, de prendre la succession de son père. Ce dernier était un disciple de l'architecte George W. Snow qui, en 1833, à Chicago, avait, le premier, osé élever des murs-rideaux sur un bâti de métal, ossature permettant de construire de hauts immeubles. Quand Thomas avait appris que le père de Pacal était ingénieur et savait construire des ponts métalliques, la sympathie entre les deux adolescents avait été spontanée.

La plupart des étudiants, fils de familles aisées, logeaient en ville dans les *dormitories* huppés, qui abritaient des chambres vastes et confortablement meublées, avec cabinet de bains. Les locataires de ces immeubles neufs disposaient d'une salle de gymnastique, d'une bibliothèque, d'un fumoir, de plusieurs salons et d'un excellent restaurant. Habiter une telle résidence coûtait au moins deux mille dollars par an, mais le père de Thomas assurait largement l'entretien de son fils. Autorisé par Bob Lowell à rendre visite à son ami Artcliff pour dîner, Pacal se présenta un jour, en fin d'après-midi, à la résidence où logeait le jeune homme.

Le portier, un Noir en habit, l'accueillit fraîchement et les étudiants qu'il croisa dans le hall, des *juniors* ou des *seniors*[1], ainsi qu'on nommait les élèves de troisième et quatrième années, ne lui accordèrent que des regards étonnés, parfois arrogants. Le fils de Charles et d'Ounca Lou comprit aussitôt que son physique, teint mat, cheveux noirs lisses,

---

1. Les étudiants de première et de deuxième années sont nommés, respectivement, *freshmen* et *sophomores*.

plats, lustrés, et ses yeux vert pâle, fendus en amande, le différenciaient sensiblement des Yankees, le plus souvent blonds ou roux, mais tous de carnation claire. Il sut plus tard que seule sa stature athlétique et l'impassibilité d'un regard assuré avaient découragé les locataires de ce *dormitory* bourgeois de lancer des quolibets pour faire allusion à ce qui, chez Pacal, rappelait ses racines indiennes.

En attendant que le concierge daignât faire prévenir Artcliff qu'un visiteur l'attendait à l'accueil, Pacal eut le temps de constater que tous les domestiques de la résidence étaient des Noirs, plutôt obséquieux envers des jeunes gens dépourvus de la moindre considération à leur égard. Le professeur logé au *dormitory*, pour exercer un semblant de surveillance et interdire l'accès de la résidence à des femmes sans chaperon, imaginant que Pacal venait postuler pour un logement, s'approcha.

— De quel État venez-vous ? demanda-t-il.

— Je suis étranger, étudiant de première année au MIT et je viens des îles Bahamas.

Le professeur eut une moue de dédain, poussa un soupir, tira sur ses manchettes.

— Un *freshman*, venu d'une île anglaise, que personne ici ne serait capable de situer sur une carte marine, ne peut prétendre, mon garçon, même s'il en a les moyens, à loger sous le même toit que des fils de sénateurs, de propriétaires de lignes de chemin de fer, de magnats du pétrole ou de grands banquiers, déclara l'homme avec morgue.

— Rassurez-vous, monsieur, j'habite chez mon professeur de mécanique, Robert Lowell. Je viens seulement rendre visite à un ami de New York.

— Ah ! Dans ce cas, ne vous attardez pas ici, mon garçon.

Piqué au vif, Pacal ne put se retenir.

— Permettez-moi de vous dire que mon grand-père, lord Simon Leonard Cornfield, n'aurait certainement pas accepté que je puisse loger sous le même toit que les gens dont vous venez de parler. Nous appartenons à un autre monde, répliqua Pacal avec un sourire moqueur.

La discussion, bien que brève et relativement discrète, attira des étudiants.

– Que se passe-t-il monsieur, demanda un gros garçon aux joues molles, déjà bedonnant.

– Rien. Ce n'est qu'un visiteur un peu insolent. Mais ce n'est pas un Américain, dit l'homme.

– Cela se voit au premier coup d'œil, pouffa un autre étudiant, qui portait un soupçon de barbe.

– Ne serait-ce pas un *sambo*[1] mal blanchi, fit un troisième, ce qui déclencha l'hilarité du groupe.

– Je ne me souviens pas de vous avoir adressé la parole, monsieur, dit Pacal.

– Nous pensons, à Harvard, que depuis le jour de novembre 1864 où mon parent, le colonel Chivington, élimina les Cheyenne du Colorado[2], les enfants d'Indiens qu'il avait épargnés devraient rester cantonnés dans leur réserve. N'est-ce pas, les gars, dit le barbichu.

– Les Taino et les Arawak des Bahamas ne sont pas des Cheyenne. Nos îles anglaises sont, Dieu merci, à l'abri des incursions des militaires américains en mal de victoires faciles, rétorqua Pacal, qui commençait à s'échauffer.

– Jetons ce type dehors, proposa soudain le grassouillet, à qui un nez épaté et de larges narines conféraient un aspect porcin.

Aussitôt approuvé, il s'avança avec deux autres vers Pacal,

---

1. Nom péjoratif désignant les mulâtres.
2. Le 24 novembre 1864, le colonel John M. Chivington, de la cavalerie des États-Unis, attaqua à Sand Creek, Colorado, un camp où vivaient des Indiens cheyenne. Plus de cinq cents hommes, femmes et enfants furent massacrés par les soldats. Les militaires se conduisirent avec une telle cruauté que le Congrès ordonna une enquête. Malgré les témoignages accablants des officiers enquêteurs et du guide, Robert Bent, consignés dans le rapport du Sénat, l'affaire n'eut pas de suite.

avec l'intention de se saisir de l'intrus. Maître de ses réflexes, le fils de Charles, qui avait appris de Takitok et de Sima à se débarrasser des importuns, attendit que les trois garçons soient à bonne distance. Quand l'un d'eux, le plus fort, avança une main, Pacal lui saisit l'avant-bras et, d'une seule torsion, le projeta au sol, pantois et meurtri. Il choisit ensuite de frapper le petit gros à la bedaine, lui coupant le souffle. Quant au troisième, il fut cueilli par un uppercut au menton, qui l'assit, hébété, sur le dallage du hall.

Cette réaction, aussi violente qu'inattendue, refroidit les autres et motiva l'intervention du professeur, décontenancé par l'altercation.

– Sortez d'ici, je vous prie, ou je vais demander à notre portier de vous mettre à la raison.

Le portier, qui avait suivi l'assaut, montrait un large sourire et ne paraissait nullement pressé d'intervenir.

– Voyez-vous, monsieur, à Soledad, sur mon île, Indiens, nègres et Blancs s'entendent fort bien quand il s'agit de défendre l'honneur des uns ou des autres. D'ailleurs, voici mon ami Thomas Artcliff qui arrive. Nous allons donc vous laisser entre vous, dit Pacal, voyant apparaître le New-Yorkais, tandis que leurs camarades relevaient les assaillants malheureux.

– Que se passe-t-il ? demanda Thomas, l'air effaré.

– Ces messieurs n'aiment pas les descendants d'Arawak. Ce n'est rien, allons-nous en.

Artcliff se mit à rire et se tourna vers ses camarades.

– Mon ami est capable de scalper qui lui manque de respect, lança-t-il, tandis qu'on emmenait le garçon à la mine porcine.

La réputation du père de Thomas Artcliff et, plus encore, celle de son grand-père, connu comme généreux donateur de l'université, incitèrent le responsable du *dormitory* à se désintéresser soudain de l'affaire. Il invita d'un ton mielleux

les étudiants à faire, dorénavant, montre de plus de courtoisie envers les visiteurs étrangers.

— Allons dîner, conclut Artcliff en prenant le bras de
Pacal.

Le lendemain, Pacal crut nécessaire de raconter à Bob
Lowell et à Viola comment des étudiants américains lui
avaient cherché querelle et comment il avait été conduit à
les corriger. La réaction de son maître le déçut.

— Un de leurs professeurs m'a rapporté vos exploits, dont
il n'y a pas lieu d'être fier, savez-vous. Vous n'auriez pas dû
provoquer ces garçons, dit-il d'un ton sec.

— Mais, ce sont eux qui se sont moqué de moi. À cause
de mon physique, bien sûr. L'un d'eux a même insinué que
j'étais un *sambo*, un mal blanchi, monsieur. Et ils ont voulu
me jeter dehors.

Lowell ne sembla pas retenir l'explication et traduisit son
mécontentement en heurtant, l'une contre l'autre, ses mains
de bois, gantées de cuir. Ce bruit sec, inhumain parce que
étranger à la chair, impressionnait toujours Pacal.

— Tout cela est bien ennuyeux. Vous avez frappé plusieurs
étudiants, Pacal. Que voulez-vous, ces garçons ne savent pas
faire la différence entre un Apache ou un Cheyenne et un
Arawak des îles Bahamas. Ils ne voient en vous, bien que
l'atavisme soit discret, qu'un descendant d'Indien. Et ces
temps-ci, dans l'Oregon, les Modok tuent les vaches de nos
fermiers, attaquent les convois, sabotent les lignes télégraphiques et, dans la vallée de la Platte, les Sioux s'en prennent aux chercheurs d'or et à nos soldats qui les défendent.
Il y a des morts. Nos étudiants n'aiment donc pas les Indiens
et ceux qu'ils considèrent comme tels. Il faut savoir cela,
Pacal, et se conduire en conséquence.

– Je ne laisserai jamais une insulte sans réponse, monsieur, rétorqua Pacal.

– J'estime que Pacal a eu raison d'agir comme il l'a fait. Les Arawak n'ont rien à voir avec ce qui se passe dans l'Ouest, intervint Viola.

La petite-fille de Maoti-Mata avait souvent à souffrir de l'attitude des Bostoniens, lors de ses sorties en ville. Dans les magasins, les Blancs étaient toujours servis avant elle, sans attendre leur tour, et les commerçants ne lui adressaient la parole que pour réclamer leur dû. Elle n'osait pas dire à son mari que des hommes l'obligeaient parfois à descendre du trottoir, au lieu de s'effacer comme ils l'eussent fait devant une femme blanche.

– Ma chère, ne vous mêlez pas de ça. On vous remarque déjà assez comme ça ! dit Bob en heurtant nerveusement la table de ses mains de bois.

Pacal, décontenancé, sourit à Viola qui, les yeux pleins de larmes, se leva de table et quitta la pièce.

– Voilà une conséquence stupide de votre altercation avec les étudiants. Viola est de plus en plus susceptible. On la remarque, bien sûr. Belle comme elle est. Belle femme et mère de famille... mais Indienne. Ce qui ne peut se dissimuler, n'est-ce pas ? Oui, partout on la remarque, dit Bob, soudain amer.

– Vous-même l'aviez remarquée et vous l'avez épousée, dit Pacal qui, voulant être aimable ne fut qu'imprudent.

– Ce n'est peut-être pas ce que j'ai fait de mieux, bougonna Lowell en quittant sa chaise.

Pacal, fort gêné, se tut, ne trouvant rien à dire.

– Allez réviser votre cours de mécanique des fluides. Il y aura interrogation demain, lança le professeur, mettant fin à l'entretien.

Dès ce jour, Pacal multiplia les attentions pour celle qui l'avait bercé. Bien qu'elle fût de douze ans son aînée, il se sentait, peut-être par la mystérieuse connivence du sang des Arawak, le protecteur de cette femme, devenue mélancolique et le plus souvent silencieuse. Il souffrait de voir son professeur, par ailleurs si estimable, traiter son épouse comme une gouvernante.

Quand lord Simon, Charles et Ottilia rendirent visite au *sophomore*, dans le temps de Pâques, en 1875, Pacal se garda de rapporter ce qu'il vivait dans le foyer des Lowell. Ces derniers se plurent en compagnie des visiteurs et les rencontres furent fréquentes. Un après-midi, Robert Lowell tint à conduire lord Simon et les siens chez la veuve de Louis Agassiz. Avant d'atteindre le domicile de cette femme, le professeur crut bon de prévenir que la seconde épouse du savant suisse était américaine, née Elizabeth Cary, d'une ancienne famille de Boston.

— Qu'est devenue la première ? risqua lord Simon, qui aimait connaître les histoires de famille.

— On dit qu'elle refusa de suivre son mari aux États-Unis, intervint Pacal.

— C'est ce qu'on dit à l'université, mais la vérité est autre. Le génie d'Agassiz fut incompris de sa première épouse, dit Lowell.

— Mais encore ? insista lord Simon.

— Une dame de Boston, fille d'un vigneron du canton de Vaud, m'a raconté qu'en Suisse, Louis Agassiz passait ses jours et ses nuits dans son laboratoire, pour suivre l'éclosion des œufs de saumon. « Tous les soirs, sa femme venait frapper à la porte, mais il la renvoyait en disant qu'il ne pouvait pas quitter ses poissons et qu'il la recevrait après le huitième jour. Enfin, quand les huit jours furent écoulés, Mme Agassiz vint de nouveau frapper à la porte de son mari, mais celui-ci dormait si profondément qu'il ne l'entendit point. Le lendemain, elle revint et le trouva dormant, le troisième jour, elle le trouva encore dormant. Elle en fut exaspérée et se sauva, ne voulant plus d'un mari qui observait des œufs de poissons pendant huit jours et dormait ensuite pendant trois jours[1]. » Voilà ce qu'on m'a rapporté, dit Robert Lowell.

La veuve du savant suisse, une belle femme aux cheveux blancs, tenait une pension pour jeunes filles et entretenait avec assiduité les relations de son défunt mari. Elle accueillait tous les admirateurs d'Agassiz avec une grande courtoisie, et acceptait de parler de lui et de son œuvre capitale, hélas inachevée. Cette monumentale *Contribution des États-Unis à l'histoire naturelle* aurait dû compter dix volumes et, seuls, les quatre premiers avaient été écrits et publiés.

En quittant la maison que Harvard University avait autrefois offerte au professeur, Lowell crut bon d'expliquer comment les esclavagistes du Sud avaient trouvé, bien avant la guerre de Sécession, dans une déclaration d'Agassiz, de quoi conforter leur attitude à l'égard des Noirs.

— Pressé dans les années cinquante de donner son avis sur le niveau mental des différentes races, Agassiz, alors le plus célèbre des savants américains, dit qu'il tenait les Noirs « pour une race inférieure, qui devait descendre d'une souche différente ».

— Nous avons déjà entendu ce refrain à Charleston, chez le défunt Bertie III Cornfield, dit Ottilia.

— Peut-être, mais Agassiz avait une telle notoriété que sa déclaration lui aliéna, pour un temps, les abolitionnistes, car

---

1. Les propos de cette Bostonienne, divulgués dans la société locale, ont été confirmés dans une lettre du Français Édouard Desor, qui fut secrétaire d'Agassiz à Berne, à Caroline Olivier, épouse de Juste Olivier (1807-1876), écrivain, ami d'Agassiz. Citée par le docteur Jean Olivier, petit-fils de Juste Olivier, dans la *Revue historique vaudoise*, septembre 1957, publiée par la Société vaudoise d'histoire et d'archéologie.

il développa en écrivant : « Durant des milliers d'années, la race noire a manifesté des tendances naturelles et des caractéristiques mentales qui sont celles que nous constatons aujourd'hui : la paresse, la sensualité, la faculté d'imitation, le goût de la destruction, le caractère bon enfant, la versatilité, l'absence de fermeté, le dévouement et l'affection. Tandis que d'autres races produisaient les plus hautes civilisations de l'Antiquité, la race nègre végétait dans la barbarie et ne fut jamais capable d'engendrer une société organisée. » Telle fut la déclaration que les Sudistes retinrent.

— Ce savant connaissait certainement les saumons et les glaciers de son pays, mais connaissait-il les nègres ? demanda lord Simon.

— Certes, moins que vous. Car vous vivez depuis longtemps près de nègres qui jouissent de la liberté et de droits reconnus. Mais ces droits, Agassiz les souhaitait aussi pour les nègres américains. Car les esclavagistes, qui répandirent les propos que je vous ai cités, oubliaient volontiers qu'Agassiz avait aussi proclamé à la même époque : « Les nègres ont droit à la liberté, ils ont le droit de choisir leur destinée, de jouir de l'existence de leur famille, de l'argent qu'ils ont gagné. Ils ont droit à l'égalité devant la loi[1]. »

— Si j'en juge par ce que nous voyons ici, je crains que l'émancipation des Noirs, obtenue par tant de sacrifices — Bob, celui de vos mains, entre autres — n'apporte pas aux nègres les mêmes chances d'éducation, d'emploi et partant, de bonheur, qu'aux Blancs, dit Charles Desteyrac.

— Nous leur avons donné la liberté d'aller et venir, de travailler, suivant leur capacité, où bon leur semble, pour un honnête salaire. Ils ont leurs quartiers, leurs écoles et leurs églises. La séparation des races, qui reste une bonne chose, ne signifie pas qu'une race est inférieure à l'autre. Si

---

1. Cité par Bernard Jaffe, *Savants américains*, Overseas Editions, New York, 1944.

la différence physique est évidente, la différence sociale ne l'est pas moins. Nous sommes pour l'égalité des droits dans la séparation des communautés, car on ne peut obliger deux races à vivre ensemble. Vivre ensemble dépend des mœurs, des affinités naturelles, pas de la race. Ce sont les nègres qui, aujourd'hui, se considèrent comme inférieurs aux Blancs. Ils n'ont qu'à abandonner cette idée, déclara Lowell, péremptoire.

– Cette idée ne vient pas de la race, Bob, elle vient de ce qu'ils connurent l'esclavage pendant plusieurs générations. Ce n'est pas la couleur de leur peau qui fait croire aux nègres qu'ils appartiennent à une race inférieure ; c'est que les Blancs en firent une race inférieure, esclave et seulement esclave. On leur a refusé, jusqu'à l'émancipation, toute possibilité d'éducation et d'instruction. De cela, ils se souviennent et se souviendront longtemps. Votre formule civique « égaux mais séparés », ne fait que perpétuer leur isolement, dit Desteyrac.

– C'est bien ce que nous voulons. Qu'ils restent entre eux, nous entre nous ! conclut Lowell, avec la même assurance que l'on rencontrait chez la plupart des Bostoniens.

C'est en famille que les Bahamiens excursionnèrent à travers la Nouvelle-Angleterre, souvent en compagnie de Thomas Artcliff, à qui lord Simon trouva « un air franc et résolu ».

Ensemble, ils se rendirent à Concord, la petite ville près de laquelle, le 19 avril 1775, avaient été tirés par les fermiers en colère les premiers coups de fusil de la guerre de l'Indépendance américaine. Là, avait aussi vécu le philosophe transcendantaliste Henry David Thoreau, un ancien de Harvard, d'origine franco-écossaise. Bob Lowell citait souvent l'auteur de *Walden ou la vie dans les bois*, pour inciter ses élèves au travail appliqué, au lieu de s'abandonner à des rêveries sentimentales. « L'expérience est dans les doigts et dans la tête. Le cœur n'a pas d'expérience », répétait-il. Et lord Simon approuvait, tandis que les deux étudiants riaient sous cape car, à Thoreau, ils préféraient Longfellow, professeur de littérature à Harvard, qui racontait si bien, en vers naïfs et musicaux, les malheurs de l'Acadienne Evangeline.

Hébergés chez un cousin, le banquier Ellis Cornfield, frère de Jeffrey Cornfield, de New York, qui, jusque-là, n'avait fait aucun effort pour accueillir le petit-fils de lord Simon, les visiteurs furent conviés à plusieurs réceptions mondaines. Au cours de celles-ci, Pacal pénétra la bonne société locale, bourgeoisie enrichie par le négoce, puis par les fournitures aux armées pendant la guerre de Sécession, qu'on réduisait ici à une rébellion, heureusement réprimée, des États esclavagistes.

Cette société, à qui nulle aristocratie ne risquait de porter ombrage, affichait une confiance vaniteuse en ses destinées. Sûre de détenir le dogme de la réussite la plus probe, portée par une alliance d'énergie commerciale, d'appétit de connaissances, d'art, de poésie et de musique, sous contrôle d'un puritanisme mielleux, l'élite bostonienne, bien que fleurant encore l'arrière-boutique des ancêtres, s'efforçait de maintenir « le vieil esprit Nouvelle-Angleterre ».

Souvent, les chefs de famille, instruits et compassés, faisaient référence aux illustres résidents, Emerson, Thoreau, Longfellow, Holmes, Ticknor et d'autres, comme si le foyer intellectuel de Harvard, si proche, rayonnait jusque dans les salons de Beacon Hill, allumait les flammes de la connaissance sous le manteau de marbre des cheminées et le pétrole sous les abat-jour des lampes de Tiffany. Dans ces maisons d'aspect austère, mais pourvues du meilleur confort, Pacal approcha, pour la première fois depuis son arrivée à

Cambridge, des jeunes filles. Elles lui parurent toutes identiques, comme sœurs, souvent jolies et gracieuses, posant des questions préparées sur les îles Bahamas, dont elles savaient depuis peu par leur père, qui l'avait appris de Robert Lowell, qu'elles se situaient loin de la civilisation, sur l'Océan, entre Cuba et la Floride.

Les visiteurs partis, elles ne manqueraient pas de demander à leur mère comment il se pouvait que le petit-fils d'un lord authentique, descendant des illustres Cornfield de Manchester, pût avoir des yeux vert pâle, fendus en amande, des cheveux noirs et soyeux, le teint mat et d'aussi longues jambes !

La seule personne que le fils de Charles séduisit fut une petite fille, de six ou huit ans, en robe rose, ornée de dentelle. Ayant entendu Pacal échanger quelques mots en français avec son père, elle s'approcha, fit une révérence et dit en français, presque sans accent :

– Bonjour messieurs.

– Bonjour, mademoiselle, vous avez une bien belle robe, répondit Pacal dans la même langue en se penchant sur la fillette.

Des tresses blondes, arrondies comme deux anses de pot, sur une tête fine, un nez retroussé et un regard myosotis conféraient à l'enfant une promesse de beauté future.

– Ainsi, vous parlez français. Vous, si jeune, où l'avez-vous appris ? demanda Desteyrac.

La réponse vint d'une dame, qui se présenta comme étant la tante de l'enfant. Elle s'exprima en anglais.

– L'arrière-grand-père de Susan, c'est-à-dire mon grand-père, Guillaume Métaz, vint de la Suisse romande s'établir aux États-Unis en 1820[1]. C'était un ami de Louis Agassiz

---

1. Les aventures de Guillaume Métaz – personnage de fiction – et de sa famille ont été racontées dans une autre série romanesque – qui se déroule de 1800 à 1865, dans le canton de Vaud, et qui compte quatre tomes : *Helvétie*, *Rive-Reine*, *Romandie*, *Beauregard* – du même auteur (éditions Denoël).

et, comme notre regretté savant, originaire du canton de Vaud. C'est pourquoi, en famille, il nous arrive encore de parler français. Car, jusqu'à sa mort en 1851, mon grand-père a toujours voulu que ses descendants apprennent cette langue, dit la dame.

– Ma tante Fanny parle aussi français, observa la fillette.

– Des plus intéressantes conversations que la tienne, ces messieurs peuvent avoir, dit la dame, s'exprimant cette fois dans un français traduit de l'anglais.

Emmenée par sa tante à l'autre bout du salon, la fillette ne cessa, en marchant, de se retourner, pour fixer de son regard clair ce jeune homme, qui ne ressemblait pas aux autres.

Quand il rapporta cette amusante rencontre à Bob Lowell, Pacal découvrit que la famille de Guillaume Métaz, le Vaudois, était connue de Bob Lowell.

Le jour de l'arrivée des Bahamiens, le *Phoenix*, sous voiles de manœuvre, avec son élégante coque blanche, sa figure de proue dorée à l'or fin et son équipage discipliné, avait fait sensation au milieu des voiliers de commerce et des vapeurs anglais. Près de ces navires, qui apportaient marchandises et nouvelles d'Europe, l'impondérable cargaison du trois-mâts ne pouvait être que souvenirs d'aventures hauturières et rêves exotiques.

Lord Simon avait tenu à ce que Lewis Colson assumât une dernière fois le commandement du navire, avant de céder la passerelle à John Maitland. À Boston, il avait auto-risé les visites de son bateau et les curieux s'étaient extasiés devant le luxe des appartements, l'éclat des cuivres, le vernis des mâts et des lisses, l'uniforme des officiers et marins du bord. En échange d'un baiser, certaines demoiselles, qui n'étaient pas de la bourgeoisie, avaient obtenu un béret de matelot frappé du phénix d'or !

Ainsi, quand, après deux semaines, vint le moment de l'appareillage pour New York, une foule se rassembla sur les quais. Pacal, venu dire un dernier au revoir aux siens, attendit que le voilier eût quitté le grand bassin pour retourner à Cambridge, où il trouva Robert Lowell, de plaisante humeur.

À la somme convenue pour la pension de son élève, lord Simon avait ajouté cinquante actions de la société qui, depuis cinq ans, faisait construire par l'ingénieur James B. Eads, à Saint Louis, sur le Mississippi, un pont de fer. Long de plus d'un mile, reposant sur trois arches, celle du centre étant la plus large du monde, l'ouvrage, financé en majorité par des Britanniques, avait coûté dix millions de dollars. Devenu actionnaire par le don de lord Simon, le professeur Lowell pourrait assister à l'inauguration du pont, annoncée pour le 4 juillet, à l'occasion de l'Independence Day.

Viola ne semblait pas partager la satisfaction de son mari. En l'observant, Pacal vit qu'elle avait pleuré et, quand Bob quitta la maison pour se rendre, comme presque chaque soir, au Temple Club, il n'eut pas à insister pour connaître la raison de ce chagrin.

– Quand j'ai vu, de loin, le *Phoenix* prendre la mer, j'ai cru que mon cœur éclatait. Comme j'aurais aimé être à bord, avec vos parents et lord Simon, pour aller revoir mon île, avoua-t-elle, encore émue.

– L'an prochain, c'est nous qui rendrons visite à Soledad. Mon grand-père a même dit qu'il enverrait l'*Arawak* pour nous transporter, dit Pacal.

– L'an prochain, au temps de vos vacances, je serai à Philadelphie avec mon mari. Vous savez bien qu'on y prépare une grande Exposition internationale pour célébrer le centenaire de l'Indépendance des États-Unis. Bob est déjà engagé par Baldwin's Locomotive Works pour présenter de nouvelles machines. Alors, vous irez seul à Soledad, conclut-elle, résignée.

Confus et apitoyé, Pacal prit les doigts de Viola, qu'il baisa doucement. Il fut surpris et gêné par la réaction de la jeune femme. Elle retira vivement sa main et se détourna, avec un petit cri, comme si le geste spontané de Pacal lui avait été douloureux.

– Allez à vos leçons. Demain, les cours reprennent, et nous avons eu beaucoup de distractions ces temps-ci, dit-elle vivement, le feu aux joues.

Au cours de l'été, Pacal, Thomas et bon nombre d'étudiants du MIT se passionnèrent, non pour le cadeau que le gouvernement français allait faire aux États-Unis à l'occasion de leur centenaire – une statue géante de la Liberté, qui serait dressée dans la baie de New York – mais pour un yacht extraordinaire. Ce bateau, destiné à un riche Égyptien, était en construction à Philadelphie. Il devrait atteindre la vitesse record de vingt-six nœuds à l'heure. Aux premiers essais, il avait dépassé vingt et un nœuds. Construit par les chantiers Neafle and Levy, sur les plans de l'ingénieur anglais Osborne Reynolds, spécialiste de la propulsion par hélice, le yacht, dont la coque en plaques de fer bénéficiait d'un double rivetage, disposait d'une chaudière à très haute pression. Par une série de cylindres, celle-ci fournissait l'énergie à une énorme hélice placée sous la poupe. L'ingénieur Reynolds avait baptisé ce bolide des mers *Aerolithe.*

– Avec un tel bateau, on pourrait traverser l'Atlantique en une semaine, observa Artcliff.

– Et aller aux Bahamas en deux jours, renchérit Pacal.

Tandis qu'à Cambridge le fils de Charles retournait à ses études, à New York, le *Phoenix* était amarré dans le port. Pour ne pas gêner Jeffrey, de qui lord Simon connaissait les difficultés financières depuis la crise de 73, les Bahamiens descendirent au Fifth Avenue Hotel, près de Madison Square et, de là, se rendirent chez le cousin Cornfield.

Lord Simon trouva une situation encore plus catastrophique que celle imaginée d'après les lettres de Jeffrey. Dans la vaste maison de brique de Washington Square, où ne servaient plus qu'un seul Noir, homme à tout faire, et la vieille gouvernante, Gladys Hamer, qui passait, avec un dévouement exemplaire, des fourneaux au plumeau, sans rien abdiquer de sa dignité, régnait une atmosphère de fin de règne.

Amaigri, vêtu d'un costume élimé, chemise à col de celluloïd et cravate à système, joues creuses et regard las, Jeffrey Cornfield, hier puissant banquier, armateur, actionnaire des mines et des chemins de fer, riche et estimé, ne put retenir ses larmes en voyant Simon, Ottilia et Charles entrer dans le salon aux persiennes mi-closes. Avec les beaux meubles Adam et les sièges Chippendale, tous les bibelots de prix, vases, statuettes, coupes d'argent ou de cristal, comme l'argenterie George II et les fines porcelaines de Minton, avaient disparu lors de ventes obligées. Dans la salle à manger, au-dessus d'une desserte vide, ne subsistait qu'un seul tableau, le portrait de la défunte maîtresse de maison, née Janet Mullins, descendante d'un passager du *Mayflower*, que le banquier, veuf inconsolable, n'avait jamais remplacée.

Lord Simon envoya discrètement Tom O'Graney, qui avait accompagné les visiteurs jusqu'à la porte de Jeffrey, quérir, à bord du *Phoenix*, une caisse de vieux porto, plusieurs flacons de whisky et quelques bouteilles de bordeaux. Après le dîner, au cours duquel on ne servit que de la viande et des pommes de terre bouillies, Jeffrey, encouragé par trois verres de vin, se décida, sans qu'on l'eût demandé, à livrer le bilan familial.

– Le mari d'Edna, ma fille aînée, magistrat à Brooklyn, est poursuivi par la justice, pour corruption et extorsion de fonds. Il s'est compromis avec la bande démocrate de Tammany Hall et il risque, non seulement la prison, mais le déshonneur. Edna a appris, à l'occasion de l'enquête, que son mari entretenait une maîtresse et qu'il est père de l'enfant de cette femme. Cette dernière a osé me réclamer une pension, depuis que mon gendre ne peut plus l'entretenir. Nos avocats tentent d'éviter un scandale annexe. Naturellement, Edna est tombée malade des nerfs et j'ai dû la faire entrer dans une maison de santé, fort coûteuse.

– Et Lyne, comment va-t-elle ? s'enquit Charles.

L'ingénieur conservait le souvenir de la jolie fille aguicheuse qu'il avait connue, vingt ans plus tôt, lors des fiançailles ratées d'Ottilia avec Edwin Sampson.

– Lyne a été abandonnée par son mari. Heureusement, sans enfant, elle travaille comme secrétaire à la municipalité. Son caractère serein lui permet de supporter l'adversité, révéla Jeffrey.

– En somme, la seule heureuse est Ann, n'est-ce pas ? demanda Ottilia.

– C'est vrai. Mark Tilloy fait un excellent mari et un bon père de famille. Il a su gérer au mieux les affaires laissées à ma fille par son défunt mari. Il a même développé la compagnie de navigation, héritée de Kurt Pickermann. Il possède maintenant cinq bateaux sur le lac Michigan et il est en train de faire fortune dans l'immobilier en bâtissant de grands et luxueux immeubles à Lake Shore Drive, sur les terrains des anciens entrepôts du premier mari d'Ann. Je dois dire que, sans les subsides que ceux de Chicago me font parvenir chaque mois, je ne sais comment nous pourrions survivre, reconnut Jeffrey.

Ces confidences humiliantes, consenties par un homme autrefois orgueilleux et fier de sa réussite, suscitèrent chez les auditeurs gêne et compassion.

– Et Henry, que devient-il ? enchaîna lord Simon.

Jeffrey observa un instant de silence, comme s'il ne pouvait se résoudre à satisfaire la curiosité de son cousin. La tête dans les mains pour dissimuler son visage, il finit par balbutier, avec effort, l'aveu le plus douloureux.

– Il a été pendu, il y a quelques mois, en Australie... à Sydney, dit-il, buvant jusqu'à la lie le calice de la honte.

– On ne pend pas, sous la loi britannique, pour de simples malversations financières, s'étonna Simon.

– Mais on pend les négriers, rétorqua dans un souffle le père anéanti.

La même stupeur figea le visage de Charles, d'Ottilia et du lord.

– Henry négrier ! *God'dam !* s'écria Simon.

L'Australie étant colonie britannique, il imaginait l'opprobre public qui rejaillirait, en Angleterre, sur le nom des Cornfield si l'affaire traversait les mers.

– Comment a-t-il pu en arriver là ? demanda Ottilia.

– Je n'ai pas le courage de vous raconter ça. Tenez, lisez cet article et vous saurez tout.

Charles s'empara du journal australien qu'on lui tendait et, sur un signe de lord Simon, lut à haute voix ce qu'il découvrit sous le titre : « Est-ce le dernier négrier ? »

– « En juin 1871, une certain docteur, nommé James Patrick Murray, fréta, à Melbourne, le brick *Carl*. Il quitta ce port en emportant un chargement général, qui éloigna tout soupçon sur le but réel de son voyage. Le docteur Murray était cependant parti avec l'intention d'aller dans l'archipel, prendre, par la force, des indigènes, pour les vendre comme esclaves. À cet effet, il attira autour de son bâtiment des insulaires, trop confiants, dont les canots entourèrent le brick. Murray fit mettre en pièces les embarcations. On rattrapa ensuite les malheureux, qui se débattaient au milieu des vagues, et on les enferma dans la cale.

» Ce négrier d'un nouveau genre continua ainsi, jusqu'à ce qu'il eût presque complété son chargement humain. Mais enfin, affolés par les mauvais traitements et aussi par l'affreux guet-apens qui les avait enlevés à leur cabane et à leur famille, ces indigènes se révoltèrent, attaquèrent l'équipage et mirent le feu au navire. Pour dompter cette révolte, le docteur Murray et ses hommes firent un affreux carnage de leurs prisonniers en tirant au hasard dans la masse. Le lendemain du jour où ces meurtres avaient été commis, après qu'on eut enlevé les écoutilles, on trouva que soixante-dix de ces malheureux étaient morts ou blessés.

» Quelque temps après, cependant, les détails de ce crime horrible transpirèrent et, à Sydney, on arrêta Murray et quelques-uns des hommes de l'équipage[1] », acheva Charles, stupéfait.

– Et, après quatre années de procès, qui me coûtèrent fort cher, justice a été faite. Henry, qui était un des commanditaires de Murray, fut pendu avec le négrier et quelques autres, acheva Jeffrey, au bord de la défaillance.

– Ne manquerait plus que ce James Murray eût été un cousin de notre pauvre Malcolm, dit Ottilia.

– Dieu veuille que cette feuille n'arrive pas à Londres ! Au moment où sir Bartle Frere vient d'obliger le sultan de Zanzibar, Saïd Bargash, à fermer le marché aux esclaves, qui rapportait à ce satrape un dollar par nègre vendu en Arabie, les publicistes ne manqueraient pas d'ironiser sur l'affaire du négrier anglais d'Australie, grommela lord Simon.

Pendant une semaine, lord Simon s'enferma avec son cousin et des piles de dossiers, pour se faire une idée exacte de la déconfiture financière de Jeffrey. Habile comptable, il

---

1. *Musée universel*, premier semestre 1874.

évalua les chances de sauver quelques investissements, par
une injection de capitaux qu'il était prêt à assurer, pour
sauver de la ruine intégrale son malheureux parent. Mais
lord Simon ne trouva aucune échappatoire. Les créanciers
de Jeffrey, n'ayant plus aucune considération pour le failli,
se montrèrent intraitables, nullement impressionnés par la
personnalité et la fortune du lord des Bahamas.

Tandis que Charles, assisté de Lewis Colson, rendait
visite aux exportateurs de pierre à bâtir, nécessaire à la
construction du phare du Cabo del Diablo, Ottilia courait
les magasins, de Bloomingdale's à Macy's, qui venait d'ouvrir
un restaurant pour dames seules. Accompagnée de Gladys
Hamer, la gouvernante de Jeffrey, la fille du lord arpenta,
comme les élégantes citadines, la partie de la Vᵉ Avenue que
les New-Yorkais, par allusion à Londres, nommaient Ladies'
Mile. Sur un mile et alentour se trouvaient réunies les plus
belles boutiques de vêtements féminins, comme Lord and
Taylor, Altman, Arnold and Constable, Best and Co. Géné-
reuse, Ottilia renouvela la garde-robe que Gladys n'avait
plus les moyens de remplacer et choisit, pour elle-même, des
robes légères, qui feraient pâlir de jalousie Dorothy Weston
Clarke.

De retour à Soledad après trois mois d'absence, lord
Simon admit que le *Phoenix* avait besoin de sérieuses répara-
tions. Pendant la traversée de New York aux Bahamas, alors
que s'annonçait, par les premiers orages tropicaux, la saison
des ouragans, le voilier avait donné, pour la première fois,
des signes de faiblesse. Ses vieilles membrures craquaient de
manière inquiétante, « comme mes jointures », dit lord
Simon. L'étanchéité de la coque laissant à désirer, un calfa-
tage s'imposait, comme la réfection du pont, dont les planches usées menaçaient de se disjoindre quand le navire,

secoué par les lames, frémissait de la quille au grand mât. Le passage au bassin de radoub s'imposait donc.

Dès l'accostage au port occidental, des ordres furent donnés à Philip Rodney pour qu'il conduisît le yacht au bassin du port oriental où l'on mettrait le *Phoenix* en cale sèche. Tom O'Graney et ses Irlandais remplaceraient membrures et vaigres fatiguées, afin de rendre à la coque sa résistance première. Dans le même temps, le bateau recevrait un nouveau gréement, avec des voiles neuves, commandées au chantier des Albury, sur Man O' War, un îlot des Abaco Islands.

— Certes, ce bateau est vieux, mais je me demande si, sachant qu'il va perdre son commandant, Lewis Colson, pour passer aux mains d'un nouveau capitaine, John Maitland, le *Phoenix* ne nous fait pas une crise de mauvaise humeur, ne s'abandonne pas au désenchantement, dit Rodney, après avoir reçu les ordres du lord.

— Il se pourrait, capitaine. Les vieux voiliers ont du caractère et du cœur, dit Tom O'Graney.

Pendant l'absence de Charles Desteyrac, les terrassiers, Arawak et Noirs, avaient bien travaillé. Sima avait mis un point d'honneur à faire avancer l'établissement de la plate-forme destinée à recevoir le phare du Cabo del Diablo. Inspectant le chantier, au lendemain de son retour, l'ingénieur se déclara satisfait et annonça l'arrivée, dans un mois ou six semaines, du ciment de Portland qu'il avait commandé au cours de son séjour à Boston. Il s'adressa aux ouvriers, qui, lady Lamia le lui avait dit, étaient maintenant conscients et fiers de participer à la construction d'un ouvrage destiné à guider les marins.

— Dieu fasse que les ouragans passent au large, sinon, il nous sera impossible de gâcher le ciment et de l'étaler sur la roche que vous avez fort bien aplanie. De la prise du ciment dépendra la stabilité et la résistance de la plateforme, expliqua Charles aux ouvriers attentifs.

L'ingénieur, satisfait de son inspection, se mit en route pour regagner Malcolm House dans son boghei. En suivant du regard la lente descente du soleil dont l'Océan accaparait les derniers rayons orangés, tandis qu'à l'est des cumulus dodus à fond plat avançaient vers l'archipel, promettant le beau temps, Charles Desteyrac s'estimait favorisé par le destin. Le séjour aux États-Unis l'avait convaincu qu'il était devenu insulaire à part entière. Un homme auquel l'existence dans une grande cité ne pouvait plus convenir. Ce soir, il allait, au seuil de sa maison, retrouver Ottilia épanouie, enjouée, câline. Après le dîner, elle se mettrait au piano et déchiffrerait les partitions de Chopin, de Liszt ou de Beethoven achetées à New York, à moins, la soirée s'annonçant belle, qu'ils ne préfèrent, mains enlacées, bavarder sur la galerie en observant le ballet des chauves-souris. Ces soirées conduisaient au désir que la nuit allait satisfaire. Charles ignorait encore que la raison profonde de sa sérénité, qu'il n'osait appeler bonheur, était de rendre Ottilia heureuse. Il avait inventé pour elle un amour à sa mesure.

L'agréable perspective d'une soirée intime et quiète fut balayée, alors qu'il approchait du village des Arawak, par un jeune homme envoyé à sa rencontre. Maoti-Mata se mourait et souhaitait prendre congé de son ami, l'ingénieur français.

Charles fit monter le messager dans sa voiture et mit le cheval au grand trot.

— Est-ce un accident ? demanda-t-il, chemin faisant.

— C'est usure, mossu, a dit docteu' Ke'mo'. Est bien vieux, not' g'and sachem, mossu, répondit l'Indien.

— Sais-tu son âge ?

— On dit mille lunes, mossu.

Charles, pas plus que lord Simon, ne connaissait l'âge du cacique et, quand le maître de l'île avait conduit Old

Gentleman en Angleterre, lors de l'Exposition universelle de 1851, on avait dû inscrire sur le passeport de l'Indien une date de naissance inventée, en fonction, à l'époque, de son apparence physique.

Au village, l'ingénieur vit d'abord les épouses, agenouillées autour de la canaye[1] de Maoti-Mata. La tête couverte d'un voile noir, elles psalmodiaient le chant funèbre des Taino, qu'elles interrompraient à la mort du cacique pour couper leur chevelure en pleurant.

À l'intérieur de la hutte, Charles trouva Maoti-Mata allongé sur un lit de palmes, tenant en main une branchette de yucca, attribut du dieu Yocahu, principe suprême des Taino. Autour de la couche étaient disposées des statuettes de bois, les zemis personnels du chef indien. À la clarté des lampes, dans lesquelles brûlait une huile parfumée, Charles s'approcha de son vieil ami qui, l'œil vif, ne paraissait nullement au seuil de la mort.

— Demain sera mon dernier jour et je voulais vous dire que vous êtes, avec lord Simon, le meilleur homme blanc que j'aie connu. Vous m'avez souvent apporté de l'amitié et je sais que mes petits-enfants vous doivent d'avoir acquis des connaissances et les bonnes manières, qu'avec Ounca Lou vous leur avez apprises par l'exemple. Il est temps, pour moi, de rejoindre mes ancêtres, au-delà du soleil.

Charles savait que le paradis des Arawak des Bahamas se trouvait derrière le soleil, en un lieu qu'on ne pouvait voir, ni même imaginer. La clarté aveuglante de l'astre était destinée à dissimuler aux yeux des vivants un Éden verdoyant, au doux climat, parcouru par des rivières d'eau fraîche, planté d'arbres aux fruits délicieux. Le feu dévorant de Phébus empêcherait toujours les humains d'en approcher. Il savait aussi que tout apitoiement devant la mort serait

---

1. Habitation traditionnelle des Arawak, sorte de case ronde au mur de bois, à toit conique soutenu par un pilier central.

perçu comme faiblesse de caractère. Seules les femmes pouvaient pleurer. Et les veuves ne devraient plus connaître d'homme.

L'ingénieur s'assit au chevet du mourant, sur le tabouret que Takitok, le petit-fils préféré du vieillard, approcha. Il lui était devenu facile de s'adresser aux Arawak dans le langage qu'ils aimaient entendre.

— Vous avez été pour moi un ami précieux, Maoti-Mata. Votre enseignement aurait dû me conduire à la sagesse, si je n'avais été, depuis ma naissance, prisonnier des fausses délices, ce que nous nommons civilisation et progrès. Je conserverai de vous un souvenir plein de lumière. Quand j'aurai des doutes sur la conduite à tenir, je ferai appel à votre esprit. Il m'inspirera le meilleur parti à prendre. Mon fils, qui vous doit son prénom de Pacal, a dans les veines un peu du sang des Arawak de sa mère, ce dont, vous le savez, il est fier.

— J'aurais aimé revoir aussi la gentille Ann. Elle m'a écrit plusieurs fois. Je sais qu'elle est maintenant guérie et heureuse avec le joyeux Mark Tilloy. Je me fais plus de souci pour ma petite Viola, qui a épousé ce Yankee sans mains, ajouta Old Gentleman.

Son souffle, après l'effort de cette conversation, devenait court et sifflant.

— Robert Lowell est un bon mari et Pacal vit sous son toit, dit Charles, se voulant rassurant.

— Quand je serai parti, je voudrais que vous écriviez à Pacal, pour que ce soit lui qui annonce ma mort à Viola, s'il vous plaît, mon ami.

— Il sera fait suivant votre volonté, grand chef.

Le vieillard fit signe à Charles d'approcher.

— Je veux vous offrir cette branche du yucca intouchable que j'ai planté à la mort de mon père. Comme celui de mes fils, désigné pour me succéder, en plantera un sur ma tombe définitive, ajouta le cacique.

Charles, appréciant ce don qui le mettait au rang des familiers du vieux sage, se leva pour recevoir la branche de la plante sacrée des Arawak, puis baisa avec respect la main qui la lui tendait.

– Allez en paix et veillez sur les miens comme je veillerai sur les vôtres, acheva le patriarche, s'abandonnant pour la première fois à une bouffée d'émotion.

Aussitôt, une femme répandit sur le plateau de la statuette représentant la Cahoba, divinité des Arawak intermédiaire du Grand Esprit, une poudre hallucinogène qu'elle enflamma. Ainsi, Maoti-Mata quitterait la vie en douceur.

Comme Charles, très ému et attristé, quittait la hutte, Takitok le rejoignit, alors qu'il allait monter dans le boghei.

– Mon grand-père ne peut le demander, mais je crois qu'il aurait voulu revoir lord Simon, dit l'adolescent.

– Je vais le prévenir. Je suis certain que, lui aussi, voudra revoir une dernière fois Maoti-Mata, dit Charles.

En rentrant chez lui, il se détourna par Cornfield Manor. Sitôt informé, lord Simon fit atteler pour se rendre au chevet d'Old Gentleman, inestimable complice d'une colonisation paternaliste.

On ne sut rien des propos que les deux vieillards échangèrent mais, quelques minutes après la visite de lord Simon, le cacique des Arawak ferma les yeux pour ne plus les rouvrir.

Selon le rite funéraire prévu pour les notables, Maoti-Mata avait droit à deux inhumations. Il fallait laisser le temps à l'esprit du mort de quitter sa chair, afin qu'il ne vienne pas reprocher aux vivants une coupable précipitation. Pour la première inhumation, le corps fut déposé nu, à même la terre, sous un tapis de mousse, dans laquelle on enfonça des graines de *Selenicereus boeckmannii*, plante grasse de la famille des cactées, aussi nommée *queen of the night*[1]. Elle pourrait produire, en une nuit, au bout d'un mois ou

---

1. Reine-de-la-nuit.

d'un an, voire plus – d'après Uncle Dave, cela révélerait l'état de décomposition du corps –, une énorme fleur blanche au parfum de vanille. L'apparition de cette fleur sur la tombe provisoire de Maoti-Mata serait le signe qui permettrait la seconde et définitive inhumation des restes du cacique, dans le mausolée où reposaient, hors du village, dans un champ clos, les ancêtres d'Old Gentleman. Si le premier enterrement fut discret et intime, l'inhumation définitive donnerait lieu à de véritables funérailles.

– Tout consiste, finalement dans la vie, à s'acheter une tombe, dit lord Simon, au retour de la mise en terre provisoire de son vieil ami.

5.

L'Exposition universelle, organisée à l'occasion du centenaire de la Déclaration d'indépendance, ouvrit le 10 mai 1876, à Philadelphie. Entre des collines plantées d'arbres séculaires, sur les rives du Schuylkill, Fairmont Park, le plus grand parc urbain au monde – mille cent hectares – abritait, en plus des pavillons américains, ceux de cinquante pays étrangers. Des bâtiments spécialement construits pour la circonstance avaient modifié le panorama. Le Memorial Hall[1], qui avait coûté à la Pennsylvanie un million cinq cent mille dollars, et la colossale statue en bronze d'Abraham Lincoln, due au sculpteur Randolph Rogers, faisaient l'admiration des badauds.

Cette prestigieuse manifestation du génie industriel d'une nation jeune et entreprenante présentait au monde étonné cent inventions, dont le téléphone de Graham Bell, la machine à écrire de Christopher L. Sholes, les freins à air comprimé de George Westinghouse, les machines à coudre de J. B. Nichols, l'appareil photographique de George Eastman, les nouveaux wagons-lits et wagons-salon de George Mortimer Pullman, la mitrailleuse de Benjamin Hotchkiss, l'appareil à produire du froid du Français Charles Tellier – qui équipait le *Frigorifique*, premier navire à transporter des viandes entre Buenos-Aires et Rouen –, et

---

1. Aujourd'hui Pennsylvania Museum of Industrial.

aussi le fil de fer barbelé de Joseph F. Glidden, fort apprécié des éleveurs pour clôturer les pâturages en attendant que les militaires en fassent un usage moins bucolique. Bien d'autres nouveautés, dans les domaines les plus variés, faites pour rendre plus aisée la vie quotidienne des citoyens, étaient offertes à l'attention des visiteurs. Ceux venus d'autres États de l'Union ou de l'étranger trouvaient un hébergement confortable dans un hôtel de mille chambres, construit par la Pennsylvania Railroad.

Au jour de l'inauguration par Ulysses Grant, président des États-Unis, Robert Lowell, en congé du MIT, se tenait au stand de Baldwin's Locomotive Works, entreprise qui produisait maintenant plus de cinq cents locomotives par an. Le chemin de fer, comptable d'autant de fortunes que de faillites, était le plus sûr moyen de transport aux États-Unis.

Deux semaines après l'ouverture de l'Exposition, on comptait déjà vingt-cinq à trente mille visiteurs par jour. Chacun devait acquitter un droit d'entrée d'un demi-dollar.

Le professeur Lowell – à qui sa *Medal of Honor*[1] et ses mains de bois et cuir valaient la chaleureuse considération due à un ancien combattant de la *Civil War* – vantait aux ingénieurs de passage, aux dirigeants et actionnaires des compagnies de chemins de fer les avantages des nouvelles locomotives Baldwin à dix roues. Il ne pouvait alors imaginer les conséquences qu'auraient, pour lui et d'autres, une absence prolongée de son foyer.

Depuis des mois, Pacal Desteyrac-Cornfield s'offusquait en silence du fait que son professeur semblât de plus en plus ignorer l'existence de Viola. À table, il n'adressait la parole à sa femme que pour régler des affaires domestiques. Dans

---

1. Décoration créée le 12 juillet 1862 par Abraham Lincoln pour les militaires de l'Union qui s'étaient « le plus distingués par leur bravoure au combat et autres qualités dignes d'un soldat ». À la fin de la guerre de Sécession, mille cinq cent dix-sept médailles avaient été attribuées à des soldats et à des marins.

l'expression comme dans le ton, on ne percevait, chez les époux, aucun désaccord patent, seulement une désinvolture autoritaire mais courtoise de la part de Bob, à laquelle répondait une indifférence boudeuse de Viola. Les silences du couple paraissaient à Pacal lourds de dissimulations oppressantes, de rancœurs inavouées, de craintes diffuses. Cela créait dans ce foyer, fort riant deux ans plus tôt, une atmosphère étrange, heureusement égayée à certaines heures par Leontyne et Richard, beaux enfants de sept et six ans. Cheveux blond-roux, teint clair et taches de rousseur, comme leur père, ils n'avaient reçu de leur mère, pure Arawak, que le nez busqué et les yeux fendus en amande. De cette évidente suprématie des gènes paternels, Lowell tirait une sorte de vanité que Pacal estimait désobligeante pour Viola.

Richard et Leontyne sollicitaient avec aplomb l'étudiant quand il s'agissait d'assembler un jeu de construction, de réparer la roue d'une charrette, de faire une partie de dominos ou encore, quand le sommeil tardait à venir, pour jouer la pantomime en faisant gesticuler des marionnettes ou pour peupler d'ombres chinoises un mur de leur chambre.

Dès le départ de Bob pour Philadelphie, l'ambiance, à l'heure des repas, que Viola et Pacal prirent désormais tête à tête, devint moins pesante, plus franche, même gaie. Après quelques jours, l'Arawak retrouva le sourire, le goût de la conversation et cette nonchalance, faite de légèreté et de grâce, propre aux filles des îles. Pour avoir autrefois appris le français au foyer des Desteyrac, elle aimait s'entretenir dans cette langue avec Pacal, ce qu'elle s'interdisait en présence de son mari. Il leur arrivait même d'échanger des plaisanteries en créole bahamien.

Le français permettait aussi d'user du tutoiement, comme au temps où, adolescente, Viola assistait sa sœur aînée, Alida, nurse de Pacal. L'absence de Robert Lowell et, partant, une liberté de rapports retrouvée recréèrent une intimité jusque-là refoulée entre le garçon de dix-neuf ans et la femme de vingt-neuf.

Sachant que Viola ne pouvait être heureuse ni dans un pays où les Indiens, d'où qu'ils vinssent, étaient méprisés ni dans un foyer où elle se sentait plus servante qu'épouse, Pacal se garda d'encourager les confidences de la jeune femme. Viola, assez fine, se doutait d'ailleurs que l'élève de son mari pouvait aisément deviner ce qu'elle eût pu lui apprendre. Elle lui demanda seulement de conserver une attitude respectueuse et de mesurer ses propos en présence des domestiques, notamment de Martha, la nurse des enfants, une grosse fille de Pittsburgh, recrutée par la mère de Bob.

Un matin de juin, alors que Pacal étudiait avec assiduité, Viola lui proposa une journée de baignade à Nantasket Beach.

– Tu dois te distraire un peu. Je suis témoin que tu as bien travaillé. Nous prendrons le vapeur au Rowe's Wharf et, après une heure de navigation à travers les îles, nous serons à Hull, sur la presqu'île de Nantasket. Une plage de cinq miles de long, avec des coins tranquilles. Aux premiers temps de notre mariage, Bob m'y conduisait. Comme il ne voulait pas se montrer sans mains, car, pour se baigner il devait ôter ses prothèses, nous avions trouvé des criques isolées, loin des regards. Je suis certaine de reconnaître ces endroits, dit-elle sans dissimuler le plaisir que la perspective de la baignade offrait à cette excellente nageuse.

Pacal accepta et les consignes furent données aux domestiques, chargés de s'occuper des enfants pendant l'absence de leur mère. Empruntant le boghei de Lowell, ils traversèrent le fleuve Charles, sur le pont de l'ouest, puis le centre de Boston, pour embarquer sur le vapeur qui les conduisit aux plages de Nantasket, très peuplées en cette première semaine d'été.

Viola se repéra aisément, et après une marche sous les ombrages, choisit une petite crique déserte, abritée de tous côtés par une épaisse végétation.

– Nous serons tranquilles. C'est étonnant comme ici les gens aiment se rassembler pour se baigner, boire de l'orangeade et sucer des glaces, dit-elle en faisant glisser sa robe avant d'ôter ses bas.

Elle s'éloigna derrière un buisson pour passer son costume de bain, une sorte de combinaison à rayures bleu et blanc, festonnée de dentelle, qui la couvrait des genoux aux épaules. Apercevant Viola ainsi attifée, Pacal, qui ne portait qu'un caleçon, bien que cette tenue ne fût admise que lors de baignades entre hommes, pouffa de rire.

– Ne te manque qu'un chapeau à plumes, dit-il.

– À Soledad, les filles et les garçons se baignaient nus, rappelle-toi, dit-elle.

– Je m'en souviens, nous étions comme des poissons.

– Nous étions des sauvages, mais maintenant nous sommes civilisés, lança-t-elle en riant.

Pacal courut pour se jeter à l'eau le premier et, émergeant après un plongeon, attendit Viola. Elle approcha sur le rivage, d'un pas souple de danseuse. Dénoués, ses longs cheveux noirs, à reflets d'acier bleu, déferlaient sur ses épaules. En dépit de son costume peu seyant, Pacal la trouva belle, hanches étroites, buste ferme, jambes fines. Il gardait le vague souvenir d'une adolescente maigre, aux formes peu différentes de celles des garçons, quand ils se baignaient en bande, sous la surveillance de Timbo ou de Sima. Mais, dès l'âge de sept ou huit ans, le petit Desteyrac, promu nageur intrépide, avait été autorisé à se baigner avec Tokitok, Nardo, Kameko, Shakera et Shana et non plus avec Alida et Viola, les petites-filles de Maoti-Mata, devenues adolescentes un peu maniérées.

Pour une Arawak des Bahamas, comme pour le fils de

Charles et d'Ounca Lou, l'Océan avait été et restait le premier terrain de jeu.

— Qui de nous deux touchera le premier cet arbre couché, là-bas ? lança-t-elle à son compagnon en désignant, sur une langue de sable, un arbre déraciné à demi immergé.

— Peut-être a-t-il été abattu par la tempête du 15 février, qui, à Boston, renversa le vieil orme planté en 1634 par les pèlerins du Mayflower, observa Pacal, se souvenant de l'émotion suscitée à l'université par cette destruction.

Tous deux s'élancèrent, nageant tantôt l'indienne, tantôt le crawl. Pacal toucha le premier et s'assit sur le tronc battu par les vagues. Elle le rejoignit et prit place un instant à son côté. Puis, ils regagnèrent la terre ferme.

Un peu essoufflée, elle essora ses cheveux avant de les nouer en torsade sur la nuque.

— Autrefois, c'est moi qui gagnais quand...

Un cri de douleur l'empêcha de finir sa phrase.

— Une bête me pique la cuisse, là, Pacal, fais quelque chose !

Le garçon se pencha sur la jambe de Viola, vit l'insecte et l'écrasa en tordant le tissu mouillé.

— C'était une guêpe, dit-il.

— J'ai été piquée ! J'ai mal, ça brûle, se plaignit la jeune femme.

— Montre-moi ça, relève ton maillot.

— Je ne peux pas, il est serré... et d'une pièce !

— Enlève-le. Une piqure de guêpe peut être mauvaise. Si le dard est resté dans le derme, il faut le retirer et aspirer le venin, Sima m'a appris ça, Viola. Ne fais pas de manière : ôte ton maillot.

Elle s'exécuta et se retrouva nue. Sur sa cuisse gauche une auréole rouge et gonflée indiquait l'endroit de la piqûre.

— Ça va peut-être te faire mal, prévint Pacal en pinçant, entre pouce et index, la peau d'où sortit un minuscule dard.

– Oulala ! oulala ! Tu m'a pincée fort !

– Il le fallait. Maintenant, je vais aspirer le venin, annonça-t-il avant de coller ses lèvres sur l'ecchymose, pour opérer, ainsi que Sima le lui avait montré, un jour que Sakera avait été piqué par un taon.

Viola émit un petit rire nerveux.

– Voilà, c'est fait, dit Pacal, se détournant pour cracher.

C'est alors seulement qu'il prit conscience de la nudité de sa compagne. Le ventre plat, au-dessus de la toison bouclée, les seins dressés, encore humides, aux aréoles bistre : il ne pouvait détacher son regard de ce corps de bronze clair, d'une parfaite harmonie. Sûre de sa beauté, Viola se laissait voir sans gêne.

– Tu as bien profité des leçons de Sima, Pacal, dit-elle pour banaliser le moment.

Dans un geste affectueux, il caressa la cuisse endolorie et s'étonna du frisson que cette innocente câlinerie provoqua.

– Allez, tu peux remettre ton maillot, dit-il, renouvelant le geste qui, cette fois-ci, le troubla autant qu'elle.

Peu pressée de se vêtir, Viola saisit la main du garçon, l'obligeant à prolonger sa caresse.

– Oh ! Pacal, tes mains, des mains de chair, des mains vivantes, oui des mains de chair. Je n'ai jamais connu des mains de chair sur moi, tu comprends ?

– Bien sûr, je comprends, Viola, mais...

– Une femme a besoin d'être caressée, Pacal, et je ne suis jamais caressée.

– Cependant, ton corps appelle la caresse. Ta peau est comme de la soie, lâcha-t-il avec un trémolo dans la voix.

– Caresse-moi, encore, dis ! Comme tes mains sont douces et fermes, et vivantes, et mobiles. Tu me rends folle, mais c'est bon, Pacal. Je n'ai jamais connu ça. Caresse-moi, oui, encore, caresse-moi partout avec tes mains vivantes !

Cette sollicitation allait au-devant d'une impulsion qu'il

ne tenta pas de maîtriser. De la cuisse meurtrie, il passa au ventre, aux seins, aux épaules, au visage, effleurant de l'index l'arc des sourcils. Enflammé par le désir, il en vint aux caresses plus audacieuses, impatientes, précises. Elles suscitèrent en lui une soif animale de jouissance.

Il lui vola un baiser, qui eut le goût salé de l'Océan. Prenant les mains de Viola, il l'obligea à se mettre debout et voulut l'entraîner jusqu'au bosquet où, un moment plus tôt, elle s'était cachée pour passer son maillot.

– Non ! Pas ça, Pacal, je t'en prie, pas ça, pas comme ça, s'écria-t-elle.

Comme il insistait, elle se libéra.

– Il est temps de rentrer. Nous ne devons pas laisser partir le vapeur de cinq heures sans nous. Allez, allez, calme-toi, Pacal, calme-toi !

Cette exhortation, prononcée sur le mode tendre, le dégrisa. Ces mots, Viola les disait autrefois, du même ton, pour apaiser une colère enfantine. Cette femme qu'il désirait était l'adolescente qui l'avait bercé, bébé, dans ses bras. Il se sentit penaud, ridicule, honteux.

Tous deux se rhabillèrent en silence, Viola plus amusée qu'émue, Pacal boudeur. Ils marchèrent côte à côte jusqu'à Hull en échangeant des banalités, comme s'ils voulaient ignorer ce qui venait de se passer entre eux.

Sur le vapeur qui les transportait à Boston, couple anonyme entre des duos en plein flirt et des familles caquetantes, ils ne savaient que dire, l'un et l'autre conscients que rien, entre eux, ne serait plus comme avant.

Elle lui prit soudain une main, qu'il abandonna mollement, pour marquer une indifférence rancunière. Les doigts de Viola répondirent à cette froideur par des pressions délicates, de tendres frictions, des serrements insistants, avant de s'insérer entre les phalanges de Pacal, en un enlacement confiant. Lui ne voulut voir, dans ce geste, qu'une forme de gratitude pour les caresses que ses mains « vivantes » avaient prodiguées à Viola sur la plage. Le seul égarement qu'elle se fût autorisée. Dès le débarquement, ils se contraignirent à leurs façons habituelles.

Le soir, à Cambridge, après le repas, Pacal regagna sa chambre pour réviser les chapitres de physique sur lesquels risquaient de porter les examens du lendemain. Absorbé par son travail, il sursauta quand la porte de sa chambre s'ouvrit lentement.

Viola, en peignoir, pénétra dans la pièce, jeta sur une chaise son seul vêtement et, nue, vint à lui.

– Je te dois un plaisir, dit-elle.

Ravi, il la souleva dans ses bras et la jeta sur le lit, avant de se dévêtir.

Aussitôt, elle réclama de Pacal les caresses de ce qu'elle persistait à appeler ses « mains de chair », ses « mains vivantes ». Cette fois-ci, elle y répondit avec fougue et se livra sans réticence à l'étreinte refusée dans l'après-midi.

Plus tard, alors que, rassasiés, ils reposaient côte à côte, abasourdis par l'audace de leur conduite, sous le toit de Lowell, ils se dressèrent en entendant des pleurs d'enfant.

– Leontyne a souvent des cauchemars. Il faut que j'aille la calmer avant qu'elle ne réveille toute la maison, dit Viola, quittant précipitamment le lit.

Resté seul, Pacal se prit un moment à évaluer les risques de l'adultère dans lequel il avait entraîné la femme de son mentor.

Quelques semaines plus tôt, il avait lu l'ouvrage de Nathaniel Hawthorne, *la Lettre écarlate*, un roman publié en 1850 que lui avait prêté Thomas Artcliff. Il n'était, certes, pas le pasteur Dimmesdale, Viola n'était pas Hester Prynne et les lois n'étaient plus celles des premiers temps de la colonie de Nouvelle-Angleterre, quand une femme adultère de Salem devait porter, cousue sur ses vêtements, un grand A découpé dans une étoffe rouge. Cet insigne infamant la désignait alors à l'hypocrite vindicte puritaine.

Cependant, comme la malheureuse héroïne d'Hawthorne, Viola avait trompé avec lui, Pacal, fils de l'ami du professeur Lowell et élève préféré de ce dernier, un mari absent. On ne lui infligerait certes pas le port de la lettre écarlate, mais quelles seraient les conséquences d'un tel acte, s'il venait à être connu de Bob ? Quelle serait aussi la réaction de Charles Desteyrac ?

Pacal attendit un moment le retour de la jeune femme puis, ne la voyant pas venir, sombra dans un sommeil exempt de rêves. Il fut réveillé par la clarté vive du soleil, fit une toilette hâtive, s'habilla, enferma dans son portefeuille d'étudiant les notes dont il pourrait se servir pour répondre à l'interrogation de physique, descendit l'escalier en sautant les marches, refusa, non sans mérite, le petit déjeuner que lui proposa Nesta, la cuisinière noire, et se prépara à courir au MIT. Il ne s'agissait pas d'arriver après la clôture de la session d'examen. Dans l'entrée, il se heurta à Viola.

— Cette nuit, je crois bien que Martha, la nurse des enfants, réveillée par les pleurs de Leontyne, m'a vue descendre l'escalier ? A-t-elle compris que je sortais de ta chambre ?

— Crois-tu qu'elle parlera ?

— Elle ne m'aime pas plus que toi. Pour elle, nous sommes des Indiens. Mais cours, ne sois pas en retard aux examens.

Quand vint le tour de Pacal pour comparaître devant le jury de physique, il se tira brillamment de l'épreuve et, aussitôt libéré, s'en fut rejoindre son ami Artcliff au Fencing Club pour quelques assauts d'escrime, sport où les deux amis excellaient. Thomas ayant, lui aussi, subi les épreuves avec succès, ils pourraient ensemble, l'esprit léger, assister au *Graduation Day*, jour de la remise des diplômes aux *seniors* – ainsi qu'on nommait les étudiants de quatrième année –, grande fête de l'université, avant de se séparer pour les vacances.

Pacal se retint de raconter au New-Yorkais ce qu'il avait vécu avec la femme de son professeur. Une vague honte le retint, alors que les garçons étaient plutôt enclins à se vanter de leurs bonnes fortunes. Il découvrit à cet instant qu'absorbé par les interrogations, il n'avait plus pensé à Viola au cours de la matinée. Ce n'est qu'au moment de rentrer au foyer de son maître qu'une sourde angoisse le reprit.

En route, il rencontra deux des garçons avec lesquels il s'était battu, deux ans plus tôt, dans le hall du *dormitory* où logeait Artcliff. Depuis cette algarade, qui, en son temps, avait fait quelque bruit, aucun étudiant ne s'était plus permis de faire allusion aux origines arawak de la mère de Pacal. Sermonnés par leur professeur de droit, un ami de Robert Lowell, ils se montraient désormais amicaux, allant jusqu'à inviter le jeune Bahamien au Blue Parrot, pour déguster des crêpes et le faire parler des îles qu'ils se promettaient de visiter un jour.

Ce matin-là, ces jeunes gens, deux *seniors*, connaissaient l'euphorie de la réussite. Ayant bouclé avec succès leurs quatre ans d'études, ils allaient recevoir leur diplôme, mais ne quitteraient pas Harvard sans regret. La vie qui les attendait – l'un deviendrait avocat, l'autre banquier, comme son père – ne serait sans doute pas aussi agréable que celle d'étudiant.

– Nous viendrons l'an prochain, pour participer au *Graduation Day* et assister à la parade de fin d'études et féliciter le *Bachelor of Sciences* que vous serez certainement devenu, dit celui au visage porcin, à qui le base-ball avait fait perdre sa précoce bedaine.

– J'ai parlé de vous lors de la dernière réunion de l'Alpha-Delta-Phi[1]. Vous pouvez poser votre candidature, vous serez admis, dit l'autre, un gaillard de plus de six pieds, en lissant sa moustache.

– Il se trouvera bien quelqu'un pour mettre une boule noire contre un Indien des îles, plaisanta Pacal.

– Nous voudrions bien voir ça ! dirent en chœur les deux garçons.

Ils se serrèrent chaleureusement la main et Pacal poursuivit son chemin.

À peine franchi le seuil de la maison, il reconnut, venant du salon, la voix de Robert Lowell. Nesta, toujours aimable avec Pacal, semblait guetter le retour de l'étudiant. Avant qu'il n'entre au salon, elle lui fit signe de la suivre à la cuisine, un doigt sur ses lèvres pour l'inviter au silence.

– Missié professo' vient d'arriver par le train de nuit, missié Pacal. Je crois bien qu'il est pas content contre m'ame Viola. Il a dit faire les bagages de m'ame Viola et des enfants. Tout le monde y s'en retourne ce soir avec lui à Philadelphie.

– Merci, Nesta, de m'avertir.

Il demeura un instant perplexe devant la Noire, qui tortillait son tablier en considérant Pacal avec commisération.

– Sais-tu ce que le professeur reproche à Madame ? risqua-t-il.

– Je sais pas, je sais pas, missié Pacal, non, je sais pas. J'ai seulement entendu qu'il parlait des soldats qu'ont été tués

---

1. On comptait en ce temps-là, à Harvard, une centaine de clubs d'étudiants. Les *freshmen* n'avaient accès qu'au Polo Club et au Fencing Club. Au cours des années suivantes, les *sophomores* et les *juniors* pouvaient briguer l'honneur d'être admis dans des clubs plus huppés, qu'ils soient littéraires, sportifs, scientifiques ou, plus prosaïquement, de buveurs de bière. L'Alpha-Delta-Phi, réputé secret, était, de tous, le plus select.

par les Sioux. C'est dans le journal, en gros, je crois. Missié professo' a dit à m'ame Viola de pas sorti' dans la 'ue, c'est tout ça que j'ai entendu, missié Pacal.

Pacal ne fuyait pas les situations embarrassantes. S'il devait affonter Lowell, autant le faire tout de suite, bien décidé qu'il était à dire que Viola n'avait fait que succomber à ses assauts. Il remercia la cuisinière et, d'un pas décidé, se rendit au salon.

Il fut presque étonné de voir Bob Lowell venir à lui souriant. Avant toute considération, le professeur s'enquit des résultats obtenus par son élève. Il félicita Pacal pour sa réussite et l'invita à s'asseoir.

— L'an prochain, nous fêterons le nouvel ingénieur ; votre père sera content et votre maître aussi.

Rassuré, Pacal se détendit. Un mari trompé ne se montrerait pas si courtois. Aussi, fut-ce avec une aisance retrouvée qu'il commenta les questions de l'examinateur de physique et ses réponses.

— Très bien répondu, mais vous aurez à travailler dur, l'an prochain, d'autant plus que je ne serai pas là pour vous stimuler et vous corriger, dit Bob.

— Comment, vous ne serez pas là ? s'étonna Pacal.

— Je quitte l'institut et Cambridge. J'ai rencontré, à l'Exposition de Philadelphie, où je dois retourner demain, un homme extraordinaire, Andrew Carnegie, un millionnaire qui possède plusieurs grandes usines métallurgiques et je vais entrer dans ses affaires. Mais, laissons cela pour l'instant, c'était simplement pour vous dire qu'il vous faut, pour l'an prochain, trouver un logement, car cette maison doit être libérée. Mon successeur à l'institut sera nommé le mois prochain.

— J'ai du mal à imaginer les études sans vous. Mais, pour le logement, mon ami Thomas Artcliff pourra m'aider.

— C'est ce que je pensais. Et votre grand-père pourra payer votre loyer dans un luxueux *dormitory*, ajouta Bob, malicieux, en claquant l'une contre l'autre ses mains de bois, tic familier qui, toujours, mettait Pacal mal à l'aise.

Rassuré par le fait que le professeur semblait tout ignorer de la trahison de Viola, Pacal se préparait à quitter le salon quand Lowell le retint.

— Vous n'êtes pas au courant de ce qui s'est passé et qui bouleverse l'Amérique. Une tragédie, qui ne sera pas sans conséquences. Lisez ça, dit-il en désignant le journal, posé sur un guéridon, avant de quitter la pièce.

Pacal s'assit, lut et apprit, par le détail, ce que lui avait annoncé Nesta.

Le 25 juin, deux cent soixante-cinq militaires du *Seventieth Cavalry Regiment* des États-Unis, soit cinq compagnies, et leur commandant, le général George Armstrong Custer, avaient été massacrés par les Indiens, près de la Little Big-horn River[1], une rivière au pied des Black Hills, entre Dakota et Wyoming. Le 28 juin, les cavaliers du général Alfred H. Terry, renfort que Custer n'avait pas voulu attendre, avaient découvert les cadavres de leurs camarades. Le spectacle des corps nus, mutilés et scalpés, étant insupportable, on s'était hâté de les enterrer[2]. On ne comptait que seize morts chez les assaillants.

Le journal attribuait la responsabilité de ce massacre aux tribus Sioux — Teton et Yankton — rassemblées par leurs caciques, Sitting Bull et Crazy Horse, et aux Cheyenne qui, après l'attaque de leur campement, avaient rejoint les Sioux. Deux mille cinq cents guerriers, bénéficiant de la brume épaisse qui couvrait ce matin-là la vallée de la Little Big-horn, avaient participé à l'assaut, par surprise, du bivouac américain, installé au bord de la rivière. Custer et ses

---

1. *Big-horn* : mouflon.
2. En 1877, ce qu'on croit être les restes du général Custer fut déterré et transporté à l'United States Military Academy, à West Point, dont le militaire était sorti lieutenant en 1861.

hommes avaient alors tenté de gagner les hautes collines mais, dans l'après-midi, cernés par des centaines d'Indiens, ils avaient tous succombé, après une résistance qualifiée d'héroïque par le journaliste.

La colère des Indiens tenait au fait que le traité de Fort Laramie, passé en 1868 entre les autorités américaines et les Sioux, prévoyait, à l'insu de ces derniers, le déplacement des postes commerciaux et l'installation des Indiens dans des réserves[1]. Quand le bruit courut qu'on pouvait trouver de l'or dans la région des Big-horn Mountains, terrain de chasse des Teton, le gouvernement tenta de convaincre les Indiens d'abandonner ce territoire. Ils refusèrent de s'éloigner des Black Hills, leurs montagnes sacrées, considérées comme le centre de leur pays. C'est alors que le général Custer décida de chasser les Sioux par la force et de conduire, contre ces tribus peu dociles, une guerre à outrance.

Ayant achevé la lecture de l'article qui, faisant la part belle à Custer et à ses hommes, rapportait l'indignation des autorités de Washington et s'associait à la colère du peuple américain, Pacal comprit pourquoi Robert Lowell avait interdit à sa femme de sortir de la maison. Cependant, Viola l'Arawak, avec ses traits fins et réguliers, son nez aquilin, ses yeux clairs, ses longs cheveux soyeux, ne pouvait être confondue avec les squaw des Grandes Plaines, aux traits lourds, peau épaisse, nez épaté, œil sombre.

Il se dit aussi que les étudiants qu'il avait rencontrés dans la matinée devaient alors, comme lui, tout ignorer de l'affaire de la Little Big-horn River. Sinon, ils n'eussent pas été si aimables pour un descendant d'Arawak.

---

1. Le traité stipulait cependant : « Aucune personne de race blanche ne peut s'approprier ou occuper la moindre parcelle des territoires indiens, ni les traverser sans le consentement des Indiens. »

Quand Lowell reparut dans le salon, il ne cacha pas son inquiétude.

— Comme toujours, on va mettre tous les Indiens dans le même panier. Après le massacre de nos soldats, le peuple crie vengeance et va exiger, des autorités et de l'armée, des représailles sans pitié. On reprend déjà le mot attribué, peut-être à tort, au général Philip Henry Sheridan, alors commandant de la division du Missouri : « Les seuls bons Indiens que j'ai vus étaient morts. » C'est pourquoi j'emmène Viola et les enfants à Philadelphie.

— Pourquoi a-t-on voulu expulser les Sioux des territoires de chasse qu'on leur avait garantis, par traité, depuis un siècle ? demanda Pacal.

— Mon garçon, la civilisation avance vers l'ouest. On ne peut tolérer que les Sauvages, vêtus de peaux de bison, coiffés de plumes de corbeau et qui se barbouillent le visage, continuent à faire dérailler des trains, à tuer des fermiers et à prendre leurs femmes comme esclaves. Depuis longtemps, l'armée des États-Unis est en guerre contre les Indiens. Les arrangements qu'on leur propose ne les satisfont jamais. Il faut donc les enfermer dans des réserves, dit Lowell, traduisant ce qu'une majorité d'Américains pensaient être la plus juste et la plus sûre cohabitation avec ceux qu'ils nommaient Amérindiens.

— Je comprends. Mais ces gens du département des Affaires indiennes, ne peuvent-ils leur faire entendre raison ? osa Pacal.

— Vous ne savez pas ce qu'a dit un chef des Teton. À Philadelphie, c'est justement un officier des Affaires indiennes, cependant bien disposé à l'égard des Sioux, qui me l'a rapporté. Ce Kicking Bear a dit : « Mes frères, je vous apporte la promesse d'un jour où il n'y aura plus un homme blanc pour poser la main sur la bride d'un cheval indien ; où l'homme rouge de la prairie gouvernera le monde et ne sera détourné de ses terrains de chasse par personne[1]. » N'est-ce pas là une véritable déclaration de guerre ?

L'entrée de Viola dans le salon mit fin à la conversation. L'épouse de Lowell s'informa du résultat des examens de Pacal avant d'annoncer à son mari qu'elle serait prête à partir, avec les enfants, dès trois heures de l'après-midi.

– Très bien. Je vous conseille tout de même, en raison de l'agitation qui va régner en ville, quand le massacre de la Little Big-horn sera connu de tous, de vous couvrir le visage d'une mousseline quand nous partirons pour la gare, dit Bob.

– Si quelqu'un venait à me manquer de respect, je pense que vous sauriez protéger votre épouse, répliqua Viola, sèchement.

– Je vous prie de ne pas me donner l'occasion d'avoir à le faire, jeta Lowell en haussant le ton.

C'était la première fois que Pacal entendait Viola répondre avec autant d'assurance à son mari.

Quand elle sortit, Robert Lowell sonna Nesta et lui demanda de servir deux verres de bière. C'était aussi la première fois, depuis trois ans, que Pacal était invité à boire par son professeur. Il regarda Bob saisir sans difficulté son verre entre ses mains de bois et l'élever dans sa direction.

– À votre succès, futur *senior*... et à la mémoire de nos soldats morts, compléta-t-il.

Pacal comprit que l'affaire de la Little Big-horn éprouvait cet homme plus qu'il ne voulait le laisser paraître.

– Connaissiez-vous le général Custer ? demanda-t-il, pour marquer quelque intérêt à l'affaire.

– Je connaissais Custer. Il avait été fait général à vingt et un an, après la bataille de Gettysburg. C'était un soldat courageux, ambitieux, parfois téméraire, ainsi que sa fin tragique le prouve. Il a gagné tous ses galons sur les champs

---

1. Élise Marienstrass, *la Résistance indienne aux États-Unis, du XVIᵉ au XXᵉ siècle*, collection Archives, Gallimard, Paris, 1980.

de bataille, pendant la guerre civile. Depuis 1867, il se battait contre les Indiens, qui voyaient en lui leur plus rude ennemi. C'était un bel homme, immodeste, peut-être. Mais c'était un piètre stratège, il l'a montré en divisant ses forces sur les deux rives de la Little Big-horn. Toujours élégant, il portait les cheveux longs, une moustache et une barbiche. Chaussé de bottes rouges, il ne quittait jamais ses gants à crispin. Nous l'appelions Curly, à cause de ses boucles blondes, dont il était fier. Avec sa mort odieuse, l'armée perd un bon officier, développa Lowell, avant de vider son verre.

Après le repas, au cours duquel les époux réglèrent, en termes comme toujours laconiques, les derniers détails de leur déménagement, le professeur quitta la maison pour se rendre au MIT. Il lui fallait prendre congé du président et de ses collègues. Pacal regagna sa chambre pour préparer son bagage, car il devait quitter la maison le lendemain, pour se rendre, par le train et avec Thomas Artcliff, à New York, où il embarquerait sur le paquebot qui assurait la ligne des Bahamas. Lord Simon lui avait, depuis longtemps, expédié billets et réservations.

Il trouva sur sa table une lettre de son père, qui lui annonçait la mort de Maoti-Mata. Avant de poursuivre plus avant sa lecture, Pacal se laissa aller à la tristesse que suscitait, à travers ses souvenirs, la disparition d'un être sans âge, de qui on eût accepté qu'il fût éternel. Le cacique des Arawak lui avait longtemps inspiré de la crainte, avant qu'il n'en vînt, adolescent, à le respecter et à l'aimer, comme un patriarche détenteur de pouvoirs mystérieux et d'une impassibilité surnaturelle.

Reprenant sa lecture, il découvrit, non sans une nouvelle émotion, que son père lui faisait part d'une dernière volonté, exprimée par Maoti-Mata. « Mon vieil ami a demandé, la veille de sa mort, que ce soit toi qui annonce à Viola que son grand-père est passé de l'autre côté du soleil. »

Pacal s'interrogeait encore sur la manière la plus délicate

de présenter à Viola l'affligeante nouvelle quand, profitant de la brève absence de son mari, la jeune femme rejoignit l'étudiant.

Avec un sourire mélancolique, elle lui prit les mains et dit son regret de le quitter. Sans attendrissement ni allusion à ce qu'ils avaient vécu la veille et la nuit précédente, elle s'exprima avec pondération, renonçant au français de leur intimité, comme pour marquer que l'aventure, simplement charnelle, était close.

— Quitter Cambridge, où je ne me suis jamais sentie à l'aise, ne me déplairait pas si ce n'était pour aller habiter Pittsburgh, soupira-t-elle.

— Pittsburgh ! Je croyais que vous alliez à Philadelphie, s'exclama Pacal.

— Seulement pour le temps de l'Exposition. Mais Pittsburgh sera notre destination définitive. Bob va y travailler.

— Pittsburgh, mon père m'en a souvent parlé, c'est là qu'il a connu Bob. Il m'a souvent dit : « C'est la ville industrielle la plus enfumée de l'Union », rappela Pacal.

— Que voulez-vous, mon mari s'est entiché de ce Carnegie. C'est un homme très riche. Ses seules parts dans le pétrole lui rapportent cinq mille dollars par jour et il possède quatre usines, dont la Keystone Bridge Company où Bob a été autrefois ingénieur, la Pittsburgh Locomotive Works, l'Union Iron Mills et la Superior Rail Mills. Toutes ces affaires sont gérées par une sorte d'état-major, dans lequel Bob va entrer, avec un salaire cinq fois plus élevé que celui versé par l'institut.

— C'est une promotion. Vous aurez la vie plus facile, commenta Pacal, décontenancé par l'attitude réservée de Viola.

Il n'avait plus devant lui la femme qui, la veille, réclamait caresses et étreintes, amoureuse ardente et téméraire, mais une épouse américaine raisonnable, douée d'un sens pratique inattendu.

Il jugea le moment opportun pour accomplir la mission dont le cacique, par l'intermédiaire de son père, l'avait chargé. Il fut bref et Viola accueillit la nouvelle de la mort de Maoti-Mata sans démonstration excessive de chagrin. Elle demeura un instant silencieuse, puis deux grosses larmes roulèrent sur ses joues, qu'elle essuya d'un revers de main.

– Grand-père était savant dans les choses de l'esprit. C'était un homme bon, sage et généreux. Je prierai mes zemis pour qu'il traverse le soleil sans souffrance, dit-elle simplement.

Pacal savait que Viola, comme beaucoup d'Arawak depuis longtemps christianisés, continuait à faire des dévotions aux génies tutélaires de sa race. En cachette de son mari, elle vénérait de très anciennes statuettes de pierre polie, apportées de Soledad.

Robert Lowell avait, plusieurs fois, menacé de briser ces idoles. Il tenait pour simagrées superstitieuses et stupides des invocations indignes d'une personne élevée dans la religion anglicane, épouse légitime d'un évangéliste américain.

Le temps leur étant mesuré, Pacal fit des condoléances timides et affectueuses. Ils échangèrent un baiser furtif de bons camarades et Viola descendit l'escalier sans se retourner.

Assis au bord de son lit, Pacal s'avoua partagé entre deux sentiments. D'une part, il admettait que Viola, sachant leur folle aventure sans avenir, devait être bien aise que son mari n'ait eu aucun soupçon. Le départ précipité de la famille supprimait tout risque d'imprudence, par geste ou mimique, de l'un ou de l'autre. D'autre part, il connaissait une amère déception. Sans être réellement amoureux de Viola, il eut été prêt à jouer le rôle du consolateur tendre et secret, d'autant plus volontiers qu'il gardait de leurs étreintes tumultueuses un souvenir enivrant. Viola était la première femme qui se fût comportée avec lui comme une maîtresse amoureuse. Il n'avait, jusque-là, connu que les gentilles prostituées irlandaises dont, à l'institut, les étudiants se passaient les adresses et les tarifs. Mais ces « vestales du coït hygiénique », ainsi que les qualifiait Thomas Arftcliff, ne proposaient qu'un simulacre de passion. Viola s'était donnée avec sincérité, imprudence et frénésie. Il ne pouvait croire que le sentiment amoureux n'ait eu nulle part dans leur complicité.

Quand vint l'heure de la séparation, les effusions furent chaleureuses, bien que formelles. Alors que, sur le seuil de la maison, Pacal regardait, en compagnie de Nesta, la seule domestique qui avait refusé de suivre les Lowell, la voiture surchargée de bagages s'éloigner, Viola, soulevant la mousseline qui voilait ses traits, lui envoya, du bout des doigts, un baiser.

– M'ame Viola vous aime bien, missié Pacal. Elle est des îles, comme vous, s'pas. Je crois bien qu'elle aime'ait y retourner.

– Nos îles, Nesta, sont de petits paradis, des jardins posés sur la mer. La vie y est douce et tranquille. La nature nous donne fleurs, fruits et légumes, l'Océan ses poissons. Personne n'est jamais pressé d'aller et venir. Le temps passe, sans même qu'on s'en aperçoive.

– Et, là-bas, les Indiens, y sont pas moqués, s'pas.

– Les nègres non plus. On s'entend bien. On travaille, on pêche, on chante, on danse ensemble.

– Ça, c'est mieux malin que chez les Yankees. C'est bien comme le bon Dieu veut, s'pas, missié Pacal.

– Tu as raison, Nesta, je crois que le bon Dieu est bahamien, dit Pacal en riant.

Il passa deux jours à New York chez les Artcliff. Thomas lui fit visiter la ville mais ne put, comme il l'eût souhaité, accompagner son ami pour des vacances à Soledad. Son père, Alastair Gregory Artcliff, éminent architecte, était chargé de la confection des plans de la troisième ligne du chemin de fer aérien, *El* pour les New-Yorkais[1], qui, après la IIe et la IIIe Avenue, surplomberait la IXe Avenue. Déjà âgé, ce spécialiste des charpentes métalliques tenait, pendant les vacances, à employer Thomas, fils unique et tardif, dans son bureau d'études, afin, disait-il, de le préparer à prendre sa succession s'il tombait malade, comme ce venait d'être le cas pour deux générations d'ingénieurs du pont Brooklyn.

John Augustus Roebling, le promoteur de ce gigantesque ouvrage, commencé en 1867 et destiné à franchir l'East River, pour relier Manhattan à Brooklyn, était mort du tétanos, en 1869. Son fils, Washington Roebling, poursuivant l'œuvre paternelle, avait été victime, en sortant d'un caisson étanche, d'un accident de décompression, en 1872. Paralysé, il dirigeait depuis quatre ans les travaux, de son domicile, à l'aide d'une longue vue. Sa femme, Emily, qui avait acquis en peu de temps les connaissances d'un ingénieur des travaux publics, portait chaque jour les instructions de son mari aux responsables du chantier[2].

Impressionné par les coups du sort, qui avaient failli compromettre le chef d'œuvre des Roebling, Artcliff voulait que Thomas fût au courant de ses affaires et, dès son diplôme acquis, prêt à le seconder.

Les deux garçons se séparèrent sur le quai, devant le paquebot de la Ward Line qui, en quatre jours, porterait Pacal à Nassau.

— Je t'envie. Regarde, tu vas naviguer avec de belles passagères. Les maris restent à quai, dit Thomas en désignant

---

1. Abréviation pour *Elevated Railway*. Comme à Paris on dit métro pour métropolitain.

2. Le pont de Brooklyn fut ouvert au trafic ferroviaire en 1883. Les travaux avaient duré seize ans.

deux jeunes femmes auxquelles leurs époux faisaient de touchants adieux.

– J'ai lu, sur mon ticket de passage, qu'en première classe on danse toutes les nuits. Je compte en profiter. Et ces deux-là me paraissent des cavalières fort convenables. Peut-être trouverai-je mieux encore !

– On dit que la mer rend les femmes amoureuses. Sûr qu'il y en aura pour se suspendre à ton cou, mais souviens-toi de ce que nous répétait le chapelain du MIT : « La nuque est le siège des passions », avertit Thomas.

– La cuisse, aussi, peut l'être, répliqua Pacal, sibyllin.

6.

Ce fut, pour Pacal, un bel été, un de ceux qui restent dans la mémoire, telle une succession de purs moments de bonheur. Après une traversée sans aléas, de New York à Nassau, consacrée au farniente, à la lecture, à la danse et agrémentée de flirts mondains avec des esseulées peu farouches, il eût volontiers, débarquant du bateau-poste, baisé la terre de Soledad. Pour la première fois, il prit conscience que l'île était sa patrie.

L'ardent soleil, l'immense douve bleue de l'Océan, le salut des palmiers royaux qui agitaient leurs pennes dans l'alizé, les bouquets rouges des flamboyants, les grappes sanglantes des bougainvillées, les myrtes roses, les trompettes d'ange des daturas, les hibiscus orangés et les orchidées tigrées : toute la flore du jardin tropical était au rendez-vous. L'oiseau moqueur, s'appliquant à imiter le chant du merle noir, soutenu par le bourdonnement des colibris et le rire des mouettes, assurait l'accueil musical.

– Bienvenue *at home*, m'sieur Pacal, lança Sharko, le gérant du Loyalists Club, venu prendre livraison des journaux et du courrier.

Étreint sur le quai, avec une émotion virile par son père, avec tendresse par Ottilia, il s'empressa, les effusions terminées, de galoper jusqu'à Cornfield Manor recevoir l'accolade de lord Simon.

— *My Lord !* À dix-neuf ans, te voilà plus grand que moi, s'écria le vieil homme, admiratif.

— Six pieds un pouce[1], dit fièrement Pacal.

— Et des muscles, par saint George ! ajouta le lord, tâtant les biceps de son petit-fils.

— Le base-ball, le hockey, l'escrime, la natation et, depuis peu, le tennis. Si j'avais deux chevaux à la rentrée, je pourrais même jouer au polo. Nous avons plusieurs équipes à Harvard, de fameux quatuors de cavaliers, ajouta l'étudiant avec un secret espoir.

— Les chevaux, tu les auras, tu les auras. Le polo, vois-tu, est mon sport favori. Je l'ai pratiqué aux Indes avec mon vieil ami Carver. Les lanciers contre les bureaucrates du vice-roi. Nous étions toujours vainqueurs. Plaies et bosses, bien sûr. Si les coups de maillet épargnaient les poneys, ils atteignaient parfois les cavaliers. Je vais te commander deux poneys du Connemara, les plus vifs, dit lord Simon, enchanté d'imaginer son petit-fils engagé dans le plus britannique des sports équestres.

— Oh ! Grand merci ! Je vais écrire à mon ami Artcliff pour lui annoncer que, l'an prochain, je pourrai jouer au polo dans son équipe, déclara Pacal, satisfait, voyant réalisé le souhait qu'il n'avait osé exprimer.

Lord Simon voulut ensuite tout savoir de la vie d'étudiant à Cambridge, du déroulement des études, certes, mais aussi des distractions, des amitiés, du comportement des Bostoniens envers un Anglais venu des West Indies.

— La plupart de mes camarades, comme beaucoup d'Américains, sont incapables de situer les Bahamas sur une carte. Cependant les produits de nos îles figurent à l'Exposition du centenaire des États-Unis, à Philadelphie, m'a dit Robert Lowell. On y montre écaille de tortue, éponges, coquilles de conches gravées, chapeaux de paille, conserves

---

1. Un mètre quatre-vingt-quatre environ.

d'ananas, bananes, goyaves, même des perroquets. Nos paniers étanches, en sisal tressé, ont, paraît-il, beaucoup de succès. Et puis, pour attirer les touristes, les délégués du Colonial Office à Nassau présentent des photographies de nos plages, à Grand Bahama, à Eleuthera, à Abaco et, même, du Royal Victoria Hotel. Car les médecins conseillent aux Américains malades des poumons de venir respirer chez nous, développa Pacal.

– Pourvu qu'il n'aient pas envie de venir jusqu'à Soledad, soupira lord Simon.

Ce soir-là, au dîner donné à Cornfield Manor, Pacal découvrit avec étonnement la transformation d'Anacona, la petite Cubaine, élevée et adoptée par lady Lamia, qui renouvelait ainsi avec l'orpheline ce qu'elle avait fait autrefois pour Ounca Lou.

Anacona, dite Fleur-d'Or, de qui on célébrait le seizième anniversaire, était devenue une belle jeune fille, aux cheveux cuivrés et au regard de jade, en contraste avec sa carnation de bronze rosé, qui ne pouvaient surprendre que les étrangers. Les insulaires, eux, devinaient aisément chez elle une ascendance espagnole, altérée par les métissages. Cuba, depuis des siècles sous domination ibérique, offrait en effet tous les types créoles. À la rentrée, Anacona, de religion catholique, serait envoyée à Nassau, au collège tenu par les religieuses bénédictines, réputées pour la qualité de l'enseignement et de l'éducation qu'elles dispensaient. Ce soir-là, Pacal lui promit une visite à Buena Vista, pour une baignade avec elle et Fish Lady, et une partie de croquet, jeu auquel, d'après Lamia, sa partenaire habituelle, Anacona, excellait.

Si le jeune homme emprunta souvent le boghei de son père pour se rendre à Buena Vista, on le vit aussi prendre le train, dont l'exploitation avait été confiée à Takitok, le petit-fils préféré du cacique des Arawak. La promotion par lord Simon, comme directeur de Soledad Railroad, de l'ami d'enfance de Pacal, avait été une des dernières joies de

Maoti-Mata. Dans le microcosme insulaire, une telle responsabilité inspirait la considération. Le défunt eût été bien aise de voir se reconstituer autour de Pacal, le temps des vacances, la joyeuse bande d'autrefois. Ses arrière-petits-enfants, Nardo et Kameko ; les filles de Wyanie, Shakewa et Shakera ; Shana, la petite-fille de Sima — on vantait sa beauté, et ses cheveux roux, bouclés, la distinguaient de toutes les jeunes filles du village des pêcheurs —, tous adolescents, garçons et filles, vouaient au fils de Charles et d'Ounca Lou, futur lord et maître de l'île, une véritable affection et une admiration raisonnée.

Dès le lendemain de son retour, Pacal reprit ses habitudes avec son grand-père : chevauchée matinale avant le breakfast, partie d'échecs en fin d'après-midi, ou conversation sur la galerie, les soirs où le garçon dînait au manoir.

L'étudiant montait maintenant un grand demi-sang plein de vivacité, mais il devait réduire son train, ne voulant pas que son grand-père, qui allait sur soixante-quinze ans, se risquât à le suivre, incité par un tempérament intrépide et le refus des atteintes de l'âge. À la demande d'Uncle Dave, d'un an plus âgé que le maître de l'île, Pacal avait été invité à la prudence. « À son âge, une chute pourrait être fatale », avait prévenu le médecin.

Depuis cet avertissement, on ne sautait plus haies et barrières et l'on trottait plus souvent qu'on ne galopait. Lord Simon n'était pas dupe de la modération imposée par son petit-fils et il appréciait en secret les attentions, et surtout les moyens, qu'employait Pacal pour ménager son amour-propre de cavalier vieillissant.

La fin des vacances approchait − les cours reprendraient dès le premier lundi de septembre − quand, à la fin d'une journée d'août étouffante, alors que Pacal, ayant dîné à Cornfield Manor, se prélassait sur la galerie, en fumant son premier havane, lord Simon en vint à une question plus intime.

− Et pour les filles, comment ça se passe, à Cambridge ? J'imagine que des gaillards comme toi et ton ami Artcliff, pleins de sang et de vigueur, ne sont pas sans aller aux filles, hein ?

− Nous avons quelques demoiselles discrètes, qui reçoivent les étudiants. Les *sophomores* et *seniors* seulement. Mais on ne doit pas leur rendre visite sans une boîte de *candies*, avoua Pacal en riant.

− Des prostituées, bien sûr. Mais penses-tu aux maladies ? Sais-tu que, pendant la guerre de Sécession, un soldat sudiste sur dix a attrapé la vérole. Chez les Nordistes, quatre-vingt-deux sur mille combattants. Alors, attention ! Un coup de pied de Vénus peut faire autant de dégât qu'un coup de pied de cheval !

− Les étudiants de l'École de médecine nous ont prévenus. Ils disent veiller à l'innocuité de ces personnes. On sait où on va.

− Étant donné que tu es en âge et que nous sommes entre hommes, il y a mieux que les prostituées. Je te conseille les femmes mariées. Certes, existent des maris jaloux et tu dois veiller à ne pas te mettre un duel sur les bras.

− En Nouvelle-Angleterre, les lois condamnent l'adultère, mais un mari trompé ne cherche plus à tuer son rival. Il fait un procès en divorce et demande des dommages et intérêts à l'infidèle. L'amant se doit alors d'aider sa maîtresse à payer. Ça peut coûter cher.

− Malgré ces risques, la femme mariée reste, crois-moi, et en dépit de la morale, ce qu'il y a de mieux pour l'étudiant. C'est ainsi que nous pratiquions à Oxford. Je fréquentais l'épouse d'un apothicaire qui, en plus de ses charmes, m'offrait de la réglisse.

– À part la réglisse, quels autres avantages offre la femme mariée ? ironisa Pacal.

– La femme mariée a des occupations, des horaires ; elle est soucieuse de sa réputation. Elle ne vous prend donc pas beaucoup de temps et ne coûte pas trop cher en cadeaux car elle devrait en expliquer la provenance au mari. Avec une femme mariée, on est aussi garanti contre une maternité intempestive. La loi romaine s'applique, même chez les Américains : *is pater quem nuptiae demonstrant*[1].

– Tiens !

– Surtout, ne pas toucher aux jeunes filles rencontrées dans le monde, si l'on ne veut pas se trouver marié avant l'heure. Or, tu es, non seulement, beau garçon, mais aussi ce qu'on appelle un beau parti. Un petit-fils de lord, un futur lord, ça doit intéresser les mères américaines, qui chassent le mari pour leurs filles. Tout ce qui est aristocrate a la cote, chez les nouveaux riches.

– Je ferai mon profit de vos conseils, dit Pacal, qui ne pouvait avouer son aventure avec Viola, épouse de Bob Lowell.

Un jour, l'étudiant accompagna son père jusqu'au chantier du phare du Cabo del Diablo. Le premier chargement de granit du Massachusetts étant arrivé, les ouvriers taillaient les pierres, travail délicat, car il s'agissait de donner à chacune, au moyen de gabarits, les dimensions et la courbure exactes pour assurer un jointage parfait des blocs, qui devraient être assemblés en cercles superposés pour former un tronc de cône.

---

1. « Celui-là est le père que le mariage désigne. » Axiome de droit.

– L'an prochain, aux vacances, je compte que nous serons près de terminer la tour. Ne restera plus qu'à la coiffer du dôme qui abritera l'optique et l'appareil à feu. J'ai déjà commandé cet ensemble à Paris, chez Barbier-Benard-Turenne, qui, depuis vingt-cinq ans, équipe tous les phares construits dans le monde. Avec les nouvelles lampes à kérosène et les lentilles de Fresnel, notre feu portera à dix-huit miles, expliqua Charles Desteyrac.

Quand vint le jour du départ de Pacal, l'ingénieur et Ottilia décidèrent de l'accompagner à Nassau. Montèrent aussi, à bord de l'*Apollo*, lady Lamia et Anacona, attendue au collège des bénédictines. À l'arrivée à New Providence, au moment de la séparation, alors que Pacal allait embarquer pour New York sur le navire de la Cunard, la jeune Cubaine ne put retenir ses larmes. Personne ne sut si ce chagrin lui venait de l'éloignement pour un an de celui qui avait été, pendant deux mois, un aimable camarade de jeu ou de la perspective d'une claustration avec des religieuses réputées sévères.

Dès son retour à Cambridge, Pacal trouva à se loger, avec Artcliff, chez une veuve austère, qui interdisait toute visite féminine, la cigarette dans les chambres, l'introduction d'alcool et de bière. Les principaux attraits de cet hébergement étaient le confort, la propreté et aussi la qualité du petit déjeuner et du repas du soir, dus à une cuisinière italienne, gourmande comme une chatte.

Les cours de quatrième année, déterminants pour l'obtention du diplôme de *Bachelor of Sciences*, éloignèrent les deux amis des distractions futiles. Ils consacrèrent leurs loisirs aux sports et, dès que Pacal eut reçu les poneys offerts par son grand-père, ils n'eurent de cesse de figurer, ensemble, dans la meilleure équipe de polo de l'université.

Une seule fois, au cours des mois qui suivirent, Pacal reçut des nouvelles de Robert Lowell, maintenant confortablement installé à Pittsburgh, sa ville natale, où il dirigeait une entreprise du groupe de Carnegie. En quinze lignes, l'ancien professeur développait, non sans fierté, les responsabilités et avantages de sa situation, mais une ligne avait suffi pour assurer le Bahamien que Viola et les enfants étaient en bonne santé. Il concluait en disant son regret de ne pouvoir être présent à la cérémonie de remise des diplômes de fin d'études.

Car, en juin 1877, parvenus avec succès au bout de l'année universitaire, les deux amis s'étonnèrent de n'avoir pas eu conscience de la fuite du temps. Quand Pacal écrivit à son père qu'il recevrait son diplôme le 25 du mois, Charles répondit qu'il serait présent avec Ottilia, lord Simon mettant l'*Arawak*, commandé par John Maitland, à leur disposition.

– Formidable, nous te porterons à New York en rentrant aux Bahamas, lança Pacal à Thomas, de qui le père, souffrant, ne pouvait se déplacer.

Le *Graduation Day* se déroula, comme chaque année, dans une ambiance de fête, et les tribunes construites pour la circonstance se remplirent de familles et de jeunes filles venues voir leur *boyfriend* honoré du titre de *Bachelor*. Puis commença, à travers le campus et la ville, la parade. Derrière les musiques marchaient, suivant la tradition, avec le doyen de l'université, d'anciens élèves, devenus millionnaires et donateurs de subsides. En redingote et haut-de-forme, ils accompagnaient le gouverneur du Massachusetts, les maires de Cambridge et de Boston, que suivaient les élus, les shérifs du comté et les invités de marque ou étrangers.

Dès le lendemain de la parade, après les banquets organisés par chaque promotion, les Bahamiens et Thomas

Artcliff embarquèrent sur l'*Arawak*. Bien que peint en blanc et sous pavillon britannique, le vapeur rapide rappelait, par sa ligne basse et sa cheminée inclinée, les bateaux des forceurs de blocus, qui avaient tant agacé les Nordistes en approvisionnant l'ennemi sudiste. Les Bostoniens ne manquèrent pas de le remarquer et, dans les tavernes, les marins bahamiens entendirent quelques réflexions désobligeantes, alors que les dernières troupes de l'Union venaient de quitter les États du Sud, maintenant soumis à ce que les Yankees nommaient *Reconstruction*.

Au cours de l'escale à New York, les parents de Pacal firent connaissance avec les Artcliff et rendirent visite à Jeffrey Cornfield. Le vieux banquier, s'estimant déshonoré par ses faillites successives et, plus encore, par la fin honteuse de son fils en Australie — on colportait son histoire à Wall Street —, refusait de sortir de chez lui. Il demeurait, la plupart du temps, prostré dans un fauteuil, quand il ne brûlait pas, avec l'aide de Gladys Hamer, de vieux papiers dans sa cheminée.

— On dirait qu'il prépare sa fin, dit Charles.

— Gladys m'a dit qu'il avait fait décrocher du mur du salon le portrait de sa défunte épouse, pour le faire suspendre, en face de son lit, dans sa chambre, précisa Ottilia.

Les Bahamiens s'attardèrent à New York jusqu'au 4 juillet, pour célébrer avec Eleanor et Alastair Gregory Artcliff, très attachés aux traditions patriotiques, le cent unième anniversaire de l'indépendance des États-Unis. S'adressant à Charles, le père de Thomas porta à cette occasion un toast chaleureux.

— Il nous est agréable de recevoir, en ce jour, à notre table, un Français, car nous n'avons pas oublié le rôle que jouèrent vos compatriotes, La Fayette, Rochambeau et La Rouerie, entre autres, au côté de George Washington, pour nous aider à conquérir notre indépendance, dit l'architecte.

– Attention, père, lady Ottilia et Pacal sont anglais, lança Thomas par espièglerie.

S'ensuivit une légère confusion chez ses parents, qu'Ottilia s'empressa de dissiper en rappelant que, ayant épousé un Français, elle se trouvait maintenant dans le camp des libérateurs.

– Quant à notre fils, Pacal, bien que futur lord, il est avant tout bahamien, ajouta-t-elle, applaudie par tous.

Charles Desteyrac profita de cet instant pour demander quel était l'avancement du monument, qui, sur Bedloe Island, dans la baie de New York, allait recevoir la monumentale statue de *la Liberté éclairant le monde*, œuvre du sculpteur Frédéric Auguste Bartholdi. Il rappela que la France, à la suggestion de l'historien Édouard Laboulaye, avait décidé d'offrir cette œuvre aux États-Unis pour marquer le centenaire de leur indépendance.

– Pour construire le piédestal, une souscription a été ouverte chez nous. Mais on a eu du mal à réunir les fonds nécessaires. Et je crois que ce n'est pas demain que votre Liberté veillera sur le port de New York, dit Alastair Gregory Artcliff.

Eleanor intervint :

– Il semble cependant que le beau poème d'Emma Lazarus, *le Nouveau Colosse*, ait stimulé les souscripteurs :

C'est une torche, un phare, dont la flamme éclaire
Des hautes cités jumelles le port jeté dans l'air[1].

– C'est surtout grâce à la campagne menée par le journaliste Joseph Pulitzer, dans le *New York World*, que les cent mille dollars qui manquaient pour l'achèvement du piédestal

---

1. Ce poème d'Emma Lazarus fut gravé « sur une plaque de bronze et apposé sur la base de la statue en 1903 ». François Weil, *Histoire de New York*, Librairie Arthème Fayard, Paris, 2003.

ont été réunis. Car la souscription publique n'avait rapporté, chez nous, que cent vingt-cinq mille dollars, précisa l'architecte[1].

– J'ai lu dans les journaux que la statue mesurera, des pieds au flambeau qu'elle brandit, quarante-deux mètres de haut et qu'en France tous les frais de construction – on dit deux cent cinquante mille dollars – ont été réunis grâce à une souscription dans laquelle le gouvernement français n'a eu aucune part, dit Pacal.

– Je trouve que le symbole de la femme, portant le flambeau de la liberté, serrant sur son sein les tables de la loi et foulant aux pieds les chaînes de l'esclavage, constituera une promesse de bien-être et de sécurité pour les émigrants qui arriveront à Ellis Island. Une promesse que l'Amérique, qui n'a renoncé que depuis douze ans à l'esclavage, devra tenir, observa Thomas.

L'architecte Alastair Gregory Artcliff étant fort handicapé par une difficulté à se mouvoir, due a une maladie des muscles, et les médecins laissant peu d'espoir d'amélioration, Thomas dut, une fois encore, renoncer aux vacances bahamiennes espérées depuis quatre ans.

– Je vais devoir me mettre immédiatement au travail. Mon père malade est, de surcroît, miné par le souci que lui causent les chantiers, dont il a été contraint de s'éloigner, dit-il à Pacal, fort dépité.

On se promit des lettres, voire des télégrammes, dès que la station en construction à Nassau serait en service et l'*Arawak* prit la mer pour les Bahamas.

---

1. La statue ne devait être inaugurée que le 28 octobre 1886 par le président des États-Unis, Grover Cleveland, ancien gouverneur de l'État de New York.

Une contrariété, vécue comme un drame par lord Simon, devait entacher les premières heures du retour des insulaires. La nouvelle leur fut annoncée, dès leur arrivée à Soledad, par le maître de l'île, venu accueillir le diplômé et ses parents, au port occidental.

– Le *Phoenix*, mon bateau, en cale sèche depuis deux ans et qui venait d'être superbement restauré, a brûlé. Le brasero mal éteint d'un calfat qui avait, dans la journée, étalé le brai à l'intérieur de la carène, a mis le feu aux membrures, en pleine nuit. J'ai vu les flammes de mon balcon de Cornfield Manor. Oui, le *Phoenix* a fini en bûcher, mes amis. Colson s'est précipité, avec une foule d'îliens, pour tenter de juguler l'incendie, mais il n'a pu sauver que la figure de proue et, heureusement, la gouverne du *Royal Charles*, qui en 1660 ramena Charles II d'exil.

– Et votre orgue à vapeur ? s'enquit Ottilia.

– Une chance ! Il n'avait pas encore été remonté à bord, compléta le vieil homme d'un ton lamentable.

Le *Phoenix*, le plus fin des trois-mâts jamais sorti des chantiers de la Mersey, avait été commandé en 1810 par Alister Cornfield, le père de Simon Leonard, mais n'avait été livré qu'après la mort du quatrième baronet Cornfield, tué en 1815, à la bataille de New Orleans. C'est pourquoi, plus qu'à tous les autres navires de sa flotte, lord Simon était attaché à ce voilier, dont les plans étaient l'œuvre de son père. Il avait pris possession du bateau, en même temps que du titre de cinquième baronet Cornfield, à l'âge de quatorze ans.

Le même soir, au dîner de gala donné en l'honneur de Pacal, qui fêtait à la fois son diplôme et ses vingt ans, lord Simon, ayant retrouvé sa belle humeur, se dit prêt à révéler un projet auquel il réfléchissait depuis longtemps.

Ayant obtenu le silence et fait emplir par Pibia les coupes

de vin de Champagne, il s'éclaircit la voix, comme qui prépare une déclaration capitale.

— Avant d'entrer dans la vie active, au côté de son père, je pense que Pacal, maintenant diplômé et majeur, doit faire son tour d'Europe, lança-t-il d'une voix forte.

Une houle de murmures approbatifs, dominée par des exclamations enthousiastes, répondit à cette annonce.

— Ayant connu la rusticité des Yankees, il doit découvrir une plus authentique et plus ancienne civilisation, parvint à ajouter le lord.

— *Wonderful!* s'écria Pacal, qui rêvait depuis des années de connaître l'Angleterre et la France.

D'un geste, lord Simon imposa à nouveau le silence.

— Ce voyage, je veux que nous le fassions ensemble, Charles, Otti, Pacal et moi. Ne suis-je pas le cicerone le plus qualifié ? compléta-t-il, goguenard.

Tous applaudirent cette proposition et l'on convint que la saison idéale serait le printemps 1878. Philip Rodney conduirait la famille à New York, à bord du *Centaur*, plus confortable que l'*Arawak*, et de là on embarquerait sur un paquebot de la Cunard pour Liverpool, par où devait, d'après le lord, commencer la visite.

— Étant donné mon âge, ce sera certainement mon dernier voyage *at home*, dit-il, usant de la formule des Anglais dispersés dans l'Empire pour évoquer la mère patrie.

Après qu'on eut vidé les coupes, commentaires et propositions fusèrent, d'un bout à l'autre de la table. On laissa toutefois au maître de l'île, qui assumerait tous les frais de l'expédition, le choix de l'itinéraire européen.

— Nous irons à Manchester, voir les filatures dont tu seras un jour propriétaire. Tu connaîtras ta grand-tante, ma sœur Ann et son foutu mari, qu'on appelle Willy Main-Leste, tu es en âge de comprendre pourquoi, dit lord Simon s'adressant à son petit-fils.

— Et après ? s'impatienta ce dernier.

– Ensuite, nous te ferons visiter Londres, où je te présenterai à mes vieux amis encore en vie. Tu ne devras pas perdre un instant de vue que tu es un futur lord et que cela impose des devoirs qu'on ne peut ignorer, précisa Simon.

Il fut convenu qu'on visiterait aussi Paris, car on ne pouvait oublier que Pacal avait du sang français et une grand-mère très âgée, qu'il n'avait jamais vue. Enfin, Rome s'imposait, ainsi qu'Athènes, parce que, pour un Cornfield, ancien étudiant d'Oxford, ces villes conservaient d'inestimables témoignages des origines de la civilisation.

La question se posa ensuite de savoir qui, pendant l'absence de ce que lord Simon appelait maintenant avec un certain plaisir « la famille », assumerait les responsabilités à Soledad. Il en était toujours ainsi depuis la mort du major Edward Carver, et le maître de l'île n'osait confier cette charge à sa sœur Lamia. Âgée de soixante-quatre ans et bien que fort active – la veille, elle avait encore harponné un requin blanc –, Fish Lady, retirée sur son îlot, n'en sortirait qu'en cas de catastrophe. En vieillissant, Lamia semblait se dessécher comme un arbre privé de sève, et sa peau, recuite par le soleil, ne la différenciait plus guère des indigènes. Quant à l'opulente toison frisée, de tout temps incoiffable, elle conservait ses reflets gris acier.

Après réflexion, c'est à Lewis Colson que lord Simon décida de confier la gestion de son domaine, étant entendu que, dès son retour à Soledad, Philip Rodney assisterait le commandant. Alerte et d'esprit prompt, le veuf portait allégrement ses soixante-dix ans mais, fort réaliste, répétait qu'à cet âge la santé devient un état aléatoire.

La perspective d'un tour d'Europe réjouit fort Ottilia. Elle prit la main de Charles et, le feu aux joues, se pencha vers lui.

– Ce sera pour nous une sorte de voyage de noces, surtout si nous incluons Venise au périple. Je rêve de naviguer sur les canaux en gondole, comme les boutiquiers anglais qui empruntent de quoi s'offrir Venise, dit-elle.

Le dîner étant suivi d'une réception pour les notables de l'île, lord Simon demanda que l'on tînt secret, jusqu'à nouvel ordre, le projet évoqué entre intimes.

Ce soir-là, on dansa à Cornfield Manor. Charles et Otti, qui n'avaient rien perdu de leur goût et de leur entente pour la valse, initièrent Pacal et Anacona à cette danse, que les puritains de Boston interdisaient à leurs filles. La jeune Cubaine ayant un sens atavique du rythme, Pacal l'entraîna ensuite dans une démonstration de mazurka, danse autorisée chez les puritains les plus émancipés, car ne nécessitant pas le contact des corps.

Au milieu de la nuit, quand les derniers invités eurent quitté le manoir, lord Simon prit Charles et Pacal à part.

– J'ai aussi décidé qu'à l'occasion de notre séjour en Angleterre le *Phoenix*, tel l'oiseau mythique, ressuscitera de ses cendres. J'irai commander aux chantiers de la Mersey un nouveau bateau. C'est pourquoi Maitland viendra avec nous. C'est un fin connaisseur des bateaux en fer, et je veux faire construire un yacht que nous baptiserons *Phoenix II*. Ce sera un vapeur, bien sûr, car nos voiliers seront bientôt des pièces de musée. Mais je veux un navire d'un confort parfait et d'un luxe raffiné. Ce sera mon dernier caprice et vous en jouirez plus longtemps que moi, qui chemine vers la sortie.

Au cours des semaines qui suivirent, on ne fit, de Cornfield Manor à Malcolm House en passant par Exile House, devenu résidence des Maitland, qu'agiter des idées autour du voyage projeté et de la construction d'un nouveau *Phoenix*. Chaque semaine, le lord réunissait chez lui les marins les plus expérimentés, pour discuter et élaborer les plans de son futur yacht. Les officiers, comme John

Maitland, Philip Rodney et Lewis Colson, développaient leurs idées, mais lord Simon prenait aussi l'avis du quartier-maître charpentier, Tom O'Graney, quand il s'agissait de l'aménagement intérieur du vapeur. Tous comprirent très vite que Cornfield souhaitait reproduire, avec des équipements modernes, le somptueux décor du voilier incendié.

Pacal, quand il ne tenait pas compagnie à son grand-père, pêchait le mérou avec Sima ou les petits-fils de Maoti-Mata, devenus pêcheurs professionnels. Fish Lady ayant initié son filleul à la chasse au requin, il la remplaçait souvent, avec ses harpons, auprès des pêcheurs d'éponges qui, toujours, craignaient l'apparition des squales.

Il passait aussi beaucoup d'heures instructives avec son père, sur le chantier du phare, au Cabo del Diablo. Charles Desteyrac espérait que la **tour** serait achevée avant la saison des ouragans. L'escalier en colimaçon qui, à l'intérieur du phare, donnerait accès à la plateforme des lanternes, serait mis en place avant le départ pour l'Europe, prévu en avril.

Habile à présenter des projets et à faire valoir ses aspirations, avec une assurance teintée d'humilité pour ne pas effaroucher, le jeune homme convainquit son père de faire niveler un terrain, au fond du parc de Malcolm House, afin d'établir un court de *lawn tennis*, jeu pratiqué depuis peu à Cambridge. Le *lawn tennis*, jeu de balle avec raquette, dérivé du jeu de paume, était d'origine anglaise, invention du major Walter Compton Wingfield. Le jeu était maintenant assez répandu en Angleterre et sur les plages françaises pour qu'on eût, cette année-là, organisé à Londres un premier championnat.

Dès que le terrain fut aplani, Pacal, qui avait commandé raquettes et balles à Boston, fit confectionner, par les tresseuses de sisal, le filet réglementaire et initia Anacona à ce jeu, plus sportif que le crocket.

La Cubaine, compagne de baignade, de promenade et de jeu de Pacal, admirait le sang-froid et l'adresse du jeune homme, autant qu'elle appréciait sa courtoisie et sa gaieté.

Anglican par convention, mais d'une extrême méfiance envers les religions, il conduisait volontiers Anacona au mont de la Chèvre, quand elle décidait, catholique fervente, d'aller prier dans la chapelle du père Taval. Seules, quelques vieilles femmes, attachées à l'Église romaine par de lointaines ascendances espagnoles, fréquentaient encore l'oratoire.

Pendant que la jeune fille faisait ses dévotions, Pacal bavardait avec le vieux prêtre, à l'érudition plus sûre que la vertu. Manuela Ramírez avait donné huit enfants à ce curieux ermite : quatre garçons et quatre filles. Les fils, pieusement baptisés Matthieu, Marc, Luc et Jean, selon les quatre Évangélistes, avaient reçu une bonne instruction de leur père, puis, les trois premiers étaient allés dans des collèges de Charleston, en Caroline du Sud. On murmurait que les frais de scolarité avaient été payés par lord Simon. Grâce au docteur David Kermor, l'aîné des garçons, Luc, terminait ses études de médecine à Johns Hopkins University, à Baltimore. Uncle Dave voyait en lui son successeur au village des artisans, perspective qui rendait les Weston Clarke furieux. Marc naviguait comme cuisinier sur les navires de commerce. Matthieu étudiait la comptabilité et Jean, le benjamin, un peu simplet, était apprenti ébéniste à Nassau. Quant aux filles, les deux aînées, des jumelles, Pilar et Rosita, se préparaient au métier d'institutrice. Les deux dernières, María et Ana, âgées de dix et douze ans, vivaient encore à l'ermitage avec leur mère, qu'elles assistaient dans les travaux du ménage.

Le père Taval, comme tous les insulaires, traitait Pacal en homme et futur maître de Soledad ; Pacal, lui, montrait déférence et sympathie. D'où la liberté de ton pendant leurs entretiens.

– Les protestants, les anglicans notamment, reprochent à votre Église catholique romaine le célibat forcé de ses ministres, donc l'interdiction de fonder une famille. En ne tenant pas compte de cette règle, vous vous êtes rapproché de l'Église d'Angleterre, constata finement Pacal, lors d'une visite.

– Mon cher enfant, j'ai toujours tenté de suivre le conseil que donnait autrefois René de Chateaubriand dans un article : « Il faut se contenter d'être simple de cœur, ami des malheureux, adorateur de celui qui voit et juge les hommes, et laisser les disputes d'opinions à ceux qui s'occupent des songes[1]. »

– C'est la sagesse, consentit Pacal.

En toutes circonstances, le petit-fils du lord, d'un naturel protecteur, traitait Anacona en jeune sœur, et lady Lamia se montrait enchantée de ces rapports, encore qu'elle redoutât secrètement de voir sa pupille tomber amoureuse de Pacal.

De Cambridge, l'étudiant avait rapporté une véritable bibliothèque et incitait Anacona à lire. Il lui avait ainsi fait découvrir *les Aventures de Tom Sawyer*, d'un certain Mark Twain, de qui il aimait par-dessus tout la nouvelle qui avait lancé l'écrivain : *la Célèbre Grenouille sauteuse de Calaveras*, publiée par la revue *Atlantic Monthly*. Pacal guettait, chaque mois, l'arrivée à Soledad de cette revue, fondée à Boston par un des professeurs les plus estimés de Harvard University, James Russell Lowell, sans lien de parenté avec Robert Lowell. Il mit entre les mains d'Anacona les œuvres d'Hawthorne et de Longfellow, estimant que celles, plus philosophiques, d'Emerson et de Thoreau, ne convenaient

---

1. *Réponse générale à ceux qui m'ont fait l'honneur de m'écrire*, juillet 1797, *Correspondance générale*, tome I, Gallimard, Paris, 1977.

pas encore à une adolescente instruite par des religieuses catholiques.

La jeune fille avait appris à monter à cheval avec Ottilia et on la voyait souvent passer le pont de Buena Vista, pour galoper jusqu'à Malcolm House, où elle retrouvait Pacal, ce qui faisait dire aux commères du Cornfieldshire, à Dorothy Weston Clarke la première, que le fils de Charles et d'Ounca Lou avait rapporté de son université américaine le goût du flirt, fort préjudiciable à la vertu des demoiselles.

– Cela peut aussi conduire au mariage, risqua un jour l'épouse du pasteur Russell.

– Ma pauvre amie, une telle union ne pourrait plaire à lord Simon. Il a certainement, pour son héritier, l'ambition d'une alliance plus huppée. Vous verrez qu'au cours de leur voyage en Europe il s'arrangera pour lui présenter quelque fille de duc ou de comte, peut-être laide et niaise, mais titrée et riche, déclara Dorothy.

Ignorant ces ragots infondés, Pacal et Anacona ne pensaient qu'à jouer au tennis ou au croquet, tirer à l'arc avec les Arawak, faire de la musique avec Ottilia, naviguer sur le petit voilier bahamien, cadeau de lord Simon à son petit-fils. Sorti de l'unique chantier naval des Bahamas, créé en 1820 à Man O'War Cay, par les Albury, ce bateau, en bois de madère et d'acajou, restait la plus authentique et la plus sûre embarcation pour croiser dans l'archipel[1].

La fin des vacances de la jeune Cubaine, prémices à une longue séparation avec son ami, arriva alors que s'annonçaient les premiers orages tropicaux. Lamia, Ottilia et Pacal accompagnèrent l'élève des bénédictines au bateau-poste

---

1. Aujourd'hui encore, Joe Albury, arrière-petit-neveu de Billie Bo Albury, fondateur du chantier, construit de fins voiliers de douze pieds en usant des mêmes bois que ses ancêtres. Il en coûte 7 550 dollars. *Bahamas, Turks and Caicos*, Christopher P. Baker, Lonely Planet Publications, Melbourne-Oakland-London-Paris, 2001.

pour Nassau. Anacona fit promettre à son compagnon de jeu de lui écrire, car ils ne se reverraient pas avant 1879.

– Je voudrais une lettre de tous les pays que vous visiterez, en Europe, l'année prochaine... à cause des timbres bien sûr, dont je veux faire collection, comme une de mes camarades de pension, ajouta-t-elle rougissante.

Pacal promit et, quand le bateau appareilla, il répondit au geste d'adieu de l'adolescente et se tourna vers Fish Lady et Otti.

– Pour moi aussi, les vacances sont terminées. Dès demain, je passerai mes matinées à Cornfield Manor. Grand-père veut m'initier à toutes ses affaires, me faire connaître toutes les entreprises des États-Unis, d'Angleterre, d'Écosse, du pays de Galles et même des Indes, où il a des intérêts. Il veut aussi m'apprendre à rédiger des lettres, pour ses fondés de pouvoir, ses banquiers, ses représentants et hommes de loi. Bref, il veut faire de moi son secrétaire, afin que je sois prêt, à sa mort, à partout lui succéder. Je trouve fort hâtives ces dispositions. Lord Simon est robuste et sa santé serait parfaite, m'a dit Uncle Dave, s'il n'entretenait pas sa goutte au porto et au whisky.

– Il est robuste mais, comme nous tous, mortel, et les dispositions qu'il prend relèvent d'une prévoyance indispensable, Pacal. Un jour, même si nous le souhaitons tous lointain, vous aurez à gérer des affaires très importantes, dit Ottilia.

– Et à gouverner Soledad ! Plus qu'une île, c'est une parcelle de l'Empire, que Charles II a confié *in aeternam* aux seuls Cornfield, renchérit gravement Lamia.

Chaque fois que l'*Apollo* livrait à Nassau les récoltes d'éponges et d'écaille de tortue, les fruits et les primeurs d'Eleuthera, les conserves d'ananas destinées aux États-Unis ou à la Grande-Bretagne et les roses et orchidées maintenant cultivées pour l'exportation, Pacal embarquait avec son père et Philip Rodney. C'était officiellement pour s'instruire, s'accoutumer aux matoiseries des courtiers, des agents, des importateurs américains ou européens, apprendre à déjouer les manigances des grossistes du *Sponge Market*, la Bourse aux éponges de Frederick Street. C'était aussi pour assister à des manifestations sportives, car, cette année-là, les Bahamiens se mirent aux sports d'équipe.

Le football, introduit à Nassau par les officiers et marins du *HMS Bullfinch*, en escale, avait donné lieu, le 25 mai, à l'organisation d'un premier match sur Town Parade. Plus tard, Le *Nassau Guardian* ayant annoncé que, le 11 octobre, serait disputé le premier match de polo sur Eastern Parade, à la pointe est de New Providence, lord Simon intervint pour faire engager son petit-fils dans l'équipe du yacht-club.

— Je fais mettre l'*Arawak* sous pression : nous embarquons tes poneys qui, depuis leur arrivée de Boston, se font de la graisse et tu vas montrer comment tu joues du maillet sur un terrain, qui ne vaudra certainement pas la pelouse de Harvard, s'exclama Simon, enthousiaste.

À part deux officiers anglais, qui avaient déjà pratiqué le polo en Jamaïque, les fonctionnaires britanniques de Nassau, assez fortunés pour entretenir deux chevaux, jouaient leur premier match. Ils ne furent pas adversaires difficiles et l'équipe de Pacal l'emporta, lui-même ayant expédié cinq fois la balle de bois entre les poteaux.

— Succès facile, commenta lord Simon.

Montre en main, il avait vérifié que l'arbitre ne prolongeait pas, au-delà de trois minutes, le repos entre les périodes de huit minutes.

— Ils ont commis des erreurs, qui n'ont pas été sanctionnées, comme couper la route au cavalier qui pousse la balle, mais je me suis bien amusé et j'ai promis de revenir, dit Pacal.

Retirant son casque, il s'essuya le visage avec la serviette que lui tendit, geste inattendu, une jeune spectatrice.

– Vous êtes, monsieur, un excellent cavalier. Aurai-je, un matin, l'occasion de monter en votre compagnie ?

– Pour cela, il vous faudra venir à Soledad, intervint lord Simon, qui trouvait cette demande effrontée.

Pacal sourit, s'inclina et s'éloigna vers le vestiaire, pour quitter ses bottes et se changer. L'audacieuse demoiselle le suivit du regard et lui se retourna, pour prendre congé en agitant la serviette, montrant ainsi qu'il entendait la conserver en souvenir de cette journée.

Quand, un peu plus tard, il retrouva son grand-père, son père, Ottilia, John Maitland et Uncle Dave, à la terrasse du Royal Victoria Hotel où tous étaient descendus, le jeune homme voulut savoir pourquoi lord Simon s'était montré désagréable avec une jeune personne, aimable et plutôt jolie, venue offrir au vainqueur une serviette parfumée au patchouli.

– Parce que c'est encore une de ces filles à marier ! Elle fait partie des *Upper Ten*, les dix riches familles qui se prennent, à Nassau, pour la haute société, le cercle du gouverneur, sir William Robinson, pour qui je n'ai pas grande estime, maugréa lord Simon.

– Et vous n'êtes pas le seul. Il a réduit les salaires des fonctionnaires de la Couronne, toujours payés avec retard, et il est fortement soupçonné d'avoir détourné des fonds publics, à son profit. Alors que les caisses sont à moitié vides ! dit Charles Desteyrac.

– La situation financière de la colonie est si mauvaise que le *Nassau Guardian* a proposé une taxe de trois pence sur chaque livre sterling gagnée, au-dessus de cent livres. Oui, on en est là, aux Bahamas ! Le gouvernement impérial a décidé l'envoi d'une commission royale. On veut savoir pourquoi certains fonctionnaires ont, envers la Public Bank, des dettes qu'ils ne remboursent jamais, révéla lord Simon.

– Autre affaire : le secrétaire privé du gouverneur, G. King Harman, a acheté, l'an dernier, Salt Cay, dans les Turks and Caicos Islands, pour y planter mille cinq cents cocotiers. On se demande où il a pris les fonds, dit Charles.

– Salt Cay est une petite île aride, qui ne présente qu'un seul intérêt. C'est l'endroit d'où l'on voit, au plus près, le passage des baleines quand, entre février et mars, elles rejoignent les eaux de leurs amours, compléta John Maitland.

Toutes ces turpitudes supposées, reprochées à sir William Robinson, encore très populaire à Nassau, suffisaient, aux yeux de Cornfield, à rendre le gouverneur, ses filles et les amies de celles-ci, infréquentables.

Lord Simon n'en accepta pas moins l'invitation de la municipalité à assister, le même soir, avec les siens, au concert de la Philharmonic Society de Nassau, récemment créée par J. H. Webb, un riche négociant de la ville, un des *Upper Ten*, dont les prétentions l'agaçaient.

Dès les fêtes de fin d'année oubliées, ceux qui devaient partir au printemps, pour un séjour de plus d'un an en Europe, se préparèrent au voyage. Pendant les premières semaines de 1878, Ottilia et Myra Maitland, seules femmes de l'expédition, composèrent des garde-robes pour toutes circonstances, encore qu'elles se promettaient, l'une et l'autre, d'acheter des toilettes nouvelles à Londres et à Paris.

Pendant la duré des préparatifs, on vit lord Simon passer de l'exaltation la plus juvénile à la plus sénile mélancolie. Alternaient, chez le vieil homme, la perspective d'un plaisant séjour en Angleterre, sorte de pèlerinage, et le sentiment que celui-ci serait sans aucun doute le dernier. Au retour, Soledad ne serait plus, pour le sexagénaire, que l'antichambre ensoleillé de la mort.

« Un des privilèges de la vieillesse est qu'on peut se

permettre de tout considérer du point de vue de Sirius, c'est-
à-dire avec une sereine indifférence. Aussi bien les choses
qui subsisteront après nous que les gens qui nous survi-
vront », avait-il dit à Pacal. Ni le grand-père ni le petit-fils
n'avaient été dupes d'une telle résignation.

Celle-ci fut démentie au jour du départ, quand le maître
de l'île embarqua, avec alacrité, sur le *Centaur*, salué par
Philip Rodney et tout l'équipage, vêtu de neuf. Rasé de près,
moustache blanche troussée à la hongroise, vêtu d'un
costume gris souris, récemment coupé par Fili-Fili, le vieux
tailleur du village des artisans, gilet de soie gorge-de-pigeon
et cravate gris perle nouée sous le col de la chemise, comme
une mode nouvelle l'exigeait, lord Simon se montra plein
d'entrain. Arpentant le pont du voilier en jouant d'une canne
à pommeau d'ivoire, héritage du major Carver, il rappela à
Pacal que tout Anglais a deux patries : son île et la mer.

Avec ses deux mâts et ses trois focs, le brick ne pouvait
prétendre à la majesté du défunt *Phoenix*, mais, repeint en
blanc et doté de nouvelles voiles carrées, le navire était digne,
toutefois, d'arborer, au mât de misaine, le pavillon frappé du
blason des Cornfield, tandis qu'au mât de hune montait le
pavillon de partance, bleu à carré blanc, et qu'à la corne de
la brigandine se déployait l'Union Jack.

Au cours de la traversée vers New York, le commandant
John Maitland, en costume civil, se garda de se mêler et
même d'apprécier les manœuvres de l'équipage. Le capitaine
Rodney, seul maître à bord du *Centaur*, passait pour susceptible. Marin expérimenté, il tenait les officiers de la Royal
Navy pour cercamares[1], les bateaux à vapeur pour boîtes à
fumée et nommait tous les mécaniciens bouchons-gras !

Lors de l'escale américaine, lord Simon et les siens rendirent une brève visite à Jeffrey Cornfield chez qui ils trouvèrent Ann et Mark Tilloy. La fille du banquier et son mari

---

1. Officier des galères.

étaient venus de Chicago, avec l'intention de convaincre l'homme d'affaires ruiné d'aller vivre ses dernières années chez eux, dans le confort et la quiétude.

C'était la première fois, depuis huit ans, que Charles revoyait son ami Tilloy. L'ancien officier de la Navy, puis de la flotte Cornfield, avait pris à la fois de l'assurance et de l'embonpoint. Un commencement de calvitie, des joues pleines et colorées, la chaîne de montre un peu trop visible, qui festonnait sur son gilet bien rempli, conféraient au Britannique l'aspect d'un homme d'affaires *yankee* fier de sa réussite. Du gentleman, ancien cadet de Sandhurst, ne subsistaient que la façon de doser ses saluts, l'accent oxfordien et le goût du *pink gin* ! Ann – seule la minceur de ses jambes rappelait encore la paralysie d'autrefois – semblait la plus heureuse des épouses. À la veille de la quarantaine, elle assumait avec charme et élégance les restes d'une beauté épanouie. Sa gaieté, les regards caressants qu'elle portait à son mari, sa toilette de bon ton attestaient santé, aisance et bonheur.

– Mon père refuse de nous suivre à Chicago. Il veut mourir ici, chez lui. Même Gladys, que nous emmènerions aussi, n'a pas su lui faire entendre raison. Essayez à votre tour, demanda-t-elle à lord Simon.

– Je lui ai déjà proposé de venir à Soledad. Il a refusé. Je me contente de faire envoyer, chaque mois, à Gladys Hamer, de quoi assurer leur quotidien. Je crois que la mort de votre frère lui a ôté tout ressort, dit lord Simon.

– Mon frère m'aurait ruinée, si Mark n'avait pas pris mes affaires en main. Henry appartenait à la race des destructeurs. Sa fin ignominieuse a, certes, désespéré mon père, mais ne m'a pas surprise, répondit Ann.

La gouvervante, prenant Ottilia à part, rapporta que la réussite financière de Mark Tilloy, armateur et bâtisseur d'immeubles, loin de plaire à Jeffrey Cornfield, le crispait, comme l'irritait toute évocation de la fortune des autres.

— L'an dernier, en janvier, à la mort de notre voisin, Cornelius Vanderbilt, qui habitait 10 Washington Square, Monsieur, qui détestait le commodore, s'est mis à gémir. Comme je m'étonnais de ce chagrin inattendu, il m'a dit, avec amertume, qu'il ne pleurait pas « ce rapace de Vanderbilt », mais l'incapacité où lui-même se trouvait de léguer à ses filles le moindre héritage, alors que le commodore, l'homme le plus riche de l'Union, possesseur de cent cinq millions de dollars d'actions au New York Central Stock, laissait à son fils, William Henry, quatre-vingt-dix millions de dollars, à sa seconde épouse cinq cent mille dollars et, à ses huit filles, de cinq cent mille à deux cent cinquante mille dollars, suivant l'estime dans laquelle il les tenait ! Des sommes tellement énormes que je les ai toutes retenues ! Monsieur souffre ainsi chaque fois que les journaux commentent une grosse succession. Par moment, j'ai peur que mon pauvre maître ne sombre dans la folie, avoua Gladys Hamer.

Les visiteurs ne s'attardèrent pas, dans cette maison aux fenêtres closes et rideaux tirés, sur le dénuement honteux d'un vieil homme. Contraint de vivre de la charité d'un cousin, Jeffrey, malade d'orgueil dénaturé, feignait d'ignorer ces largesses.

Pacal, très sensible aux effluves, observa que la pénombre, maintenue dans cet intérieur sinistre, exhalait une écœurante odeur de moisi, que l'air épais paraissait chargé de miasmes vireux.

— La pauvreté est souvent malodorante, constata Ottilia.

— Quand on en est là, mieux vaut en finir, glissa lord Simon à Charles.

Et les Bahamiens quittèrent Washington Square, pour se rendre au port et embarquer sur l'*Aussonia*, paquebot de la Cunard Steam Ship Line, qui les porterait à Liverpool en neuf jours.

La traversée fut sereine et joyeuse. Les cinq cents passagers ne subirent que deux journées de gros temps, et le palace flottant, de huit mille tonneaux, propulsé par une machine qui développait dix mille chevaux, ce qui lui assurait une vitesse de seize nœuds, se comporta aussi vaillamment que les Bahamiens. Pacal et son grand-père ne manquèrent aucun des cinq repas quotidiens servis dans la salle à manger des passagers de première classe !

Quand, après un ralentissement dû aux brumes irlandaises, le paquebot remonta la Mersey, pour entrer dans le port de Liverpool, Charles Desteyrac se montra presque aussi ému que lord Simon. Au-delà des quais animés que découvraient les passagers accoudés à la lisse, le jeune ingénieur des Ponts avait, vingt-cinq ans plus tôt, dans la vieille taverne du Red Eagle, un soir de janvier 1853, scellé son destin insulaire.

Le transatlantique accosta au Landing Stage, ponton flottant relié au Prince's Dock par des passerelles. À terre, lord Simon et les siens retrouvèrent leurs bagages, transportés du navire au Custom Examining Hall par un tapis roulant, dernière innovation du plus grand port d'Angleterre, qui accueillait maintenant vingt mille bateaux par an, la plupart à vapeur.

— *Welcome at home, sir*, lança un officier des douanes à l'adresse de celui que les armateurs de Liverpool et les vieux débardeurs appelaient le lord des Bahamas.

Simon Leonard apprécia cet accueil. Il y répondit en portant la main à son chapeau, sans toutefois le soulever.

— Comment vais-je trouver le vieux pays ? grommela-t-il.

Ils ne firent que traverser Liverpool en cab, pour se rendre à Central Station, où ils prirent le train pour Manchester, rédidence des Gordon, sir William, dit Willy Main-Leste et son épouse, lady Mary Ann, sœur de lord Simon.

Dans la capitale du textile britannique, les appartements

des voyageurs avaient été retenus au très ancien Queen's Hotel, sur Portland Street, au centre de la ville.

Ottilia prévint aussitôt son père qu'elle ne rendrait pas visite à sa tante et à son oncle.

– On sait que vous n'avez jamais eu l'esprit de famille, ironisa Cornfield, qui subodorait le motif de cette dérobade.

Charles se souvint aussi, sans plaisir, qu'Otti avait, en effet, une bonne raison pour éluder une rencontre avec les Gordon.

À Manchester, les Desteyrac et les Maitland iraient donc visiter la cathédrale, construite au XIVe siècle, et au Chetham College, une des plus anciennes bibliothèques d'Europe, ouverte en 1651, tandis que Pacal accompagnerait seul lord Simon chez le beau-frère et associé de ce dernier.

Le fils de Charles et d'Ounca Lou était fort curieux de rencontrer ce fameux Willy Main-Leste, à la réputation sulfureuse.

7.

Ce fut une Cornfield bon teint, Mary Ann, la sœur aînée du lord, vieille dame ratatinée et revêche, à bandeaux blancs strictement coiffés, qui accueillit les visiteurs dans le bel hôtel particulier que les Gordon occupaient, au sud de la ville, loin des fumées industrielles.

– Vous allez trouver mon pauvre mari bien changé, prévint-elle après les compliments les plus formels à son frère et à Pacal.

Elle dit reconnaître chez son petit-neveu, qu'elle examina d'un regard gris acéré, la fière allure des Cornfield... coloniaux.

En pénétrant dans le salon où sir William attendait, lord Simon retint avec peine un haut-le-corps. Tassé dans un fauteuil à oreillettes, Willy Main-Leste eût été bien incapable de justifier son sobriquet. Deux hémorragies cérébrales lui avaient tordu la bouche, fermé un œil et paralysé le bras gauche. Il tendit à son beau-frère une main droite sèche, blanchâtre, tavelée de violet, et demanda, lèvres baveuses, qu'on lui accordât le privilège de rester assis.

Était loin le temps où, jouisseur libidineux, sir William faisait poser nue sa nièce Ottilia, pour la parer de bijoux clinquants. Mary Ann, épouse scandalisée, avait alors renvoyé sa nièce dévergondée à Soledad.

Pacal, qui ignorait tout du passé de sa marâtre, mobilisa

l'attention du vieil homme. D'emblée, Gordon conseilla ce qu'il avait toujours considéré comme l'essentiel de la vie.

– Ah ! Ah ! jeunesse, jeunesse ! N'écoutez pas ceux qui prêchent l'abstinence et le rejet des plaisirs. Profitez, profitez des jours et des nuits ! Comme l'a dit Goethe, « l'homme, vertueux ou pas, doit finir en ruine », cita-t-il avec effort.

Il retint longuement la main du jeune homme dans la sienne, comme s'il escomptait de ce contact une transfusion de vitalité, attitude qui indisposa lord Simon.

Willy remarqua la grimace de ce dernier et émit un rire grinçant.

– Le climat des Bahamas est, certes, meilleur que celui du Lancashire. Mais tu sais, il y a un an, j'étais aussi dispos que te voilà. La maladie vous tombe dessus d'un coup, sans prévenir. Tu verras, tu verras !

Lord Simon perçut dans ce propos l'attente acrimonieuse d'un jaloux.

– Bien sûr, je verrai ! Mais rappelle-toi que Samuel Johnson a écrit : « Notre bonheur dépend de la façon dont notre sang circule », hein. Il semble que le tien, épaissi par les excès, circule plutôt mal, n'est-ce pas, rétorqua lord Simon au bord de l'exaspération.

Ayant parlé, il quitta le salon avec sa sœur, laissant Pacal tête à tête avec le malade. Le jeune homme approcha une chaise, s'assit près du vieillard égrotant et répondit à toutes les questions qu'il lui posa sur ses études, la vie aux États-Unis, et la façon dont il envisageait l'avenir.

– Je compte administrer Soledad, dit Pacal, comme toujours peu loquace.

– Bien sûr, vous êtes le futur lord Cornfield. Mais vous n'allez pas, comme Simon, mener une vie étriquée, sur un caillou battu par les ouragans, au milieu de colons à l'esprit étroit, ignares, ragoteurs, loin des vrais plaisirs, des théâtres, des musées, des salles de concert, des lieux où l'on s'amuse. Vous passeriez à côté de trop de choses enivrantes, de gens intelligents, d'artistes, de femmes élégantes, qui ont à la fois de l'esprit et de la cuisse, réussit à développer, malicieux mais bredouillant, William Gordon.

Appréciant l'effort que faisait cet homme pour articuler, Pacal ne put se défendre d'une certaine sympathie pour son hôte.

– Je compte bien, de temps à autre, sortir de Soledad pour me distraire. Maintenant, les vapeurs mettent Nassau à trois jours de New York, où j'ai des amis et où l'on peut s'amuser autant qu'à Londres, sir William.

– Pouah ! Les Américains ignorent tout de nos divertissements raffinés, de la sensualité de nos vieilles civilisations. Ce sont des rustauds.

– J'ai aussi le devoir de maintenir aux Bahamas l'œuvre des Cornfield, celle de mon grand-père surtout, qui a fait de Soledad une sorte de principauté coloniale heureuse. Et puis, né sous les tropiques, je tiens de ma défunte mère un besoin de grand air, de soleil, de chaleur, de baignade, de pêche, de chasse, de chevauchées. En un mot, de liberté.

– Je vois, vous êtes de la nature. Moi, j'ai toujours été de la ville. Je m'ennuie à la campagne ; la verdure, les prairies et les forêts, si chères dit-on aux Anglais, m'ont toujours donné le spleen. Quant aux sports, ils demandent un effort physique que j'ai toujours consacré à d'autres jeux. Par exemple, j'estime la pratique du golf aussi niaise que la chasse au renard. Et puis, les bergères sentent le fromage aigre et les châtelaines rurales la pomme cuite, acheva Willy.

Tandis que Pacal et William Gordon conversaient, lord Simon avait appris de sa sœur les risques que son associé faisait courir à leur filature de coton, une des plus importantes du comté.

– Depuis un an, il ne surveille plus les comptes, accepte toutes les dépenses proposées par un directeur qui semble avoir la folie des grandeurs. Il signe les chèques qu'on lui présente, sans rien vérifier. Le fondé de pouvoir, qui tentait de le raisonner, a été mis à l'écart. Il était temps que vous veniez mettre de l'ordre dans nos affaires, révéla Mary Ann.

– Je m'en occupe dès demain, dit lord Simon qui, jusque-là, avait fait confiance à son beau-frère et associé.

Après le *lunch*, c'est avec regret et tristesse que Willy Main-Leste laissa partir Pacal. Pour le vieillard usé et assez lucide pour comprendre que les jours lui étaient comptés, le petit-fils de lord Simon représentait la vie chargée de plaisantes promesses.

– Revenez me voir, demanda-t-il sans conviction en voyant le jeune homme s'éloigner.

Le lendemain, lord Simon fit réveiller son petit-fils à cinq heures du matin.

– Nous arriverons à la filature à l'heure de l'embauche. Je veux voir ce qui se passe. Tu prendras des notes. Ce sera un bon enseignement, dit Cornfield.

Les vastes halls où ils pénétrèrent, éveillant la curiosité des ouvriers et des ouvrières, que les sirènes appelaient au travail, impressionnèrent Pacal. Bientôt les batteuses, cardeuses et étireuses se mirent en marche dans le halètement des machines à vapeur et lord Simon entraîna son petit-fils au bureau du directeur, encore vide. Le responsable de la filature se présenta avec un retard que Simon chiffra à dix-huit minutes. Le filateur fut surpris de trouver, dans son bureau, deux étrangers, qu'il prit d'abord pour acheteurs de fil de coton.

Lors Simon, déclinant ses qualités, le détrompa sèchement, fit chercher le comptable et exigea de voir les livres de l'entreprise. Débarrassé de son chapeau et de sa jaquette, il releva avec soin ses manchettes et se mit au travail, parcourant, sourcils froncés, les documents qu'une employée terrorisée lui présentait. De temps à autre, il dictait à Pacal, promu secrétaire, des chiffres, des références, les réponses aux questions que, tel un procureur, il posait au directeur en position de suspect.

Une grande partie de la matinée s'écoula avant que le fondé de pouvoir de sir William, le banquier, les contremaîtres et le notaire, dûment convoqués par lord Simon, ne rejoignent le directeur, courroucé et hargneux. Ces contrôles imprévus l'humiliaient autant qu'ils inquiétaient l'état-major d'une filature qui employait plus de huit cents personnes.

Pacal ne devait jamais oublier la leçon d'autorité ferme et tranquille, nécessaire à un chef d'entreprise, que lui donna, ce jour-là, son grand-père. En moins d'une heure, le directeur, le comptable et trois contremaîtres, convaincus de malversations, furent licenciés. Le banquier fut tancé, pour n'avoir pas signalé les jongleries comptables que lord Simon n'avait eu aucun mal à déceler, et le notaire invité à faire rendre gorge à ceux qui, par jeux d'écriture, avaient tiré profit de la maladie de Gordon et de l'éloignement de lord Simon.

– Si, dans un mois, ils n'ont pas restitué ce qu'ils ont indûment perçu, mes avocats informeront le procureur de la reine, menaça Cornfield.

Le fondé de pouvoir, qui découvrait en même temps que lord Simon les friponneries des responsables, fut sommé de trouver, sous quarante-huit heures, un nouveau directeur et des contremaîtres honnêtes et compétents.

– Où les prendrai-je, *my lord*, risqua l'administrateur, déconcerté.

– Chez nos concurrents, pardi ! Donnez à ces gens un peu plus qu'ils ne gagnent dans la filature qui les occupe et ils vous suivront, comme des ânes à qui on tend une carotte, ordonna Cornfield.

Dans les ateliers s'était répandu le bruit que le lord des Bahamas avait fait le voyage, de son île perdue à Manchester, pour mettre de l'ordre dans les affaires. Avant de quitter la filature, Simon fit dire aux ouvriers, par le fondé de pouvoir rétabli dans ses prérogatives, que tous conservaient sa confiance et percevraient une augmentation de salaire.

– Maintenant, ne me reste plus qu'une chose à régler avec Willy. Mais ce sera hors de ta présence, car je veux ménager l'amour-propre qui peut subsister chez ce vieux libertin, dit le lord à Pacal en montant dans le cab qui allait les conduire à Gordon House.

Tandis que le fils de Charles tenait compagnie à sa grand-tante, lord Simon obtint sans difficulté de son beau-frère qu'il lui cédât ses parts de la filature, soit cinquante pour cent du total.

– Au prix estimé par le notaire, cela va permettre à ma sœur et à son mari de ne rien changer à leur train de vie. J'ai donné des ordres pour que la forte somme que je vais leur verser soit sagement placée. Maintenant, je suis le seul propriétaire de la manufacture, dit lord Simon à son petit-fils.

– Vous avez été dur avec les employés. Le directeur m'a paru très ému, très abattu par son brutal renvoi, risqua Pacal.

– Il n'était ni ému ni abattu quand il établissait de fausses factures pour puiser dans la caisse ou quand il faisait signer à Willy des chèques destinés à solder des travaux imaginaires, répliqua lord Simon.

Comme Pacal se taisait, le vieil homme jugea utile de compléter.

» On ne doit pas faire de sentiment avec les escrocs de ce genre. Car, vois-tu, ce n'est pas une simple affaire d'argent. En nous grugeant, le directeur et ses maigres complices mettaient en danger, à terme, l'existence même de la filature. Or, plus de huit cents ouvriers et leur famille vivent des emplois qu'ils y occupent. Huit cents familles dont je suis responsable, dont Willy était responsable, dont tu seras un jour responsable, ne l'oublie pas. Nous avons vu les drames causés par la famine du coton, pendant la guerre de Séces-sion américaine. Le chômage, pour qui n'a que son salaire, est une infection sociale désespérante. La privation, pendant des mois, du coton sudiste, fit ici beaucoup de malheureux et même d'affamés. Cette situation m'a convaincu qu'une filature ne devait plus dépendre d'un seul fournisseur. C'est pourquoi nous achetons maintenant des cotons en Égypte et aux Indes, pas seulement aux planteurs américains, expliqua lord Simon.

Sa rencontre avec sir William Gordon et l'exécution des aigrefins de la filature firent que Pacal fut bien aise de prendre le train pour Londres avec son père, Ottilia et Myra Maitland. Lord Simon devait se rendre, avec John Maitland, à Birkenhead, pour commander aux chantiers des frères Laird le *Phoenix II* ; il rejoindrait, quelques jours plus tard.

En attendant son grand-père, Pacal, guidé par Ottilia, découvrit la capitale d'un empire « sur lequel jamais le soleil ne se couche », comme aimait à dire la reine Victoria, parodiant Charles-Quint.

De la National Gallery à la sinistre Tour de Londres, prison devenue musée, de l'abbaye de Westminster à la cathédrale Saint Paul, de la City affairiste aux résidences huppées de Kensington, de Covent Garden à Saint James, du Strand au Crystal Palace, des belles boutiques de New Bond Street aux ateliers d'artistes de Chelsea, le jeune homme sentit grandir son admiration pour le peuple qui avait construit, au cours des siècles, une telle métropole et une civilisation aussi rassurante qu'efficace. New York se cherchait encore, alors que Londres affichait déjà une maturité citadine achevée.

Des mois plus tôt, lady Ottilia avait envoyé des ordres afin que, dès leur arrivée, les Bahamiens trouvent l'hôtel de Belgravia, propriété des Cornfield, en état de les recevoir et pourvu d'une domesticité convenable. Quand lord Simon arriva, on cessa de visiter musées, monuments et parcs, pour se consacrer aux mondanités de la *Season*, multiplicateur annuel des thés conviés, bals, réceptions, courses de chevaux, premières théâtrales, régates, pendant que siégeait le Parlement. Pacal, pourvu d'une nouvelle garde-robe par choix de son grand-père et soins du meilleur tailleur de Savile Row, se vit lancé comme une débutante.

Dans la haute société, le retour du lord des Bahamas et de sa fille Ottilia, mariée à un Français – « d'origine aristocratique », avait pris soin de faire savoir lord Simon –, éveilla un grand intérêt. Dans les réceptions, Pacal Desteyrac-Cornfield, héritier présomptif de Simon et futur lord, fit sensation. Son grand-père ou lady Ottilia le présentèrent à des ducs, des duchesses, des baronets, des membres du Parlement et même, lors d'un dîner, au prince de Galles et à des ministres. Les hommes trouvaient son prénom peu chrétien mais les femmes louaient sa beauté exotique. On murmurait que son teint mat, sa chevelure de jais, son regard vert pâle lui avait été légués par sa défunte mère, une princesse des Arawak ; son aisance et sa distinction, par son père devenu l'époux de lady Ottilia, de qui on affectait d'oublier le passé rebelle.

Les jeunes filles qu'il fit danser jugèrent Pacal timide, parce que peu loquace, mais reconnurent que sa prestance et le charme viril qui émanaient de sa personne rendaient mièvres et maniérées les prévenances de leurs cavaliers habituels, fussent-ils minces et blonds, gras et patauds ou déjà marqués par la débauche.

Une demoiselle à marier, Jane Kelscott, fille de lord James et de lady Olivia, convainquit sa mère d'inviter les Bahamiens à partager la loge familiale lors du Derby qui, depuis 1782, se courait en juin à Epsom.

Ce jour-là, Pacal constata que la course sélective, sur un mile et demi, pour chevaux de trois ans, était d'abord un événement mondain. Portant frac et tube gris perle, comme tous les gentlemen, le jeune homme engagea, à la suggestion de lord Simon, qui connaissait l'étiquette et les chevaux, un pari de deux livres au profit de sa cavalière. Quand le cheval portant cette mise gagna la course, la demoiselle battit des mains, sa mère complimenta Pacal pour la connaissance qu'il avait des pur-sang et son père fit servir du vin de Champagne. Ayant surpris les regards énamourés que lady Jane portait sur son petit-fils, lord Simon prit Charles à part.

– Pacal est irrésistible et la jeune Kelscott, la dernière des cinq filles Kelscott encore à marier, doit avoir dix mille livres de dot. Cependant, on peut trouver mieux, glissa-t-il à l'ingénieur, avec un clin d'œil.

Au moment de la séparation, lady Olivia dit à Pacal qu'elle l'autorisait à écrire à sa fille, quand il aurait regagné les Bahamas.

– Une de nos belles colonies, que nous avons envie de visiter, compléta lord James.

– Ce qui nous donnerait l'occasion de nous revoir, ajouta sa femme.

Pacal et son grand-père échangèrent un regard amusé. Les Kelscott dévoilaient-ils une intention à visée matrimoniale ?

Dans le coupé qui reconduisit les Bahamiens à Londres, on commenta gaiement la journée et la rapide conquête de lady Jane par Pacal.

– Et l'on ne peut pas dire, cependant, qu'il ait déployé beaucoup de son charme, fit remarquer lord Simon en riant.

– Epsom, c'est connu, est une foire aux maris, observa Ottilia, qui détestait l'atmosphère du Derby.

– Cette petite Jane est charmante. Mais, rassurez-vous tous : je n'ai aucune envie de me marier, proclama Pacal.

Avant que les Desteyrac ne quittent l'Angleterre pour la France, où Pacal ferait la connaissance de sa grand-mère paternelle, Mme de Saint-Forin, lord Simon voulut conduire son petit-fils et Charles dans quelques lieux qu'il aimait.

Otti, contrainte de rester à Londres pour faire face au procès intenté par la mère de Malcolm, ne pouvait les accompagner. Lady Oriane Murray venait d'arriver de Venise, avec ses avocats, pour contester devant le tribunal le testament de son fils, qui avait fait d'Ottilia sa légataire universelle. Cette dernière devait, assistée des avocats de lord Simon, défendre ses intérêts et, partant, ceux de son beau-fils, Pacal, de qui elle avait déjà décidé qu'il serait son seul héritier.

Tandis que lady Ottilia se préparait à affronter sa première belle-mère, par hommes de loi interposés, lord Simon, Charles et Pacal, gais comme des collégiens en vacances, prirent la route, à bord d'une grande berline de location.

Ils visitèrent d'abord Windsor, résidence royale, puis après une journée de route, s'arrêtèrent à Oxford. Lord Simon tenait à montrer à son petit-fils le collège où, de son propre aveu, il avait « avalé plus de bière que de grec ». De là, en plusieurs étapes, ils se rendirent dans les Costwolds, où lord Simon possédait un élevage de moutons. Ces animaux rustiques produisaient la laine qui alimentait la lainière des Cornfield, à Chipping Campden. Avec leur toupet frisé retombant en cadenettes, les *costwolds* semblaient coiffés de perruques.

Les voyageurs ne pouvaient éviter le pèlerinage shakespearien de Stratford-upon-Avon. Celui-ci se termina dans Holy Trinity Church, devant la tombe du poète et son buste, sculpté en 1623 par Gerard Janssen, un artiste hollandais.

Une longue étape les conduisit ensuite en Écosse où ils furent reçus à Abbotsford, le château néomédiéval construit par sir Walter Scott, l'écrivain préféré de lord Simon. On leur assura que rien n'avait changé du cabinet de travail, depuis la mort de sir Walter, en 1832.

Sur le chemin du retour vers Londres, ils passèrent une journée dans le Nottinghamshire. Charles voulut, en souvenir de Malcolm Murray, grand admirateur de lord Byron, parcourir les ruines de Newstead Abbey.

– Malcolm avait certains traits de caractère du poète. Toute sa vie il fut, comme lui, peu respectueux des mœurs d'une aristocratie à laquelle ils étaient cependant, l'un et l'autre, fort attachés, dit l'ingénieur, devant la tombe de Byron, dans l'église de Hucknall.

– Et, comme Byron, qui mourut à Missolonghi pour les Grecs, Malcolm mourut à Londres pour les Cubains, compléta lord Simon.

– On pourrait même graver sur sa tombe ce que nous lisons sur celle de Byron : « Il était parti dans le glorieux dessein de rendre à ce pays son ancienne gloire et sa liberté », conclut Charles.

Ils firent un détour pour rendre visite, dans son château de Chatsworh, à une relation de lord Simon, le sixième duc de Devonshire.

– Chatsworth House compte cent soixante-quinze pièces et dix-sept escaliers, dit le duc avant de montrer aux visiteurs les Tintoret, les Rubens et les Rembrandt de sa collection, abritée dans l'aile ajoutée, entre 1820 et 1830, à sa demeure ancestrale du XVIIe siècle !

Une croisière sur la Tamise, entre Henley et Londres, mit fin à leur escapade et ils regagnèrent Belgravia aux premiers jours de l'automne. Lord Simon, fatigué par le voyage, fut bien aise de retrouver son lit, le Reform Club et le vin de porto, qu'il tenait pour premier fortifiant, même s'il provoquait des attaques de goutte de plus en plus fréquentes.

Pendant l'absence des trois hommes, les juges ayant confirmé la valeur du testament de lord Malcolm Murray, la vieille lady Oriane – après une crise de nerfs très théâtrale lors de l'énoncé du jugement – voguait vers Venise, à bord de son yacht. Ottilia, confortée dans ses droits, avait revu ses amis, les peintres préraphaélites. Elle confessa sa tristesse après avoir compris que le mouvement pictural anglais le plus audacieux du siècle était à son déclin.

– Dante Gabriel Rossetti, que sa maîtresse Jane Morris a quitté, s'est brouillé avec ses amis. Il souffre d'un sentiment de déchéance, qu'il soigne au chloral. Whistler est en procès avec Ruskin, Edward Burne-Jones vire au symbolisme et, si l'entreprise de création de mobilier et de décors qu'a fondée William Morris est prospère, John Everett Millais s'est éloigné du groupe. Quant à William Holman Hunt, resté fidèle aux choix de la fraternité d'origine, il a peint *l'Ombre de la mort*, tableau que je crois prémonitoire, avant de tomber malade, dit-elle.

Pacal, à qui elle avait montré, dans les galeries où exposaient ses amis, quelques toiles préraphaélites, devinant la mélancolie d'Otti, lui prit la main.

Avec ses bandeaux gris opulents, son visage aux lignes pures, « des traits bibliques » avait dit un peintre, Otti n'avait plus rien des grandes femmes pulpeuses, au regard lourd de désir, aux lèvres charnues, des modèles de Rossetti. Les années avaient épuré sa beauté, adouci son regard, atténué son intransigeance. Sa taille restait fine, son buste encore ferme sous la soie tendue du corsage, mais elle ne portait plus que des manches longues, pour cacher quelques striures apparues sur la peau de ses bras.

– À Charles, votre père, qui me rend si heureuse, j'aurais voulu ne pas montrer ma déréliction. Mais les plus belles entreprises humaines ont une fin. Et, ces jours-ci, j'ai vu, dans les ateliers de mes amis d'autrefois, les effets de la hideuse offensive du temps. Dieu merci, tous se souviennent encore de Malcolm Murray qui, souvent, leur offrit de quoi manger et boire, quand leurs œuvres, vilipendées par des critiques puritains, ne trouvaient pas preneurs. Aujourd'hui, les collectionneurs les achètent très chers. C'est bien tard. Ce qu'ils en retirent bâtira leur tombeau, acheva-t-elle.

Quelques jours plus tard, le couple Desteyrac et Pacal embarquèrent à New Haven pour Dieppe, tandis que Myra Maitland rejoignait son mari à Birkenhead, où le *Phoenix II* était en cours d'achèvement. Lord Simon restait à Londres.

– Pour affaires et avec l'intention de dîner avec de vieux amis, que je verrai sans doute pour la dernière fois, dit-il.

En découvrant la France, Pacal observait son père à la dérobée, guettant l'émotion de l'homme qui, depuis vingt-cinq ans n'avait revu ni son pays ni sa mère. Le trajet en train jusqu'à Paris, au cours duquel Charles résuma l'histoire des régions traversées, dont il définissait pour lui-même les changements, des cheminées d'usine ayant grandi où l'on ne les attendait pas, donna au jeune homme le sentiment que la campagne française était moins peuplée mais plus ordonnée et plus propre que le paysage anglais.

Le Grand Hôtel du Louvre, proche du Palais-Royal, où ils descendirent, dominait de loin, en confort et en luxe, les hôtels de New York qu'avait connus Pacal. La salle à manger passait pour la plus belle de Paris et les clients disposaient d'un établissement complet de bains, d'un bureau télé-graphique et même d'un atelier de photographie, tenu par les frères Bisson. Les repas, dont les Bahamiens se montrè-rent incapables de venir à bout, tant ils étaient copieux, coûtaient sept francs, prix que Charles trouva élevé.

Si Londres avait enthousiasmé Pacal par son organisation urbaine et l'activité appliquée, méthodique de ses habitants, Paris le séduisit par son charme, le souci d'élégance, partout perceptible, et l'aimable désinvolture d'un peuple revenu de toutes les révolutions. De l'église de la Madeleine à Notre-Dame, de la place Vendôme à la Sorbonne, des Champs-Élysées aux Grands Boulevards, du Champ-de-Mars à l'Hôtel de Ville, restauré après les destructions de la Commune, tout lui plut, même les salons de Charles Worth chez qui, rue de la Paix, il accompagna Ottilia pour des essayages.

Poussés par le désir de voir les plus récentes applications des sciences et de l'industrie, Charles et Pacal entraînèrent Ottilia à l'Exposition universelle, organisée cette année-là, depuis le mois de mai, sur les deux rives de la Seine, du parc du Trocadéro au Champ-de-Mars. Ils virent des machines-outils, propres à réduire les efforts musculaires des ouvriers, des appareils permettant « la production artificielle du froid », des tabacs du monde entier, les dernières trouvailles des opticiens. Pacal écouta longtemps un virtuose jouer le grand orgue du palais du Trocadéro en pensant que son grand-père eût été séduit par un tel instrument.

Ottilia s'intéressa à une rétrospective des arts, où peinture et sculpture avaient leur place et, plus encore, dans le pavillon britannique, aux bijoux que Sa Très Gracieuse Majesté la reine Victoria avait laissé sortir de la tour de Wakefield, où sont conservés les joyaux de la Couronne. Le diadème royal, de quatre-vingt-six brillants entourant le Koh-I-Noor, un diamant de deux cent soixante-dix-neuf carats, dérobé par les Anglais au rajah de Lahore au cours de la conquête du Pendjab, en 1849, allumait la convoitise dans le regard des visiteuses.

Pacal nota, à l'intention de lord Simon, ancien officier de l'armée des Indes, une statistique étonnante. Au cours de l'année 1876, les Anglais avait tué, dans cette colonie,

23 459 tigres, éléphants et léopards. Dans le même temps, 15 916 personnes avaient succombé à des morsures de serpent !

Un soir, après une représentation de *la Traviata*, l'opéra de Verdi, au Théâtre des Italiens, Pacal sortit amoureux d'Emma Albani, dite La Jeunesse[1], qui avait été bouleversante dans le rôle de Violetta.

— Sais-tu que *traviata* signifie débauchée ? Ce qu'est d'ailleurs cette belle, malade de la poitrine, dit Charles, étonné par l'exaltation inhabituelle de son fils.

— L'opéra a été inspiré à Verdi par un roman d'Alexandre Dumas fils, *la Dame aux Camélias*, lui-même inspiré à l'auteur par Alphonsine Plessis, une grisette devenue courtisane, morte à vingt-trois ans de la phtisie, précisa Albert Fouquet qui, ce soir-là, accompagnait les Desteyrac.

— Je voudrais lire ce livre. Cette femme cache son cœur jusqu'à en mourir, j'en suis sûr, dit Pacal, songeur.

— L'amour et la mort vont parfois du même pas, dit Ottilia.

— Assez d'apitoiement sur une courtisane de théâtre ! Allons souper chez Vefour, coupa Charles.

Le lendemain, Pacal trouva dans sa chambre le roman de Dumas fils. Il le lut d'un trait, la nuit suivante, et fut convaincu, pensant aux avances à peine masquées de Jane Kelscott, que, conquérir une courtisane, « qui aime par métier non par entraînement », doit être une entreprise bien plus excitante et autrement difficile que séduire une prude fille de lord. Mais une telle aventure demi-mondaine ne pouvait être tentée qu'à Paris, reconnut-il.

Vint le moment où Charles Desteyrac décida de conduire

---

1. Célèbre cantatrice née à Montréal en 1851. Se produisit souvent au théâtre des Italiens, à Paris. Elle épousa, en 1878, le directeur de l'opéra de Covent Garden et s'illustra sur cette scène.

Otti et Pacal à sa mère, retirée chez les sœurs de Saint-André, communauté religieuse de la rue de Sèvres.

Brandissant, d'une main décharnée et tremblante, son face-à-main, Mme de Saint-Forin, petite femme d'une fragilité de verre filé, n'eût sans doute pas reconnu son fils si elle n'avait été prévenue, la veille, de sa visite.

Un quart de siècle s'était écoulé depuis que Charles avait quitté la France pour les Bahamas. Sa mère avait maintenant des cheveux blancs, lui des cheveux gris. Valentine de Saint-Forin trouva à son fils, et le dit, « un air étranger ». Vêtue d'une longue robe de soie noire, col et manchettes ornés de fine dentelle, elle apparut à Charles comme la veuve du général de Saint-Forin, de qui un portrait en grand uniforme décorait la chambre, non comme la veuve d'Alexandre Desteyrac, son père, tué pendant la révolution de 1830. Cette vieille dame offrait, elle aussi, à ses yeux « un air étranger ».

Examinée des pieds à la tête par le face-à-main de sa belle-mère, Ottilia parut plaire. D'abord, parce qu'elle était fille de lord. Ensuite parce quelle confirma avoir été présentée à la reine Victoria, ce dont s'était enquis avec curiosité Mme de Saint-Forin. Cela valut à Otti des compliments pour sa distinction et son élégance de bon ton, avant que la dame ne daigne se tourner vers Pacal. Elle considéra la haute taille, le teint mat, les yeux légèrement bridés et les cheveux noirs et lisses de ce petit-fils, né d'une Indienne, avant de lui tendre une main sèche, sur laquelle il s'inclina avec respect.

– Voici donc mon seul petit-fils, dit-elle, laissant percer un vague reproche.

– Mon demi-frère Octave peut vous en donner d'autres, observa Charles.

– Octave ne veut pas entendre parler mariage. Il ne vit qu'entouré de ses jeunes officiers, comme lui célibataires obstinés. Ce jeune homme est donc mon seul petit-fils, répéta-t-elle en désignant Pacal avec un soupir.

Elle regrettait que cette lady Ottilia, de si bon lignage et de peau si blanche, ne lui eût pas donné d'autres descendants. Le regard bleu limpide et froid de Pacal, demi-Indien, la mettait mal à l'aise.

La cloche, qui appelait les religieuses et leurs pensionnaires à la prière de l'Angélus, mit fin à l'entretien. Ce fut pour tous le soulagement ressenti quand, politesse étant faite, on ne sait plus que dire.

Au cours du voyage qu'ils firent en France, Charles tint à conduire son fils et Ottilia à Esteyrac, en Auvergne, berceau de sa famille paternelle. Lors d'une étape à l'hôtel de la Poste, à Issoire, il prévint sa femme et Pacal.

— Ne vous attendez pas à voir un château, comme ceux que nous avons visités dans le Val de Loire. Esteyrac n'est ni Chambord ni Amboise et doit plutôt ressembler à une gentilhommière à demi ruinée. J'ai le vague souvenir d'une grande bâtisse grise, cachée par un rideau d'arbres. Je devais avoir quatre ou cinq ans quand je la vis pour la première et dernière fois.

— Vous n'étiez jamais venu à Esteyrac ? s'étonna Otti.

— Non. Mon père n'avait plus aucune attache en Auvergne. Avec ses parents, il avait toujours vécu à Paris, où il avait fait ses études de médecine. Quatre ans après sa mort, survenue dans les circonstances que je vous ai déjà rapportées, des amis républicains, au côté desquels mon père s'était battu en 1830, se cotisèrent pour payer l'exhumation et le transport de ses restes jusqu'au caveau familial d'Esteyrac. Car, après avoir vendu ses bijoux et sa garde-robe, ma mère n'avait plus un sous vaillant. Je garde un plus vif souvenir du voyage de Paris en Auvergne, dans une patache, que d'une demeure qui, lors de l'établissement des municipalités rurales, en 1788, avait été abandonnée par la famille.

– Grand-mère m'a dit que vous aviez habité en Auvergne, observa Pacal.

– À Paris, nous vivions plus que chichement et c'est par pitié qu'une tante aisée de mon père nous retint à Issoire, après les tardives funérailles de mon père. Ma mère devint dame de compagnie de cette femme. C'est à l'occasion de grandes manœuvres militaires que ta grand-mère rencontra son second mari, le colonel de Saint-Forin, de qui tu as vu le portrait dans sa chambre. Quand ma mère retourna à Paris avec le colonel, je fus mis en pension chez des paysans de la région et envoyé à l'école du village, puis dans un collège d'Issoire, tenu par les jésuites. J'ai su, étant adolescent, que « le château », comme on disait dans le pays, avait été, depuis longtemps, transformé en ferme.

Ce préambule, destiné à prévenir la déception de Pacal et d'Ottilia, se révéla d'une absolue sincérité.

Au bout de l'unique rue poussiéreuse, parsemée de bouse de vache, d'un village sans caractère, ils découvrirent une prairie galeuse, ombragée de chênes, sur laquelle se tenaient, suivant les saisons, marchés et fêtes foraines. Une allée la coupait, au bout de laquelle se terrait, comme honteuse, l'épave du château d'Esteyrac.

– On dit qu'au XVIIIe siècle, cette place était comprise dans le domaine, commenta Charles.

Ils traversèrent l'esplanade, en direction d'une grille, dont les vantaux rouillés, qu'on ne manœuvrait plus depuis des décennies, semblaient avoir pris racine de part et d'autre du chemin. Dès que la berline eut franchi cette clôture inutile, le bruit des roues sur un chemin creusé d'ornières fit apparaître un gros chien hargneux. Ils avancèrent entre des champs récemment labourés, autrefois jardin à la française aux allées de fin gravier, bien tracées autour de massifs de fleurs. Accompagnée par le bâtard furieux, la voiture contourna un bassin circulaire, peuplé de nymphes décapitées par les révolutionnaires ruraux et qui, au temps des barons auvergnats, versaient l'eau d'amphores qu'elles portaient sur l'épaule. Des baigneuses, ne subsistaient que le torse martyrisé. Des vases brisés, s'écoulaient de minces filets d'eau convulsifs. Les bestiaux s'abreuvaient au bain des potamides.

En fait de château, il ne s'agissait que d'une longue bâtisse flanquée de deux annexes. Les fenêtres à fins meneaux et les fenestrelles sous toit du corps principal, à un seul étage élevé et murs épais, renvoyaient au commencement du XVIIᵉ siècle, l'époque de la construction. Des cheminées trapues, décorées de motifs géométriques en brique, émergeaient d'une toiture à deux pentes, couverte de platin de lave. Les balustres de joncs de fer fleuronnés du modeste escalier, à double révolution mais aux marches ébréchées, avaient disparu depuis longtemps, sans doute vendues à des ferrailleurs d'Issoire ou de Clermont.

De l'aile gauche transformée en étable sortit, le sourcil froncé, l'actuel propriétaire du lieu, un paysan courtaud, massif et lourd, vêtu d'un pantalon de bure et d'un bourgeron de toile bleue. Pacal fit observer à Ottilia que l'Auvergnat portait la même moustache épaisse, aux pointes tombantes, qu'on voyait aux effigies de Vercingétorix, exposées chez les marchands de souvenirs, à cinq lieux autour de Gergovie.

Quand l'homme eut rappelé son chien, Charles se présenta comme descendant des châtelains d'autrefois. Le paysan se dit fort étonné qu'il existât encore un Esteyrac sur cette terre.

– De mémoire de villageois, on n'en a jamais vu dans le pays, dit-il, incrédule.

L'ingénieur ne perdit pas de temps en démonstration généalogique et demanda simplement à jeter un coup d'œil, avec sa femme et son fils, sur ce qui avait été le berceau de sa famille paternelle, avant que Le Peletier de Saint-Fargeau[1], et non Maximilien de Robespierre, comme on l'a souvent dit, n'exigeât la suppression des particules nobiliaires et ne les accolât au nom, faisant ainsi Desteyrac de d'Esteyrac.

– Et, d'où c'est donc que vous venez ? s'enquit le paysan, qui avait entendu Pacal et Ottilia parler une langue étrangère.

– Nous venons des îles Bahamas. C'est une colonie anglaise.

Devant l'incompréhension manifeste de son interlocuteur, il précisa :

» Les Bahamas se trouvent dans l'océan Atlantique, entre la Floride, au sud des États-Unis, et l'île de Cuba, vous voyez ?

– Oui, oui. Y'a un gars du village qui navigue sur un bananier. Il nous a parlé de Cuba et nous l'a montré sur un livre de géographie. Ben, dites donc, c'est pas la porte à côté, ça !

– Nous sommes venus visiter l'Auvergne et je veux montrer à mon fils le château qui porte notre nom.

– Et qu'est-ce que vous voulez voir ? C'est plus un château, mon bon monsieur. Depuis la grande révolution de 1789, c'est une ferme. Elle a été achetée par mon père à une veuve d'éleveur, qui voulait la vendre au département. Avant la guerre de 70, un docteur d'Issoire voulait en faire un hospice pour les fous. Les gens du village, y voulaient pas des fous chez nous. Alors, mon père, qu'était maire du pays, a dit : « Moi, j'achète. » Et moi, j'ai pris sa suite, ici et à la mairie. J'ai trois cents hectares et soixante-dix vaches, des Salers et des Aubrac, qu'on envoie l'été à la montagne. Je suis la plus grosse ferme du pays.

---

1. Louis Michel Le Peletier de Saint-Fargeau (1760-1793), député de la noblesse aux États généraux, s'associa, en 1789, aux révolutionnaires et vota la mort de Louis XVI. Il fut assassiné le lendemain du vote, dans un restaurant du Palais-Royal, par Pierre Nicolas Marie de Paris, garde du corps du roi.

– Félicitations, dit Charles.

Pendant l'entretien, Ottilia et Pacal étaient descendus de voiture.

Le fermier, visiblement impressionné par la beauté et l'élégance d'Ottilia, ôta son chapeau de feutre délavé, lissa sa moustache, montra dans un sourire des dents jaunies par le tabac et considéra Pacal, lui trouvant un air plus étranger encore qu'à ses parents.

– Vous avez là un beau gars, et costaud, hein. On voit bien qu'il a du sang auvergnat, crédieu. Moi, j'ai que des filles. C'est pas bon pour la ferme, sauf si je leur trouve des bons maris. Mais les gendres, ça vaut jamais les fils, mon bon monsieur, dit le fermier.

– Vous trouverez certainement ici des maris pour vos filles. Nous avons vu, en chemin, de robustes garçons occupés dans les champs, dit Ottilia avec un sourire désarmant.

Voyant le paysan intrigué par l'accent d'Otti, Charles crut bon de préciser que son épouse était anglaise.

– Une bien belle dame, avec ça. Une lady... C'est'y pas comme ça qu'on dit, par chez vous ? déclara l'homme, satisfait de montrer son savoir.

Les trois visiteurs approuvèrent et, la glace étant rompue, le fermier les invita à gravir le perron, pour pénétrer dans ce qui avait été, au temps de la splendeur du château, le vestibule, le grand salon et la salle à manger. On entreposait là des sacs de semences, des engrais, des instruments aratoires. Des faux étaient suspendues au mur et un clapier occupait le fond du vestibule. Pacal s'étonna de voir des lapins en cage, surtout des blancs aux yeux rouges.

– Mes polonais, mes blancs de Bouscat et mes bleus de Vienne sont toujours primés au comice agricole d'Issoire, commenta fièrement le fermier.

La fromagerie, avec ses bacs, moules, claies et barattes, emplissait le grand salon et, dans l'ancienne office, un homme lavait à l'eau chaude, dans un évier de pierre, des seaux, de grands pots étamés au couvercle retenu par une chaîne – que le paysan nomma biches –, des gamelles, des entonnoirs, des tamis. Activité qui se déroulait dans un tintamarre de ferblanterie et une odeur de lait caillé.

– Faut de la propreté pour le lait, le beurre et le fromage. Ici on lave tout, chaque jour, avant la traite, expliqua-t-il.

Ne voyant aucun meuble, Charles soupçonna qu'on les avait brûlés, l'hiver, dans les cheminées, mais le fermier le détrompa. Son père, pour payer « l'amenée d'eau » avait vendu tout le mobilier trouvé dans les combles.

– Ma mère n'a conservé qu'un vaisselier, que ma femme a gardé, et que les brocanteurs qui passent veulent tous acheter.

Subsistait, dans la vaste cuisine, l'immense cheminée qui portait, noirci par la fumée, le relief d'un écu, arasé par les marteaux des révolutionnaires. Les armes des Esteyrac ne figuraient plus que dans les chartriers et Charles se promit d'en commander un relevé pour son fils.

– Paraît qu'au temps des seigneurs, on cuisait un bœuf entier dans cette cheminée. Vous voyez encore les potences, qui supportaient les broches, longues comme des lances. Les vieilles gens m'ont dit qu'à la Saint-Austremoine, premier apôtre d'Auvergne, qu'est le patron du pays, le seigneur invitait tout le village, une douzaine de familles tout au plus, expliqua le paysan.

L'ingénieur désigna un escalier de pierre, blanchi à la chaux, qui, dans un angle de la salle, s'élevait vers l'étage.

– Là-haut, je loge mes ouvriers, mes bouviers et mes bergers. On peut pas y aller, dit l'homme.

– Et vous, où logez-vous ? demanda Ottilia.

– Oh, pas ici, bien sûr. Dans ces vieux murs, on crève de froid, l'hiver. Et puis, quand il pleut ou que la neige fond, le toit laisse passer l'eau. On met des bassines sous les gouttières.

– Donc, vous logez ailleurs votre famille, insista Ottilia.

– Mon père a fait construire, derrière la ferme, une maison en bonne pierre de Montpeyroux. C'est là qu'on habite.

Le groupe regagna la cour et le fermier se planta devant l'attelage des voyageurs.

– Ça va chercher dans les combien, une belle voiture à deux chevaux ? demanda-t-il.

Le cocher, descendu de son siège, tentait d'amadouer le chien avec un morceau de sucre, tandis que le groom s'efforçait de faire disparaître les éclaboussures qui maculaient les flancs laqués de la berline.

– C'est une voiture de remise, louée à Paris. Elle ne nous appartient pas, répondit Charles, sans satisfaire la curiosité du fermier.

En quittant le château, lequel ne méritait plus ce nom, les Bahamiens perçurent, sortant de l'aile droite, le grognement des porcs et le caquètement des poules. L'aile gauche, dont les fenêtres avaient été murées, servait d'étable, sous la grange à fourrage. En passant devant l'ancienne orangerie, qui montrait les vestiges d'un beau dallage, ils virent une charrette, une grande bétaillère et une petite voiture à deux places.

– À nous, ça nous suffit bien, pour aller à la ville. Eh voilà ! conclut le fermier, signifiant ainsi que la visite était terminée.

Comme Charles faisait signe à son cocher d'avancer la berline, le paysan s'empressa de souhaiter bonne route aux voyageurs.

Si les Bahamiens s'étaient attendu à être invités à pénétrer dans le foyer de leur hôte et à boire, ne fût-ce qu'un verre d'eau, ils eussent été déçus. Le fermier, comme beaucoup d'Auvergnats, était économe, veillait à emplir son bas de laine, se méfiait de qui venait de loin. Sa femme n'eût pas mis la « débelloise » au feu pour chauffer un café clairet, pas plus qu'il n'eût tiré du buffet la carafe de marc ou d'alcool de prune, pour des inconnus de passage.

Après cette brève intrusion dans le domaine, tous trois se rendirent au cimetière du village et trouvèrent aisément le tombeau qu'ils cherchaient : une large dalle en dos d'âne, de pierre volcanique grumelée de lichen. Ici reposait, près des seigneurs d'Esteyrac, ensevelis dès le XVIᵉ siècle, le père de Charles. De ses lointains ancêtres, l'ingénieur ne savait rien et s'étonnait encore que son père, qu'il n'avait pas connu – il était âgé d'un an au moment de sa mort –, eût été, par la pieuse volonté de quelques amis et avec le consentement d'une veuve désargentée, inhumé dans un village perdu où le défunt ne possédait aucune attache autre que nominale.

Une stèle, usée par les intempéries, portait une liste de noms à demi effacés. Le dernier, gravé et passé au noir, était encore lisible : Alexandre Matthieu Desteyrac 1798-1830.

– Ton grand-père paternel, dit Charles, quand son fils déchiffra l'inscription.

Une telle sépulture ne nécessitait aucun entretien. Les pluies en assuraient le lavage et la municipalité faisait chaque automne, à la veille de la Toussaint, désherber entre les tombes.

Charles crut bon, cependant, de glisser un louis au fossoyeur occupé à creuser une tombe, pour qu'il donnât un coup de brosse métallique à la pierre, afin d'en ôter la mousse qui la verdissait.

Au cours de cette journée de pèlerinage, Pacal, peu bavard, n'avait fait qu'observer et écouter. Dans la berline qui reconduisait les voyageurs à Issoire, il s'étonna que son père n'eût jamais manifesté grand intérêt pour le domaine et la demeure où avaient vécu ses aïeux.

– Depuis trois générations, les Desteyrac vivaient à Paris. Mon père, pas plus que le sien, d'après ce que m'a dit ma mère, n'attachait d'importance à sa généalogie. Tous deux, médecins, vivaient dans le présent, tous deux, républicains convaincus, se souciaient peu d'un lignage aristocratique. J'ai suivi leur exemple et je n'aurais sans doute jamais revu Esteyrac si je ne m'étais engagé à vous le montrer. Mais, à ce que nous avons vu aujourd'hui, je me sens étranger. Bien que j'aie passé quelques années sur les bancs de l'école de Marcenat, à dix kilomètres d'Esteyrac, dit Charles.

— Eh bien, moi, père, je ne suis pas indifférent à ce que j'ai vu. J'ai imaginé la vie de vos ancêtres, dans ce château. Comme j'aurais voulu connaître la façon dont ils passaient leurs journées, suivre leurs parties de chasse, voir un bœuf entier rôtir dans la cheminée, caresser les statues du bassin alors dans leur beauté, marcher sur les allées du jardin ! À Esteyrac, j'ai brusquement acquis le sens du passé. Oui, c'est cela ! J'ai maintenant le sens du passé.

— Tu es un romantique, dit Charles, amusé.

— Romantique, sensible et plein d'une saine curiosité, renchérit Ottilia.

— Peut-être suis-je romantique et curieux, mais, pendant que nous visitions cette demeure transformée en ferme, sans ordre ni propreté — les fermes de Nouvelle-Angleterre, c'est autre chose ! —, j'avais mal, oui, père, j'avais mal à l'esprit et au cœur. Bien que souillé, dégradé et profané, oui, profané, souligna-t-il, par une succession de paysans ignares et rustauds, ce lieu conserve une noblesse captive. Voilà ce que j'ai ressenti et je suis certain que grand-père Simon me comprendrait. Il a, lui, le sens du passé. Je l'ai bien compris en voyant son émotion quand il nous conduisit à Manchester, à Liverpool et à Oxford, où il vécut, dit Pacal.

— Et comment imagines-tu que vivaient les Esteyrac du XVIIᵉ siècle, Pacal ? demanda Charles, un peu agacé par les reproches implicites de son fils.

— Quand j'imagine les premiers seigneurs d'Esteyrac, je vois des hommes portant perruque, pourpoint de soie, jabot de dentelle, culottes et bas blancs, l'épée au côté, offrant leur bras à des femmes en longue robe, à paniers et richement brodée de fils d'or et d'argent, coiffées de bonnets cousus de perles, tels que je les ai vus sur les tableaux, à Amboise ou à Chambord. Ah ! Comme ce devait être beau, un bal à Esteyrac, s'exclama Pacal.

Cette fois, Charles éclata de rire sans retenue.

– Hélas, je puis t'assurer que les nobliaux auvergnats vivaient à peu près comme les paysans. Ils comptaient sur la basse-cour, le potager, la chasse, la pêche et le cochon annuel pour nourrir leur famille, car leurs métayers trouvaient toujours de bonnes raisons pour réduire la redevance due au seigneur. Ils n'achetaient que le café et le sucre, et leur unique domestique cuisait le pain. Le dimanche, pour aller à l'église, où ils avaient leur banc, les hommes endossaient leur meilleur habit, en général leur seul habit, celui de leur mariage. Leur femme s'arrangeait pour qu'on distinguât, par une sobriété aussi commode qu'imposée par l'impécuniosité, leur toilette de celle des fermières, plus riches qu'elles. Oui, Pacal, les petits hobereaux ne vivaient pas comme à Versailles, même pas comme à Cornfield Manor. Leur argenterie était d'étain et leur vin de la piquette. Quant au bal, au lieu des valses lentes et des polkas, on dansait la bourrée, en sabots, au son des vielles, développa Charles.

Pacal ne trouva rien à répondre et se rencogna dans l'angle de la banquette. Tout en jouant avec le cordon de passementerie, il suivit d'un regard inattentif le défilement d'un rude paysage de montagne, dont le crépuscule naissant accentuait les reliefs. À Harvard, son professeur d'histoire avait peut-être embelli la vie rurale en France, avant la Révolution, mais son enseignement glissait à la surface des événements, des choses et des mœurs.

Mûri par ses années américaines, son aventure avec Viola et la déception qui en avait découlé, le jeune homme de vingt et un ans se forgeait son propre jugement. Dans la berline qui roulait vers Issoire, il ne pouvait se défendre de l'étrange sentiment qu'il avait nommé, faute d'une meilleure définition, « le sens du passé ». À Esteyrac, il avait humé un concentré d'autrefois, sans doute exhalé par l'esprit des lieux à qui se montrait réceptif. Grâce à ce qu'il avait observé, entendu et senti, son imagination peuplait Esteyrac d'étranges secrets, d'intrigues, de passions, comme si tous les événements heureux ou tragiques qui s'étaient déroulés, au cours des siècles, entre les murs épais de cette vieille gentilhommière, avaient imprégné l'atmosphère d'effluves indéfinissables, amalgame de toutes les existences écoulées, et que son père, bizarrement, n'avait jamais eu envie de connaître.

Ottilia le tira de sa méditation en lui effleurant la main du bout d'un index ganté. Elle le comprenait et manifestait ainsi sa compréhension. Dans la pénombre de la cabine, il vit le regard lumineux et doux de la femme et lui prit la main.

Il était bon qu'elle fût là, qu'elle assurât à son père une fin de vie douce et sereine et qu'elle-même connût enfin le plaisir de vivre en harmonie avec l'homme qu'elle aimait. Si le destin n'avait pas été si mauvais, c'est sa mère qui se serait trouvée là ce soir, dans cette voiture, mais il était heureux d'être pour Ottilia, qui ne cherchait pas à faire oublier Ounca Lou, le fils qu'elle n'avait pas eu.

À Paris, dès leur retour au Grand Hôtel du Louvre, on remit à Charles un télégramme. Lord Simon leur demandait, se sentant fatigué et ayant hâte de rentrer à Soledad, de renoncer à l'Italie. Il les invitait tous à regagner Londres, pour passer de façon plaisante les fêtes de fin d'année. « On peut penser que, dès les premières semaines de 1879, nous gagnerons Liverpool où le *Phoenix II* sera prêt à prendre la mer. Votre ami Fouquet est le bienvenu à Londres, à bord et à Soledad », concluait Cornfield, répondant ainsi à une demande de Desteyrac, formulée par lettre.

Pendant leur nouveau séjour à Paris, tandis qu'Ottilia courait les boutiques des modistes et des marchandes de nouveautés, que Pacal, visitait les musées – il vit *la Joconde* comme une paysanne bouffie et trouva son fameux sourire aussi niais que celui des débutantes bostoniennes –, Charles et Albert Fouquet surveillèrent l'emballage de la coupole et de l'optique du phare du Cabo del Diablo aux ateliers Barbier-Benard-Turenne.

L'ingénieur Fouquet qui, au printemps 1879, devait rejoindre, à Panama, Ferdinand de Lesseps, maintenant chargé, malgré l'hostilité de l'opinion publique américaine, de l'étude d'un tracé du canal interocéanique, avait proposé d'accompagner Charles à Soledad pour aider à la mise en place de la coupole de son phare.

– J'ose espérer que tu me présenteras quelques belles Arawak. Je suis las des grisettes parisiennes qui, à l'exemple de ton ancienne amie Rosalie, ne souhaitent plus que s'embourgeoiser en épousant un préfet ou un banquier, dit Albert.

– Quand nous étions étudiants aux Ponts, les filles ne pensaient pas au mariage. Pourquoi les grisettes d'aujourd'hui veulent-elles la sécurité du conjungo ? demanda Charles.

– Parce qu'une trop bonne santé interdit à ces demoiselles de jouer à la dame aux Camélias, type de femme qui semble beaucoup plaire à ton fils ! lança Fouquet en riant.

DEUXIÈME ÉPOQUE

Le Temps des héritiers

1.

En cette fin d'année 1879, se rendre de Paris à Londres était aisé. Pour trente-deux francs, en première classe, le candidat au voyage quittait la gare Saint-Lazare par le chemin de fer de la Compagnie de l'Ouest pour rejoindre Dieppe et embarquer sur un vapeur de la compagnie Maples, qui le portait à New Haven où l'attendait le convoi du London-Brighton and South Coast Railway.

Quelques jours avant Noël, Charles Desteyrac, Ottilia, Pacal et Albert Fouquet choisirent ce moyen pour regagner l'Angleterre.

En quatre heures et demie, le *Brighton III* traversa la Manche et les débarqua à New Haven, sur le quai même où, locomotive sous pression, le train pour Londres stationnait. Partis le matin de Paris, les voyageurs retrouvèrent lord Simon, à l'heure du thé, dans son hôtel de Belgravia Square.

Celui que l'on pouvait maintenant considérer comme le patriarche des Cornfield avait mis à profit son séjour pour revoir, sous les lambris du Reform Club, de vieux amis et régler avec ses notaires nombre de questions intéressant sa succession. À soixante-dix-neuf ans, âge jamais atteint par un Cornfield et fort avancé pour l'époque, il ne pouvait l'es-timer très lointaine d'autant plus qu'il souffrait sans le dire, depuis quelques mois, de difficultés digestives et parfois de nausées. Bien qu'il se proclamât toujours capable de « digérer des pierres », il avait consulté sir William Gull[1], alors le plus estimé clinicien de Hartley Street. Médecin de la reine Victoria, le docteur Gull avait été fait baron en 1871, pour avoir guéri le prince de Galles d'une fièvre typhoïde. Il soignait présentement la néphrite chronique et l'asthme du Premier ministre, Benjamin Disraeli, et avait accompagné, jusqu'à sa mort en 1870, l'écrivain Charles Dickens.

De sa visite au praticien, lord Simon retint qu'il devait souffrir d'un « mauvais fonctionnement du foie ». D'autres examens eussent été nécessaires pour poser un diagnostic précis, mais Simon Leonard déclara qu'il avait un très bon médecin à Soledad et qu'il lui ferait part de cette consultation.

Ottilia, à qui son père ne fit aucune confidence, mit sur le compte des abus de bonne chère et de vin la lassitude que le vieil homme dissimulait, sous un entrain exagéré, à l'approche des fêtes de *Christmas*. Il prouva d'ailleurs que sa capacité d'indignation demeurait, elle aussi, intacte, quand Charles lui annonça que le projet du percement d'un tunnel sous la Manche prenait corps.

— Le *Musée universel*, revue illustrée hebdomadaire fort sérieuse, a révélé qu'un puits d'essai a été foré sur la côte française à Sangatte. L'ouvrage atteint déjà la profondeur de cent vingt-neuf mètres et l'on a commencé à creuser, dans le terrain calcaire du **détroit**, une galerie d'épreuve d'au moins un kilomètre. Une opération analogue est en voie d'exécution sur la côte anglaise, cita l'ingénieur[2].

— Folie ! Folie ! Depuis la nuit des temps, la Manche est,

---

1. 1816-1890.

2. Des raisons militaires – soulèvement en Égypte, crainte d'une nouvelle guerre avec la Prusse, après la signature d'une triple alliance entre l'Allemagne, l'Autriche et l'Italie – incitèrent Français et Anglais à interrompre les travaux en 1882 et 1883. Des deux côtés de la Manche, on avait creusé, respectivement, 1 800 mètres et 1 400 mètres de galerie. Il faudrait attendre 1994 pour que soit inauguré l'Eurotunnel, dont le premier projet datait de... 1802 !

pour notre île, comme la douve protectrice d'un château fort. Et nous irions creuser un souterrain pour faciliter la tâche des envahisseurs ! s'écria lord Simon.

– La Manche n'arrêta ni les Romains, ni les Danois, ni Guillaume le Conquérant, observa Charles.

– Vieille histoire ! Ce tunnel ne sera jamais percé. Les lords et le peuple s'y opposeront, répliqua Cornfield.

– Jusqu'à présent, le gouvernement britannique n'a pas l'air de s'y opposer, au contraire, puisqu'une Société franco-anglaise du chemin de fer sous-marin entre la France et l'Angleterre, au capital de deux millions de francs, vient d'être créée. Les plans sont prêts. On sait que le tunnel, percé à cent mètres de profondeur, sous un massif calcaire de quarante-six mètres d'épaisseur, pour résister à la pression de la mer, aura quarante kilomètres et demi de long. On prévoit une dépense de deux cent cinquante millions de francs. Les nouvelles machines, les tunneliers Braunton, faciliteront les travaux, précisa Albert Fouquet qui, à la demande de M. de Lesseps, s'était intéressé au projet.

– Ce n'est pas demain que nous verrons les trains rouler sous la Manche. J'espère que le Tout-Puissant noiera ces présomptueux ! conclut Cornfield, véhément.

La célébration de *Christmas* se limita, comme il se devait, à un déjeuner familial après qu'Ottilia, aidée du maître d'hôtel et des servantes, eut suspendu partout, dans les salons et la salle à manger, des branches de houx et de gui.

Après le thé, lord Simon conduisit les siens au Surrey Theatre, pour voir une pantomime de Noël, spectacle traditionnel qu'un Londonien ne devait pas manquer. Puisqu'ils allaient se mêler au peuple des quartiers pauvres, ils s'y rendirent par l'*Underground*, le chemin de fer souterrain dont le réseau n'avait cessé de s'étendre depuis son inauguration, le 10 janvier 1863.

On donnait ce soir-là *le Prince des perles*, grand succès de l'année. Avant l'entrée en scène des acteurs, Charles et son fils furent mis en joie par l'avertissement imprimé sur le programme : « La pantomime du Surrey est la meilleure de Londres, et le public le sait. Nos sorcières sont vieilles, nos fées le sont tout juste assez pour se montrer court-vêtues, avec des yeux, des jambes, des ailes et des sourires à tourner les cervelles de la moitié des jeunes mortels de Londres[1]. »

À la sortie du théâtre, Pacal, après avoir applaudi comme tous les spectateurs aux aventures amoureuses du prince des perles, déclara qu'il appartenait à la moitié des jeunes mortels, de qui les fées danseuses en collant couleur chair n'avaient pas tourné la cervelle !

Lord Simon avait depuis longtemps lancé des invitations pour une *New Year Party* à Cornfield House.

Au premier jour de l'année 1880 on vit donc, à Belgravia Square, descendre sous la neige, de landaus et calèches capotés, les derniers amis du lord, anciens élèves d'Eton, d'Oxford, du collège de Haileybury ou de l'armée des Indes, retraités du Colonial Office, membres du Parlement. Couples âgés et d'une irréprochable distinction, vieux célibataires au teint cramoisi, veufs fringants accompagnés de jeunes cousines – dont ils auraient eu quelque difficulté à définir la filiation – se répandirent dans les salons après que le maître de maison leur eut présenté son gendre et son petit-fils. Ce dernier, dont tous savaient qu'il serait un jour lord Pacal, avait une tenue en parfaite harmonie avec sa

---

1. Francis Wey, *les Anglais chez eux ou Londres au siècle passé*, librairie Hachette et Cie, Paris, 1877.

position future. Vêtu d'un spencer bleu de nuit, ouvert sur un gilet croisé de soie azurin, nœud de cravate du même ton et gardénia à la boutonnière, il eût passé pour le plus anglais des gentlemen. Seuls son teint mat, ses cheveux lisses et ses yeux en amande suscitaient des curiosités qu'il eût été désobligeant d'exprimer, entre gens de connaissance, autrement que par des échanges de regards subreptices. Habitué à éveiller semblable interrogation muette, Pacal ne s'en souciait plus et affichait un sourire d'une parfaite neutralité.

À l'apparition des Kelscott, accompagnés de lady Jane, leur plus jeune fille, Ottilia et Pacal esquissèrent le même sourire.

— Après la rencontre d'Epsom, c'est un coup de grand-père, souffla le jeune homme à sa belle-mère.

— Certes. Mon père aime à se divertir en créant ce genre de situation, humour de sa façon.

— Ce n'est pas très charitable, dit Pacal, contraint de ne pas en dire plus.

Jane venait à lui, gracieuse, intimidée, un peu gauche. Elle était au mieux de la joliesse qui lui tenait lieu de beauté. Une robe nacarat ouvrait sur un décolleté en pointe, barré d'une guimpe de dentelle blanche, ce que regretta Pacal, car de petits seins pommés ne souhaitaient que se montrer davantage. Après les banalités d'usage, il conduisit la jeune fille au buffet, lui fit servir une coupe de champagne avant qu'ils ne sacrifient au rite des vœux.

— Que l'année nouvelle voie la réalisation de vos plus secrets désirs, dit-il.

— Et moi, je souhaite que Neptune veille sur votre navire pendant la traversée vers les Bahamas, dont la seule pensée m'effraie, dit la jeune fille.

— Rien d'effrayant, je vous assure. Le *Phoenix II* est un vapeur très sûr, nous avons un excellent équipage... et une forte assurance aux Lloyd's, dit Pacal.

Elle le fit ensuite parler, comme quelques mois plus tôt à

Epsom, de la vie en Amérique, où les Kelscott comptaient plusieurs cousins.

— Comment sont les jeunes filles américaines ? On les dit très libres, sortant sans chapeau ni chaperon, pratiquant les mêmes jeux que les garçons.

— Elles sont souvent jolies, de santé robuste, pleines d'assurance. Elles montent à cheval, nagent, canotent, patinent, jouent du piano, conduisent leur dog-cart. Certaines apprennent l'italien ou le français, suivent des cours de sciences ou de littérature et presque toutes font de la gymnastique à cinquante dollars le mois.

— De la gymnastique ?

— Pour affiner leur taille, ce que vous n'avez pas besoin de faire, dit Pacal, décidé à ne pas décevoir.

Comme il s'y attendait, Jane rougit, baissa les yeux et savoura le compliment. Une gorgée de champagne l'aida à dominer son trouble.

— On dit aussi que les jeunes filles de New York sortent librement avec des garçons sans être fiancées, et même que certaines se laissent embrasser. Là-bas, maintenant, on appelle ça le flirt, n'est-ce pas ?

— Le mot est anglais et à la mode depuis peu, mais la pratique est universelle, mademoiselle.

Comme Jane se taisait, Pacal compléta son information.

— Aux États-Unis, la pratique du flirt ne tire pas à conséquence. Tous les étudiants de quatrième année ont une *girlfriend* avec qui ils jouent au tennis, font du canotage, des promenades et vont danser. Il n'est pas rare que garçons et filles aillent camper ensemble dans les montagnes. L'éducation puritaine des deux sexes est telle qu'il ne se passe jamais rien de répréhensible. Mais détrompez-vous, le baiser, même chaste, n'est pas toléré, et la loi protège les demoiselles qui en seraient victimes. Ainsi, à Boston, un homme, qui avait embrassé par surprise une serveuse irlandaise, a été condamné à deux cents dollars d'amende. C'est payer cher un baiser !

– Chez nous, tout baiser engage, monsieur.

– C'est bien pourquoi on ne doit pas en donner de manière irréfléchie, souligna Pacal, malicieux.

Lord James et lady Olivia approchant, la conversation tourna court. Au fait des ascendances françaises de Pacal, le père de Jane prit un ton confidentiel.

– Savez-vous que l'hôtel voisin de la belle demeure où nous sommes, le numéro 35 de Belgravia Square, est un lieu de pèlerinage pour les royalistes français ? Cette maison a été autrefois habitée par le comte de Chambord, prétendant au trône de France sous le nom d'Henri V. Après une de vos révolutions, le comte a proposé l'établissement d'une monarchie dans le genre de la nôtre. Mais les Français, bien sûr, ont préféré la république, expliqua lord James.

– Dieu protège la reine et nous garde à jamais de la république, qui est l'abaissement des manières dans les sociétés, commenta lady Olivia.

– Le malheureux comte est maintenant exilé à Frohsdorf, en Autriche, poursuivit Kelscott, ignorant l'intervention de sa femme.

Au cours de la soirée, Pacal veilla à ne pas faire danser Jane plus souvent qu'à son tour et, quand les Kelscott prirent congé, devant l'air un peu contrit de la jeune fille, il se fit plus aimable.

– J'ose espérer, si je reviens un jour en Angleterre, avoir l'occasion de vous revoir, mademoiselle.

– Vous serez si loin et l'Océan est si large, soupira-t-elle. M'écrirez-vous ? osa-t-elle soudain, avec l'audace inopinée des timides.

– Je vous enverrai une aquarelle de Soledad. J'ai un ami, un Arawak, qui peint fort bien nos îles, promit Pacal en s'inclinant.

Quand les Bahamiens se retrouvèrent entre eux, Ottilia dit à son père ce qu'elle pensait de l'invitation aux Kelscott.

– On dirait que vous voulez encourager cette pauvre Jane et ses parents à voir dans Pacal un parti possible, même souhaitable, dit-elle.

– C'était drôle, non, de voir la dernière Kelscott – encore vierge, j'en mettrais ma main au feu – déployer le peu de charmes qu'elle a pour émoustiller Pacal, tandis que la vieille lady Olivia, taillée comme un coffre gothique, suivait de loin le déroulement des opérations. Ah ! Ah ! une vraie pantomime de *Christmas* !

– Permettez-moi de vous dire, grand-père, qu'en tant que second acteur de votre pantomime, j'ai trouvé votre mise en scène hasardeuse. Jane n'est pas une marionnette. C'est un être humain, une jeune fille sensible, sans doute malheureuse de voir toutes ses sœurs mariées. On ne doit pas lui donner de fausses espérances. J'ai dû tenir la distance mondaine du mieux que j'ai pu, dit Pacal.

– Holà ! Holà ! ne dramatisons pas, s'exclama lord Simon, un peu décontenancé par la critique de son petit-fils.

– Pourquoi, diable, les jeunes filles d'ici se lancent-elles à la tête des garçons ? demanda Albert Fouquet.

– Parce que, mon ami, les Anglaises font beaucoup de filles. En tout cas, plus de filles que de garçons. Cela tient peut-être au climat ou au thé ! Un membre du Parlement m'a dit que l'on comptait actuellement, chez nous, deux cent mille filles de plus que de garçons. Les mères doivent donc chercher des maris pour leurs jouvencelles et les jeunes gens défendre leur liberté jusqu'au jour où, ayant besoin d'argent pour payer leurs dettes, ils acceptent le mariage au vu de la dot et des espérances d'une demoiselle.

– Mon père dit vrai. Ici, les jeunes filles considèrent le célibat comme une disgrâce. Elles doivent séduire ou rester filles. Et la concurrence est rude, compléta Ottilia.

Au cours de la dernière semaine de leur séjour londonien, les Bahamiens firent de nombreuses emplettes : des bagages chez Allen, dans le Strand, des confitures et des thés chez Whittards, des manteaux imperméables chez Burberry, des eaux parfumées et des savons chez Floris et Penhaligon. Par son tailleur de Savile Row, Henry Poole, qui habillait les Cornfield depuis 1806, lord Simon avait fait confectionner pour Pacal deux costumes légers, dits « tropicaux ». Chez Giddens, conseillé par son grand-père, le jeune homme choisit une selle, des bottes et une tenue d'équitation digne d'un futur lord. Tandis que Simon, Charles et Albert choisissaient des cigares, Pacal décida de se « mettre à la pipe ». Inderwick, autrefois fournisseur du roi George V, lui fournit une pipe de bruyère et une d'écume de mer, à l'effigie de l'amiral Nelson, le vainqueur de Trafalgar.

Après un dîner chez Simpson et une nuit paisible, tous, à Euston Station, montèrent dans le train pour Liverpool, dont une voiture-salon était réservée aux voyageurs aisés qui se rendaient en Amérique. Dès que le convoi s'ébranla, Pacal observa que son grand-père regardait en silence défiler derrière la vitre le décor de la cité, comme s'il la découvrait. Quand le vieillard se mit à lisser sa moustache, signe chez lui d'intime émotion, tous comprirent qu'il avait sans doute conscience de voir ces lieux pour la dernière fois.

Le ferraillement du train le plus rapide d'Angleterre ne facilitant pas la conversation, lord Simon se montra peu loquace au cours des six heures et demie que dura le trajet. Cependant, lors d'un arrêt à Lichfield, il rappela que le lexicographe Samuel Johnson était né dans cette ville en 1709 et que Darwin y avait résidé.

Le ciel bas semblait supporté par les mâts des navires et un vent glacial chargé de neige fine balayait les quais quand les Bahamiens descendirent du train, dans le secteur du port de Liverpool réservé aux paquebots. Pour approcher du *Phoenix II*, dont ils aperçurent de loin la longue coque blanche et l'unique cheminée, ils durent se frayer un chemin à travers une foule de curieux.

– Il en est ainsi depuis trois jours que nous sommes à quai. Ces gens veulent voir le nouveau yacht de celui que tous les dockers, douaniers et commissionnaires appellent le lord des Bahamas, expliqua le commandant John Maitland, venu à la rencontre du groupe.

Soudain, lord Simon s'immobilisa et, levant sa canne, désigna, avec une exclamation de surprise teintée d'émotion, l'étrave du bateau qu'il n'avait vu jusque-là que sur tins dans le chantier de Birkenhead. Sous le mât de beaupré, le phénix de bois sculpté, pourpre et or, figure de proue du voilier incendié, déployait ses ailes. L'oiseau fabuleux, bec menaçant, dardait sur l'horizon un regard plein de défi au temps.

– Il est donc vrai que le phénix renaît de ses cendres, murmura lord Simon, incapable de dissimuler son émoi.

– C'est la surprise qu'ont voulu vous faire Lewis Colson et Tom O'Graney. Venus de Soledad, avec les marins retenus pour compléter le nouvel équipage, ils ont apporté cette figure de proue et l'on boulonnée sur l'étrave, révéla Maitland.

Le *Phoenix II* méritait bien l'attention que lui accordaient les familiers du port et offrait au regard la ligne élancée d'un clipper. Sa cheminée annelée blanche et bleue, légèrement inclinée vers l'arrière, portait le blason des Cornfield. Ceux qui s'étonnaient de voir ce vapeur pourvu de deux mâts ignoraient que lord Simon ne faisait qu'une relative confiance aux machines. Il avait exigé que l'on pût, en cas de panne, hisser vergues et voiles de tempête. Ces mâts devaient aussi servir à pavoiser le navire. Tandis que Simon Leonard gravissait l'échelle de coupée, retentit le sifflet du vieux maître d'équipage, modulant le protocolaire « Passe du monde sur le bord ! »

— Ce cérémonial est d'ordinaire réservé aux amiraux, mais les anciens m'ont assuré que votre beau-père y prend toujours plaisir, glissa, un tantinet ironique, Maitland à Charles.

Fidèle à la tradition, lord Simon se tourna vers l'arrière et se découvrit pour saluer l'Union Jack, tourmentée par le vent au mât de pavillon, auquel flottaient aussi les couleurs bahamiennes. Composé pour moitié de matelots de Soledad et de nouvelles recrues britanniques, le personnel était aligné sur le pont, au garde-à-vous, ce qui conférait à l'accueil de l'armateur une allure militaire.

Les nouveaux matelots, vareuse bleue et bonnet frappé de l'écusson du *Phoenix II*, furent nommés au lord après que Maitland lui eut présenté son second, Andrew Cunnings, un officier récemment libéré de la Royal Navy, et l'écrivain de marine, Joseph Balmer, qui avait servi sur les paquebots de la Cunard.

Quand Lewis Colson apparut sur le pont de teck, suivi du maître charpentier Tom O'Graney, lord Simon s'avança à leur rencontre. Sensible à l'attention de l'ancien commandant de sa flotte et du géant irlandais, il les remercia d'avoir paré le *Phoenix II* de la figure de proue de son ancien voilier. Tous trois partageaient la superstition des gens de mer pour qui l'âme d'un bateau défunt survit, à condition que sa figure de proue reste présente à la mer. Sans la réserve que se doit d'observer un gentleman en toutes circonstances, le vieil homme eût embrassé les deux marins.

Avec le commandant Maitland, lord Simon se retira dans ce qu'il était convenu d'appeler l'appartement de l'armateur, tandis que lady Ottilia retrouvait Myra Maitland, déjà installée à bord. Sous la conduite du maître d'équipage, venu de Soledad pour prendre en main les matelots recrutés à Liverpool, Charles, Pacal et Fouquet visitèrent le vaisseau.

– Le *Phoenix II* est plus court que notre voilier disparu. Il jauge cependant huit cents tonneaux. Sa double coque d'acier et ses compartiments étanches promettent des navigations sûres. Deux chaudières, d'une puissance de cinq cents chevaux chacune, et un arbre de couche, gros comme un tronc de palmier, mettent en mouvement une hélice de bronze cachée sous la poupe. Lors des derniers essais, nous avons atteint la vitesse de quatorze nœuds, sans une vibration.

– C'est l'avantage de l'hélice sur les roues à aubes, désormais condamnées, observa Fouquet.

– Cette machinerie suppose un équipage adapté, risqua Charles.

– Deux mécaniciens et deux chauffeurs s'occupent des chaudières et des machines. Maitland a aussi recruté un officier mécanicien de la Navy, Gilbert Artwood. L'équipage comprend deux quartiers-maîtres, douze matelots, deux stewards et un maître coq. Les quartiers-maîtres, les stews et le cuisinier sont des anciens, venus de Soledad avec Colson et le maître charpentier O'Graney, que lord Simon a promu officier, en reconnaissance de trente ans de service, précisa, le maître d'équipage.

L'intérieur du yacht offrait le plus récent confort. Les dix chambres des passagers et l'appartement de lord Simon avaient été aménagés à l'avant du bateau, hors d'atteinte des escarbilles et de la fumée que la cheminée crachait vers l'arrière. Un grand salon, une salle à manger et une petite salle de musique, avec piano et harpe, constituaient la partie réception du bâtiment. Lord Simon avait voulu que le décor restât partout typiquement anglais et d'une sobriété maritime.

Depuis qu'aux États-Unis les yachts à vapeur étaient devenus symboles de réussite financière leurs propriétaires, comme James Gordon Bennett, l'éditeur du *New York*

Herald, des banquiers comme John Pierpont Morgan, George Osgood, Jay Gould, Anthony J. Drexel, E.C. Benedict, William Kissan Vanderbilt, petit-fils du défunt commodore, ou des industriels comme Jacob Lorillard, roi du tabac, rivalisaient de luxe ostentatoire, d'opulence, de dépenses. Ces nouveaux riches meublaient leurs bateaux de salons Louis XV ou Empire, de lits à baldaquins, parfois de cathèdres et d'armures médiévales. Ils étalaient des tapis d'Orient sur des parquets copiés de Versailles, suspendaient aux plafonds à caissons des lustres à pampilles de cristal, éparpillaient au long des coursives des marbres antiques et objets d'art précieux, acquis chez les antiquaires européens.

« Un bateau n'est pas un manoir flottant ; il est fait pour naviguer, pas pour organiser dans les ports des réceptions qui flattent la vanité ou parader, à Cowes, devant la reine Victoria, le prince de Galles, le tsar de Russie et tout le gratin du Royal Yacht Squadron », avait déclaré lord Simon.

Le *Phoenix II*, comme son aîné incendié, devait être le bateau d'un marin, pas celui d'un milliardaire désireux d'éblouir ses contemporains. Appréciant le confort de bon goût, Cornfield avait autorisé un mobilier Chippendale amariné, des canapés Chesterfield, une argenterie georgienne et de la vaisselle de Wedgwood. Des boiseries d'essences variées, chêne blond, érable moucheté, noyer et citronnier, créaient dans toutes les pièces une ambiance claire et cossue. L'officier en second, Andrew Cunnings, raide comme un midship de la marine royale, montra que les fenêtres et hublots de verre épais, cerclés de cuivre doré, restaient, même par gros temps, d'une étanchéité parfaite grâce à des joints de caoutchouc.

Mais ce qui surprit le plus les visiteurs fut l'éclairage électrique, procédé révolutionnaire.

– Nous disposons d'une dynamo de Gramme, entraînée par nos machines et qui produit du courant électrique, lequel est, comme vous le voyez, partout distribué par des fils de cuivre cachés, qui aboutissent à des ampoules à incandescence au filament de carbone. En Angleterre, ces dames Woodhouse et Rawson ont sensiblement amélioré la lampe mise au point, aux États-Unis, il y a deux ans, par Edison. Lord Simon a accepté, à titre expérimental, ce type d'éclairage qui, jusque-là, donne toute satisfaction.

Comme tous s'étonnaient de voir une forte lumière, légèrement teintée de jaune, jaillir des lampes quand on tournait le petit robinet dont chacune était équipée, le commandant Maitland, qui venait avec lord Simon de rejoindre le groupe, révéla une autre nouveauté.

– Grâce au courant électrique, nous possédons un appareil de réfrigération qui fabrique cinq cents livres de glace par jour, dit-il, suscitant des exclamations admiratives.

Quand vint le moment de larguer les amarres, débardeurs et employés du port répondirent, en agitant leur bonnet, aux trois notes graves de la trompe du navire qui annonçait le départ.

Sitôt l'appareillage, la cloche du dîner appela les passagers à la salle à manger. Observant la tradition, lord Simon laissa la présidence de la table au commandant Maitland, dont l'uniforme bleu nuit rappelait celui qu'il avait longtemps porté dans la Royal Navy. Sa veste était ornée, sur le côté gauche de la poitrine, des décorations acquises pendant vingt années de service dans la flotte des West Indies.

Au cours du repas, chacun put apprécier la stabilité du navire qui, malgré un vent contraire, filait douze nœuds, tandis que sa cheminée libérait une fumée grise « de la même couleur que les nuages », observa Myra Maitland.

La conversation roula exclusivement sur le *Phoenix II*, que les Bahamiens avaient à peine eu le temps de parcourir. Tous étaient avides de précisions quant à la traversée dont la destination première, à la demande de lord Simon, serait New York. Le commandant Maitland, après avoir dit sa fierté de commander le *Phoenix II*, « unité digne d'accueillir la famille royale », répondit à toutes les questions.

— Nous suivrons la route sud, qui reste en dessous de la limite des glaces, pour éviter la rencontre d'icebergs, toujours possible, même avant la fonte de la banquise arctique. Elle nous conduira aux Açores, seule escale prévue pour faire du charbon. Nos soutes contiennent quarante tonnes de charbon gallois, ce qui nous permettrait peut-être d'arriver sans encombre à New York. Mais mieux vaut jouer la prudence, nos chaudières étant neuves et leur appétit variable suivant l'état de la mer.

Quand, au matin, le navire quitta la mer d'Irlande et s'engagea, cap au sud, dans le canal Saint-George, Charles, sitôt le breakfast avalé, sortit sur le pont. La brume s'était dissipée et, sous un ciel clair, par un froid sec, on distinguait les côtes d'Irlande. Le *Phoenix II* s'en était rapproché pour s'abriter des vents d'ouest, toujours forts en cette saison.

L'appareillage avait ouvert pour Charles Desteyrac un éventail de réminiscences plus ou moins plaisantes. Quand il s'accouda à la lisse, près de Tom O'Graney, qui, le regard vague, observait sa rive natale, il se trouva dans la même situation qu'en janvier 1853, alors qu'à bord du premier *Phoenix*, il partait pour les Bahamas, ne pouvant imaginer ce que serait son destin.

— Vous souvenez-vous, Tom, de notre première conversation ? Comme ce matin, nous étions accoudés au bastingage, et nous regardions défiler la terre irlandaise.

Avec l'âge, la tignasse bouclée et la barbe du maître charpentier avaient viré au blond pâle, le blanc des roux. Sa voix de fausset, si souvent moquée, avait acquis une tonalité plus grave.

– Si je m'en souviens ! Diable, il y a plus de vingt ans, Monsieur l'Ingénieur !

– Vingt-sept ans exactement, Tom, et vous veniez de quitter l'Irlande.

– Cette fois-ci, je n'y ai pas mis les pieds et je ne reverrai sans doute jamais l'île Verte.

– Vous auriez pu vous y rendre, de Liverpool, pendant que nous étions à Londres, observa Charles.

– À quoi bon, Monsieur l'Ingénieur ? Je n'ai plus aucun parent. Mes amis sont morts ou, comme moi, ont passé l'Océan pour fuir la misère ou la prison. Depuis notre première rencontre, plus de six millions d'Irlandais ont dû abandonner leur terre. Plus de soixante mille sont encore partis cette année[1]. Et l'exode continuera, car une famille ne peut pas vivre sur les dix hectares que les Anglais laissent à nos fermiers. La moitié de l'Irlande appartient maintenant à sept cent cinquante grands propriétaires anglais. Et pourtant, c'est l'Irlande qui a fourni le plus gros contingent des soldats qui ont gagné la bataille de Waterloo.

– J'ai lu à Londres que Michael Davitt, un ancien fenian[2], avait fondé la Ligue agraire et que l'homme politique Charles Stuart Parnell a accepté d'en assurer la présidence. Ils demandent l'autonomie de votre île et veulent promouvoir l'idée de *Home Rule*.

– Les Anglais ont anéanti, chez nous, toute possibilité d'industrie. Ils veulent que nous restions des cultivateurs à leur service. Ils ne lâcheront jamais l'Irlande, monsieur. Et nous ne sommes ni assez forts ni armés pour les chasser.

– Il existe cependant des gens prêts à résister ?

– Les excités du Sinn Fein veulent l'indépendance

---

1. 63 641 exactement en 1880 ; 76 220 en 1881 ; 84 132 en 1882 ; 105 743 en 1883. Source : *Statistical tables relating to emigration and immigration* du *Board of Trade*. René Gonnard, *l'Émigration européenne au XIXᵉ siècle*, librairie Armand Colin, Paris, 1906.

2. Adepte du mouvement de la Fraternité républicaine irlandaise.

complète. Une utopie. Car, je vous le répète, les Anglais ne lâcheront jamais, parce que les protestants irlandais sont leurs alliés et que les catholiques sont brimés. Quelquefois, comme dans le comté de Mayo, des gens s'entendent pour se défendre des abus. Il y a peu, les paysans ont mis au pas l'intendant du comte d'Erne, le capitaine anglais Charles Boycott[1]. Les commerçants ont refusé d'honorer ses commandes et personne, dans le comté, n'a voulu ni traiter ni parler avec lui. Il s'est trouvé complètement isolé et a dû s'en aller. Les Irlandais ont eu raison. Il faut traiter les Anglais comme des lépreux à éviter. Les laisser entre eux, sans leur apporter aucune aide, conclut O'Graney.

Après un silence, le charpentier ajouta :

» Alors, où est mon pays, maintenant ? Mon pays c'est Soledad. Peut-être comme pour vous, Monsieur l'Ingénieur.

– Comme pour moi, en effet, dit Charles.

– Vous et moi, nous sommes comme des oiseaux qui ont quitté leur nid pour se mettre dans le nid des autres.

– Et les autres nous ont bien accueillis, non ?

– Pour ça, oui ! Mais on n'peut pas oublier le premier nid, comme on n'oublie pas la première femme qu'on a eue, pas vrai ?

– C'est vrai, Tom, nous n'oublions ni le pays natal ni le premier baiser, et c'est bien ainsi.

– C'est bien ainsi, Monsieur l'Ingénieur, ça fait ce qu'on appelle des souvenirs, acheva Tom, résigné.

Appelé par le commandant Maitland, O'Graney s'éloigna et Charles rejoignit Ottilia qui, frileuse, emmitouflée dans un châle, lisait au salon. Il s'assit en face d'elle.

– Mon père a fait porter ce journal pour vous, dit-elle en désignant la publication posée sur un guéridon.

Le magazine annonçait la fin de la guerre contre les

---

1. 1832-1897. Son nom est devenu nom commun, signifiant rupture de toutes relations, blocus matériel et moral.

Zoulous, la nation la plus belliqueuse d'Afrique du Sud et l'annexion par la Grande-Bretagne du Zoulouland, royaume cafre situé entre les colonies britanniques du Transvaal et du Natal, sur la côte est de l'Afrique, au bord de l'océan Indien. Le conflit était né, en janvier 1879, d'une attaque des Zoulous contre la colonie du Natal, quand le roi Cettimayo avait décidé de libérer la région de la domination étrangère. Les combats avaient pris fin le 28 août, après la capture du souverain zoulou et son internement à Cape Town.

Cette guerre coloniale avait commencé le 12 janvier 1879 par l'anéantissement d'un des meilleurs régiments anglais, le *Twenty-fourth of the line*. L'arrivée de renforts avait permis de renverser une situation critique, mais, le 1er juin, un petit groupe de reconnaissance, d'une quinzaine de Britanniques, avait été surpris par l'armée zouloue. Tous avaient été massacrés à la sagaie. Parmi les morts se trouvait le prince Eugène Louis Napoléon, fils de Napoléon III. Diplômé de l'Académie royale de Woolwich, le prince, âgé de vingt-trois ans, servait comme officier du génie dans l'état-major du commandant en chef britannique, lord Chelmsford.

– Je comprends pourquoi lord Simon m'a fait porter ce journal. Le seul rejeton légitime de Napoléon III a été tué sous l'uniforme anglais, dit Charles.

– Devons-nous vous présenter des condoléances pour la mort de ce prince exilé en Angleterre ? demanda Ottilia.

– Comment ne pas déplorer la mort d'un garçon de vingt-trois ans, c'est l'âge de Pacal, Otti ? Mais comment aussi ne pas comprendre la violente résistance à la colonisation des peuples d'Afrique ? Les nations dites civilisées ne souhaitent que les asservir pour tirer parti de leurs ressources naturelles. Le Zoulouland produit du coton, du tabac, de la canne à sucre, des ananas et des bananes. De quoi alimenter à bon prix le marché de Covent Garden, non ?

– En échange, les nations comme l'Angleterre ou la

France apportent aux peuples d'Afrique la civilisation, l'éducation, l'hygiène, les lois dont ils manquent, dit-elle.

– Ont-ils besoin de ça pour vivre heureux ?

– Je voudrais que le monde entier fût heureux comme moi, conclut-elle en quittant son siège pour venir avec fougue embrasser Charles.

Quand elle reprit son livre, Desteyrac replongea dans le journal mais ses pensées l'éloignèrent de la lecture des nouvelles. Il avait reconnu chez sa femme la conception qu'avait lord Simon de la mission civilisatrice des nations évoluées. Cornfield était un esprit libéral. Il admettait volontiers le droit des peuples à disposer d'eux-mêmes, mais c'était une attitude théorique, de principe, une pieuse résolution de conscience, car il estimait que la plupart des peuples, ceux de l'Inde et d'Afrique notamment, même les indigènes bahamiens, seraient toujours incapables, ou du moins pendant longtemps encore, de jouir du droit de se diriger librement. « Si nous n'étions pas là, que deviendraient les habitants de nos colonies ? » disait-il.

Ce souvenir fit sourire Charles. Par-dessus la feuille, il porta son regard sur Ottilia.

Cette femme au visage fin, à peine marqué de rides, aux cheveux bruns niellés d'argent, noués en chignon, dont le regard disait à chaque instant à Charles l'amour attentif qu'elle lui portait, était-elle celle qu'il avait spontanément détestée vingt-sept ans plus tôt ? Lors de ce premier dîner à la table de Lewis Colson, commandant du voilier *Phoenix*, elle lui était apparue comme le modèle – presque la caricature – de l'aristocrate britannique. En ce temps-là, tout en elle proclamait l'appartenance à une caste fermée, d'une supériorité sociale reconnue, jouissant des privilèges du rang, de la fortune et, naturellement, d'une beauté vénusienne allant de soi. Cette lady Ottilia donnait à penser qu'elle n'était pas de la même chair et du même sang que tout être humain. Quand Malcolm avait révélé la façon de vivre de sa cousine, Charles avait estimé que la rébellion affichée de celle-ci, son rejet des vieux préjugés, sa liberté d'allure bohème, ses frasques mêmes, relevaient du prétendu droit aristocratique de se conduire impunément de façon inconvenante, voire licencieuse. L'honneur de la caste et de la famille opposait une imperturbable dignité aux curiosités du vulgaire. Plus tard, quand lui avait été révélée la vaine recherche du plaisir d'une femme incomplète, qui luttait depuis toujours contre l'inguérissable, il s'était appliqué à la comprendre, puis à l'aimer, avec le souci de la rendre à sa vraie nature, bonne et sensée. Maintenant, l'actrice avait cessé de jouer les multiples rôles d'un répertoire fallacieux.

« Elle est entrée dans la vie à mon bras. J'aurai au moins réussi un sauvetage », se dit-il.

La voix d'Otti le tira de sa méditation.

– Je ne crois pas que vous lisiez ce journal. À quoi pensez-vous ? demanda-t-elle, abandonnant son livre.

Comme toute femme amoureuse, Ottilia entendait partager toutes les pensées de l'aimé.

– C'est à vous que je pense. Au rôle que vous jouiez quand je vous ai connue, sur un beau voilier cinglant vers les Bahamas, confessa-t-il.

– Vous m'aviez spontanément détestée. En ce temps-là, je devais être odieuse, n'est-ce pas ?

– Vous m'aviez ébloui par votre capacité à rassembler, sous une forme superbe, tout ce que j'exécrais chez la femme. Le diable éblouit qui l'approche, dit Charles.

– Vous aviez refusé de me baiser la main. Et Malcolm vous en avait fait la remarque. Rappelez-vous.

– Malcolm ignorait l'étiquette française, qui veut qu'on ne baise la main qu'aux femmes mariées et aux maîtresses de maison. Vous n'étiez ni l'une ni l'autre.

– Moi, je connaissais la règle, mais je n'avais pas apprécié que vous la rappeliez publiquement.

– Dès lors, ce fut l'indifférence de part et d'autre, n'est-ce pas ?

– De votre part, certes. Plus qu'indifférence. Une mise à l'écart de pestiférée. C'est ce que je ressentais, avoua-t-elle.

– Jusqu'au jour où j'appris, par une indiscrétion de Malcolm, les séances avec votre oncle libidineux, ce pauvre Willy Main-Leste, que j'ai vu en ruine, dit Charles.

– De quoi ajouter à votre mépris, j'imagine ?

– Au contraire, Otti. Ce jour-là, j'acquis la conviction qu'il y avait en vous un mystère, un secret impartageable, qui vous poussait à toutes les fantaisies, avec la complicité de Malcolm, qui vous aimait comme une sœur infirme.

– Alors, vous m'avez jugée digne d'attention.

– Digne d'amour, Otti. Mais il a fallu que le destin anéantisse celui que je portais à Ounca Lou pour que je puisse enfin vous laisser venir à moi. Ce que vous souhaitiez, ce que votre père avait, depuis longtemps, compris et espéré.

– Le soir où vous m'avez prise dans vos bras pour me faire connaître l'intime plaisir des sens, ce fut pour moi comme une seconde naissance, murmura-t-elle.

– La lady Ottilia de la première rencontre a donc péri dans un incendie des sens, comme le voilier dans le feu d'un calfat, lança Charles, abandonnant le ton grave.

– Certains jours, grâce à l'amour que vous avez inventé, je me demande même si elle a jamais existé, acheva Ottilia.

Après une traversée sans aléas, qui permit à lord Simon, au commandant John Maitland, aux passagers et à l'équipage d'apprécier l'excellente tenue à la mer du vapeur à hélice, l'escale de New York doucha l'euphorie du voyage.

Pendant que Pacal s'empressait de rendre visite à son ami Artcliff, tandis qu'Albert Fouquet se lançait avec le second, Andrew Cunnings, à la découverte de New York, guidé par l'écrivain de marine Joseph Balmer, familier de la ville, lord Simon, suivi de Charles et Ottilia, se rendit à Washington Square pour saluer Jeffrey Cornfield. Apposé sur la façade de l'hôtel particulier, un panneau retint leur attention. Il annonçait la mise en vente aux enchères de la maison.

– Cela ne me dit rien qui vaille, grommela lord Simon.

En leur ouvrant la porte, la gouvernante, Gladys Hamer, ne put retenir une exclamation de soulagement.

– Vous voilà, enfin, *my lord*.

Avant même que les visiteurs se soient avancés dans l'entrée dépourvue de meubles et même d'une patère où suspendre leur chapeau, tous avaient compris que la ruine de Jeffrey Cornfield était consommée. Non seulement sa ruine mais sa vie, comme le leur apprit la gouvernante.

– Sir Jeffrey est mort il y aura trois semaines demain. Il s'est couché un soir après avoir avalé tout le contenu d'un tube de pilules prescrites par le médecin pour soutenir son rythme cardiaque. En quantité, ce remède était un poison et sir Jeffrey le savait. Ce n'est que le lendemain matin, quand j'apportai le petit déjeuner que je le trouvai sans vie. Il avait décroché du mur le portrait de sa défunte épouse et l'avait posé sur l'oreiller, près de sa tête. Il a voulu quitter la vie en compagnie de celle qu'il n'a jamais cessé d'aimer, acheva Gladys, incapable de retenir un sanglot.

– A-t-il laissé un message, une lettre ? demanda lord Simon.

– Rien, *my lord*. Il est parti sans un mot pour vous, ni pour ses filles, ni pour moi. C'est désolant, n'est-ce pas ?

– Désolant, confirma Ottilia.

Elle prit le bras de celle qui, depuis des années, assurait sans gages le service du banquier ruiné. Gladys gérait la vie quotidienne avec la somme que, chaque mois, lord Simon faisait virer à son compte. Les modestes économies de cette femme avaient payé les funérailles de son maître, qu'elle avait voulues dignes de ce qu'il avait été.

– Ses filles étaient là, j'imagine, demanda Simon Leonard.

– Dès que j'ai trouvé sir Jeffrey sans vie, j'ai fait prévenir Lyne et Edna par un commissionnaire. Elles sont arrivées l'après-midi. Elles ont vidé la maison des derniers meubles qui nous restaient et emporté les quelques bibelots que je cachais aux huissiers.

– Et Ann, demanda Charles.

– Je lui ai envoyé un télégramme à Chicago. Elle est venue avec moi à l'enterrement et n'a emporté que le portrait de sa mère. Elle m'a dit qu'elle abandonnait tout à ses sœurs, qui ont aussitôt fait mettre la maison en vente. L'argent qu'elles en tireront ne suffira pas à régler les dettes. Elles auront une mauvaise surprise, je le crains. Le notaire m'a autorisé à rester ici pour faire visiter la maison aux acheteurs. Quand elle sera vendue, je ne sais pas où j'irai. À mon âge, j'aurai du mal à trouver une place de gouvernante, dit Gladys, accablée.

– Si vous le voulez, je vous emmène à Soledad, Gladys. Vous tiendrez notre maison et aurez autorité sur la domesticité. Voulez-vous venir avec nous ? dit lady Ottilia.

– Si vous acceptez la proposition de ma fille, proposition sensée, vous aurez à faire rapidement vos bagages. Nous ne comptons pas nous attarder à New York, précisa lord Simon.

– Plus rien ne me retient ici. Je n'ai plus de famille, d'ailleurs je n'en ai jamais eue. J'ai servi Madame, puis sir Jeffrey, pendant plus de trente ans. J'avais quatorze ans quand je suis entrée dans cette maison pour faire l'argenterie. Je suis prête à vous suivre pour m'occuper de votre maison, acheva Gladys Hamer, laissant libre cours à des larmes de gratitude.

Avant de quitter New York, pendant que la gouvernante rassemblait sa mince garde-robe, lord Simon fit porter un message au notaire, l'informant que le défunt Jeffrey Cornfield devait deux années de gages à miss Hamer. La somme devrait être prélevée sur la vente des biens du *de cujus*. Il chargeait son avocat new-yorkais de suivre l'affaire.

— Vous n'obtiendrez rien des créanciers. Ce sont des rapaces, commenta Gladys.

— La loi est faite pour protéger les honnêtes gens des rapaces, jeta lord Simon.

Puis il donna rapidement le signal du départ, comme s'il avait hâte de fuir cette demeure vide et décrépite, dont les murs ne montraient plus, ici et là, que des surfaces claires en place des tableaux disparus.

La traversée de New York à Soledad finit en croisière nuptiale ! De la même façon que le doge de Venise, à bord du *Bucentaure*, épousait chaque année la mer en jetant une alliance dans l'Adriatique, lord Simon Leonard Cornfield, à bord du *Phoenix II*, jeta une guinée d'or dans les eaux bahamiennes. « *Desponsamus te, mare nostrum in signum veri perpetuique domini*[1] », déclama-t-il avec emphase, confirmant ainsi son attachement à un archipel où les Cornfield avaient débarqué deux cents ans plus tôt.

Quand le vapeur s'engagea dans le chenal nord-ouest de Providence, entre la côte américaine de Floride et les Bimini Islands, on vit le maître de Soledad, ragaillardi, passer ses journées sur le pont ou la passerelle.

Ceux qui pénétraient pour la première fois l'archipel ne cachaient pas leur émerveillement. Tandis que le navire cinglait cap au sud, lord Simon nommait les grandes îles comme si toutes eussent été ses possessions. Albert Fouquet et Gladys Hamer, les plus éblouis, se faisaient répéter les

---

1. « Mer nous t'épousons, en signe de souveraineté positive et perpétuelle. » Phrase prononcée par le doge de Venise tandis qu'il jetait une alliance d'or dans la mer Adriatique. La cérémonie fut abolie en 1797 par Bonaparte.

noms à la sonorité exotique par Charles ou Pacal : Grand Bahama, Abaco Islands, Berry Islands, Andros Island, New Providence et, plus tard, Eleuthera, puis Cat Island, quand on toucha au terme du voyage. Même ceux à qui la vue de ces terres plates, répandues sur l'Océan aux transparences irréelles, était familière ressentaient, en ces lieux bénis, une émotion toujours renouvelée. Rocheuses ou verdoyantes, hérissées de palmiers et de palétuviers, désertes ou modestement peuplées, les îles semblaient encore protégées de la frénésie des bâtisseurs, des outrages des urbanistes, de l'exploitation mercantile de leur chair corallienne, de leur flore exubérante, de leurs vivantes ressources. La nature tropicale apparaissait intacte dans sa simple beauté originelle, reliquat biblique de l'Éden.

– Nous sommes entrés dans une contrée peut-être inchangée depuis la Création. Si bien nommée Nouveau Monde par les premiers navigateurs, observa Fouquet quand apparut Soledad, faiblement dominée par le mont de la Chèvre.

Déjà, des caboteurs et des pêcheurs avaient annoncé aux habitants de l'île le retour de lord Simon, à bord d'un grand yacht blanc, dont la cheminée crachait une fumée grise, visible à plusieurs miles. Quand le navire se présenta à l'entrée du port occidental, Maitland fit monter aux mâts tous les pavillons du bord. Ce fut sous grand pavois que le *Phoenix II*, applaudi par la foule des curieux et tout ce que l'île comptait de marins, aborda le nouveau quai de pierre, construit à son intention. Lors de l'accostage, Lewis Colson, qui, au cours du voyage, avait sympathisé avec John Maitland, reconnut la maîtrise de l'ancien officier de la Navy et l'en félicita.

Tom O'Graney, qui se tenait sur le pont, prêt à faire abattre l'échelle de coupée, admit lui aussi que les ordres du commandant avaient été précis, avec toutefois une restriction qu'il souffla à l'oreille de Charles.

– Manque à cette arrivée la vivacité et l'élégance manœu-
vrière de Colson, quand il commandait l'accostage sous
voiles du premier *Phoenix.* Il est vrai que la vapeur interdit
l'art de la manœuvre, reconnut, avec une moue de dépit, le
charpentier, ardent défenseur de la marine à voile.

Quelques jours suffirent aux insulaires pour se réinstaller
dans leurs pénates et reprendre un rythme de vie singulièrement plus lent et détendu que celui qu'ils avaient connu en
Europe.

À Fouquet, qui dit bientôt reconnaître chez les Arawak
et autres indigènes l'indolence qui l'avait si fort agacé lors
du percement du canal de Suez, Charles expliqua qu'aux
Bahamas Seigneur Temps n'avait pas les mêmes exigences
qu'ailleurs.

– Montres et pendules n'ont pas ici l'autorité qu'on leur
confère à Londres ou à Paris. Nos îliens règlent leur journée
et leurs travaux sur la course du soleil, que les Arawak
tiennent pour le maître de l'univers. C'est l'horloge offerte
aux hommes par le Créateur. Pour ma part, je me suis adapté
aux horaires locaux. Ils sont, tu le verras, d'une extrême élas-
ticité, mais les travaux se font sans difficulté ni retard, car
ces indolents ont l'orgueil du devoir accompli.

Les ouragans de l'année précédente n'avaient causé
aucune destruction notable et, quand Charles Desteyrac
conduisit son ami Fouquet à Buena Vista, pour voir le phare
du Cabo del Diablo, il constata que la tour n'avait subi aucun
dommage. Il s'étonna en revanche de l'absence des caisses
qui contenaient les éléments de la coupole et le précieux
optique du phare. À New York, le représentant de la Cunard
l'avait informé que les caisses avaient été transportées à
Nassau par un cargo, d'où elles devaient être acheminées à
Soledad par leur correspondant, un caboteur bahamien.

Deux jours plus tard, Charles apprit, au Loyalists Club, par un officier des douanes de passage à Soledad, que les caisses, arrivées de France via New York, attendaient à Nassau, dans un entrepôt de la douane, que lord Simon veuille bien les faire enlever.

– Il semble que le caboteur qui devait les acheminer jusqu'ici ait fait défaut, expliqua le fonctionnaire, sibyllin.

Cette explication ne pouvait satisfaire Charles. Le laconisme du douanier lui avait paru suspect et, dès le lendemain, il obtint de lord Simon que l'*Arawak*, commandé par Philip Rodney, le conduisît à Nassau pour charger les éléments indispensables à l'achèvement du phare. Albert Fouquet fut du voyage en touriste ; Tom O'Graney et ses gros bras irlandais devaient assurer le chargement des caisses en souffrance.

Ottilia initia Gladys Hamer au train de vie de Malcolm House après l'avoir, devant les domestiques, installée dans ses prérogatives de gouvernante. Pour ménager la susceptibilité de Timbo, factotum de Charles Desteyrac depuis plus de vingt-cinq ans, elle confirma l'Arawak dans ses fonctions de majordome, ce qui le plaçait sous la seule autorité du maître de maison.

Chaque jour, Pacal passait plusieurs heures avec son grand-père à Cornfield Manor, pour l'aider à lire ou répondre au courrier et parfaire sa formation de futur maître de Soledad. Un matin, comme il entrait dans le bureau de lord Simon, celui-ci lui tendit une coupure de journal.

– J'ignore qui m'envoie cet article. Il était sous enveloppe à mon nom, mais aucune lettre ne l'accompagnait, dit lord Simon en tendant le papier à son petit-fils.

L'article avait été découpé dans un quotidien de Pittsburgh, daté du 10 mars 1880. Sous le titre *Un drame de l'adultère*, Pacal lut : « Hier matin, ont été célébrées les obsèques de Robert Allan Lowell, directeur de la Pennsylvania Steel Works, ancien professeur au Massachusetts Institute of Technology, à Cambridge. Ce fut le dernier acte d'un drame qui a fait de ce héros de l'armée fédérale pendant la guerre entre les États – il avait eu les deux mains arrachées par l'explosion d'une grenade – l'assassin de sa femme légitime.

» En dépit des réticences familiales, il avait épousé, en 1866, une Indienne des îles Bahamas, plus par reconnaissance des soins qu'elle lui avait prodigués après son amputation des deux mains que par passion amoureuse. Cette femme lui avait donné deux enfants, un garçon et une fille, aujourd'hui âgés de neuf et dix ans. Elle avait aussi mis au monde, en 1877, un autre enfant qui ne vécut pas. C'est la semaine dernière, par la confidence tardive de la nurse de ses enfants, que Robert Lowell apprit avec stupéfaction une infortune jusque-là insoupçonnée. La domestique, qui venait d'être injustement réprimandée par sa maîtresse, révéla à son patron que, si on ne lui avait pas montré le troisième enfant, mort quelques heures après sa naissance, c'est parce qu'il était le fruit d'une liaison adultère de l'Indienne avec un étudiant métis du MIT, hébergé par le couple au cours des années 75 et 76.

» Aussitôt interrogée par son mari en présence de la nurse, l'Indienne reconnut l'exactitude de la révélation. Au lieu de se montrer contrite, elle fit preuve de toute l'arrogance propre aux gens de sa race, qui ne peuvent dominer leur nature libidineuse et pour qui la sainte institution du mariage n'est qu'un acte administratif profitable.

» Fortement ému, Robert Lowell, qui portait des mains artificielles articulées, faites de bois et d'un mécanisme métallique, gifla par trois fois la coupable. Un coup violent atteignit celle-ci à la tempe et sa mort fut constatée une heure plus tard par un médecin. Robert Lowell, bouleversé par cet accident, survenu au cours d'une scène de colère bien compréhensible et excusable, quitta sa demeure pour n'y plus reparaître. Dans la nuit, il se coucha sur les rails du Pennsylvania Railroad. Un convoi broya son corps, qui fut identifié par les mains artificielles. Ce sont ses restes, recueillis sur la voie ferrée, qui ont été hier matin inhumés, en présence des ingénieurs et des ouvriers de la compagnie qu'il dirigeait. Ses amis ont tous estimé, comme le coroner, qu'en giflant l'épouse indigne, il n'avait fait que venger son honneur bafoué. Cet acte et sa conséquence fatale pour l'infidèle eussent sans doute été absous par le jury criminel du comté.

» La mère de Robert Lowell a déclaré que le suicide de son malheureux fils devait être imputé, comme crime *post mortem*, à l'épouse adultère. »

Pendant cette lecture, lord Simon n'avait pas quitté son petit-fils du regard. La vue des maxillaires contractés et la respiration courte du jeune homme disaient clairement le trouble profond qu'il ressentait. Quand Pacal froissa la coupure d'un geste nerveux, son regard rencontra celui de son grand-père, à la fois sévère et interrogateur.

– Alors ? jeta lord Simon.

– C'est terrible, terrible, terrible. Bob Lowell a tué Viola, bafouilla Pacal.

– Le métis, c'est toi, bien sûr. Un Desteyrac-Cornfield se faire traiter de métis par un polygraphe *yankee* ! Te rends-tu compte ?

Comme Pacal se taisait, penaud, lord Simon lança son tampon-buvard à travers la pièce, quitta son fauteuil et vint se camper devant son petit-fils.

– Tu as donc couché avec la femme qui t'a bercé quand tu étais enfant ! Et sous le toit de son mari, ton mentor ! Ce n'est pas d'un gentleman, dit lord Simon, rageur.

– Une fois, une seule fois, je vous assure, grand-père.

– Il semble que cette seule fois ait eu des conséquences !

– Je l'ignorais. Viola ne m'a jamais écrit et, dans ses réponses à mes lettres, Robert Lowell ne citait jamais Viola. D'ailleurs, il la méprisait, et elle était très malheureuse, dit Pacal.

– Et tu as joué les consolateurs ; je vois ça. C'est un rôle dangereux. Les femmes appâtent à la mélancolie.

Pacal, atterré par la révélation d'une tragédie où il avait sa part, résolut de tout révéler de son aventure. Il raconta, sans omettre un détail, son après-midi de baignade avec Viola et ce qui s'ensuivit.

– Vous auriez mieux fait d'en rester à l'épisode de la plage, commenta le lord.

– Comme je vous l'ai dit, elle est venue, la nuit, dans ma chambre en disant me devoir le plaisir refusé sur la plage. Ce qu'elle voulait, c'était, comme elle le répétait, connaître la caresse de mains de chair. Imaginez les mains artificielles de Lowell... avec leurs brides.

– J'imagine, mon garçon.

– Viola devait les lui ôter le soir et les attacher le matin. Elle avait pour ces prothèses, dont le cuir lisse et patiné ressemblait à de la peau momifiée, la répulsion qu'inspirent des pièces anatomiques. Acceptables quand elles prolongeaient les bras mutilés de Bob Lowell, rebutantes quand on les voyait posées sur un meuble, ces mains paraissaient d'autant plus inhumaines qu'elles copiaient grossièrement la vie.

– Elles l'ont aussi supprimée, fonction très humaine, hélas.

– Suis-je responsable de la mort de Viola ? C'est ce que vous pensez, ce que va penser mon père, qui était l'ami de Bob. Ce que va penser Alida, la sœur de Viola, et tous les Arawak, n'est-ce pas ? interrogea Pacal d'une voix blanche.

– Responsabilité partagée. Non seulement avec Viola mais avec son mari. Car c'est lui qui a frappé à mort sa femme, s'abaissant ainsi au plus vulgaire. Un mari trompé chasse l'infidèle et c'est tout. Les anciens puritains, les plus sévères, imposaient aux femmes adultères le port d'un grand A rouge, cousu sur leur vêtement, et les laissaient aller, montrant à tous leur ignominie, bougonna Simon.

— Si Viola avait été blanche, il ne l'eût pas frappée. Mais, depuis l'affaire de la Little Big-horn et la mort de leur général Custer, les Yankees détestent les Indiens, d'où qu'ils viennent. Bob Lowell s'était mis à mépriser Viola. C'est pour moi une terrible leçon, assura Pacal.

— Apprendre par soi-même la vie et les êtres est inéluctable et risqué, mais c'est la seule aventure qui vaille, Pacal, dit lord Simon, rasséréné.

— Comment vais-je dire ça à mon père, à Ottilia, à Alida surtout ?

— Je me charge de cette corvée et j'interdirai tout commentaire. N'est-ce pas à moi que la coupure de journal a été adressée ? Pendant que ton père est à Nassau pour prendre livraison des optiques de notre phare, tu vas partir pour Key West, en Floride. Je te charge d'organiser la flottille de pêche aux éponges de nos Bahamiens, qui sont déjà là-bas et dont je crains qu'ils ne soient exploités par les Américains. Dans deux jours, tu embarqueras sur le *Centaur* avec le commandant Lewis Colson, qui sera enchanté de naviguer. Tu passeras là-bas le temps nécessaire, deux bons mois, j'imagine. Ce sera la première affaire que tu auras à traiter, décréta lord Simon.

2.

Une étrange déconvenue attendait Charles Desteyrac à Nassau. Débarquant de l'*Arawak*, il se rendit aussitôt à l'entrepôt des douanes pour reconnaître la cargaison envoyée du Havre via New York, tandis qu'Albert Fouquet allait seul à la découverte de la ville. Il constata qu'aucune caisse ne manquait à l'appel mais s'étonna, auprès du commandant du port, qu'elles fussent encore là.

– Comment se fait-il que le caboteur qui devait transporter ces marchandises à Soledad ne soit pas venu en prendre livraison comme convenu ?

– Je le connais, c'est un marin honnête. Il s'est présenté et m'a dit qu'il ne pouvait pas transporter cette cargaison. Il a ajouté qu'il rembourserait les arrhes versées par le commissionnaire de New York, dit le fonctionnaire.

– Quelle raison a-t-il donné à cette défection ?

– Il n'a donné aucune raison, mais nous savons tous ici de quoi il retourne, ajouta l'homme, sibyllin.

– Et qu'en est-il ? s'enquit sèchement Desteyrac.

– C'est que je ne voudrais pas d'histoire avec le Colonial Office. Je suis fonctionnaire, n'est-ce pas. Je ne peux rien dire.

– Dites tout de même, insista Charles, agacé.

Le commandant, mulâtre de bonne éducation, savait que son visiteur était gendre de lord Simon Cornfield, un homme dont même le gouverneur redoutait les éclats. Il soupira, ferma la porte de son bureau et s'approcha de Charles.

— Vous ne trouverez pas à Nassau un bateau pour transporter vos caisses, souffla-t-il.

— Je les transporterai moi-même sur l'*Arawak*. Je suis venu pour ça, déclara Desteyrac, marquant son impatience.

— Alors, vous ne trouverez aucun débardeur pour charger votre vapeur et la grue ne fonctionnera pas, monsieur.

— Pourquoi, s'il vous plaît ?

L'homme prit le temps de la réflexion, évaluant le risque encouru s'il parlait et celui, sans doute plus lourd de conséquences, s'il se taisait et s'attirait les foudres du lord des Bahamas. Son choix fait, il révéla le fond de l'affaire.

— Feti Louros — l'*auctioneer* qui organise les ventes aux enchères des marchandises et objets ramassés après les naufrages par les sauveteurs — est opposé à la construction de nouveaux phares. Et les quelque mille pêcheurs des Out Islands, qui se dévouent au sauvetage des passagers des navires en perdition, sont derrière lui, avoua l'homme.

— Vous voulez dire que ce Louros vit du *wrecking*, de l'activité des sauveteurs licenciés, à l'occasion naufrageurs ! C'est une engeance que je connais bien. Heureusement en voie de disparition depuis que la construction des phares est encouragée par l'Imperial Lighthouse Service. Je vais aller rendre visite à ce Grec avant d'informer le gouverneur de l'obstruction qu'il met à nos travaux, dit Charles, excédé.

— Surtout, ne parlez pas de moi. Dites que vous avez appris ça sur le port. Tout le monde est au courant.

— En tant que commandant du port, ne devez-vous pas assurer le libre transport des marchandises régulièrement importées ? demanda Desteyrac.

— C'est-à-dire que... Feti Louros est un homme influent. Il a ses entrées au gouvernement et au Colonial Office, vous comprenez ?

— Je comprends. Mais ni lord Simon ni l'Imperial

Lighthouse Service ne comprendront. Vous feriez bien de chercher un autre emploi, lança Charles.

Avant de quitter le bureau, il se retourna vers l'homme, pantois.

– Où peut-on rencontrer ce Louros ?

– À cette heure-ci, il doit être au bar du Royal Victoria Hotel... mais je ne vous ai rien dit...

De retour à bord de l'*Arawak*, Desteyrac rapporta à Philip Rodney et à Tom O'Graney ce qu'il venait d'apprendre.

– Quand rendons-nous visite à ce filou, demanda Rodney ?

– Pourquoi pas maintenant ? On doit le trouver au bar du Victoria, dit Charles.

Le capitaine Rodney, Tom et la demi-douzaine de marins irlandais, compagnons habituels du maître charpentier, se mirent en marche vers le palace, havre cosmopolite, où l'on traitait, au milieu des touristes américains, les affaires qui exigeaient discrétion. Si les contrebandiers, les forceurs de blocus et les armateurs étrangers, qui avaient fait la fortune de l'établissement pendant la guerre de Sécession, s'étaient depuis longtemps éclipsés, loueurs de bateaux ou de calèches, entremetteurs, joueurs professionnels, aigrefins de toute nature, attirés par les dollars des touristes, occupaient la place.

Comme annoncé, les Bahamiens trouvèrent Feti Louros attablé sous un parasol, à la terrasse de l'hôtel, en compagnie d'un couple d'Américains auxquels il vantait les charmes d'une croisière dans l'archipel, à bord d'un nouveau bateau de promenade.

– Le fond de la coque est en verre, ce qui permet de voir de merveilleux poissons et parfois – sans aucun risque – des requins et des raies, expliquait le Grec.

Charles Desteyrac interrompit sans courtoisie l'entretien.

– Tous les requins ne sont pas dans l'eau, dit-il.

Scandalisé par l'interruption, Feti Louros, un petit homme brun, osseux, joues creuses, teint olivâtre, quitta son siège, l'œil mauvais.

– De quel droit vous mêlez-vous...

– Vous l'apprendrez quand cette dame et ce monsieur nous aurons quittés, dit Philip Rodney.

Les Américains, interloqués, se levèrent et s'éloignèrent sans une protestation. On leur avait dit à New York que les gens des Bahamas ignoraient les bonnes manières et que les rixes étaient fréquentes.

– Je voudrais savoir pourquoi et en vertu de quel pouvoir vous avez interdit à un certain caboteur de livrer à Soledad des caisses qui m'appartiennent, dit Charles après s'être présenté.

– Je ne me souviens pas d'avoir donné pareille consigne à quiconque, dit l'homme.

– Que vous tiriez profit de ce que les *wreckers* volent aux passagers des navires échoués sur nos récifs est regrettable, mais c'est une affaire entre vous et votre conscience, si toutefois vous en avez une. Entraver la construction d'un phare en intimidant le capitaine d'un caboteur, les débardeurs du port et même un fonctionnaire pleutre, est inadmissible.

– Je ne sais pas de quoi vous parlez, s'écria l'homme, faisant mine de s'éloigner.

D'un mouvement de tête, Philip Rodney fit signe à Tom O'Graney de retenir le Grec.

» Je ne me souviens de rien de tout cela, répéta l'*auctioneer*, voyant le géant approcher.

L'âge n'avait pas rendu l'Irlandais plus patient et toute perspective de bagarre l'enchantait. D'un bras puissant, il enlaça la taille de Louros, le souleva de terre comme s'il se fût agi d'un paquet.

– Tu devrais lui rafraîchir la mémoire, lança un gabier.

– Bonne idée, ça, dit Tom.

Avant que Desteyrac n'ait pu intervenir, l'Irlandais, en deux enjambées, atteignit le bassin de la fontaine, ornement du jardin, et y plongea, tête première, le négociant.

Le Grec se débattit vainement, agitant les jambes, ce qui déclencha le rire du barman et des servantes.

– Il ne faudrait pas le noyer. Remettez-le sur pied, Tom, ordonna Charles quand il jugea l'immersion suffisante.

Assis sur la margelle du bassin, trempé jusqu'à mi-corps, l'*auctioneer* avait perdu sa superbe.

– Je me plaindrai au gouverneur, ânonna-t-il, tentant de reprendre son souffle.

– Si vous le souhaitez, nous vous accompagnerons. Son Excellence sera intéressée par votre cas. Faire obstacle à la construction d'un phare de l'Imperial Lighthouse Service sur l'îlot de Buena Vista, propriété de lord Simon, vous vaudra certainement des compliments.

Pragmatique, Louros renonça à nier son implication dans l'affaire. Défier lord Simon Leonard Cornfield eût été une erreur. Ce vieil Anglais, retour d'un voyage en Europe au cours duquel, avait rapporté le journal local, il avait dîné avec Sa Très Gracieuse Majesté la reine Victoria et Benjamin Disraeli, le Premier ministre, était capable de lui causer beaucoup d'ennuis. Aussi choisit-il d'apitoyer ceux qui parlaient au nom du lord. Louros prit pour argument de nature à faire excuser ses agissements le fait que les phares déjà construits privaient les pêcheurs des ressources du *wrecking*.

– Pensez, messieurs, à ces gens qui, au péril de leur vie, vont au secours des naufragés et qui, juste rétribution de leurs efforts, ramassent, dans les débris des vaisseaux éventrés sur les récifs, meubles, objets et vêtements que je les aide à vendre au mieux. Ce sont de pauvres gens et le *wrecking*, de tout temps pratiqué dans l'archipel, les aide à

nourrir leurs enfants, développa l'homme, qui retrouvait
son aplomb.

Charles Desteyrac apprécia la période lyrique et sourit.

— En somme, vous êtes le bon Samaritain. Quel pourcen-
tage prélevez-vous sur les ventes ?

— J'ai des frais : location de la salle, personnel pour
nettoyer les objets, affichage et autres. Tout cela doit être
déduit des recettes.

— Et, déduction faite, vous conservez la moitié du produit
de la vente, sans parler des choses de valeur qui ne figurent
pas aux enchères. Vous les vendez ailleurs, à votre seul profit,
pas vrai ? demanda Philip Rodney, sans illusion sur la
probité du commissaire-priseur.

— C'est équitable, non ? Sans moi, les sauveteurs seraient
grugés. Ils ne connaissent pas la valeur de ce qu'ils recueil-
lent, dit l'homme.

Charles Desteyrac intervint avec autorité.

— Nous perdons notre temps. Tom va vous accompagner
au port. Il veillera à ce que les débardeurs transportent nos
caisses, de la douane au quai. Je suis certain que la grue à
vapeur fonctionnera pour charger notre cargaison sur l'*Arawak*.
Naturellement, vous assumerez les frais de ce transport et de
ce chargement, car les débardeurs de Nassau ne doivent pas
être privés du juste salaire que nous leur aurions versé si vous
n'aviez pas eu la fâcheuse idée d'intervenir maladroitement
dans une affaire qui ne vous concernait en rien.

Le Grec se dressa, s'efforçant à la dignité dans son
costume souillé par le bain.

— Ça ne se passera pas comme ça ! s'écria-t-il, sans
réelle assurance.

— Dans le cas où vous manifesteriez de l'incompréhension, Tom O'Graney et nos marins feront ce qu'ils jugeront
utile pour que soient exécutés les ordres de Monsieur l'Ingénieur, dit le capitaine Rodney.

— Allons-y, décida Tom aussitôt.

Il prit Louros sous le bras, se le cala sur la hanche comme un paquet et fit signe aux Irlandais de le suivre.

– Rendez-vous au port, dit le maître charpentier.

– Laissez-moi ! Je peux marcher, hurla l'homme.

– Faut pas vous fatiguer, dit Tom resserrant son étreinte, ce qui coupa le souffle et la parole au Grec.

C'est dans cette posture que Louros traversa une partie de la ville, descendant East Street jusqu'au port, devant les passants étonnés et le plus souvent hilares.

Tout se déroula comme l'avait souhaité Desteyrac et, à la fin de l'après-midi, les caisses contenant les éléments de la coupole et l'optique du phare de Buena Vista étaient arrimées sur le pont de l'*Arawak*. Philip Rodney fit servir un gallon de whisky aux débardeurs après que Feti Louros, toujours surveillé par Tom O'Graney, eut payé leur dû.

– Allez, ne faites pas la mauvaise tête. Vous voyez que tout est rentré dans l'ordre, dit Charles au Grec, devenu d'une docilité exemplaire.

– Mon costume est gâché et vous m'avez ridiculisé, dit l'homme en regardant son vêtement fripé, que le généreux soleil bahamien avait déjà séché.

– Tel que nous connaissons Tom, vous vous en tirez à bon compte, mon vieux. Notre second lieutenant, maître charpentier, tue un bœuf d'un coup de poing, commenta Philip Rodney.

– Après le bain, un whisky ne se refuse pas, dit Desteyrac.

Et il fit signe à un marin de servir un verre à l'*auctioneer*. Le petit homme gringalet, chafouin, joues caves, cheveux rares collés au front, lui faisait soudain pitié. Feti Louros accepta le verre tendu par le matelot, but l'alcool à petites gorgées.

– Vous verrez que les *wreckers* ne vous laisseront pas finir votre phare en paix. Les gens d'Elbow Cay ont empêché pendant vingt-cinq ans, de 1838 à 1863, la construction du phare de Hope Town. Depuis 1873, les pêcheurs de

Crooked Island se sont opposés à la mise en service du phare de Bird Rock, dit-il.

– Aujourd'hui, le phare de Bird Rock fonctionne, et les naufrageurs ont été mis à la raison, conclut Desteyrac.

À petits pas nerveux, l'*auctioneer* se dirigea vers une voiturette à dais de toile frangé, véhicule préféré des touristes. Il y monta, donna un ordre au cocher et, au trot paresseux d'un cheval étique, disparut sur Bay Street.

Quand, plus tard, Desteyrac et Rodney ayant passé, le premier un costume de lin grège, le second un uniforme blanc, se présentèrent pour dîner au restaurant du Royal Victoria Hotel, le portier remit à Charles un billet d'Albert Fouquet.

« Je ne dînerai pas avec toi et le capitaine car j'ai fait une rencontre amusante. Il se pourrait même, du train où vont les choses, que je ne rentre pas dormir à bord, mais je serai là demain matin à six heures pour l'appareillage. Nassau a des ressources que tu m'avais cachées ! Ton ami. Albert. »

– Nous n'attendrons pas Albert Fouquet pour dîner, dit simplement Desteyrac.

Il devinait son ami déjà engagé dans une aventure galante. Quadragénaire d'une séduisante virilité, Albert Fouquet, insatiable chasseur de jupons, refusait l'amour vénal qui prive l'homme du plaisir de la capture et la femme des délices de la capitulation. Lovelace raffiné, il se complaisait aux conquêtes hasardeuses. « Il a dû charmer quelque touriste désœuvrée », se dit Charles.

Bien que la mésaventure de Feti Louros eût déjà fait le tour de la ville, le personnel du Royal Victoria Hotel feignait d'ignorer l'incident de la matinée. Cependant, maître d'hôtel et serveurs, qui tous connaissaient l'ingénieur Desteyrac, gendre de lord Simon, se montrèrent encore plus empressés et souriants qu'à l'accoutumée. Ne pouvant prendre parti contre un habitué comme Feti Louros, ils marquèrent, par leurs attentions particulières, une discrète approbation de la leçon donnée au Grec.

En dégustant filets d'espadon marinés, poulet au gingembre et pudding à la confiture de goyave, Philip Rodney fit part à Desteyrac de ses craintes.

— Les Grecs sont fiers comme des paons. À mon avis, Louros n'oubliera pas l'humiliation que nous lui avons infligée. Il tentera peut-être, sinon d'empêcher, du moins de retarder l'achèvement de votre phare, Monsieur l'Ingénieur.

— Il ne viendra pas jusqu'à Soledad, Philip, et s'il y venait, nous saurions le mettre à la raison, dit Charles.

Comme il s'y était engagé, Albert Fouquet regagna l'*Arawak* au petit matin, alors que les marins préparaient l'appareillage.

Charles accueillit son ami avec un sourire indulgent.

— Je vois à ta mine que la fête fut complète. T'es-tu bien amusé ?

— Je te raconterai tout, mais plus tard. Je tombe de sommeil. Je vais dormir, dit Albert, disparaissant dans l'escalier qui conduisait aux cabines.

On ne le revit qu'à l'heure du thé et c'est en abattant une pile de scones avec un appétit barbare qu'il fit le récit de son aventure.

— Figure-toi que j'avais décidé d'acheter un panama et un vêtement de toile adapté au climat, quand je suis tombé en arrêt, sur Bay Street, devant une boutique dont l'enseigne me parut évocatrice : The Shop of Intimate Things. En regardant la vitrine, à vrai dire des plus sage — on y voit des bonnets de tulle, des gants et des châles —, je me suis dit : « Nous sommes en pays protestant, donc puritain, et le type qui a peint cette enseigne n'a pas eu la moindre intention coquine. » J'allais m'éloigner quand, au fond de la vitrine, je vis, au-dessus d'un rideau, le visage de deux femmes plutôt jolies qui me souriaient. J'ai pensé à des têtes de saint Jean-Baptiste posées sur un plateau.

— Tu es morbide ! Des décapitées souriantes !

— Tu sais que je n'ai jamais laissé un sourire féminin sans réponse. C'est alors que les têtes disparurent et qu'une des femmes ouvrit la porte du magasin et m'invita à entrer en disant : « Nous avons des nouveautés plus légères à l'intérieur. »

— Ah ! ça ne m'étonne pas des filles Russell, Albert. Des allumeuses de première, interrompit Charles.

— Tu les connais ?

— Emphie et Madge Russell ? Depuis leur enfance. Elles doivent avoir la trentaine, maintenant. Mais continue ton histoire.

— Je suis donc entré et ces dames, des jumelles pulpeuses, cheveux blonds, bouclés, poitrine haute et ferme, sans corset ni bustier à goussets mensongers, mains fines et soignées, teint rose, bouche faite pour le baiser, avaient le même regard rieur de celles qui n'ont pas froid aux yeux. Bref, je sus tout de suite que j'étais tombé sur une affaire. Tandis qu'elles me proposaient, avec des minauderies polissonnes, des petits pantalons de satin noir ou de taffetas rose, des bas de soie, des chemises de nuit aux transparences coquines, des jarretières très parisiennes — « pour votre épouse ou votre amie » gloussaient-elles en chœur —, je décidai de passer tout de suite à l'assaut.

— Alors ?

— J'ai dit : « Tout cela est charmant mais, quel effet font ces parures sur un corps de femme ? Mes sœurs, des jumelles comme vous, à peu près de votre taille, sont hélas restées à Paris. »

– Mais tu n'as pas de sœur !

– J'en ai quand ça m'arrange ! Si tu m'interromps tout le temps, je me tais.

– Va. Je brûle de connaître la suite.

– Les deux femmes échangèrent un regard, puis l'une dit : « Nous pouvons passer ce que vous désirez offrir à vos sœurs » et l'autre de compléter : « Comme ça, vous pourrez choisir sur... mannequin. » Tu penses si j'ai accepté ! J'ai désigné un pantalon de soie rose, dit Caprice, et une minuscule chemise de jour à brides, nommée Joli rien ! « Pouvez-vous passer cela pour voir ? » demandai-je. Elles descendirent les rideaux de toile devant les vitrines, ôtèrent le bec de canne de la porte et poussèrent le verrou. « Comme ça, nous ne serons pas dérangés », dit l'une. « Les gens d'ici sont assez voyeurs », dit l'autre en m'offrant un siège. Puis elles disparurent toutes deux dans l'arrière-boutique en ondulant comme des sirènes. Elles revinrent bientôt, vêtues des seules pièces que j'avais retenues et qui ne cachaient pas grand-chose de leur anatomie. « Vous pouvez toucher, c'est de la vraie soie de chine » et « de la vraie dentelle de Valenciennes », me dirent-elles, m'offrant prétexte à effleurements, palpations et papouilles qui furent bien accueillies. Tu imagines dans quel état me mirent ces deux belles femmes, en pleine maturité, mais d'une fraîcheur pimpante et aussi délurées que nos grisettes parisiennes.

– Elles sont connues comme telles, observa Charles.

– Je passe les épisodes intermédiaires pour te dire qu'elles m'ont invité à entrer dans leur appartement pour prendre un rafraîchissement. La chambre à coucher jouxtait le salon et alors, mon vieux, j'ai passé une fin d'après-midi de faune luxurieux et comblé. J'avais toujours rêvé de me trouver au lit avec des jumelles. « Nous ne faisons jamais rien l'une sans l'autre », m'avait dit l'une, ce que sa sœur s'était empressée de confirmer en murmurant avec un clin d'œil, « ... et toujours ensemble ». Tout ce que je souhaitais.

— Et le résultat satisfit tes espérances, vieux libertin !

— Oh combien ! Elles ont l'amour joyeux, tendre, inventif, une impudicité si naturelle et spontanée qu'elle en est épurée de toute notion de péché. Le plaisir pour le plaisir, sans façon ni égoïsme. Elles font de l'étreinte un échange ardent et voluptueux, si franc et loyal qu'il en devient décent. À mon avis, c'est ainsi qu'Ève compromit Adam, si tu vois ce que je veux dire.

— Je vois surtout que tu as obtenu ce que mon ami défunt, Malcolm Murray, qui connut ces demoiselles adolescentes, n'avait pas osé demander. J'imagine qu'elles se sont relayées au cours de la nuit ?

— J'ai dû tirer à pile ou face celle qui, la première... mais ne crois pas que, pendant ce temps l'autre restât inactive ! Un duo de virtuoses. Jamais je n'ai été pareillement traité. À la fin de l'après-midi, en riant comme des fous, nous avons pris une collation et bu un breuvage de leur composition appelé *yellow bird*. Ensuite, nous avons recommencé. Ces femmes, crois-moi, réveilleraient un mort. Je suis moulu.

— Je le conçois. Le *yellow bird* est un stimulant.

— J'ai promis de les revoir, car elles m'ont affirmé être souvent privées de plaisir, étant donné qu'elles ne veulent absolument pas de rencontres avec des hommes du cru. « Nous devons veiller à notre réputation », m'a dit Emphie. « Nous sommes filles de pasteur » a complété Madge. En somme, elles ne choisissent que des gaillards de passage, conclut Fouquet.

— Et comment les différencies-tu l'une de l'autre ? Moi qui ne les ai jamais vues qu'habillées, je n'ai jamais su le faire.

— Pour me prouver leur souhait de me revoir, elles m'ont confié le secret qui permet de les reconnaître. Emphie a sur la hanche gauche une cicatrice due à une chute, quand elle était enfant. Bien sûr, il faut être déjà assez intime avec elle pour repérer cette marque. Vêtues, la confusion, qu'elles se plaisent d'ailleurs à entretenir, reste inévitable, révéla Fouquet.

– Dire que ces donzelles ont été éduquées chez les Dames de Sion, le collège le plus huppé du Massachusetts, et que leur père, le pasteur Russell, que tu auras certainement l'occasion de rencontrer à Soledad, est un ministre d'une foi rayonnante, bon et généreux ! Il est fort déçu par ses filles aînées.

– Madge m'a dit que leur mère ne veut plus les voir depuis qu'elles ont ouvert leur boutique de fanfreluches à Nassau. C'est stupide, dit Albert.

– Margaret Russell s'est mise à boire plus que de raison. Et encore ne sait-elle pas que ses jumelles copulent, ensemble, avec le premier venu, dit Charles.

– Merci pour « le premier venu » ! lança Albert en riant.

Charles s'excusa d'une bourrade affectueuse.

Après avoir dévoré le dernier scone, Fouquet sortit sa pipe et l'alluma.

– Dans leur genre, ces demoiselles, que l'on ne peut, malgré leur âge, qualifier de vieilles filles, sont des artistes. Sais-tu à quoi j'ai pensé en les voyant, au petit matin, endormies dans les bras l'une de l'autre ? Eh bien, j'ai vu ce tableau de Gustave Courbet, *le Sommeil ou les deux Amies*[1], qui fit scandale au Salon de 1866 et qui m'avait tant plu. J'ai toujours imaginé que le peintre avait honoré ses modèles avant de les peindre.

– Et pour toi, comment cela s'est-il terminé ?

– D'une façon un peu humiliante, je dois le reconnaître. Je me suis esbigné sans les réveiller, avec le sentiment, ayant

---

1. Cette toile, peinte en 1866, se trouve au musée du Petit Palais, à Paris. Elle mesure plus de deux mètres de long. La position des corps nus, grandeur nature, respire la volupté, voire la luxure.

rempli mon office de mâle, d'être devenu inutile, insigni-
fiant, presque importun.

– Tu t'en es bien tiré. Sais-tu que, chez les insectes,
certaines femelles tuent le mâle après usage, commenta
Charles, goguenard.

L'appareillage mit fin à la conversation, Tom O'Graney
invitant Desteyrac à vérifier avec lui, sur le pont, l'arrimage
des caisses qui contenaient la coupole et l'optique du phare
du Cabo del Diablo.

Pendant le séjour de son père à Nassau, Pacal, suivant les
instructions de son grand-père, s'embarqua sur le *Centaur*,
dont le commandement avait été confié au retraité Lewis
Colson. La navigation, de Soledad à la Floride, exigeait un
marin au fait de toutes les traîtrises des récifs et courants de
l'archipel. Lord Simon n'eût pas confié son héritier à un
autre marin. Un petit-fils de Sima, Cleophas, qu'on appelait
Cleo, habile pêcheur d'éponges comme son grand-père,
faisait partie de l'expédition. Le jeune Arawak, ancien élève
du pasteur Russell, lisait et écrivait l'anglais et l'espagnol et
savait tenir un livre de comptes. C'est pourquoi lord Simon
l'avait désigné pour diriger les plongeurs bahamiens employés
depuis peu en Floride.

« Il faut veiller à ce que les grossistes américains en éponges
et écaille de tortue cessent de gruger les sujets indiens de Sa
Très Gracieuse Majesté la reine Victoria », avait dit le lord.

Au cours d'une journée de navigation à l'ouest, le voilier
franchit le passage entre le sud d'Eleuthera et le nord de
Cat Island puis, mettant cap au sud, longea sous vent faible,
pendant une semaine, les dangereux îlots, dits Exuma Cays,
avant de se glisser entre Little Exuma et Long Island,
naguère renommée pour ses plantations de coton. Colson

engagea alors son voilier à l'ouest, « sur la ligne idéale nommée tropique du Cancer », fit-il observer à Pacal.

Après une escale à Mars Bay, à la pointe sud d'Andros Island, la plus grande île de l'archipel, provisions faites, la goélette cingla nord-nord-ouest vers ce que les Américains nommaient les Florida Keys. Après avoir parcouru près de sept cents milles en trois semaines, les voyageurs découvrirent Key West.

À deux cent soixante dix-sept milles du continent américain et à deux cent quarante milles de La Havane, l'île constituait l'extrême pointe sud-ouest d'un chapelet de trente-deux îlots coralliens sablonneux, étiré dans le prolongement de la presqu'île de Floride.

Dans les journaux américains, on présentait Key West comme la ville la plus riche et la plus peuplée de Floride. Elle comptait plus de vingt mille habitants, dont un bon tiers de Bahamiens. Les Indiens seminole, premiers occupants, avaient été tués ou chassés par les conquérants successifs, Espagnols et Anglais. La place était échue aux États-Unis, en même temps que la Floride, en 1821.

En ce printemps 1880, les habitants d'origine espagnole racontaient que les Bahamiens fuyaient leur archipel, propriété de la couronne britannique, pour éviter de payer des impôts jugés trop lourds ! En vérité, la plupart des émigrés venus des îles étaient d'humbles pêcheurs d'éponges et de tortues, ou des manœuvres attirés par les chantiers de construction dont on annonçait l'ouverture pour faire face à l'expansion du tourisme. Comme la nourriture préférée des Bahamiens restait le *conch chowder* – soupe épaisse relevée de conches rissolées avec tomates, carottes, poivrons, oignons et bacon – les Américains les surnommaient tous les Conchies, après avoir entendu les insulaires appeler tout Blanc Conchy Jo. On comptait aussi beaucoup de Cubains, qui avaient fui l'administration espagnole. Ces derniers travaillaient dans les cent soixante-six fabriques de cigares qui produisaient maintenant cent millions de pièces par an.

Parmi les visiteurs connus, on citait avec fierté l'ornithologue et peintre français Jean-Jacques Audubon[1]. Il avait séjourné à Key West en 1831, pour peindre ou dessiner les oiseaux. Maintenant on rencontrait parfois Thomas Edison, inventeur du téléphone, et son ami George Eastman, le fabricant de plaques au gélino-bromure pour appareils photographiques.

Le décor naturel parut familier à Pacal et à Lewis. L'île pouvait passer pour jardin tropical offrant la même flore que celle des Bahamas. Cocotiers, palmiers, bougainvillées, tamariniers, manguiers, goyaviers, poivriers, yuccas décoraient la ville aux rues de terre battue, au long desquelles se dressaient, sans souci d'alignement, des maisons de bois. Sur Green Street, principale artère, les bars abondaient où l'on buvait du rhum, de la tequila et d'étranges mélanges alcoolisés. La plus belle maison de la ville, construite en 1851 par un riche armateur américain, constituait un bon exemple du style colonial importé de New Orleans. Faite de pierre blanche, ceinte d'une véranda avec balustre en fer forgé, elle retint l'attention des visiteurs. Quand soufflait le vent d'ouest, porteur de myriades de moustiques nés dans les marais des Everglades, une poussière ocre, enlevée aux chaussées, saupoudrait la ville. Bien que printanier, l'air du matin paraissait brûlant après la fraîcheur relative de la nuit. À l'heure méridienne, Key West faisait la sieste jusqu'à l'ouverture des bars. Les autochtones assuraient que leur île était le seul endroit d'où l'on pouvait voir le soleil jeter son rayon vert avant de plonger dans l'Océan. Pacal, Colson, Cleophas

---

1. 1785-1851. Né sur l'île de Saint-Domingue (Haïti), fils adultérin de Jean Audubon, armateur et planteur, et de Jeanne Rabin, femme de chambre ; élevé en partie en Pennsylvanie, puis dans la région de Nantes ; élève de David, séjourna en Louisiane où il peignit bon nombre des *Oiseaux d'Amérique*, ensemble de 435 planches qui allaient lui assurer une renommée internationale.

et tous les marins du *Centaur* tentèrent vainement, les yeux écarquillés jusqu'au vertige, d'apercevoir la fugace fulgurance que les Seminole tenaient pour promesse du dieu Soleil de revenir au matin réveiller la vie.

– Et si, un jour, le soleil ne revenait pas ? demanda Cleo, superstitieux comme tous les Arawak.

– Nous allumerions toutes les lanternes, plaisanta Colson.

– En peu de temps, la vie sur terre s'éteindrait dans le froid et l'obscurité, et tous nos problèmes humains seraient résolus, commenta Pacal, maussade.

Depuis la révélation de la mort de Viola il restait pensif, sans entrain et recherchait autant l'activité que la solitude.

En quelques semaines, le petit-fils de lord Simon organisa les équipes de plongeurs. Il exigea que tous observent des périodes de repos et se relaient pour préparer les éponges en les piétinant comme le faisaient leurs femmes à Soledad. Les éponges propres, immédiatement exportables, étaient vendues deux fois plus cher aux agents des grossistes. On sut bientôt que les éponges pêchées par les Bahamiens de la Soledad Sponge Company étaient les meilleures, comme l'écaille de tortue sans défaut fournie par cette même entreprise.

Par courrier, sans savoir le temps que ses lettres mettraient pour parvenir à Soledad, via Jacksonville, Charleston et Nassau, le jeune homme rendait compte à son grand-père. Dans son dernier envoi, il ne laissait pas prévoir son retour avant l'été.

Car Pacal ne paraissait guère pressé de rentrer à Soledad. Chaque jour, il trouvait un dossier à régler, un site à visiter, la nécessité de rencontrer des hommes d'affaires qui, espérant de nouvelles liaisons maritimes avec les États du nord, envisageaient la construction d'hôtels.

Depuis que les citadins de New York, de Philadelphie ou de Washington avaient découvert les agréments des doux hivers de Floride, l'ancienne colonie espagnole s'ouvrait au tourisme. Les hivernants arrivaient de plus en plus nombreux par le *Vestibuled Through Train*[1] de l'Atlantic Coast Line, qui les transportait en wagon-lits, en trente-neuf heures, de New York à Saint Augustine, sur la côte atlantique de la Floride, pour la somme de trente-sept dollars et quinze cents.

Quand vint le moment de quitter Key West, Pacal manifesta l'intention de faire une excursion dans les Everglades, zone marécageuse sauvage du sud de la Floride, près du lac Okeechobee. Lewis Colson montra quelque impatience parce que des orages tropicaux annonçaient, en ce début d'été, des ouragans précoces. Il était temps, d'après le marin, de naviguer vers Soledad si l'on voulait éviter des risques majeurs. Mais comme le vieux capitaine portait au fils de Charles Desteyrac une affection paternelle, il se laissa fléchir et, au lieu de prendre la route au nord-est, vers l'archipel des Bahamas, le *Centaur* remonta la côte de Floride jusqu'à un petit port au nom indien, Miami.

À cinquante kilomètres du rivage, au cours d'un trajet en charrette sur chemins et levées défoncés par des pluies récentes, les Bahamiens eurent le sentiment de visiter un lieu resté vierge depuis le commencement du monde. Dans le dédale des eaux stagnantes, parcourues de courants musards, entre palétuviers, cyprès et yuccas, que leur cocher nomma « baïonnettes espagnoles », ils virent des alligators somnolents, des colonies de flamants, des ibis argentés, des pélicans goîtreux et cent espèces d'oiseaux. Ils croisèrent un puma qui chassait le daim et furent impressionnés par le nombre et la taille des serpents qui ondulaient sous les jacinthes d'eau. En regagnant le *Centaur*, Pacal et Colson

---

1. Composé uniquement de wagons dits *Pullman Vestibule Cars*, ce train offrait aux voyageurs le plus grand confort : wagon-restaurant, wagons-lits, wagon d'observation, bibliothèque, fumoir, bains, salon de coiffure. Des domestiques et un sténographe étaient au service des passagers. Un train du même type reliait, en vingt-quatre heures, New York à Chicago, pour vingt-huit dollars.

estimèrent que, parmi les spécimens de cette faune inapprivoisable, occupés à s'entretuer, seuls les grands papillons, zébrés ou multicolores, paraissaient aimables et innocents.

– Puisque nous sommes si près de Saint Augustine, nous pourrions y faire escale, suggéra Pacal au commandant.

Lewis Colson désigna le ciel, depuis deux jours chargé de nuages boursouflés venant de l'est, mais il se résigna à satisfaire ce nouveau souhait de son passager. Longeant vers le nord la côte de Floride, le *Centaur* jeta l'ancre, deux jours plus tard, dans la baie du Matanzas.

Saint Augustine, petite ville de quatre mille habitants, située sur une presqu'île, entre les fleuves Matanzas et San Sebastian, passait pour la plus ancienne ville des États-Unis. C'est dans ces parages que Ponce de León avait abordé le Nouveau Monde en 1519, et la cité conservait de vieilles maisons espagnoles avec balcons de fer forgé et patios. Elle ne possédait en revanche qu'un seul hôtel sans confort, le San Marco, mais les autorités locales donnèrent à entendre aux visiteurs britanniques qu'on devrait bientôt en construire d'autres pour accueillir les touristes. Inspiré par le sens grand-paternel des affaires, Pacal acquit à vil prix des terrains qu'il pourrait vendre, plus tard, aux bâtisseurs s'il s'en présentait.

Ce qu'espérait secrètement le fils de Charles Desteyrac arriva. À peine le *Centaur* avait-il appareillé pour faire route au sud-est, vers les Bimini Islands et, de là, vers les Berry Islands et New Providence avant de rejoindre Soledad, que Lewis Colson commanda un demi-tour pour revenir à Saint Augustine.

À soixante-huit ans, l'officier, qui naviguait depuis l'adolescence, connaissait les signes sibyllins que les nuées, les vents et l'Océan adressent aux disciples d'Ulysse pour les inviter à mettre leur navire à l'abri des colères de Neptune. Sous un ciel où couraient d'est en ouest des troupes de

nuages, du blanc cotonneux au gris anthracite, les bourrasques soudaines et les ondées violentes constituaient
l'avant-garde d'un ouragan né, comme tous, sur les côtes de
l'Afrique équatoriale, dans l'archipel du Cap-Vert.

– On sait, depuis les Phéniciens, que Poséidon peut
pétrifier les navires désobéissants, dit le marin mi-sérieux,
mi-plaisant.

Une crique abritée, entre la côte floridienne et l'île Anastasia, qui fermait la baie du Matanzas, accueillit la goélette
qui y trouva, toutes voiles ferlées, ancres solidement établies,
ce que Colson nomma un reposoir. Pacal approuva la décision du commandant alors que, sur la côte, les palmiers
ébouriffés ployaient comme des arcs et que, de temps à
autre, s'envolait une toiture de palmes d'une maison de
pêcheurs.

Les jours d'attente durèrent des semaines, les cyclones
succédant aux tempêtes et les journaux américains livrés à
Saint Augustine faisant état de dégâts considérables dans les
Carolines. Pour meubler les loisirs imposés, Colson enseigna
à son passager les rudiments du métier de marin. Pacal
apprit à se servir du sextant, à tracer une route sur la carte,
à calculer la dérive d'un bateau, à interpréter le lof, à lire les
pavillons internationaux et, aussi, d'utiles finasseries de loup
de mer, ignorées des instructions nautiques.

Fin décembre, Éole et Neptune ayant épuisé leurs forces,
Lewis Colson donna le signal du départ.

– Il était temps, car je craignais des désertions, confia-
t-il à Pacal.

Les marins qui, par bordées, se rendaient à terre, avaient
noué, au cours des mois, de tendres relations avec de belles
octavonnes, sang noir mêlé de sang espagnol, dont tous
vantaient la beauté, la douceur et les brûlantes ardeurs.

Malgré la mauvaise volonté de vents capricieux, le retour vers Soledad fut paisible. En débarquant au port oriental, deux jours avant Noël, Lewis Colson se déclara soulagé.

Pacal, lui, ne l'était pas. Il savait qu'il allait devoir affronter son père, à qui lord Simon avait dû montrer la coupure du journal de Pittsburgh révélant le meurtre commis par Lowell, la mort de Viola et la raison de ce drame. Même si son grand-père avait préparé tous les inté-ressés et si des mois s'étaient écoulés depuis l'annonce de l'événement, il pouvait craindre des remontrances.

Charles Desteyrac accueillit son fils avec la tendresse virile qui, toujours, prévalait dans leurs rapports. La journée étant consacrée aux retrouvailles, aucune allusion ne fut faite, ce jour-là, au drame de Pittsburgh.

Le lendemain soir, se retrouvant seul avec son père, après le dîner, sur la galerie de Malcolm House, le jeune homme s'attendait à ce que M. Desteyrac abordât enfin le sujet scabreux.

– Tu es resté absent plus de huit mois. Longue absence, commença Charles, mettant un vague sous-entendu dans cette constatation.

– Longue absence mais il n'est pas trop tard, père, pour que nous parlions de ce qui s'est passé à Pittsburgh en mars. Je ne veux pas me dérober, dit Pacal, prenant les devants.

– Sache d'abord que je ne te tiens pas rigueur de ta passade avec Viola. Une femme malheureuse, un garçon en quête d'amour, rien n'est plus banalement humain. Quant au crime de Bob Lowell, j'y vois une cruelle conséquence de la guerre civile. Le fait de perdre ses mains transforme un homme. Sans cette double amputation, même en apparence vaillamment assumée, Bob n'eût sans doute pas épousé Viola et cette dernière n'eût pas cherché ailleurs la caresse de mains plus humaines, dit Charles.

– Elle disait des « mains vivantes », précisa Pacal.

– Tu dois tirer leçon de cette tragédie. Des liens malsains

unissent parfois l'amour et la mort. On le sait depuis Tristant et Iseult, conclut Charles.

– Grand-père vous a donc montré l'article du journal ?

– Il n'a pas eu à le faire car, rentrant de Nassau alors que tu étais déjà en mer, j'ai trouvé dans mon courrier la même coupure, dont je pense qu'elle a été envoyée par la mère de Bob. Cette puritaine n'a jamais admis que son fils, même infirme, épousât une Indienne.

– Comment Alida a-t-elle pris la mort de sa sœur ?

– Avec chagrin et larmes, bien sûr, mais aussi avec cette soumission au destin propre aux Arawak. Elle qui avait déconseillé à Viola d'épouser Lowell et d'aller vivre à Boston, « chez les gens qui n'aiment pas les Indiens », nous a dit : « On ne doit pas sortir de sa race. » Elle a trouvé une bizarre consolation en apprenant, au village des Arawak, qu'une *queen of the night* avait enfin ouvert, une nuit, sa grande corolle blanche sur la sépulture provisoire de Maoti-Mata. C'était le signe attendu, prouvant que l'esprit épuré et satisfait de son grand-père, le vieux cacique, a maintenant rejoint les jardins éternels, derrière le soleil. Alida a vu dans cette concomitance le pardon, accordé par les dieux à sa défunte sœur. On a donc organisé la seconde et définitive inhumation du cacique, à laquelle j'ai assisté avec lord Simon. Maintenant, raconte-moi ce que tu as fait en Floride ?

Pacal, comprenant que son père l'invitait à oublier le drame de Pittsburgh, s'étendit longuement sur les activités des Bahamiens à Key West et détailla ses excursions floridiennes.

Pour mettre son beau-fils à l'aise, Ottilia, prétextant l'arrivée à Malcom House de Gladys Hamer, avait mis Alida au service des Maitland, logés à Exile House. Avec Pacal, elle se garda de la moindre allusion à l'affaire.

Quant à lord Simon, il félicita son petit-fils pour la pleine réussite de sa mission en Floride et se montra fort intéressé par les perspectives d'investissement que laissait entrevoir le développement du tourisme. Pacal lui ayant rapporté la brève conversation qu'il avait eue avec son père au sujet de la mort de Viola, le vieillard l'interrompit d'un geste.

– Le dossier Lowell est clos. Nous n'en parlerons plus jamais, dit-il simplement.

Les ouragans de l'été, bien qu'ils n'eussent fait cette année-là que frôler Soledad, avaient contraint Desteyrac et Fouquet à différer l'achèvement du phare de Buena Vista. Les caisses contenant coupole et optique n'avaient pas encore quitté l'entrepôt du port occidental. Elles ne seraient transportées à Buena Vista qu'au printemps 1881, quand aurait été construit le palan imaginé par les deux ingénieurs pour hisser les pièces de la coupole et les précieuses lentilles au sommet de la tour. Les ouragans n'avaient eu aucune prise sur ce donjon de pierre, maintenant inscrit dans le paysage de l'île et qui serait annelé de bandes alternées, blanches et rouges, comme le phare de Bird Rock. Le beau temps revenu, les peintres s'étaient mis au travail. Bien que lord Simon s'impatientât, le feu rotatif n'entrerait pas en service avant de longs mois.

Lors des réjouissances de fin d'année, à Cornfield Manor, lady Lamia, secondée par sa nièce, Otti, tint le rôle d'hôtesse. Aux Maitland, Russell, Weston Clarke, à Lewis Colson, Philip Rodney, David Kermor, Albert Fouquet et au père Taval se joignirent pour la première fois les nouveaux membres de la flotte Cornfield, le lieutenant Andrew Cunnings, second du *Phoenix II*, le second lieutenant mécanicien Gil Artwood et l'écrivain de marine Joseph

Balmer, successeur du défunt Michael Hocker. Après le
dîner de gala, lord Simon, qui avait renoncé à la danse,
demanda à son petit-fils d'ouvrir le bal à sa place avec la
cavalière de son choix. Comme il se devait, Pacal invita
lady Lamia, doyenne de l'assemblée. Il l'enleva avec tant de
fougue qu'elle poussa un cri de surprise.

– Ce que tu es fort ! Sais-tu que mes pieds ne touchent
pas le parquet ? dit-elle en riant.

Lamia, que l'âge desséchait, n'épargnant que son opulente
toison bouclée, toujours incoiffable, se révéla si légère dans
les bras du danseur qu'elle se trouvait portée plutôt que
conduite.

– Ton père valsait mieux que toi. Je devrais dire valse
mieux, rectifia-t-elle en désignant, d'un signe de tête, Ottilia
et Charles qui tournoyaient avec plus d'aisance et d'élégance
que tous les autres couples.

– Otti ne peut faire oublier ta mère bien sûr, mais elle
aime ton père plus qu'aucune femme ne peut aimer un
homme, dit Lamia.

– Elle a eu l'intelligence de ne pas jouer les mères de
remplacement. Elle est pour moi la grande amie incomparable et je crois qu'elle partage avec mon père un bonheur
paisible et sûr, dit Pacal.

La danse achevée, il accompagna Lamia jusqu'à un
canapé, alla quérir au buffet deux coupes de champagne et,
quand Pibia fit tinter le gong pour annoncer minuit et l'avènement de l'an neuf, ils échangèrent baisers et vœux.

– Je souhaite que tu trouves une épouse digne d'un
Cornfield et d'un Desteyrac, qui sont gens de la même noble
trempe, dit-elle.

– Moi, je souhaite vous garder longtemps, telle que vous
êtes, pour ouvrir avec vous tous les bals que le destin nous
accordera, dit-il.

– Ah ! Je reconnais là ton galant sang français. Aucun

Anglais ne trouverait à dire pareille chose à une vieille femme qui va compter soixante-six ans, dit-elle.

D'un geste tendre, Pacal effleura du bout des doigts la crinière argentée de sa marraine.

— M'as-tu assez tiré les cheveux quand tu étais enfant, soupira-t-elle, mélancolique.

— Vos cheveux me fascinaient. Grand-père disait : « C'est coiffure de sorcière », alors que c'est toison de fée, dit Pacal en s'inclinant.

Comme il s'éloignait pour répondre à un appel discret de lord Simon, Fish Lady le retint.

— N'as-tu pas remarqué l'absence d'Anacona ?

— Si, bien sûr. Elle n'a pas de vacances de fin d'année ?

— Tu ne lui as pas écrit depuis longtemps, insista Lamia.

— Deux ou trois fois pendant notre voyage en Europe, pour lui envoyer des timbres postaux qu'elle collectionne. Mais je n'y ai plus pensé depuis des mois. S'en est-elle plainte ?

— Elle vient d'entrer en religion. Elle ne reviendra pas à Soledad. Les religieuses bénédictines de son collège de Nassau l'ont envoyée dans un couvent, au Québec. Elle veut se faire sœur de charité et retourner à Cuba, pour s'occuper des orphelins dont les Espagnols ont tué et tuent encore les parents, révéla Fish Lady.

— Les nonnes de Nassau l'ont donc circonvenue ! dit Pacal, rageur.

— Cette petite était amoureuse de toi. Et comme elle savait qu'elle ne pouvait rien espérer, elle a choisi le noviciat et le voile. Certaines femmes sont d'un seul amour, même inavoué, Pacal.

— Dois-je considérer qu'Anacona, après Viola, est ma deuxième victime ? osa-t-il, sachant Lamia informée de l'affaire de Pittsburgh.

— Ne dis pas de bêtises. Les femmes qui ne dominent pas

leurs sens, ou vivent d'illusions, n'ont que ce qu'elles méritent. Va me chercher une autre coupe de champagne, répliqua Fish Lady, avec une caresse de ses longs doigts secs sur la joue de son filleul.

En février 1881, on vit entrer, dans le port de Nassau, le *Western Texas* d'où débarquèrent une centaine de touristes américains de mauvaise humeur et un peu pâles pour avoir, sur une mer agitée, souffert du mal de mer. Depuis quelques semaines, les paquebots côtoyaient de nombreux yachts, en escale aux Bahamas. Parmi ces beaux bateaux de plaisance, l'*America* captait tous les regards.

Trente ans plus tôt, le 21 juin 1851, à l'occasion de l'Exposition universelle de Londres, cette goélette franche, de cent deux pieds de long, gréée de deux mâts, penchés vers l'arrière – le plus grand mesurait quatre-vingt-seize pieds –, avait battu, au cours d'une régate historique de soixante milles autour de l'île de Wight, quatorze yachts de course anglais.

Pour la première fois, des Américains, membres du New York Yacht Club – le commodore John Cox Stevens, riche armateur sportif, introducteur du cricket aux États-Unis, l'architecte naval James Steers et le skipper Dick Brown –, avaient osé défier les lévriers des mers du Royal Yacht Squadron de Cowes. Humiliation suprême, la régate s'était disputée, dans les eaux britanniques, en présence de la reine Victoria et du prince de Galles !

Ayant remporté la Coupe de Cent Guinées, offerte par le Royal Yacht Squadron, et une aiguière d'argent massif, pesant huit livres, don de la souveraine, ce voilier restait une fierté pour les yachtmen américains mais le symbole d'une défaite amère pour les Anglais, alors persuadés d'être les maîtres incontestés de la navigation de plaisance.

Depuis cette compétition, les membres du Royal Yacht Squadron, en dépit de plusieurs défis sportivement acceptés par les Américains, n'avaient pu rapatrier en Angleterre l'aiguière d'argent, exposée au siège du New York Yacht Club, fondé en 1844.

Parmi les marins et les curieux qui, sur le quai, admiraient la finesse et l'élégance de la coque de l'*America*, certains auraient pu reconnaître, mêlés aux badauds, le commandant Colson, Charles Desteyrac et son fils Pacal, ainsi qu'Albert Fouquet. Ce dernier se préparait à rejoindre Ferdinand de Lesseps, enfin officiellement mandaté pour percer l'isthme de Panama, en projet depuis plusieurs années. Les autres, venus accompagner l'ingénieur, regagneraient Soledad à bord de l'*Apollo*, après un bref séjour à Nassau.

Lewis, toujours attentif au destin des bateaux, fit à ses compagnons le récit de la vie mouvementée de la glorieuse *America*.

– Après sa victoire de 1851, la goélette fut reçue à New York comme une héroïne, bien que lui manquât l'aigle américain en bois sculpté qui ornait le tableau arrière du voilier. On accusa aussitôt un admirateur anglais d'avoir dérobé cet emblème, lors d'une escale de l'*America* à Londres[1].

– Sorte d'hommage, dit Charles.

– Cet exploit nautique agaça si fort mes compatriotes britanniques que l'un d'eux alla jusqu'à prétendre : « Si l'*America* a été si rapide c'est parce qu'elle possède, caché sous la poupe, un moteur à hélice », rapporta Colson en riant.

Pendant qu'il parlait, des agents de police avaient établi

---

1. D'après les auteurs de *les Yachts de course*, éditions Time-Life, 1980, cet emblème fut retrouvé par des membres du Royal Yacht Squadron, des années plus tard, à Cowes, où il servait d'enseigne à un pub. En 1912, le Royal Yacht Squadron se résigna à le restituer au New York Yacht Club.

un cordon devant le yacht américain. Comme Charles s'étonnait de ce déploiement de force, Lewis Colson le tira à l'écart pour ne pas être entendu des badauds.

– Les autorités craignent sans doute des incidents, car le propriétaire du yacht se trouve à bord et bon nombre d'anciens planteurs sudistes, maintenant installés aux Bahamas, ne le portent pas dans leur cœur. C'est le général Benjamin Franklin Butler, que les Louisianais appellent toujours le Boucher de New Orleans. Il est vrai qu'il pilla les plantations, fit fondre les cloches des églises et humilia les ladies.

– J'aurais plutôt cru l'*America* au service des Nordistes, observa Charles.

– Au cours de la guerre de Sécession, le voilier fut successivement au service des deux camps. Après le triomphe de 1851, l'*America* eut, pendant une dizaine d'années, plusieurs propriétaires, et quand éclata, en 1861, le conflit entre le Nord et le Sud des États-Unis, le bateau fut convoyé de New York en Georgie par un ancien officier de la Royal Navy, Henri Decie, sympathisant de la cause sudiste. Ce marin fut aussitôt chargé par le gouvernement confédéré de transporter des agents secrets en Europe, des acheteurs d'armes et de fournitures. Il accomplit ces périlleuses missions, car le voilier devait franchir le blocus des ports sudistes, sous pavillon du Royal Victoria Yacht Club sans que l'on sût s'il s'agissait de l'usurpation d'un guidon de plaisance où si l'Amirauté britannique feignait d'ignorer un trafic qu'interdisait la déclaration de neutralité affirmée par la reine Victoria et son gouvernement.

– Nous savons aujourd'hui à quoi nous en tenir sur ce que fut cette neutralité, dit Desteyrac.

Négligeant l'interruption, Lewis reprit son exposé.

– Les traversées de l'*America* se poursuivirent, jusqu'au jour où, le voilier risquant d'être intercepté par la flotte nordiste, son capitaine décida de le saborder au cours d'une escale en Floride. Saisi par les soldats de l'Union, il fut restauré, remis à flot, pourvu d'un équipage de l'US Navy et devint chasseur de *blockade runners* ! La guerre terminée, il fut un temps bateau-école à Boston avant d'être, en 1876, acquis par le général Benjamin Franklin Butler. Ancien membre du Congrès dans le parti républicain, cet officier général, à qui Ulysses Grant ôta son commandement pour indiscipline, est présentement candidat au poste de gouverneur du Massachusetts. Telle est la carrière de l'*America*[1], acheva Colson.

Au cours de la journée, Albert Fouquet s'éclipsa pour aller prendre congé des sœurs Russell, à qui il avait souvent rendu visite pendant son séjour de plus d'un an aux Bahamas. Il rejoignit ses amis pour le dîner d'adieu, prévu au Royal Victoria Hotel. S'il se montra impatient d'embarquer pour Panama, via Cuba, sur un navire américain transportant du matériel nécessaire aux travaux du canal, il ne cacha pas à Charles qu'il regretterait les jeux amoureux pratiqués avec les jumelles. Prenant son ami à part, il lui fit la plus étrange confidence.

– Tu n'imagines pas ce que Madge et Emphie m'ont proposé. Je ne crois pas qu'un homme, à ce jour, ait reçu pareille offre. Elles m'ont dit, se relayant et se complétant comme toujours : « Épousez l'une d'entre nous, tirée au sort, si vous voulez. Comme ça, nous pourrons vivre tous les trois ensemble, sans rien changer à nos habitudes, mais sans que

---

1. Cette carrière n'était cependant pas terminée puisque, en 1921, le voilier, qui avait rapporté à l'Amérique la coupe à laquelle son nom est encore de nos jours attaché, fut sauvé par un groupe de yachtmen et confié comme pièce de musée à la Naval Academy d'Annapolis. Le hangar qui l'abritait s'étant effondré en 1942, lors d'une tempête de neige, le bateau fut débité en planches. Certains yachtmen américains conservent, telles des reliques, des membrures de cette coque fameuse.

quiconque – même pas nos parents – puisse y trouver à redire. Des époux et une belle-sœur sous le même toit, ce n'est pas indécent. » Hein ! qu'en penses-tu ?

– Je pense que nous avons là une sorte de polygamie gémellaire des plus prometteuse. Mais, qu'as-tu répondu ?

– Je suis très tenté d'accepter. Ces femmes et le pays me plaisent. Je vais avoir cinquante ans et, après le chantier de Panama, l'heure de la retraite sonnera. Il serait temps que je me range. Ne crois-tu pas ?

– Te ranger ? Le mot semble convenir ! dit Charles en s'esclaffant.

3.

L'achèvement du phare de Buena Vista, plusieurs fois interrompu par des intempéries, occupa toute l'année 1881. Après le départ d'Albert Fouquet pour Panama, Pacal dut assister son père dans les délicats travaux de mise en place, au sommet de la tour, de l'armature métallique de la lanterne garnie d'épaisses glaces. Coiffé d'une coupole de cuivre, cet ensemble abriterait l'optique d'Augustin Fresnel et la source lumineuse alimentée par des brûleurs à acétylène.

Le jeune homme put, à cette occasion, prouver que l'enseignement reçu au Massachusetts Institute of Technology portait ses fruits. Pour hisser les éléments de la coupole, le mécanisme de rotation de la lampe à huit panneaux dioptriques et le générateur d'acétylène, Charles Desteyrac utilisa un palan de marine à deux poulies, muni d'un engrenage démultiplicateur. Fixé à une poutre, au faîte de la tour, cet engin devait permettre aux ouvriers manœuvrant le cordage, que les marins nommaient garant, de lever, sans grands efforts, tous les éléments constitutifs du phare.

L'assemblage prit des semaines et les Desteyrac, père et fils, y passèrent leurs journées, heureux de travailler ensemble. Le soir, ils arrivaient exténués chez lady Lamia qui, souvent, les hébergeait. Après avoir gravi vingt ou trente fois dans la journée l'escalier intérieur du phare, dont les marches rayonnantes n'étaient provisoirement fixées qu'à la seule paroi intérieure de la tour afin de laisser libre la cage par où montaient matériel et outils, les deux hommes ne souhaitaient que se détendre et prendre du repos. Près de Fish Lady, ils retrouvaient Ottilia, toujours soucieuse de leur bien-être. Dans la journée, la fille du lord tenait une infirmerie improvisée pour les ouvriers du chantier, marins empruntés aux équipages et manœuvres indigènes. Elle pansait avec plus de gentillesse que d'habileté mains meurtries, coupures, égratignures et ecchymoses. Après un dîner roboratif, préparé par Ma Mae, les soirées se passaient en conversations au cours desquelles on commentait les nouvelles publiées par les journaux livrés chaque semaine par le bateau-poste.

C'est ainsi que, fin avril, tous prirent connaissance du dernier recensement bahamien. L'archipel comptait quarante-trois mille cinq cent vingt et un habitants, dont la plupart vivaient à New Providence, Grand Bahama, Eleuthera et Cat Island. *The Nassau Guardian*, qui publiait ces chiffres, révélait avec retard l'assassinat, le 13 mars 1881, à Saint-Pétersbourg, du tsar Alexandre II, en même temps que le procès et l'exécution de ses assassins nihilistes. Quatre hommes et une femme avaient été pendus le 16 avril. Une autre femme, âgée de vingt-six ans, elle aussi condamnée à mort mais se trouvant enceinte, ne serait « exécutée qu'après sa délivrance », précisait le journal. Cette phrase suscita l'indignation de tous.

– Quelle vie aura l'orphelin ? lança Otti.

– Si je n'étais pas si vieille, je l'adopterais, dit Lamia.

Quelques mois après que le souverain le plus autoritaire eut été tué par une bombe, le président de la plus démocratique des républiques tomba sous l'arme d'un solliciteur éconduit. James Abraham Garfield, qui avait inauguré, le 4 mars, son mandat de vingtième président des États-Unis, attendait, le 2 juillet 1881, à la gare de Long Branch, station balnéaire huppée du New Jersey, le moment de monter dans le train pour Washington, quand un homme lui avait tiré deux coups de pistolet dans le dos. Transporté à Elberon, au Franklyn Cottage, il était encore aux mains des médecins, dont le pronostic semblait réservé, une balle s'étant logée dans la colonne vertébrale[1]. Le meurtrier, Charles J. Guiteau[2], expliqua que le président avait refusé de lui attribuer le poste qu'il sollicitait dans l'administration fédérale.

Pacal, qui, ce soir-là, avait donné lecture de l'événement, le commenta en connaisseur des mœurs politiques américaines.

– Le geste de cet assassin est sans doute imputable à ce qu'on appelle aux États-Unis le *Spoil System*, c'est-à-dire le droit au parti qui vient de gagner une élection d'octroyer des places dans l'Administration à ses militants et amis. L'électeur qui a tiré sur Garfield espérait peut-être un geste de reconnaissance du parti républicain, précisa Pacal.

– On a attribué à Andrew Jackson cette prérogative, pour un président élu, de mettre en place dans l'Administration ses partisans dévoués. Au lendemain de sa prise de fonctions, en 1829, il avait licencié deux mille fonctionnaires pour les remplacer par des hommes à lui, précisa Charles.

– Bien avant Andrew Jackson, le président Thomas Jefferson avait inauguré un système qui n'avait pas encore de nom. Dès son élection, en 1801, il commença par annuler toutes les nominations faites au cours des derniers mois par son prédécesseur, John Adams, avant de remplacer bon nombre de fonctionnaires déjà en place. Pour se débarrasser des vingt-deux magistrats inamovibles, titulaires de postes judicaires créés par Adams, Jefferson réussit un coup de maître. Les magistrats ne pouvant être congédiés, il fit supprimer leur fonction par le Congrès. C'est ce que j'ai lu

---

1. Le président Garfield mourut à Elberon, le 19 septembre de la même année, victime d'une septicémie, complication de ses blessures.
2. Condamné à mort le 22 janvier 1882, il fut exécuté le 30 juin.

dans la biographie de Thomas Jefferson[1] empruntée à la bibliothèque de grand-père, précisa Pacal.

Tout en surveillant les derniers aménagements du phare, Charles Desteyrac avait recruté le personnel chargé de faire, chaque nuit, fonctionner le feu, d'assurer le nettoyage quotidien de l'optique, de fabriquer l'acétylène, combustible gazeux produisant une flamme très éclairante qui, sur les conseils d'Albert Fouquet, avait été préféré à l'huile de colza et au pétrole.

On obtenait l'acétylène, sur place, en faisant tomber goutte-à-goutte de l'eau douce sur du carbure de calcium placé au fond d'une petite cuve. La réaction chimique produisait instantanément le fluide inflammable, qu'une fine canalisation conduisait jusqu'aux brûleurs de la lampe. Un contrat avait été passé avec un fabricant américain de carbure, qui assurerait un approvisionnement régulier. Afin qu'on ne courût pas le risque d'une livraison retardée par l'état de la mer, qui aurait pour conséquences l'extinction du phare, Charles avait déjà constitué un stock de carbure.

Peter Guest, quartier-maître mécanicien las de naviguer s'était, depuis longtemps, porté volontaire pour assurer le gardiennage et l'entretien du phare. Agréé par l'Imperial Lighthouse Service, ce vieux marin, qui venait d'épouser une métis – « pour tenir mon ménage », avouait-il –, avait la confiance de Lewis Colson. Chaque soir, au coucher du soleil, Peter Guest allumerait le feu et se tiendrait dans la lanterne jusqu'au lever du jour, pour veiller au bon fonctionnement de la lampe. Il devrait aussi remonter, toutes les trois heures, au moyen d'une manivelle, le poids de fonte pendu

---

1. Cornelis de Witt, *Thomas Jefferson*, librairie académique Didier et Cie, Paris, 1871.

à un câble enroulé sur une poulie à cliquet. Ce système, semblable à celui qui assure le fonctionnement des anciennes horloges, commanderait la rotation de l'optique fixée sur une plateforme mobile.

– Vous devrez user beaucoup de graisse pour le chariot à galets, afin que le mouvement de l'ensemble soit régulier, le faisceau lumineux devant parcourir trois cent soixante degrés en une minute, comme indiqué à l'Imperial Lighthouse Service. Ce rythme, réglé par l'étalonnage du poids, dira aux marins que la vive lumière aperçue à une quinzaine de milles est celle du phare du Cabo del Diablo, sur l'îlot de Buena Vista, et non celle d'un autre phare. Car notre feu rotatif va figurer dans les instructions nautiques internationales, expliqua Charles.

Lord Simon avait exigé que les assistants du gardien fussent recrutés parmi les Arawak, à qui l'on apprendrait la fabrication de l'acétylène, le fonctionnement et la maintenance du feu. « Il est bon que nos Indiens participent aujourd'hui à la protection des navires, comme autrefois leurs ancêtres participaient à leur pillage », avait dit Cornfield. Charles recruta donc deux petits-fils de Sima, débrouillards et travailleurs, anciens élèves du pasteur Russell, qui seraient logés dans une dépendance du bungalow construit au pied du phare, où le gardien chef et son épouse disposeraient d'un logement confortable.

Les premiers essais obligèrent à de nombreux réglages et permirent de prévenir un risque insoupçonné d'incendie. Pacal fut le premier à constater qu'en plein jour, alors que le feu du phare était éteint, les rayons du soleil passant à travers les énormes lentilles concentriques de Fresnel pouvaient, à distance, enflammer les buissons ! Charles fit aussitôt confectionner, dans de la toile à voile, une housse dont l'optique fut coiffée pendant le jour.

Dès les premières tempêtes d'automne, Desteyrac et son fils montèrent rejoindre le gardien dans la lanterne. Les sifflements rageurs du vent, prêt à s'introduire par le moindre interstice, et les rafales de pluie qui giflaient les glaces de la coupole impressionnèrent les deux hommes, même si la tour opposait aux éléments une massivité rassurante. Peter Guest qui, au cours de ses années de mer, avait connu sur les baleiniers, parfois dans un nid de pie balancé au bout d'un mât et dépourvu de toute protection, bien des moments plus dangereux, se déclara aussi à l'aise qu'un amiral sur la passerelle d'un croiseur.

Vint le jour de décembre où Pacal put enfin annoncer à son grand-père, duquel il s'était un peu éloigné pendant les travaux, qu'on pouvait prévenir le représentant de l'Imperial Lighthouse Service dans les West Indies que le phare du Cabo del Diablo allait entrer en service régulier.

— Le temps que ce fonctionnaire de l'Amirauté, en résidence à la Jamaïque, soit atteint par notre message et arrive ici, mieux vaut ne pas prévoir avant février 1882 la cérémonie d'inauguration, que je veux parfaite. Je dois aussi convier le gouverneur et les membres de la *General Assembly*, dit lord Simon.

Jusqu'à ce jour, agacé par la durée de travaux dont il n'avait évalué ni l'importance ni la difficulté, Simon Leonard Cornfield avait fait mine de se désintéresser du phare en cours de construction sur l'îlot de sa sœur. On ne l'avait pas vu depuis plus d'un an sur le chantier et, quand il demandait à Charles Desteyrac : « Où en est votre phare ? », en insistant sur le possessif, c'était manière de dissimuler son impatience sous une question de pure courtoisie.

Dès qu'informé de l'achèvement d'une installation projetée depuis près de dix ans et dont la réalisation avait pris cinq années, lord Simon voulut se rendre à Buena Vista. Pacal fit atteler la calèche, car le vieil homme ne montait plus à cheval, et c'est au grand trot que tous deux prirent la route du sud. Charles s'attendait à cette visite et ne fut pas étonné de voir le lord gravir, en soufflant comme un bœuf et en marquant un arrêt toutes les cinq marches, l'escalier du phare. Arrivé dans la lanterne, le visiteur accepta le siège aussitôt proposé par le gardien, Peter Guest.

Quand on lui eut expliqué le fonctionnement de la lampe, dont les grandes lentilles à échelons concentriques brillaient comme des disques de cristal, le vieillard ne cacha pas sa satisfaction. Prenant les deux mains de Charles dans les siennes, il remercia l'ingénieur d'une voix émue.

– Tous les phares ont un nom. On ne va tout de même pas l'appeler le phare del Diablo... ça ferait trop plaisir à ma sorcière de sœur ! Comment allons-nous le nommer ? Hein, mes amis, avez-vous une idée ? demanda-t-il, du ton de celui qui a une proposition à formuler.

– Je voudrais que vous lui donniez le nom de ma mère, Ounca Lou Lighthouse. Ne serait-ce pas un beau nom, imprimé sur les cartes marines ? proposa Pacal sans attendre.

– Ah, mon garçon, c'est exactement à elle que je pensais. Lui dédier cette lumière me paraît juste, dit Cornfield, se tournant vers son gendre pour quêter un avis.

– Pacal et moi avions décidé ensemble de vous proposer le nom d'Ounca, confirma Charles.

Le 15 février 1882, l'inauguration du phare devait rester un jour marquant dans l'histoire de Soledad. Reçus d'abord à Cornfield Manor, les invités furent transportés au sud de l'île par le chemin de fer dont les wagons-plates-formes, habituellement affectés au transport des marchandises, avaient été pourvus de sièges capitonnés et de dais de toile. Tous franchirent, à pied, le pont de Buena Vista, repeint spécialement pour l'occasion en bleu azur. Les plus âgés se souvinrent qu'ils l'avaient inauguré en octobre 1856, ainsi qu'en attestait une inscription. Une plaque rappelait aussi qu'en ce lieu, lors du grand ouragan de 1866, Ounca Lou Desteyrac, Eliza Colson et le major Edward Carver avaient rencontré la mort.

Autour de lord Simon en habit – il portait en écharpe le *Royal Blue*, ruban bleu du très noble ordre de la Jarretière[1] –, l'officier de l'Imperial Lighthouse Service et les membres de la *General Assembly* se réunirent au pied du phare, où lady Lamia avait tenu à les accueillir.

Le représentant du Colonial Office excusa l'absence du nouveau gouverneur. Gallaghan, installé en 1881, était tombé gravement malade après une tournée dans les îles extérieures. Transporté à New York, il venait d'y mourir. Son successeur désigné, Charles Cameron Lees, n'était pas encore arrivé. Lord Simon et les Bahamiens regrettèrent d'autant plus ce retard que le nouveau représentant de Sa Très Gracieuse Majesté dans l'archipel serait le premier gouverneur né aux Bahamas, où son père sir John, avait assuré les fonctions de *Chief Justice*[2] pendant un demi-siècle.

Après l'exposé technique de Charles Desteyrac et l'allocution de l'envoyé de l'Imperial Lighthouse Service – qui crut bon de rappeler que le premier phare avait été construit par l'architecte grec Sostrate de Cnide, à Alexandrie, sous les Ptolémée – lord Simon prit la parole.

Faisant effort pour ne pas perdre un pouce de sa taille, il émit, d'une voix assurée, le souhait que, bientôt, chaque île de l'archipel fût pourvue de feux pour guider les navires et prévenir les naufrages, encore trop fréquents. Le dernier connu, celui du *City of Austria*, au cours d'une navigation entre la Floride et Nassau, datait de quelques mois.

– Chaque jour, le progrès, ce nouveau dieu païen, inspire aux hommes des trouvailles censées faciliter leur vie. Les

---

1. Institué par Édouard III en 1348. La devise de cet ordre de chevalerie anglais est : « Honni soit qui mal y pense. »
2. Ministre de la Justice du gouvernement colonial.

vapeurs traversent l'Atlantique en une semaine ; aux États-Unis, un certain George Selden a fabriqué un véhicule automobile ; les rues de la ville de Wabash, dans l'Indiana, sont éclairées la nuit à l'électricité ; Thomas Edison enregistre dans un cylindre la voix humaine ; le télégraphe électrique permet de communiquer instantanément d'un continent à l'autre ; la photographie conserve les portraits de ceux que nous aimons ; les Suisses percent leurs montagnes pour faire passer les trains ; des navires frigorifiques transportent de la viande de bœuf d'Argentine en Europe et l'on dit que des hommes vont, en France, tenter de réaliser le dangereux rêve d'Icare.

» Où en sommes-nous dans la colonie des Bahamas ? Certes, nous venons d'entrer dans l'Union postale internationale, le téléphone fonctionne à Nassau, entre Government House et le Colonial Office, les liaisons maritimes entre les États-Unis et l'archipel sont régulières, deux bateaux assurent depuis peu la ligne directe Londres-Nassau-Belize ; bientôt nous produirons, nous aussi, de l'électricité comme nous produisons déjà de la glace, du ciment, des cigares, du rhum.

» Mais combien avons-nous construit de phares sur nos dangereux rivages ? Neuf, messieurs, entre 1816 et ce jour, alors que l'archipel compte sept cents îles et îlots. Serions-nous incapables de signaler partout, à ceux qui naviguent, les dangers de nos récifs ? Les Grecs le faisaient avant la naissance du Christ et, au XIIIe siècle, à Londres, nos compatriotes s'engageaient à construire et éclairer des phares pour guider les marins.

» Car nous connaissons tous, ici, l'opposition, parfois brutalement manifestée, de certains insulaires qui entendent perpétuer la peu flatteuse spécialité bahamienne du *wrecking*. Le pillage des épaves... et des naufragés, longtemps admis et même réglementé par les autorités, doit aujourd'hui être considéré comme un crime et puni comme tel. Il y a bien longtemps, en 1717, George Ier, roi d'Angleterre, désigna un gouverneur, Wood Rogers, qui se fixa un but : *Expulsis Piratis. Restitua Commercia.* En deux ans, les pirates furent chassés ou pendus et le commerce rassuré. Comme autrefois nos compatriotes, ayons le courage de chasser les derniers pilleurs d'épaves et ceux qui font commerce de leur butin. Dressons des phares partout où ils sont nécessaires. Ce progrès-là sera l'honneur de notre génération.

Très applaudi, lord Simon fut, plus tard, complimenté pour son discours. Personne ne sut que celui-ci avait été rédigé avec l'aide de Pacal, son petit-fils.

Quand le doyen de la *General Assembly* eut coupé le ruban symbolique, la fanfare de la flotte Cornfield interpréta le *God Save The Queen* et l'on vit l'Union Jack monter au mât planté près du phare.

Alors que personne ne s'y attendait, lord Simon demanda à sa sœur de dévoiler l'inscription gravée dans le granit, près de la porte du phare, et chacun put lire en lettres noires : « Ounca Lou Lighthouse. *Regina Victoria regnante.* 1882 ».

Lady Lamia, en bonne hôtesse – l'îlot de Buena Vista n'était-il pas son domaine ? – avait fait dresser un buffet sur la terrasse de sa maison et c'est de là qu'au crépuscule attendu les invités virent soudain le phare s'éclairer. Le long faisceau lumineux frôlait l'Océan, tirant du moutonnement des vagues, frangées d'écume, un brasillement argenté, avant de disparaître au regard, pour survoler l'île, tel un fantôme assurant sa ronde. Cette lumière mouvante fut acclamée par l'assemblée comme l'est au cirque un trapéziste et le pasteur Russell en profita pour lancer de sa voix de sermon :
– « *Post Tenebras Lux* »

La soirée à Cornfield Manor fournit à lord Simon l'occasion de montrer à tous quelle place tenait désormais dans la société insulaire son petit-fils, futur maître de Soledad. Cela valut au jeune homme, entre autres attentions, celle de Dorothy Weston Clarke, dont les commères susurraient qu'en dépit de l'âge qu'elle cachait – lord Simon lui prêtait la cinquantaine – elle était de plus en plus « folle de son corps ». Ne disait-on pas qu'elle s'était fait envoyer de Londres, par une amie, un « améliorateur de poitrine », sorte de brassière qui remontait les seins, les faisait pommer au-dessus du décolleté, et qu'elle se serrait la taille dans un corset à baleines, dont Pacal connut la raideur quand il invita l'épouse du médecin pour une valse. Laissant à cette femme, parfumée à l'Eau lustrale de Guerlain, l'illusion d'être encore d'une irrésistible séduction, il lui fit compliments de son élégance.

Moins fardée et plus fraîche était Violet, la dernière des cinq filles Russell, cavalière habituelle de Pacal lors des festivités. Restée au foyer de ses parents pour veiller sur sa mère, dont le visage bouffi, les yeux larmoyants et la voix pâteuse trahissaient l'alcoolisme chronique, la jeune fille, dont la grâce sans apprêt cachait une volonté ferme, appréciait la franche et ancienne camaraderie de Pacal. Avec lui, elle parlait librement de ses scandaleuses sœurs de Nassau, Madge et Emphie, de celles de Toronto, Lucile et Mary, mariées à des Canadiens. Pacal était aussi le seul être avec qui elle osait évoquer le vice de sa mère. Ce soir-là, elle lui demanda de conduire, sous un prétexte quelconque, Margaret Russell sur la galerie.

– Je veux la ramener à la maison avant qu'elle ne soit complètement ivre, souffla-t-elle.

– Je l'enlève discrètement et je vous accompagne à votre voiture.

Par un reste de dignité, la femme du pasteur, encore assez lucide pour comprendre qu'on l'évacuait, sut donner le change.

– C'est aimable à vous de me reconduire ; je suis si lasse ce soir que je ressens comme un vertige, dit-elle quand Pacal la hissa dans le boghei.

– Je vais avec vous, décréta-t-il aussitôt en prenant les rênes des mains de Violet.

Le parcours, de Cornfield Manor à la demeure des Russell, ne prit que quelques minutes, délai suffisant pour que Margaret Russell s'endormît, la tête sur l'épaule de sa fille.

– Ne la réveillez pas, dit Pacal après avoir arrêté la voiture.

Sans effort ni façon, il souleva l'inconsciente et la porta dans la maison. Comme Violet le remerciait en lui disant au revoir, il retint sa main.

– Allez mettre votre mère au lit, je vous attends. La fête n'est pas finie, au manoir. Nous y retournons. Vous me devez une valse, dit-il.

– Non, Pacal. Je n'ai pas le cœur à la fête. Et puis, si ma mère se réveille, elle n'aura qu'une idée : trouver à boire. Je crains toujours qu'elle ne fasse une mauvaise chute dans l'escalier, dit-elle avec un sourire résigné.

Le jeune homme s'inclina. Sans insister, il sauta dans le boghei et reprit le chemin du manoir. Au-dessus de l'île, le pinceau de lumière du phare fouillait la nuit sereine. Pacal plaignit Violet, réduite par devoir filial au rôle de garde-malade. Il se promit de renouer avec elle une relation que ses études et les travaux du phare avaient distendue. N'entrait dans cette intention nul désir de flirt – ils se connaissaient depuis trop longtemps pour se comporter autrement qu'en amis d'enfance –, mais la simple ambition d'alléger par quelques distractions le fardeau de Violet.

Sur la galerie de Cornfield Manor, éclairée par les lumières des salons dont toutes les portes-fenêtres étaient ouvertes, il trouva le père Taval se balançant dans un rocking-chair en sirotant un whisky. Après la cérémonie inaugurale du phare, et pour ne pas être en reste avec le pasteur, le prêtre avait voulu monter dans la lanterne pour bénir les flammes salvatrices. Pacal l'avait accompagné dans cette ascension qui, pour un vieil homme corpulent et poussif, lui avait parue risquée.

La musique, le bruit des conversations et des rires débordaient sur la galerie et, du côté des communs, les domestiques, entre deux services, se divertissaient en chantant.

– Belle nuit pour mon vieil ami Simon et pour votre père. Ce phare est un élément bienfaisant du progrès, dit Taval en désignant de son verre le passage du rayon lumineux.

– Mon grand-père a dit, cet après-midi : « Le progrès est un dieu païen », rappela Pacal.

– Le progrès est une manifestation matérielle de la bonté du Dieu unique. C'est Lui qui inspire les hommes et leur permet de réaliser de grandes choses. Je viens d'en avoir une preuve cet après-midi. Savez-vous que lord Simon et votre père ont adopté mon idée d'un réservoir au mont de la Chèvre, où j'ai deux bonnes sources intarissables. Par gravité, l'eau pourra être distribuée dans le Cornfieldshire quand Monsieur l'Ingénieur aura établi un nouveau réseau de canalisations.

– Autre manifestation bénéfique du dieu Progrès, concéda Pacal, goguenard.

Songeur, il regagna la salle de bal : la construction du réservoir au mont de la Chèvre et la distribution de l'eau dans l'île occuperaient son père pendant des mois. À cinquante-deux ans, le phare achevé, Charles Desteyrac eût souffert de l'inactivité, même si Ottilia était toujours prête à proposer une croisière dans les îles, une escapade à Nassau ou à Cuba, voire un séjour à New York ou en Angleterre.

Les insulaires, habitués à la présence du phare, ne levaient plus le nez, la nuit, pour suivre le tournoiement lumineux de l'Ounca Lou Lighthouse quand, mi-mars, survint une nouvelle qui jeta la consternation dans tous les foyers britanniques de l'île et, plus encore, à Cornfield Manor.

Le 2 mars, la reine Victoria avait échappé à un nouvel attentat, le septième depuis son couronnement.

Lors d'une réunion d'après dîner, à Cornfield Manor, l'événement fut révélé avec émotion par Ottilia qui avait lu les journaux arrivés le matin même.

– La reine descendait de son train, à Windsor, après un séjour à Londres, et venait de prendre place dans sa berline pour se rendre au château quand un Irlandais...

– Un Irlandais, bien sûr ! Quelle race ! interrompit Cornfield.

– Un nommé Roderick McLean, un chômeur âgé de trente ans, qui avait passé un an dans un hôpital pour aliénés, a tiré un coup de revolver en direction de la reine. Deux étudiants d'Eton, venus acclamer Victoria, ont heureusement empêché l'homme de tirer un deuxième coup de feu. Il a été arrêté par le surintendant de la police de Windsor. Notre reine n'a marqué aucune émotion, compléta Ottilia.

Quand lord Simon eut donné libre cours à son indignation et voué aux gémonies tous les fous irlandais qu'on laissait en liberté, sa fille ajouta que l'écrivain Rudyard Kipling avait écrit, en apprenant l'attentat, une ballade que le *Times* venait de publier sous le titre *Ave Imperatrix*.

Lord Simon était un fervent lecteur de Kipling dont tous les ouvrages figuraient dans la bibliothèque de Cornfield Manor. Il appréciait le patriote zélateur de l'Empire, né à Bombay, en 1865, d'un professeur d'architecture, John Lockwood Kipling, et de la fille d'un pasteur de Manchester, connu des Cornfield. L'écrivain avait révélé les charmes et intrigues de la société anglo-indienne, fait connaître aux Européens l'armée des Indes. On lui devait de beaux récits, exaltant l'héroïsme des soldats et des cavaliers, notamment des lanciers du Bengale, régiment de lord Simon et du major Carver.

– Lis-nous ce poème, Pacal, ordonna-t-il.

Lady Ottilia tendit le journal à son beau-fils qui, aussitôt, s'exécuta.

> – *Du fond de tous les coins de la terre, partout,*
> *Monte un péan à Dieu, qui a su détourner*
> *La mort, avec la main du misérable fou*
> *Qui, tout armé de mort, t'a voulu menacer.*
>
> *Une école parmi tant d'autres où s'entraîne*
> *La race de ceux-là dont le plus cher ébat*
> *Est de combattre pour leur fière souveraine*
> *Et de risquer leur être en ce vaillant combat,*
>
> *T'adresse tous ses vœux, bien humbles, bien sincères,*
> *Quoique son vers soit rude, indigent et rugueux,*
> *À toi, notre plus grande et certes la plus chère,*
> *Victoria, la Reine, par la grâce de Dieu*[1] *!*

Lord Simon demanda à conserver le journal.

Une autre nouvelle, plus tragique, vint, en mai 1882, augmenter chez les Britanniques des Bahamas leur détestation des indépendantistes irlandais. Le 5 mai, lord Frederic Charles Cavendish, nouveau secrétaire d'État pour l'Irlande, désigné par William Ewart Gladstone, qui venait d'arriver à Dublin, avait été abattu de huit balles de revolver alors qu'il se promenait dans Phoenix Park en compagnie de Thomas Burke, sous-secrétaire d'État. Ce dernier, atteint, lui, de onze balles, avait eu la gorge tranchée. Les assassins, quatre

---

1. *Kipling. Poèmes choisis par T.S. Eliot.* Traduit de l'anglais par Jules Castier, Robert Laffont, Paris, 1949.

hommes, étaient des nationalistes irlandais, membres d'une société secrète. La police les recherchait avec peu d'espoir de les identifier.

Le fait que Cavendish fût le deuxième fils du duc de Devonshire, secrétaire d'État pour l'Inde et vieil ami de la famille Cornfield, affecta particulièrement lord Simon. Cependant, pour désamorcer la rancœur que certains Anglais, marins ou résidents, eussent été tentés de manifester à l'égard des Irlandais de Soledad, le maître de l'île fit, une fois de plus, preuve d'initiative et de sagesse.

Ayant, deux ans plus tôt, promu le maître charpentier Tom O'Graney lieutenant dans la flotte Cornfield, il pouvait l'inviter avec d'autres officiers à la réception annuelle donnée à Cornfield Manor, chaque 21 mai, jour anniversaire de la reine Victoria. En cette année 1882, la cérémonie suivie d'une garden-party devait avoir une portée particulière, après l'attentat auquel la souveraine avait échappé quelques mois plus tôt. L'apparition du géant roux, dans un uniforme blanc, portant galons et épaulettes dorés, suscita un peu d'étonnement chez certains mais ne provoqua aucun commentaire désobligeant. Quand lord Simon, parcourant les buffets, établis comme chaque année dans le parc, s'arrêta à celui des marins, c'est en se tournant ostensiblement vers Tom qu'il leva son verre en lançant le traditionnel « À la reine ! ». Le charpentier avait bien compris le sens de l'invitation du lord. Avec un large sourire, il répéta la formule en s'efforçant d'aggraver de deux tons la voix d'eunuque qui lui avait valu tant de quolibets.

Après la mise en service du phare, lord Simon parut atteindre à la sérénité que procure tout accomplissement. Plus qu'autrefois, il aimait s'asseoir, à la nuit tombante, sur la galerie du manoir, en compagnie de Pacal qu'il souhaitait de plus en plus présent. C'était un peu comme s'il entendait, au cours de ces rencontres quotidiennes, insuffler à son petit-fils l'esprit Cornfield et les principes qui avaient guidé sa vie et son action de hobereau colonial. Un témoin eût pensé à des entretiens socratiques.

Alors que les premiers orages tropicaux de fin d'été faisaient craindre l'arrivée des ouragans, lord Simon suivait souvent du regard, avec quelque fierté, le passage, minuté dans le ciel de Soledad, du faisceau lumineux parti du Cabo del Diablo. Pour le baronet, ce panache blanc, visible à quinze milles en mer, annonçait aux marins la proximité d'une île gouvernée, telle une principauté, depuis le XVIIe siècle, par une noble famille anglaise. Lord Simon considérait que cette lumière était sienne. Il l'avait payée de ses deniers et attendue comme une femme attend un enfant. Son rôle de mécène couronné, il s'en remettait à la machinerie pour que les navires, venus du grand large ou de l'intérieur de l'archipel, ne s'éventrent plus sur les rochers tranchants de Buena Vista.

Pacal observait son grand-père et ne trouvait que confirmation des raisons qu'il avait de l'aimer, de le vénérer. À quatre-vingt-un ans, le vieillard, qui n'avait jamais accepté que l'on célébrât ses anniversaires – les années n'ayant, d'après lui, ni le même écoulement ni le même poids –, offrait le portrait achevé de l'aristocrate victorien. Son maintien, alliage atavique et subtil d'aisance et de rigidité, sa toison blanche sagement peignée, sa moustache rêche qu'il égalisait chaque matin au ciseau, son regard bleu, vif, facilement sévère, faisaient oublier les rides récentes, le teint décoloré, les tavelures brunes des mains sèches et la ptose du ventre due au lent amaigrissement qui inquiétait Uncle Dave et Weston Clarke. Bien que trop au large dans son gilet de soie ponceau, sous la jaquette noire, de rigueur pour dîner à Cornfield Manor, la cravate gris perle piquée d'une améthyste montée sur une épingle d'or, la manchette empesée, il tenait immuablement son rôle de seigneur des îles.

Au cours de ces soirées, lord Simon se lançait parfois dans un monologue que le jeune homme se gardait d'interrompre autrement que par de discrets « certes », « bien sûr » ou encore « je comprends ». Il recevait les propos de l'aïeul comme leçons de savoir-vivre et de philosophie.

Un soir de septembre, tandis que Pacal suivait le ballet des chauves-souris en constatant pour la centième fois qu'elles s'appliquaient à faire des huit devant la galerie, avec la régularité d'un balancier, il vit son grand-père chercher du regard la constellation de la Croix du Sud, dont il aimait à dire qu'à une certaine saison et certaine nuit elle apparaissait exactement à la verticale de Soledad.

— J'ose espérer que les étoiles ne s'offusquent pas de la concurrence de notre phare, dit-il en riant.

— Pour elles, nous ne sommes même pas un ver luisant, dit Pacal.

— Qui sait ! Qui peut dire ce que l'on voit des étoiles ? La réalité de l'univers visible n'est pas la vérité de l'univers. Sur terre aussi, la vérité est toujours autre que celle que nous déduisons de nos visions. Derrière toute chose visible, il y en a une autre, invisible par nos yeux de chair et qu'on ne connaîtra, peut-être, que par l'âme libérée par la mort. C'est en tout cas ce que croyaient les Grecs.

— Et vous, y croyez-vous ?

— Comme Talleyrand, je m'offre, dans ce domaine comme en d'autres, le luxe de l'incrédulité, dit lord Simon, plaisantin.

— L'incrédulité serait-elle une vertu ?

— Pas une vertu au sens théologal, mais une vertu sociale. Méfie-toi de tout, de tous, même de tes propres pensées.

— Alors, comment être sûr de bien agir quand il faut prendre une décision ? demanda Pacal, toujours pratique.

– En acceptant de nous tromper. Car la vérité profonde est parfois dans l'erreur apparente, dit le lord.

– Avant de décider, on peut prendre conseil de gens compétents dans leur spécialité, insista le jeune homme.

– Certes, mais une fois que tu les as entendus, retire-toi en un lieu tranquille, réfléchis et décide seul. Et si ta décision déçoit l'un ou agace l'autre, n'en tiens aucun compte. Rappelle-toi que celui qui a raison est souvent seul de son avis.

La nuit avait le pouvoir stimulant de rapprocher les pensées du novice et du patriarche. Seul le rougeoiement de leur cigare, tels des feux de veille, indiquait leur présence physique sur la galerie de la vieille maison. Parfois s'imposaient des silences et la respiration de l'Océan parvenait jusqu'à eux. Cela ramenait lord Simon à l'un de ses thèmes favoris : l'insularité.

– L'isolement d'une île fait que les choses, bonnes ou mauvaises de la *terra ferma* – comme les vieux planisphères nomment les continents – ne nous parviennent qu'avec retard, comme épurées, débarrassées de leur enrobage de réclame savante ou mercantile, des engouements précipités ou des vogues. Cela nous donne le temps de la réflexion, pour décider si nous allons accepter ou rejeter ce que la science ou le commerce, souvent complices, nous envoient. L'Océan est notre protecteur. Nous devons penser et agir en thalassocrates, constata-t-il.

– Soledad ne peut tout refuser du progrès, fit observer Pacal.

– Mais il faut le prendre à petites doses et avec discernement. Soledad s'est policée lentement. À l'origine, c'était une île à chèvres, un tas de rochers battus des vagues comme Ithaque, le royaume d'Ulysse. Rappelle-toi, quand le roi de Sparte veut offrir des chevaux à Télémaque, le fils d'Ulysse les refuse poliment. Si j'ai bonne mémoire, il répond à peu près : « Je ne puis conduire des chevaux en Ithaque. Ithaque n'a ni prairie de trèfle, ni orge, ni froment, ni piste pour faire courir les chevaux. Ce n'est qu'une île à chèvres. » Télémaque avait raison de refuser un présent dont, à Ithaque, on n'eût rien pu faire. La description homérique s'applique à Soledad telle que la découvrirent, du pont de leurs nacelles, les Espagnols de Colomb. Une île où ils trouvèrent des chèvres sauvages pour améliorer l'ordinaire, d'où le nom un peu prétentieux de notre montagnette : le mont de la Chèvre. Nous sommes thalassocrates parce que Soledad, comme Ithaque, est d'abord une terre de marins, et les descendants des Arawak, comme leurs ancêtres, vivent encore de la mer.

— Y compris du *wrecking*, persifla Pacal.

— De tout ce que la mer apporte, mon garçon. Sous le règne de George, le premier lord Cornfield, mon trisaïeul, les insulaires se sont mis aux cultures vivrières, là où la couche de terre qui recouvre le socle corallien est assez épaisse pour qu'on y plante, mais nos insulaires ne sont pas pour autant devenus des cultivateurs. Ils sont restés gens de mer. Ceux qui naviguent au commerce, ceux qui se sont exilés aux États-Unis reviennent finir leurs jours ici. Ils n'ont aucune peine à se débarrasser des habitudes de la ville, des attributs de la civilisation machiniste, des produits du progrès. Ils les quittent comme on quitte un vêtement qui a fait bon usage, un temps, mais est devenu inutile. Nos pêcheurs, que tu as vus en Floride, reviendront, eux aussi, conclut lord Simon.

La nuit étant avancée, le vieil homme donna le signal du coucher.

— Demain, j'aimerais te parler d'une affaire qui me tient à cœur, dit-il.

— Demain, certes pas. Je vais être absent pour une dizaine de jours. Une série de matches de polo à Nassau. Je suis engagé dans l'équipe de la Navy, avec Andrew Cunnings, le second du *Phoenix II* et nous devons prendre demain le bateau-poste. J'espère trouver mes poneys en bonne condition. Ils sont en pension dans les écuries du gouverneur, révéla Pacal.

– Alors, je te parlerai à ton retour, dit lord Simon un peu déçu par le contretemps.

Le vent d'est faisait bruire les pennes des palmiers, annonçant peut-être ce que les marins nommaient « une monstrueuse risée », quand Pacal se mit en selle pour regagner Malcolm House.

Chemin faisant, il ne put détacher sa pensée du grand-père qu'il venait de quitter. À ses yeux, lord Simon avait eu un destin antique, en ce sens qu'il avait su régenter la société insulaire avec sagesse et autorité. Sa sœur Lamia ne l'avait-elle pas comparé, quelques jours plus tôt, à Périclès administrant Athènes ! Il avait fait de Soledad un modèle de civilisation coloniale, acceptable et acceptée. Il est rare que les colonisés respectent et aiment un colonisateur autocrate, or Simon Leonard Cornfield avait réussi cette gageure d'être un autocrate aimé et respecté. Cela tenait à son habileté dans la conduite des affaires, à la manière qu'il avait de prendre les hommes tels qu'ils sont et les inciter, plus que les contraindre, à donner le meilleur d'eux-mêmes à la communauté. Au fil des ans, il s'était délesté des illusions à la Jean-Jacques Rousseau de sa jeunesse et s'en trouvait fort bien.

Dans ses rapports avec les autres, il savait faire la part de l'hypocrisie, de la bassesse, de l'envie, de la jalousie, de la cupidité des uns, défauts qu'il admettait comme contrepoids négatifs à la sincérité, à la grandeur, à la générosité, au dévouement, au courage des autres. Sa tactique sociale consistait à traiter tout un chacun comme s'il avait foi en lui, sans se laisser influencer par ce qu'on en disait. « Ah tiens, par exemple ! » lui tenait lieu de réponse aux provocations verbeuses. Son impassibilité déconcertait les bavards et les commères et l'on devinait, quels que soient les arguments qu'on lui présentât, que seule son opinion s'imposerait. Parmi les mots prêtés à la reine Victoria, il avait retenu cette réflexion de la souveraine : « Il y a les gens que je connais et les Esquimaux. » Pour Simon Leonard Cornfield, les Esquimaux étaient, de loin, les plus nombreux !

Deux jours plus tard, à Nassau, à la fin du premier match de polo, alors que les lads conduisaient les poneys harassés aux écuries, Pacal, le front et le torse ruisselants de sueur, se dirigea vers le vestiaire avec ses équipiers. La rencontre avec les cavaliers du Colonial Office, maintenant bien entraînés, avait été rude. La victoire avait coûté au jeune Desteyrac-Cornfield un coup de maillet au tibia, que la botte avait heureusement amorti. Un peu claudicant, il éluda les congratulations des officiels et des supporters de la Navy, mais ne put éviter une jeune femme souriante, qui lui barra le chemin en lui tendant une serviette.

– Tiens ! Je vous reconnais. Vous avez déjà eu pour moi ce même geste, il y a...

– ... cinq ans, lança-t-elle d'une voix claire.

– Cinq ans ! Non ! Vous dites cinq ans ? s'étonna-t-il.

– Je n'ai donc pas beaucoup changé, pour que vous m'ayez reconnue si aisément. Il y a cinq ans, vous m'aviez à peine regardée, comme si je vous importunais.

– Vous étiez alors une très jeune fille. Aujourd'hui, vous êtes une femme et même une jolie femme, si vous acceptez que je vous le dise, mademoiselle.

– Madame. Car je suis mariée.

– Heureux mortel que votre époux, madame, insista Pacal, marquant l'intention de poursuivre son chemin.

– Jouez-vous encore demain, monsieur Desteyrac-Cornfield ? demanda-t-elle.

– Oui. Et ce sera plus difficile qu'aujourd'hui. Les officiers du *First West Indies Regiment* auront des chevaux frais. Au revoir, madame. Au fait, vous connaissez mon nom, mais j'ignore le vôtre.

– Ferguson, née Liz Horney, mais vous pouvez m'appeler Lizzie, comme tous mes amis.

– Alors, au revoir Lizzie, conclut Pacal en s'éloignant résolument.

L'entretien avait, à son gré, un peu trop duré.

Elle le suivit des yeux, tandis qu'il marchait vers la tente qui abritait le vestiaire. Pacal sentit l'onde de ce regard de femme sur ses épaules et en fut aussi flatté qu'amusé.

– *God'dam !* Qu'elle est belle, votre admiratrice ! lui lança Cunnings qui, demi nu, s'aspergeait d'eau fraîche.

– Pas mal, en effet, concéda Pacal en se déshabillant.

– Elle n'aurait pas une sœur ou une amie qui pourrait m'apporter une essuette brodée, comme celle-ci.

Pacal réalisa qu'il avait conservé la serviette et découvrit qu'elle portait les initiales L.H. entrelacées.

– Elle a peut-être une sœur et certainement des amies, mais je crains, mon cher, que toutes ne soient, comme elle, mariées à des fonctionnaires ou à des négociants. C'est assez le genre de mari que je leur vois.

– Les femmes mariées, il n'y a que ça de bon pour les célibataires, *sir*. Le soir, elles rentrent chez elles. Elles sont sources de plaisir sans conséquences fâcheuses.

– Sources de plaisir, parfois avec conséquence plus que fâcheuses, Andrew, rectifia Pacal.

Au Royal Victoria Hotel, où il descendait lors de ses séjours à Nassau, le concierge lui remit un pli déposé à son nom. L'enveloppe contenait une invitation à la conférence que donnait, le soir même, au théâtre de Shirley Street, sir George Strong Nares[1], célèbre explorateur écossais, dont la corvette *Alert*, en route pour une croisière dans les mers du sud, faisait escale à Nassau. Le récit des aventures de l'explorateur et l'annonce de ses projets seraient certainement intéressants. Et la pensée de revoir cette Lizzie, qui ne manquait pas d'audace, ne lui déplaisait pas.

Depuis des mois, Pacal ne connaissait, lors de ses escapades à Nassau, que les plaisirs tarifés des femmes, le plus souvent haïtiennes, qui composaient le gratin de la prostitution tolérée. Laissant les bars aux filles à matelots, ces professionnelles déposaient leur carte chez le concierge du Royal Victoria Hotel, et recevaient dans leur appartement, souvent meublé avec goût. Sur leur carte était précisée leur couleur : « *White* », « *Colored* », « *Octoroon* ». Certaines ajoutaient : « *Officers only* » ou : « *Gentlemen only* », ainsi que cela se pratiquait à New Orleans, d'où venaient la plupart d'entre elles. Ces filles, en général bien élevées, ne manquaient ni de charme ni de savoir-faire. Pour les célibataires peu enclins aux liaisons dans une ville où tout se savait en quarante-huit heures, elles constituaient l'exutoire le moins risqué.

Même si l'épilogue tragique de son aventure avec Viola le retenait de toute relation avec une femme mariée, Lizzie Ferguson l'attirait. Le flirt avait aussi des agréments et la jeune femme délurée avait réveillé chez Pacal le goût de la conquête, jeu dont il saurait se retenir de ramasser la mise.

---

1. 1831-1915. Il participa, à bord de la corvette britannique *Challenger*, avec l'amiral sir Edward Belcher (1825-1877), à la première croisière scientifique autour du monde. En 1875, il dirigea l'expédition en Arctique du *Discovery* et de l'*Alert* et fut contraint d'hiverner au point le plus septentrional alors atteint par un navire. Entre 1876 et 1878, il releva le tracé des côtes de l'Arctique, au cours d'une expédition en traîneaux. En 1882, on lui confia une mission océanographique dans les mers du Sud, à bord de l'*Alert*. On lui doit plusieurs ouvrages scientifiques sur les mers arctiques.

Petite, mince, luronne de race, d'une éblouissante blondeur, regard pervenche, rieur, lèvres gourmandes, teint de porcelaine, rare sous les tropiques, répartie vive, elle inspirait un franc désir dénué de chatteries. Pacal se promit, avant de répondre à ses avances flagrantes, de s'informer sur le mari.

Dans la salle du petit théâtre, il se trouva placé au parterre, loin de Liz Ferguson, qu'il aperçut dans la meilleure loge, en compagnie d'une dame âgée, qu'il supposa être la mère de Lizzie. Il sut bientôt que cette dernière l'avait repéré grâce à ses jumelles et, quand leurs regards se croisèrent, elle lui fit un signe de reconnaissance avec son éventail. Aussi, Pacal ne fut-il pas étonné de la trouver dans le hall, à l'issue de la conférence. La vieille dame avait disparu.

– Accepteriez-vous de prendre un rafraîchissement dans le jardin du Victoria ? demanda-t-il aussitôt.

– Je meurs de soif, bien que nous n'ayons entendu parler que de mers glacées, dit-elle.

– Mais je n'ai pas de voiture.

– Nous pouvons marcher un demi-mile, assura-t-elle en prenant sans gêne le bras de Pacal, bien que plusieurs couples l'aient salué avec une déférence que ne justifiait pas sa jeunesse.

– Vous ne craignez pas de vous compromettre en compagnie d'un étranger.

– Le petit-fils du lord des Bahamas n'est pas un étranger à Nassau. Vous êtes connu des *Upper Ten* et même de la *Upper Middle Class*[1]. Je suis certaine que toutes les femmes qui nous ont vu quitter le théâtre ensemble m'envient. Et votre nom me met à l'abri des cancans.

– Que fait votre mari ?

– Des comptes. C'est son métier : il est conseiller du gouverneur pour les finances et dignitaire, à je ne sais quel degré élevé, de la Royal Victoria Lodge. C'est lui qui a dirigé

_____
1. La haute bourgeoisie.

la construction du nouveau temple maçonnique sur Bay Street. Vous avez vu cette bâtisse néoclassique prétentieuse ?

– Elle est dans le style qui plaît aux Américains, de plus en plus nombreux à visiter nos îles. Ils sont portés, en architecture, à la représentation du passé qui leur fait défaut. J'ai un ami architecte, à New York, qui construit des palais vénitiens pour millionnaires, dit Pacal.

La nuit étant fraîche, ils choisirent une table sous la galerie de l'hôtel. Lizzie demanda deux doigts de porto, Pacal commanda un *pink gin* et obtint la permission d'allumer sa pipe.

Leur conversation fut celle de deux personnes désireuses de se mieux connaître. Quand ils se séparèrent, Lizzie savait comment on vivait à Soledad et Pacal avait compris que Michael Ferguson était un mari d'autant plus accommodant qu'il « aimait ailleurs et autrement », comme elle le dit sans aucune gêne. Les Ferguson maintenaient la fiction d'un couple uni et distingué, eu égard à la position sociale d'un proche du gouvernement.

Quand elle demanda à Pacal de faire appeler une voiture, elle l'assura qu'elle serait, le lendemain, sur le terrain de polo.

– Apportez de la charpie et du taffetas d'Angleterre. Il est probable que j'aurai quelques horions à panser, dit-il en lui baisant la main, avant de l'aider à monter dans une carriole à dais de toile frangée.

Liz Ferguson tint sa promesse. En arrivant, Pacal l'aperçut au premier rang de la tribune découverte, dans une robe de pékiné rose et noir, coiffée d'une capeline de paille, gantée de blanc.

Quand il se mit en selle avec ses trois équipiers, il trouva, nouée à la bride de son cheval, une écharpe de soie à bandes roses et noires, identique à la robe de Lizzie.

– Une lady l'a apportée, expliqua un lad.

« Elle souhaite que je porte ses couleurs, comme autrefois les chevaliers celles de leur dame dans les tournois », se dit-il.

Ce geste, d'un romantisme suranné, le fit sourire mais lui plut. Ôtant le foulard du harnais, il le passa dans sa ceinture et prit le trot pour gagner sa place au milieu du terrain.

Comme l'avaient craint les cavaliers de la Navy, la rencontre fut âprement disputée. Leurs adversaires, officiers du *First West Indies Regiment*, pratiquaient un polo athlétique, ignorant des finesses anglo-indiennes, mais efficace. Lors des six assauts de dix minutes, la balle en bois de saule entra sept fois entre les poteaux de la Navy, cinq fois seulement dans ceux des militaires ; et Pacal dut changer de poney dès la seconde période, sa meilleure monture s'étant mise à boiter.

– Votre admiratrice est là, lui lança Cunnings quand, après la défaite, il regagna les vestiaires tandis qu'une pluie drue crépitait sur la toile de tente.

– Hélas, je n'ai pu faire triompher ses couleurs, dit Pacal en montrant l'écharpe de Lizzie.

– Et de surcroît, elle va être trempée, ajouta le marin.

Quand, toilette faite et habillé, Pacal quitta l'abri, chargé de sa tenue de cheval et de ses bottes souillées, il ne put cacher une stupéfaction aussitôt partagée par Cunnings.

– Ça alors ! C'est de la passion où je ne connais rien aux femmes, souffla l'officier.

Seule sur le terrain désert, Liz Ferguson, indifférente à l'averse, moulée dans sa robe de soie, collée au corps par la pluie, attendait, statufiée, qu'il approchât.

– C'est de la folie, lança-t-il, tandis que son compagnon, discret, s'éloignait à grands pas.

– L'eau de pluie est bonne pour le teint des femmes, répliqua-t-elle en secouant sa capeline dégoulinante.

Avec autorité, Pacal la coiffa de son casque de polo et, lui prenant le bras, l'entraîna vers les écuries où les lads bouchonnaient les poneys en sueur.

À l'abri du porche, elle sourit et ôta le casque.

– Vous vous êtes battu avec élégance, mais vous aviez affaire à des brutes, concéda-t-elle en s'essuyant le visage de ses gants.

– Le chevalier vaincu doit rendre à sa dame les couleurs qu'il n'a su honorer. Voici votre écharpe, dit Pacal.

Elle la prit à regret, réprima un frisson et, soudain, la lui rendit.

– Non. Gardez-la en gage. Si vous la conservez, nous nous reverrons, dit-elle.

Cheveux collés en accroche-cœur, maquillage délayé, robe fripée donnaient à cette femme l'air d'une fillette misérable et abandonnée.

– Ne restons pas ici. Je vous raccompagne chez vous, dit Pacal qui, sans attendre un acquiescement, ordonna à un lad d'aller quérir une voiture au plus vite.

En attendant qu'une carriole arrivât, il ôtât sa veste pour en couvrir les épaules de la jeune femme, puis, l'entourant d'un bras protecteur, l'attira contre lui.

Dans la carriole, ils reprirent spontanément la même posture et les regards échangés en silence attisèrent, plus que les mots n'eussent pu le faire, une complicité amoureuse naissante. Lizzie Ferguson se sépara de Pacal quand la voiture entra dans Bay Street.

– Pouvez-vous dîner avec moi ce soir, quand vos cheveux seront secs ? demanda-t-il gaiement.

– À sept heures, je serai là, accepta-t-elle sans hésiter quand Pacal se fit déposer devant l'entrée du Royal Victoria Hotel.

Il n'eut guère le temps de réfléchir à l'imprudente aventure dans laquelle il venait de s'engager : le portier lui fit savoir qu'il était attendu.

Lewis Colson, arrivé une heure plus tôt à Nassau, arpentait le hall. Pacal subodora, à la mine du commandant, qu'un malheur avait touché Soledad. Il pensa aussitôt à son grand-père, dont la santé ne cessait de décliner depuis des mois.

– Lord Simon ? interrogea-t-il abruptement.

– Non, Pacal, mais lady Lamia. Elle a disparu en mer le lendemain de votre départ. Lord Simon est très affecté et votre père m'a envoyé avec l'*Arawak* pour vous conduire à Soledad au plus tôt.

– Quand partons-nous ?

– J'ai maintenu les chaudières sous pression. Vous pouvez embarquer tout de suite, dit Colson.

– Le temps de boucler mon bagage et d'annuler un dîner, dit Pacal.

Dans sa chambre, il rédigea hâtivement un billet que le maître d'hôtel remettrait à son invitée quand elle se présenterait pour dîner, car il ignorait l'adresse de Lizzie Ferguson.

« Chère Madame, soudainement rappelé dans ma famille, j'ai dû embarquer cet après-midi sur le vapeur, envoyé par lord Simon pour me porter, de toute urgence, à Soledad. Je regrette d'avoir à prendre congé de vous si cavalièrement. Acceptez, avec mes excuses, l'expression de mon respectueux souvenir. » Et il signa : « Votre dévoué Pacal Alexandre Simon Desteyrac-Cornfield »

Cette lettre, d'un formalisme mondain, ne compromettait pas plus son auteur que sa destinataire.

Un sort malin, peut-être vigilant, interrompait ainsi une amourette qui, en dépit de la résolution, que Pacal avait prise après la mort de Viola, de ne plus jamais succomber aux charmes d'une femme mariée, eût pu l'entraîner dans une relation aux développements imprévisibles.

Dès l'appareillage, alors que s'annonçait le gros temps, Pacal rejoignit Colson sur la passerelle. Le commandant, mobilisé par la manœuvre du vapeur, n'avait pas eu jusque-là le temps de répondre aux questions que se posait son passager.

— Comment se peut-il que Fish Lady eût disparu en mer ? demanda le jeune homme quand l'*Arawak* eut pris le large.

— Triste, bien triste affaire, mon ami. Il y a quelques jours, les pêcheurs d'éponges de South Creek rechignèrent à plonger. Deux d'entre eux assuraient avoir vu, au large de la fuente del Ángel, un énorme requin blanc, solitaire, d'une extrême vivacité, d'au moins vingt pieds de long « avec une mâchoire capable de broyer une barque », dirent-ils.

— Un monstre qui n'était peut-être qu'un requin pèlerin. Ce squale peut atteindre vingt-cinq pieds de long et peser huit tonnes, mais il ne mange que des petits poissons, dit Pacal.

— C'est un fait que le grand blanc est rare, dans nos eaux. Mais il a, vous le savez, la réputation justifiée d'être un mangeur d'hommes. Sima, alerté, prévint lady Lamia. Connaissant ses Arawak, toujours prêts à imaginer la présence de pieuvres géantes, d'orques et de monstres marins de toutes sortes, elle ne crut pas à leur histoire. Cependant, comme on ne pouvait interrompre longtemps la pêche, la sœur de lord Simon, dont on dit qu'elle a tué un millier de requins, prit un jeu de harpons et s'embarqua avec les deux hommes qui disaient avoir vu le grand blanc. La matinée s'écoula sans qu'aucun requin, ni blanc, ni marteau, ni bleu, ni tigre, ni requin scie, ni requin baleine, apparaisse et lady Lamia regagna South Creek. Elle rassura ses gens, qui reprirent leurs plongées. Mais, à la fin de l'après-midi, alors que nos pêcheurs d'éponges remontaient dans leurs barques, la récolte du jour étant suffisante, l'un deux, en train de se hisser à bord, eut une jambe saisie par un requin que personne n'avait vu approcher. À coups d'aviron, ses compagnons firent lâcher prise au squale, qui menaçait de faire chavirer l'embarcation. Il eût sans doute réussi si le patron de la barque n'avait eu l'idée d'user du lance-fusée comme d'un pistolet. Effrayé par le tir, le requin s'éloigna, ce qui permit à nos hommes de gagner le rivage. Tous affirmèrent que ce requin ne ressemblait pas à ceux qu'ils connaissaient. Il était gigantesque, effrayant et surtout blanc, expliqua Lewis.

— Le pêcheur a-t-il été gravement mordu ?

— Uncle Dave a dû l'amputer, les os de la jambe étant irrémédiablement broyés.

— Mais cela n'explique pas la disparition de lady Lamia, dit Pacal.

— Le drame intervint le lendemain quand, fort en colère, elle décida de provoquer le requin meurtrier et d'en finir avec lui pour calmer les esprits. Vous la connaissez. Même sans croire vraiment au requin blanc, elle tenait à venger son pêcheur blessé. Au matin, elle s'embarqua sur son petit voilier bahamien, avec le vieux Sima, qui n'a jamais eu peur de rien. Ils emportaient, en plus des gros harpons à barbelures, deux carabines. J'oublie de vous dire qu'elle avait fait égorger un chevreau, que Sima jetterait à l'eau comme appât. À bonne distance, car nos Arawak tiennent le grand blanc pour un envoyé des enfers, les pêcheurs suivirent la quête de lady Lamia jusqu'à ce que son voilier disparût derrière le Cabo del Diablo. Peu après, les gens de Southern Creek entendirent deux détonations. Ils se précipitèrent. La mer, devenue grosse sous le vent d'est, était déserte. Le voilier avait disparu. Ils attendirent en vain, jusqu'à la nuit, le retour de lady Lamia et de son compagnon. Le surlendemain, un caboteur conduisit au port occidental le petit voilier de votre grand-tante. Il l'avait pris en remorque alors qu'il dérivait couché sur l'eau, vide et démâté, à douze milles au sud de

Buena Vista. On ne trouva dans le bateau que le manche brisé d'un harpon.

– Une rafale a pu faire chavirer le voilier, risqua Pacal, bouleversé.

– On se plut, pendant quelques jours, à penser à un naufrage, jusqu'à ce que des pêcheurs de Cat Island rapportent qu'ils avait frôlé, au-delà de Rhum Cay un grand requin blanc, qui portait un harpon fiché dans dos. Ce qui ne semblait pas le gêner, ont-ils dit.

– Alors, Fish Lady l'a combattu. Et c'est peut-être lui qui a renversé la légère barque à voile. Sale bête.

– Pour l'occire à coup sûr, il faudrait un canon à harpon, comme ceux des baleiniers, dit Colson.

Comme Pacal se taisait, s'efforçant de dominer son émotion, le commandant, d'habitude si réservé, lui tapota affectueusement l'épaule et enchaîna :

» Depuis le drame, à la demande de lord Simon, des hommes parcourent les plages de la côte ouest, après chaque marée, à la recherche de débris. Quand j'ai quitté Soledad, il y a trois jours, l'Océan n'avait rendu qu'un bout de mât et quelques pieds de cordage. Il est vain d'espérer autre chose.

4.

En débarquant à Soledad, Pacal eut le sentiment que toute l'île avait pris le deuil. Les débardeurs, d'ordinaire si exubérants, portés aux lourdes plaisanteries, aux quolibets et aux chansons grivoises, se taisaient et vaquaient en silence aux travaux du port. Tous ceux qu'il rencontra montrèrent une sincère affliction. Au mât des navires de la flotte Cornfield, le pavillon était en berne et, au-dessus du parterre fleuri du Loyalists Club, l'Union Jack flottait à mi-mât. Fish Lady resterait une figure emblématique dans l'histoire de l'île.

Pacal se fit conduire chez son père par le gérant du club. Ce mulâtre avait eu, autrefois, plus de chance que Lamia et Sima. Il devait son sobriquet − Sharko − à la morsure que lui avait naguère infligée un requin.

À Malcolm House, le jeune homme trouva Charles Desteyrac consterné.

− Sans Lamia, je n'aurais jamais construit ni pont ni phare. Dès mon arrivée à Soledad, il y aura trente ans l'an prochain, elle fut le bon génie qui, toujours, m'aida dans mes entreprises. Quelle sépulture pour Fish Lady que l'estomac d'un requin ! Et ce brave Sima ! dit Charles.

Ottilia était absente. Maîtrisant son chagrin, elle passait ses journées au milieu des insulaires de Buena Vista, desquels Lamia avait été la bienveillante souveraine. Ma Mae, ses filles et quelques autres domestiques voulaient encore espérer un miracle.

— P't'ê'te que not'e lady a été ramassée par un bateau et qu'on nous la rendra, disait la vieille cuisinière, désœuvrée depuis qu'elle n'avait plus de repas à préparer.

À Cornfield Manor, Pacal vit son grand-père accablé mais, comme toujours, d'une parfaite dignité. Il portait, noué sous son col, une large cravate de soie noire et, au salon, le portrait de Lamia jeune fille, peinte par sir Thomas Lawrence quand elle avait quatorze ans, était barré de crêpe.

Le lord avait longtemps entretenu, par jeu plus que par réel antagonisme, des rapports conflictuels avec sa sœur, jusqu'au jour où, devenue l'épouse d'Edward Carver, elle avait acquis un nouveau statut. Depuis la mort de son vieil ami, l'estime qu'il portait à la veuve du major ne l'empêchait pas de traiter encore Lamia de sorcière, mais le ton hargneux était devenu affectueux. Ces dernières années, Fish Lady séjournait souvent au manoir et Simon Leonard se rendait à Buena Vista pour des parties de tir aux oiseaux de mer, ce qui donnait lieu à compétition entre le frère et la sœur.

— Je ne la voyais, certes, pas mourir dans son lit comme une vieille femme rance. Pas avant moi, surtout, qui suis son aîné. Elle a dû périr noblement dans un dernier duel avec le requin, son ennemi de toujours, dit-il à Pacal.

Quelques jours plus tard, lord Simon demanda au pasteur Russell de célébrer l'office des morts à la mémoire de la disparue. À l'issue de la cérémonie, il se rendit avec les intimes au Cabo del Diablo, au large duquel avait été vu pour la dernière fois le voilier de lady Lamia. Dans leurs barques formées en cortège, les pêcheurs d'éponges s'éloignèrent du rivage et ce fut l'amputé, à peine remis de l'opération, qui lança sur les vagues une couronne de capucines jaunes, symbole de tristesse et de séparation, tressée par les femmes arawak de Buena Vista.

– Funérailles sans dépouille mortelle, mais funérailles de marin, commenta Lewis Colson.

Le même soir, après le dîner pris tête à tête avec son petit-fils, lord Simon se mit à l'orgue pour traduire en musique leur commun chagrin. Il choisit *the Silver Swan*, une pièce d'une austère simplicité diatonique, d'Orlando Gibbons[1].

Le dernier accord plaqué, il revint s'asseoir en face de Pacal.

– Ma sœur fut longtemps adepte de la doctrine stoï-cienne. Jusqu'à l'arrivée de ton père, qui apporta un élan de vie nouveau, Lamia affichait un dédain suprême pour les biens et les intérêts terrestres. Elle estimait que l'isolement est une condition essentielle de la vertu et, partant, du bonheur. C'est pourquoi elle croyait nécessaire de protéger ses Arawak de Buena Vista des méfaits de la civilisation.

– Touchante utopie, observa Pacal.

– Autrefois, le monde se divisait en zones et en classes étanches. Le progrès a abattu les cloisons et réduit les distances. Il facilite partout la pénétration des idées, les échanges, la connaissance de l'autre et la multiplication des envies, donc des besoins. Lamia ne l'admit qu'à la fin de sa vie. Elle avait enfin pris conscience qu'elle ne pouvait plus empêcher ses Arawak – qu'elle eût volontiers maintenus dans une réserve, comme le font aujourd'hui les Américains des Indiens qu'ils n'ont pas exterminés – de sortir de Buena Vista pour découvrir le monde et ses mœurs nouvelles. Mon ami Carver, qui l'aimait depuis l'adolescence, l'a aidée à franchir le pas. Un peu tard, mais dans la joie, dit-il.

À son tour, Pacal se mit au clavier du grand Steinway qui, dans la salle de musique faisait face à l'orgue. Parmi les

---

1. 1583-1625. Compositeur anglais voué au culte anglican. *Le Cygne d'argent* est l'une de ses meilleures œuvres.

partitions rapportées d'Europe il choisit, pour alléger l'atmosphère, une des *Valses brillantes* de Chopin, morceau préféré de Lamia.

Lord Simon apprécia avec émotion ce rappel des belles soirées de Cornfield Manor, quand sa sœur retrouvait par la danse l'aisance et le plaisir de la jeunesse.

— La mort est, pour chacun d'entre nous, un rendez-vous, dont le lieu et l'heure ne sont pas fixés. Mais rendez-vous accepté depuis la naissance. Je ne crois pas plus au paradis qu'à l'enfer, pas plus à la vie éternelle qu'à la résurrection, pas plus aux jardins d'Allah qu'aux vergers offerts aux Arawak derrière le soleil. Tous ces futurs meilleurs, promis par les religions, ne servent qu'à dissimuler le néant qui tant effraie les humains, dit-il, révélant pour la première fois un agnosticisme circonstancié.

— Vous réduisez les religions au rôle de paravent mystique, s'étonna Pacal.

— Toutes les religions sont superstitions domestiquées. Seule la religion chrétienne est acceptable comme morale de bon sens. Souviens-toi de ce que disait Napoléon Ier : « Nulle société ne peut exister sans morale ; il n'y a pas de bonne morale sans religion, il n'y a donc que la religion qui donne à l'État un appui ferme et durable. »

— Cependant, vous suivez les préceptes et rites de la Haute-Église anglicane, observa Pacal.

— Pour que « l'État soit ferme et durable », nous autres aristocrates devons donner l'exemple d'un engagement spirituel propre — par-delà le temporel et toutes les différences de naissance, d'éducation, de fortune — à souder la communauté. Quitte à garder par-devers nous doutes et certitudes... s'il nous arrive d'en avoir !

— Et Dieu, dans tout ça ?

— S'il se cache derrière la mort, paternel ou justicier, nous le saurons toujours assez tôt, conclut Cornfield, retrouvant son goût de la moquerie.

Cette automne-là, les ouragans ne furent que tempêtes tropicales et Charles Desteyrac put entreprendre, au mont de la Chèvre, le creusement du vaste réservoir qu'alimenteraient en eau douce les deux sources voisines de l'ermitage du père Taval.

Lord Simon autorisa l'ingénieur à commander les tuyaux nécessaires à la distribution de l'eau dans le Cornfieldshire, mais aussi au village des artisans, à celui des pêcheurs, aux résidences des marins, à l'hôpital et aux deux ports de l'île. La distribution de l'eau devait fonctionner suivant le principe des vases communicants. Un réducteur de pression se révéla nécessaire pour éviter que les fontaines, à créer sur les lieux de consommation, ne devinssent d'indomptables geysers !

Un matin de novembre, alors que Pacal avait accompagné en calèche son grand-père jusqu'à la maison de lady Lamia, pour qu'il se livrât au tri des papiers de la défunte, Peter Guest, le gardien du phare, apparut au seuil de la demeure. Discret tel un conspirateur, il fit signe au jeune homme de le rejoindre.

– Un petit-fils de Sima, qui pêchait au large de Pink Bay, a ramassé dans son filet une chose étrange. Venez voir. J'ai mis l'objet dans mon hangar à bateau.

Intrigué, Pacal suivit le gardien qui, sous l'appentis, lui désigna, posé sur une planche, une masse de fils gris emmêlés, qu'il prit pour crin à matelas. Du bout d'un bâton, l'homme souleva la chose.

– Ne dirait-on pas une perruque ?

Pacal eut un haut-le-cœur. L'écheveau frisé qu'il avait sous les yeux était, à n'en pas douter, une masse de cheveux gris.

— Mais, on dirait un scalp ? Est-ce possible ! Les cheveux de lady Lamia, bafouilla-t-il.

— Je l'ai pensé, *sir*. C'est pourquoi je n'ai pas voulu montrer ça à lord Simon, dit le gardien.

En examinant de plus près ce trophée macabre, Pacal découvrit qu'à cette broussaille adhérait encore, avec le cuir chevelu, une partie brisée du sinciput.

Révulsé, Pacal prit une profonde inspiration et retrouva son sang-froid.

— Je vais prévenir mon grand-père avec ménagement. Trouvez un récipient pour cela. Je l'emporterai.

Informé, lord Simon voulut s'assurer par lui-même de la réalité de cette découverte. Il pâlit à la vue de la touffe grise mais, après un court silence, osa y porter la main.

— L'Océan nous a rendu ce que lady Lamia avait de plus beau : sa chevelure. Nous l'inhumerons dans le caveau des Cornfield, décida-t-il aussitôt.

Sur la route de Cornfield Manor, ils s'arrêtèrent au village des artisans pour montrer au docteur David Kermor cette relique d'une femme qu'il avait bien connue.

Uncle Dave, réagissant en médecin, prit en main l'écheveau qui, en séchant, retrouvait ses boucles naturelles.

— Pas de doute. C'est bien la crinière de notre chère Lamia. Une toison digne d'Absalon. Les cheveux sont imputrescibles. Qu'allez-vous en faire ?

— Je compte inhumer ce seul reste de ma sœur. Que le coiffeur lave, peigne, rende le lustre de la vie à cette pauvre dépouille, ordonna lord Simon.

— Je vais m'en occuper. Quand ce sera fait, je porterai cela à Cornfield Manor, dit Uncle Dave.

Le jour même, le lord convoqua Tom O'Graney et lui commanda un cercueil d'acajou de taille normale et capitonné de soie blanche. Bien qu'il trouvât la dimension de la bière disproportionnée par rapport à ce qu'elle allait contenir, Pacal s'abstint de toute remarque.

Quand Uncle Dave livra la relique, ceux qui virent, sur la marotte du coiffeur, cette toison familière, rendue à l'aspect dérisoire de perruque, éprouvèrent le même malaise. Certains, comme Dorothy Weston-Clarke trouvèrent cette exhibition malsaine, d'autres se détournèrent pour cacher leur trouble ou leur répulsion.

L'inhumation symbolique de Fish Lady fut aussitôt organisée, le caveau ayant été préparé à recevoir le cercueil dans lequel Ottilia déposa, près de la chevelure de sa tante, la bible dont Lamia ne s'était jamais séparée. Les Arawak demandèrent la permission d'y ajouter un galet, sur lequel était peint un soleil rayonnant.

— Passeport pour leur paradis, souffla Uncle Dave à Pacal, avant qu'on ferme la bière.

Bien que Lamia eût toujours tenu les papistes pour des chrétiens qui faisaient « de la prière une représentation théâtrale dans la pompe et le luxe », lord Simon accepta, au côté du pasteur Russell, la présence du père Taval, que la défunte estimait. Le nouveau cacique des Arawak, Palako-Mata, fils aîné de Maoti-Mata, fut aussi admis dans le cortège qui, sous une pluie battante, suivit le cercueil porté par quatre marins.

Le mausolée des Cornfield, construit dans le style gothique à la fin du XVIIe siècle par le deuxième lord, se cachait, dans le parc, derrière un rideau de pins caraïbes, entre le manoir et Pirates Tower. Le monument funéraire n'était visité qu'une fois l'an, le jour des morts. À cette date, après que le pasteur eut récité les psaumes, dans la salle de prières éclairée par des fenêtres à meneaux, lord Simon, portant une lanterne allumée par Pibia, descendait seul l'escalier de la crypte. Devant les niches creusées dans les murs de calcaire corallien, reposoirs de ses ancêtres, il méditait un moment, puis remontait au jour. Premier à pénétrer dans le mausolée, dernier à le quitter, il refermait la grille, beau travail de ferronnerie qui reproduisait les armes des Cornfield.

Seul lord Simon détenait la clef de cette porte de fer. Au jour des obsèques de lady Lamia celle-ci pivota sur ses gonds en grinçant et le maître de l'île s'effaça pour laisser passer le cercueil de sa sœur, qui fut déposé à même les dalles. Autour, se rassemblèrent les seuls membres de la famille, les autres insulaires se serrant devant le mausolée, sur le tertre gazonné.

Le pasteur Russell, à qui lord Simon avait demandé d'être bref, lut de courts textes, tirés de Siracide, maître de sagesse du IIᵉ siècle avant Jésus-Christ :

– « Selon son plan, Dieu a maîtrisé l'Océan et il y a planté des îles. Ceux qui naviguent sur la mer racontent ses dangers et leurs récits nous remplissent d'étonnement. Il y a là des êtres étranges, admirables, une quantité d'animaux de toutes sortes et des monstres marins. Dieu plonge son regard au fond de la mer et au fond des cœurs ; il connaît leurs secrets. » C'est un de ces monstres, connus de Dieu et des hommes, qui a ôté la vie à lady Lamia Cornfield. L'existence de cette femme aux vertus exemplaires, que nous avons tous connue et aimée, s'est comptée, comme pour tout être humain, en années. Sa renommée se comptera en générations.

Le père Taval traça un signe de croix sur la bière et murmura un *De profondis*. Tous quittèrent la salle en silence, sauf Pacal, que son grand-père retint en lui faisant signe de prendre la lanterne déjà allumée. Précédant les porteurs, le vieillard et le jeune homme descendirent dans la crypte. Quand le cercueil eut été placé dans la cavité creusée pour le recevoir, les marins se retirèrent, laissant les deux hommes dans la salle souterraine.

– Ils sont tous là, les Cornfield de Soledad, dit lord Simon.

Sa voix résonna étrangement sous la voûte quand il lut les noms gravés dans la pierre, au-dessous de chaque sépulture.

Ce nécrologe achevé, il prit le bras de Pacal.

— Voici ma place, dit-il, montrant un alvéole récemment creusé.

Ils quittèrent ensemble le mausolée, dont lord Simon referma la grille. Ce geste accompli, il tendit la clef à son petit-fils.

— Le jour venu, c'est toi qui m'ouvriras cette porte, dit-il gravement.

La mort se plaît parfois à frapper la même famille de plusieurs coups. Après les fêtes de fin d'année, réduites, en raison du deuil, aux seules réunions intimes, lord Simon apprit par une lettre de sa sœur, Mary Ann, le décès de sir William. Son beau-frère avait succombé à une troisième attaque cérébrale.

— La mort est bien la première femme que Willy Main-Leste n'a pas eu loisir de peloter, s'esclaffa Simon Leonard, en manière d'oraison funèbre.

Il n'avait jamais aimé Willy, son associé, jouisseur impénitent qui, par bêtise et prodigalité, avait mis en danger leurs entreprises.

— Que va devenir sa veuve ? demanda Pacal.

— Lors de notre séjour en Angleterre, après avoir, avec toi, remis de l'ordre dans nos affaires, j'ai pris toutes dispositions pour lui assurer une rente à vie. Pour le reste, la mort de Gordon va simplifier les choses. Les parts qu'il ne m'avait pas cédées dans l'élevage de moutons où nous étions associés me reviennent toutes. Donc, elles te reviendront. Je craignais de partir avant lui et de te laisser cette association boiteuse sur les bras. Maintenant, je suis rassuré : tu seras le seul propriétaire de notre filature de Manchester, de l'élevage des Costwolds et de la lainière de Chippen Campden, précisa le lord, visiblement satisfait.

Lors des cérémonies annuelles organisées au manoir, le 24 mai, à l'occasion du soixante-quatrième anniversaire de la reine Victoria, tous les visiteurs constatèrent l'affaiblissement du patriarche. S'il fit effort pour accueillir, debout, ses invités dans le hall du manoir, ce fut appuyé, d'une main sur sa canne, de l'autre sur l'épaule de son petit-fils. Ce geste confirmait certes l'intronisation de l'héritier mais s'expliquait aussi par la crainte d'un soudain vertige, malaise de plus en plus fréquent.

Il présida la réception sans quitter un fauteuil à haut dossier, auquel il s'appuyait entre deux entretiens avec ceux et celles venus le saluer, tel un souverain sur son trône. Joues défaillantes, teint jaune, lèvres pâles, il n'avait cependant rien perdu de sa vivacité d'esprit ; son regard, où se lisaient aussi bien l'ironie, la courtoisie mondaine, l'impatience, que l'intérêt sincère, restait ferme et assuré.

C'est au lendemain de cette journée éprouvante que lord Simon entreprit Pacal, à l'heure du porto et du cigare.

— Avant que tu ne partes pour Nassau jouer au polo, il y a de cela quelques mois, je m'étais promis de te parler d'une affaire qui me tient à cœur. Comme je crois n'en avoir plus pour longtemps à traîner ma vieille carcasse sur cette terre, je dois le faire maintenant...

— Je vous écoute, bien qu'Uncle Dave estime votre carcasse encore solide, dit Pacal.

— La sinistre visiteuse est dans l'antichambre, il le sait comme moi, tu le sais aussi bien que nous, mais là n'est pas la question. Je veux aborder avec toi le chapitre du mariage.

— Rien ne presse, je vous assure.

– Tu dois penser à la postérité des Cornfield et j'aurais voulu te voir marié avant de partir. J'aime autant que la petite Anacona soit entrée au couvent. Tu aurais été capable de l'épouser par pitié et parce qu'elle avait de belles fesses qu'elle remuait agréablement.

– Ça ne m'était pas venu à l'idée, je vous assure.

– Ce n'est pas à Nassau, où tu vas « contenter la bête » comme disent nos marins, que tu trouveras une épouse. Une Anglaise t'irait mieux. Où en es-tu avec la petite Kelscott, rencontrée à Epsom et à Belgravia ? Vous correspondez ?

– Jane m'écrit des lettres intelligentes et je lui réponds ponctuellement. Nous échangeons des titres de livres et des partitions musicales. Par elle, je sais tout de la vie mondaine et artistique de Londres, car elle imagine que nous vivons au milieu et comme des sauvages. Je la crois bêtement amoureuse de moi mais, par bonne éducation, très attentive à ne pas le laisser paraître. Mais, grand-père, je n'ai nulle envie de me marier, ni avec Jane Kelscott ni avec une autre demoiselle, anglaise ou non.

– Pourquoi ça ?

– Parce que, depuis mon aventure avec Viola, je me méfie des femmes, de toutes les femmes.

– Alors, tu devrais te méfier de Liz Ferguson.

– Vous êtes au courant ! Mais il ne s'est rien passé entre nous. Les journaux de Nassau ayant rapporté la mort tragique de lady Lamia, Liz Ferguson m'a envoyé une très belle lettre de condoléances. C'est tout. Et puis, elle est mariée.

– Mal mariée, aussi peu mariée que possible, mariée pour la galerie. Même si elle était libre, ce ne serait pas une femme pour toi. Elle est née Horney ; son père est un ancien planteur esclavagiste de Virginie, qui fut officier supérieur dans l'armée sudiste. Ces gens sont arrivés ici en 1865, avec leurs nègres, et ont acheté des terres à Eleuthera, où ils cultivent, avec grand succès, des primeurs. Il y a deux ans

Frederik Horney, le frère de Liz Ferguson, a ouvert un bureau de change à Nassau. Il gagne beaucoup d'argent avec les touristes. Je suis sûr qu'ils regrettent tous le temps de l'esclavage, pesta lord Simon.

— Je sais faire la différence entre le sexe et les sentiments. Pour satisfaire aux exigences du premier, pas besoin d'engager les seconds.

— Mais alors ? Comment vois-tu l'avenir ? demanda lord Simon.

> — *Je me satisferai des amours saisonnières.*
> *Des filles du printemps, décors de bonbonnières,*
> *Des femmes de l'été, dorées par le soleil,*
> *Des dames de l'automne, fleurant la pêche mûre,*
> *Des ladies de l'hiver, brûlant sous leur fourrure,*
> *Sans attendre d'aucune le bonheur au réveil,*

récita Pacal.

— Qui a écrit ça ?

— Votre petit-fils. La poésie me libère, comme la musique, dit Pacal.

— Serais-tu poète ?

— À mon âge, tous les jeunes hommes qui rêvent d'une sylphide sont poètes, grand-père.

— Pas possible ! Les femmes se chargent plus tard de leur faire passer le goût des vers... qui sont dans le fruit défendu, conclut lord Simon en riant.

Finalement, il ne lui déplaisait pas que Pacal fût ainsi. Son héritier saurait « se défendre des filles qui, comme la Kelscott, cherchent à se caser », se dit-il en vidant son verre de porto, le seul autorisé par le docteur Weston Clarke et Uncle Dave, pour une fois d'accord.

En juin, à l'occasion d'une nouvelle rencontre de polo, organisée à Nassau, sur Eastern Parade, Pacal, en dépit de la mise en garde de son grand-père, revit avec plaisir Liz Ferguson. Comme il l'avait espéré, elle apparut au premier rang des spectateurs, pimpante, rieuse, vêtue d'un canezou de mousseline blanche, coiffée d'un canotier fleuri. À l'issue du match, elle vint à sa rencontre, porteuse d'une serviette brodée et ce fut tout naturellement qu'elle accepta de l'accompagner au Royal Victoria Hotel pour prendre un rafraîchissement. Ils renouèrent, comme si leur relation n'avait pas été interrompue par la mort tragique de lady Lamia. Entre eux, les choses allaient de soi, ils formaient un duo complice, harmonieux et gai. Le soir même, ils dînèrent ensemble. À l'aise dans le marivaudage comme dans la conversation sérieuse, ils en vinrent aux confidences. Lizzie révéla une solitude acceptée et entretenue ; Pacal ne cacha pas, sans donner de détails, qu'une aventure l'avait rendu circonspect à l'égard des femmes. Au moment de la séparation, ils échangèrent spontanément un premier baiser après avoir pris rendez-vous, le lendemain, sur une plage à Hog Island.

— Je me baigne à Pirate's Cove, une crique peu fréquentée. J'y possède depuis peu une paillote pour piqueniquer. Nous ne serons pas dérangés, minauda Lizzie.

— Ma présence ne sera-t-elle pas compromettante pour vous ?

— On pensera que vous êtes mon chevalier servant à la mode américaine. Personne n'y trouvera à redire.

— Votre mari, peut-être. Je me vois avec un duel sur les bras !

— Aucun risque. Je jouis, comme lui, d'une entière liberté. Je lui dirai que je vais me baigner avec le petit-fils de lord Simon Leonard Cornfield. Il sera très flatté, lança gaiement Lizzie.

Depuis l'afflux des touristes américains, les bains de mer

étaient organisés. Les médecins de New York, de Washington et de Philadelphie conseillaient les eaux tièdes et pures des Bahamas pour éliminer la fatigue et combattre la nervosité. Un siècle plus tôt, le frère du grand George Washington n'avait-il pas tenté de restaurer sa santé au soleil de l'archipel ? Les plages les plus accessibles, à partir de New Providence, se trouvaient sur Hog Island, île étroite de quatre miles de long, étirée en face du centre ville de Nassau. Le port en eau profonde se trouvait entre l'île capitale et son annexe.

Autrefois peuplée de sangliers, puis réservée à l'élevage malodorant des cochons, d'où son nom, Hog Island[1] offrait, sur sa rive septentrionale, des étendues de sable fin et des anses où les vagues exténuées n'arrivaient plus qu'en clapots. Des navettes portaient les baigneurs, en moins de dix minutes, de Bay Street à l'île, où des voiturettes étaient à la disposition de qui rechignait à marcher jusqu'au littoral.

Ses bonnes résolutions ayant succombé, la veille, au charme de Liz Ferguson, Pacal fit la traversée en fin de matinée. Mieux que toutes celles qu'il avait rencontrées jusque-là, Lizzie semblait comprendre le rôle de la femme et offrait sans manière ni ambiguïté une amitié amoureuse pour un plaisir partageable. Confiant en l'innocuité d'une telle relation, Pacal allait joyeux vers celle qui l'attendait.

Refusant une voiture, il marcha jusqu'à Pirate's Cove et repéra, de loin, la paillote : un toit de palmes supporté par quatre pieux sous lequel Liz, allongée sur un lit de bambou, lisait à l'abri du soleil. De temps à autre, elle jetait un regard du côté d'où devait arriver son compagnon. Par jeu, il

---

1. L'île fut renommée Paradise Island, en 1950, par Huntington Harford, un homme d'affaires américain, qui construisit le premier hôtel, l'Ocean Club, et investit des millions de dollars dans l'île. Celle-ci est aujourd'hui un immense complexe hôtelier, dont l'hôtel Atlantis est le fleuron.

contourna la paillote et la surprit. Sans quitter sa couche, elle lui tendit les bras.

— Je craignais que vous ne veniez pas, dit-elle.

— Pourquoi ne serais-je pas venu ?

— Par crainte de la mante religieuse.

— Vous êtes plutôt libellule, dit-il en se laissant tomber sur le sable à ses pieds.

— Que lisiez-vous ? ajouta-t-il.

— *Une vie*, roman français de Guy de Maupassant. Je viens de le recevoir de Paris.

— Est-ce intéressant ?

— L'auteur se complaît à démontrer combien l'amour peut être cruel aux âmes sensibles, dit-elle.

— Êtes-vous une âme sensible ?

— À vous de deviner ! En attendant, allons nous baigner. Ensuite nous déjeunerons. J'ai, dans une glacière, des jus de fruits et, dans un panier, de quoi nous sustenter, dit-elle.

Quand elle se mit debout et quitta son peignoir, Pacal découvrit une beauté fragile, tanagra de chair au petit buste arrogant, hanches étroites moulées dans un costume de bain bleu à pois jaunes, avec nœuds de rubans sur les épaules et décolleté triangulaire dans le dos. Même si la culotte bleu uni, serrée au-dessous du genou par un volant de dentelle, rompait la finesse des jambes, il fut sensible à l'équilibre de ce corps de femme. Liz couvrit ses cheveux d'un bonnet de même tissu que son costume et invita Pacal à se dévêtir. Il avait passé son caleçon de bain sous son pantalon, dont il se débarrassa avec sa chemise. Prenant leur course sur le sable, ils durent avancer dans les vaguelettes avant de perdre pied. Le brasillement aveuglant de l'Océan, le bleu lisse du ciel, la caresse méridienne du soleil, la blondeur de l'air, l'aisance de leurs mouvements dans les eaux cristallines conféraient à l'instant une félicité édénique. Ils la prolongèrent en nageant jusqu'au bout de la crique, avant de revenir au même rythme vers la plage.

Liz déroula les panneaux de toile qui fermaient les quatre côtés de la paillote, mettant ainsi ses occupants à l'abri des regards. Sans attendre, elle ôta son costume de bain et s'allongea sur le lit de bambou, s'offrant nue au regard de son compagnon, comme impatiente d'une étreinte par l'un et l'autre pressentie.

À cet instant, une confusion panique saisit Pacal, le figea debout face à Lizzie, dont le sourire s'éteignit. Il voyait Viola sur la plage de Nantasket, pareillement offerte à son désir, mais elle était morte, la tempe fracassée. Le rire grinçant d'une mouette augmenta sa terreur, il crut défaillir.

Bouleversée par la pâleur soudaine de son compagnon, ses maxillaires tendus, son regard absent, Liz devina qu'il vivait un accès de souffrance indicible.

– Passez-moi mon peignoir, demanda-t-elle, soudain consciente de l'indécence de sa nudité.

Il la couvrit vivement et, sans un mot, se rhabilla.

– Je m'en vais. Ne m'en voulez pas. Vous ne pouvez pas comprendre, bafouilla-t-il en soulevant un panneau de toile pour quitter la paillote.

– Un jour, Pacal, vous m'expliquerez. Je suis et resterai votre amie tant qu'il vous plaira, murmura-t-elle.

Il lui baisa la main et s'enfuit en courant, un spectre aux trousses.

Restée seule, Liz Ferguson s'assit sur le lit de bambou. Elle qui n'avait jamais versé de larmes, même après ses pires désillusions, se mit à pleurer doucement. S'il devait un jour lui revenir, saurait-elle donner à cet homme, plus qu'elle n'avait su offrir aujourd'hui, ce dont il avait sans doute le plus besoin : la paix du cœur ?

Jusqu'au jour de son départ pour Soledad, par le bateau-poste, Pacal Desteyrac-Cornfield resta confiné au Royal

Victoria Hotel. Indispensable solitude pour analyser son comportement avec Lizzie, qui le prenait peut-être pour un babilan. Il convint enfin que la mort tragique de Viola et le crime de Bob Lowell l'avaient si profondément marqué qu'il n'avait pu se défendre, à Hog Island, d'une réminiscence terrifiante. Même s'il n'avait pas été amoureux de la jeune Arawak, il devait à Viola sa première véritable émotion d'amant. Comptait plus encore l'estime et l'affection quasi filiale vouées à Bob Lowell, son mentor. Sa femme et lui, pendant une période de sa vie, avaient été les êtres les plus proches. Celle qui avait reçu la mort et celui qui l'avait donnée restaient inséparables dans ses remords. En cédant à l'appel du désir, il avait influencé le destin d'innocents. Même si son père et son grand-père l'avaient disculpé, lui-même ne pouvait s'absoudre. Il conservait en mémoire une attrition dormante que Liz Ferguson, prête à l'amour, comme autrefois Viola, avait ranimée. Il n'oserait jamais la revoir.

Ce n'est qu'en débarquant à Soledad qu'il retrouva son calme. Charles Desteyrac et Ottilia se préparaient à quitter l'archipel pour l'Angleterre, où allait se tenir la Fisheries Exhibition. Les produits bahamiens, éponges, écaille de tortue, sisal, ananas, tomates, coquilles gravées, bois de gaïac et d'acajou devaient y être exposés. Bien qu'Auguste Adderley, un des plus importants négociants de Nassau, membre de l'*Executive Council*, ait été nommé commissaire de la section bahamienne et délégué à Londres par le gouverneur des Bahamas, lord Simon tenait à ce que ses entreprises insulaires fussent représentées.

En l'absence de son père, dont le retour était prévu au commencement de 1884, Pacal dirigeait l'achèvement du réservoir creusé au mont de la Chèvre. Tôt levé, il quittait

Malcolm House à cheval pour grimper jusqu'au chantier. Après avoir passé sa matinée avec les ouvriers, il partageait le déjeuner du père Taval, préparé par Manuela Ramírez et servi par ses filles. Puis il descendait à Cornfield Manor et travaillait jusqu'à l'heure du thé avec son grand-père. Entre thé et dîner, il allait se baigner avec Takitok ou un autre de ses amis d'enfance, avant de rentrer à Malcolm House, pour passer son *dinner jacket* et se trouver à table, à sept heures précises, face à son grand-père.

Un soir, à l'heure du porto, alors qu'on venait d'apprendre avec retard que, le 3 septembre, la rade de Saint-Pierre, sur l'île française de la Martinique, avait été dévastée par un ouragan[1], lord Simon confia une nouvelle mission à son petit-fils.

— Je voudrais que tu ailles voir ce qui se passe à Great Inagua, au port et dans nos salines. D'après un rapport de l'intendant, les ventes de sel à destination des États-Unis ne cessent de diminuer. Dans les bonnes années, nous exportions un million cinq cent mille barils de sel. Aux dernières nouvelles, moins de deux cent mille barils. Nous perdons de l'argent et les travaux que nous avons engagés, l'aménagement du canal et le tramway entre les salines et le port, sont loin d'être amortis. Si l'affaire n'est plus rentable, on liquide et on s'en va. Tu jugeras sur place et tu décideras. Inutile de perdre du temps, donc de l'argent.

Deux jours plus tard, Pacal embarqua sur l'*Arawak*, avec Andrew Cunnings, à qui John Maitland venait de confier un commandement. Lewis Colson, terrassé par une crise de paludisme, se trouvait dans l'incapacité de prendre la mer.

Naviguer dans l'archipel avec un jeune officier de son âge — tous deux venaient d'entrer dans leur vingt-septième année — n'était pas pour déplaire à Pacal. Le lieutenant

---

1. L'ouragan causa de nombreux dégâts et détruisit plusieurs navires. Il fit trois victimes : une fillette et deux marins.

appartenait à ce que lord Simon nommait avec quelque dédain « la génération vapeur » et passait pour fin manœuvrier. Il le prouva, entre Soledad et les Inagua Islands, quand l'*Arawak* traversa la queue d'un ouragan, en route, comme chaque année en cette saison, vers la côte est de la Floride ou le golfe du Mexique.

Sur Great Inagua, une île de quarante-cinq miles de long et dix-huit de large, où vivaient un millier d'habitants, Pacal trouva une situation encore plus désastreuse que celle annoncée par lord Simon.

À Matthew Town, la seule ville de l'île, les installations portuaires – à la construction desquelles Charles Desteyrac s'était intéressé en 1866, quand on croyait que le trafic maritime entre les États-Unis et le reste du continent connaîtrait un intense développement et ferait d'Inagua une escale de ravitaillement obligée – n'étaient que rarement sollicitées. Le percement de l'isthme de Panama, qui devait réduire des deux tiers le parcours de New York à Valparaiso ou à San Francisco, et de moitié celui de Liverpool à Sydney, n'était pas achevé. D'après les lettres qu'Albert Fouquet envoyait de Panama à son ami Charles Desteyrac, les travaux étaient souvent interrompus par des glissements de terrain, alors que sévissaient la fièvre jaune et la malaria. Plus inquiétant, les souscripteurs de la Compagnie universelle du canal transocéanique, effrayés par le coût d'une entreprise dont ils commençaient à douter de la rentabilité, se montraient réticents, et on tentait vainement, à Paris comme à New York, d'en attirer de nouveaux. Ferdinand de Lesseps estimait que le canal ne serait pas ouvert à la navigation avant plusieurs années. En attendant, les navires marchands continuaient à emprunter la route dangereuse du cap Horn, pour passer de l'océan Atlantique à l'océan Pacifique. De ce fait, l'escale d'Inagua devenait négligeable.

Quant aux salines, elles étaient ruinées. Partout, des

monticules de sel jaunissaient au soleil. Les rails du tramway, que Charles Desteyrac avait fait établir pour porter le sel des marais au port, disparaissaient sous la végétation et l'entretien du canal avait été abandonné. Les plus belles maisons de Matthew Town, désertées par leurs propriétaires, partis tenter leur chance à Cuba ou à la Jamaïque, ne trouvaient plus preneurs. Ailleurs, des habitations, détruites deux ans plus tôt par un incendie, ne pouvaient être reconstruites faute d'argent.

– Après avoir été la plus riche, Inagua est l'île la plus misérable de l'archipel, assura le seul clergyman encore présent à Matthew Town.

Même le gouvernement bahamien semblait se désintéresser du sort des Inagua Islands. Le courrier en provenance des États-Unis pour l'archipel, qui arrivait à Matthew Town où les bateaux-poste bahamiens le recueillaient, pour le distribuer dans les îles, était maintenant reçu à Long Cay, sur Crooked Island.

Seuls les flamants roses paraissaient satisfaits car, sur les marais salants inexploités, pullulaient les larves d'ephydra, petites mouche à grosse tête et yeux saillants, dont les oiseaux se régalaient.

En revanche, les îliens rompus au dur métier de paludier, habitués à entretenir le salin, ratisser le sel, le mettre à sécher, le tasser en baril, en redoutant les grandes pluies qui nappent d'eau douce l'eau salée, étaient désœuvrés et sans revenus. Tous pestaient contre l'*American Tariff*, qui avait anéanti la production et le commerce du « meilleur sel qui soit au monde[1] ».

L'intendant de la Salt Cornfield Company expliqua clairement la situation.

---

1. Aujourd'hui encore, la Morton Bahamas Limited, qui, depuis 1935, exploite les salines d'Inagua, assure que le sel qu'elle produit a un degré de pureté exceptionnel de 99,5 %.

– En 1881, une commission douanière américaine avait proposé « une réelle réduction des droits existants », peut-être de vingt pour cent, mais cette proposition est restée lettre morte. En 1883, les droits ont même été augmentés, notamment sur les lainages, le minerai de fer, l'acier et le sel que certains États de l'Union produisent depuis la fin de la guerre de Sécession. Et les douanes américaines veillent à ce que le *Tariff* soit strictement appliqué, dit l'homme[1].

– Prévoyant l'élection présidentielle de 1884, les républicains, mêmes protectionnistes, promettent, au nom du parti, « de corriger les inégalités du *Tariff* et de réduire l'excédent de recettes que les droits de douane génèrent ». On escompte que ceux-ci produiront en 1884, cent quarante millions de dollars, somme que les démocrates jugent « complètement inutile aux besoins de l'État », compléta le commandant du port.

Les Bahamiens espéraient donc une victoire démocrate en novembre 1884 et, partant, un changement de politique à la Maison-Blanche, qui conduirait à une véritable diminution des droits d'entrée aux États-Unis du sel bahamien. En attendant, certains insulaires tentaient une reconversion dans l'élevage, espérant exporter des bovins, ce que Pacal estima être pure utopie, personne sur l'île n'ayant compétence pour un tel commerce. Plus prometteuse lui parut la culture du chanvre de Manille, destiné à la fabrication des cordages, dont les marines, militaire et de commerce, faisaient grande consommation. Daniel Sergeant produisait, depuis peu, un

---

1. Tard venus à la production de sel, les États-Unis, qui n'en produisaient en 1825 que 17 000 tonnes, devinrent, dès 1920, avec 6 500 000 tonnes, les premiers producteurs de sel au monde, puisqu'en 1978 ils tirèrent, de leurs lacs et de leurs mines, 42 900 000 tonnes de sel. Mais la demande intérieure s'étant accrue – 17 % du sel américain est consacré au déneigement des routes – les États-Unis doivent à nouveau, depuis les années 60, importer du sel, notamment des Bahamas. *Une histoire du sel*, Jean-François Bergier, Office du livre S.A., Fribourg, 1982.

chanvre « valant celui du Yucatan ». Entrepreneur dynamique, il avait envoyé des échantillons à l'Exposition de Londres et commençait à recevoir des commandes. Pour ceux qui n'avaient ni capitaux ni connaissances particulières, restait l'exploitation des cocotiers, dont ils exportaient les noix à Cuba et en Floride, marchés plus proches que Nassau.

Après une enquête minutieuse, des heures de calcul et de réflexion, Pacal décida la liquidation de la Salt Cornfield Company, dans l'incapacité, comme la Heneagua Salt Pond Company, de trouver des débouchés pour le sel récolté sur l'île. Les Cornfield resteraient cependant propriétaires des terrains acquis au temps de la prospérité.

— Mon grand-père dit qu'en affaire la girouette commerciale tourne au vent des modes. Je réserve donc Inagua en attendant des jours meilleurs, confia Pacal à Cunnings en donnant le signal du retour à Soledad.

Dès son arrivée, après plus d'un mois d'absence, il se précipita à Cornfield Manor pour rendre compte de sa mission. Il fut surpris de voir Pibia se hâter à sa rencontre, alors qu'il arrêtait son boghei devant le manoir. Le visage grave du majordome, habituellement enjoué, l'alarma.

— La santé de lord Simon s'est dégradée, sir Pacal. Vous allez le trouver changé. Lui qui a toujours moqué ceux qui « dorment la sieste », passe une partie de l'après-midi au lit. Pour le moment il se repose et ne m'a pas encore sonné.

— Comment se tient-il à table ?

— C'est pas qu'il aurait perdu l'appétit, *sir*, mais il se retient de manger, à cause des nausées qui troublent sa digestion. Le docteur Kermor est venu ce matin avec Luc, le fils de Manuela, qui vient de rentrer de Baltimore, médecin diplômé. Sa Seigneurie n'a pas voulu voir ce brave garçon, en disant qu'avec Uncle Dave, les docteurs Weston Clarke et González, son médecin de Nassau, il est entouré d'assez de morticoles pour être achevé suivant les règles de la médecine. Car lord Simon n'a rien perdu de sa malice, *sir*.

– Il faudra m'annoncer dès qu'il sera en état de me recevoir. Je serai dans la bibliothèque.

Pacal savait par Uncle Dave que son grand-père souffrait depuis des mois d'une grave maladie du foie, formellement diagnostiquée. « Cela finira en ictère grave, en stase des voies biliaires, empoisonnement du sang », avait prédit Kermor, avec sa franchise habituelle, ce qu'avait confirmé Weston Clarke.

Quand, une heure plus tard, Pacal rejoignit l'aïeul dans son bureau, il fut effrayé par le teint cireux du malade, dont le blanc des yeux virait au jaune. Lord Simon avait fait toilette, passé du linge frais, endossé une jaquette d'aprèsmidi. En dépit de la maladie, il restait, à toute heure, soucieux de son apparence.

– Je suis bien aise que tu sois là. Alors, qu'as-tu vu à Inagua et qu'as-tu décidé ? lança-t-il, sans préambule, s'efforçant à la désinvolture.

Pacal fit un rapport détaillé, cita les témoignages recueillis, donna des chiffres et conclut en assurant que la liquidation de la saline Cornfield s'imposait. Lord Simon, qui savait à quoi s'en tenir par d'autres sources, approuva la décision de Pacal et le félicita pour son argumentation.

– En tant que propriétaire exploitant, vous devez, pour la bonne règle, signer ces papiers, que j'enverrai au Colonial Office, dit Pacal en déposant sur le sous-main quelques feuillets.

– C'est à toi de signer, mon garçon. Tu as désormais la signature pour toutes mes affaires. Le Colonial Office est prévenu. Mes notaires de Nassau, de New York, de Boston et de Londres ont été informés, comme tous mes banquiers.

Tous ont envoyé procuration à ton nom. Il suffit que tu mettes devant ta griffe « pour lord Simon Leonard Cornfield ». Quand je serai parti, dans un monde sans banquiers ni notaires, tu supprimeras le « pour lord Simon... ». C'est simple !

– Mais enfin..., s'insurgea Pacal, très ému.

– Mais enfin, quoi ? Je sais parfaitement où j'en suis. Uncle Dave m'a promis de me conduire debout jusqu'à *Christmas*. J'espère avoir la force d'aider mon vieil ami à tenir sa promesse. Ne sois pas triste, je n'ai pas peur de la mort, car je sais que tu tiendras ma place, ici et ailleurs, avec compétence, autorité et honneur.

– Tout de même, je trouve cette délégation de signature un peu prématurée.

– Que nenni ! Tu peux maintenant vendre Cornfield Manor à un Américain et me mettre à la porte, plaisanta le vieil homme, ragaillardi par la présence de son héritier.

C'est au prix d'un effort surhumain que lord Simon présida, à Cornfield Manor, les fêtes de fin d'année. Volonté féroce de maîtriser son corps souffrant, d'apparaître, tel l'acteur qui vient saluer à la fin du spectacle, comme le maître du jeu. Plus connu en Grande-Bretagne que tous les gouverneurs de l'archipel qui s'étaient succédé à Nassau, le lord des Bahamas entendait ne pas rater sa sortie. S'il ne prit que trois cuillerées de bouillon de tortue et quelques loquettes finement tranchées de jambon de Virginie clouté de girofle, qu'il dégusta avec lenteur pour être à l'unisson de ses invités, il ne fit que goûter à l'émincé de dinde, nappé d'une sauce onctueuse fleurant le whisky. Tandis que circulaient les jattes de crème glacée, les coupes où baignaient dans le marasquin des tranches d'ananas, les mousses au lait de coco, les gaufres à la cannelle et les sablés au gingembre, on le vit se contenter d'une gelée de citron, le moins écœurant des desserts.

Le repas achevé, en l'absence d'Ottilia, qui voyageait en Europe avec son mari, lord Simon, chancela un peu en quittant son siège pour offrir son bras à Dorothy Weston Clarke. Chapitrée par son mari, l'épouse du médecin réussit avec naturel à poser le bras de son hôte sur le sien, offrant ainsi un appui discret au malade.

Lorsque les dames furent réunies au petit salon, devant une desserte surchargée de friandises, les hommes, rassemblés au fumoir, firent cercle autour de leur hôte. Les cigares de Cuba furent allumés aux baguettes de balza et, quand Pibia apparut, prêt à servir le porto, lord Simon l'arrêta d'un geste.

– Mes amis, le vin que voici mérite d'être dégusté avec déférence. Il a vingt-sept ans d'âge, comme mon petit-fils Pacal Desteyrac-Cornfield, futur maître de Soledad. Je compte que vous l'assisterez – il n'osa pas dire « le servirez » – comme vous m'avez assisté depuis si longtemps.

Tous s'inclinèrent avec le sentiment d'assister à une passation de pouvoirs. Suivant la consigne donnée au majordome, Pacal fut servi le premier, en lieu et place du maître de céans. Ce geste confirma aux yeux de tous ces Anglais, accoutumés à l'étiquette observée depuis le premier baronet Cornfield, l'adoubement du fils de Charles Desteyrac et d'Ounca Lou. L'usage voulait que le premier servi, au cours d'une libation empreinte de quelque solennité, ouvrît la série des toasts.

– À la reine ! lança Pacal d'une voix forte, aussitôt imité par les invités.

Au douzième coup de minuit, frappé par le marteau du carillon qui, depuis cinq générations, comptait les heures des Cornfield, les invités se réunirent au grand salon pour l'échange des vœux.

– Pourvu que grand-père ne devine pas, derrière les souhaits qu'on lui prodigue, la commune pensée de ses amis.

Tous se disent que c'est peut-être le dernier Nouvel An qu'ils célèbrent avec lui, murmura Pacal à l'oreille d'Uncle Dave.

– À part les Weston Clarke, les Russell, Lewis Colson et Palako-Mata, tous ignorent la gravité de son cas, dit le médecin.

– Il a, certes, mangé du bout des dents, mais sa pugnacité est intacte. À le voir ainsi, je me prends à espérer. Votre quinquina et vos purgatifs salins font de l'effet, non ?

– Ma pharmacopée n'y est pour rien. Si mon vieil ami a pu, pour ce soir, dominer son mal et faire à peu près bonne figure, c'est à Palako-Mata que nous le devons. Hier, Simon, qui sait combien les Arawak sont forts en herboristerie, l'a fait venir. Ils ont parlé un moment et, ce matin, Palako-Mata m'a fait lui administrer une potion composée de coca, de valériane et d'une herbe dont j'ignore tout, le matlalitztic, héritage des Matlazinca, ancêtres mexicains de nos Indiens.

– Drogue salutaire.

– Mais non curative, hélas. Palako-Mata m'a prévenu. Effet temporaire, corrigea David Kermor.

Comme tous s'y attendaient, Pacal fut invité à ouvrir le bal. En se dirigeant vers l'épouse de John Maitland, il ne put s'empêcher de penser qu'il avait autrefois sacrifié à cette obligation mondaine avec lady Lamia.

Myra Maitland, femme timide et mélancolique – les commères murmuraient qu'elle n'était pas heureuse avec un mari qui cachait « une maîtresse dans chaque port » –, respecta le silence de son danseur. Elle imagina que les pensées de Pacal vagabondaient vers d'autres fêtes, loin de Cornfield Manor, alors que la valse ranimait chez cet homme le souvenir de Fish Lady, tournoyant légère dans ses bras, lors de la nuit du 31 décembre 1881.

Mêlée à la musique, il entendit sa voix quand elle lui avait dit : « Ce que tu es fort ! Sais-tu que mes pieds ne touchent pas le parquet ? »

Dès la fin de la première valse, lord Simon s'éclipsa discrètement, suivi par David Kermor. Comme si l'atmosphère ne se prêtait pas à la fête, cette nuit-là, après quelques danses, les invités se retirèrent. En l'absence du maître de maison et des Desteyrac, Pacal, rigide dans son spencer bleu navy, reçut compliments et remerciements à transmettre à lord Simon.

– Je crains que nous n'ayons assisté à la fin d'un règne et à l'avènement d'un nouveau seigneur de Soledad, dit le pasteur Russell, dans le groupe qui, sur les allées du parc, s'éloignait du manoir.

– Souhaitons-le moins tyrannique que l'ancien, grinça Dorothy Weston Clarke, vexée de n'avoir pas ouvert le bal avec Pacal.

– Caractère très différent, ma chère. Le fils de la pauvre Ounca Lou, si longtemps ignorée de son père, saura jouir de la fortune du vieux. Il fera, comme disent les Français, « danser l'anse du panier », avança Weston Clarke, sarcastique.

– Quand il va jouer au polo à Nassau, on dit qu'il ne monte pas que son cheval, gloussa Margaret Russell.

Titubant entre son mari et sa fille, cramponnée à leur bras, il fallait qu'elle fût, comme souvent, sérieusement éméchée pour faire une allusion si grivoise. Personne ne sourit ni ne releva, mais des larmes de honte montèrent aux yeux de Violet.

Au cours des premières semaines de l'année 1884, l'état de santé de lord Simon parut se stabiliser. Grâce à la potion fournie par le cacique des Arawak, les nausées s'espaçaient et le malade avait repris goût à la promenade. Il se faisait souvent conduire en calèche par Pacal, jusqu'à Deep Water Creek, au nord-est de l'île, face au grand large.

Ce jour-là, sous un soleil d'hiver « doré comme une guinée neuve », la transparence de l'air générait, entre mer et ciel, de lointains mirages.

– Sais-tu que, là-bas, est l'Angleterre ? dit Simon, fixant l'horizon comme si, doué d'une acuité visuelle surhumaine, il apercevait, par-delà l'Océan, les rives de la mère patrie.

Pacal respecta la méditation de son grand-père jusqu'à ce qu'il dût signaler l'approche de Tom O'Graney. Charles Desteyrac avait chargé le maître charpentier de faire construire une barrière de protection au bord de la falaise, qui s'effritait sous l'effet de l'érosion, ce qui expliquait la présence de l'Irlandais en ce lieu.

O'Graney salua, commenta les travaux en cours et rappela sans transition la nouvelle qui occupait son esprit depuis qu'on avait appris, à Soledad, le naufrage du *City of Colombus*, le 18 janvier, à Gay Head Light, sur la côte du Massachusetts.

– Les journaux annoncent cent trois morts, dit le charpentier, contrit.

– Les phares ne protègent pas toujours les navires du naufrage. Celui de Gay Head n'a pas sauvé ce vaisseau des écueils, entre Nantasket et Scituate, précisa lord Simon.

Le nom de Nantasket réveilla chez Pacal le souvenir de sa baignade avec Viola, mais le charpentier se remémora une autre tragédie de la mer.

– C'est sur cette côte, *my lord*, le dimanche 7 octobre 1849, qu'a failli se terminer mon voyage pour Soledad.

– Nous aurions été désolés de ne pas vous voir débarquer, lieutenant. Racontez-nous ça, dit lord Simon, attentif à donner son grade à Tom.

– Eh bien, voilà. J'arrivais en Amérique, à bord du *Saint John*, pour me mettre à votre service après que le regretté major Carver m'eut engagé à Liverpool, où j'errais à la recherche d'un embarquement. Le major m'offrit le passage sur le premier bateau en partance pour les États-Unis. Il se trouva, en escale, un navire irlandais, en route pour Boston. Il venait de Galway, en Irlande, ayant à bord une bande d'émigrants pour l'Amérique. C'était un vieux brick, dont les membrures me parurent si vermoulues qu'on y eût fait des trous avec le doigt. Après une traversée sans histoire, nous approchions de Boston, prêts à embouquer la passe de Cohasset quand, à un mille de la côte, une forte tempête se leva. Un coup de vent drossa le brick sur un rocher, où il s'ouvrit comme une vieille barrique. À quelques-uns, on a sauté dans une chaloupe, déjà à demi emplie d'eau, en prenant avec nous des femmes et des enfants. Le canot surchargé s'enfonça et ce fut chacun pour soi. Sans un espar qui me servit de bouée, je n'aurais jamais atteint le rivage où les gens qui avaient vu le naufrage attendaient. Pendant trois jours, les habitants de Cohasset ramassèrent les noyés rejetés par la marée, les mirent dans des bières grossières et les portèrent avec leurs charrettes, jusqu'au grand trou creusé dans le cimetière. Pour ces Irlandais, hommes, femmes, enfants, la terre promise n'offrait qu'une tombe. Ah, *my lord*, jamais je n'oublierai l'horreur de ces jours ! Et je peux imaginer ce que fut la fin du *City of Colombus* ! conclut O'Graney.

– Ce n'était pas votre heure, mon brave. En attendant qu'elle sonne, faites-nous une barrière solide, pour que les enfants et les chèvres ne tombent pas de la falaise, conclut lord Simon, mettant fin à l'entretien.

Le maître de l'île continuait à exercer sa rage de vivre en se donnant des buts datés. Il avait commencé par dire à Pacal : « Il faut que je tienne jusqu'au retour de ton père et d'Ottilia », puis quand, en mars, le couple eut regagné

Soledad, il émit l'espoir de célébrer une fois encore, en mai, l'anniversaire de Sa Très Gracieuse Majesté la reine Victoria.

Il prit plaisir aux cadeaux rapportés par Ottilia : une lunette astronomique « pour vous rapprocher de la Croix du Sud », et des eaux de toilette au lys, à la violette et à l'œillet de Penhaligon, fournisseur du prince de Galles.

Deux mois plus tôt, dans une lettre à son fils, Charles Desteyrac avait révélé qu'il s'était fort opportunément rendu à Paris pour une visite à sa mère, qu'il savait grabataire. Il avait eu le triste privilège de recueillir le dernier soupir de celle dont il n'avait jamais apprécié le remariage. Lord Simon voulut tout savoir des derniers moments de Mme de Saint-Forin comme si l'entrée dans la mort d'une femme qu'il n'avait jamais vue était un enseignement profitable à qui sait ses jours comptés.

— D'après les religieuses chez qui ma mère s'était retirée depuis longtemps, elle s'était préparée à la mort en chrétienne convaincue, comme qui s'apprête pour un exil que sa foi lui permettait sans doute d'imaginer heureux.

— Chacun fait son bagage comme il l'entend. Mais le mieux est de ne pas s'encombrer d'illusions sur l'au-delà, commenta Simon.

— Les illusions se concrétisent parfois. Ainsi, à l'heure de sa mort, ma mère considéra ma présence, au côté de mon demi-frère Octave, comme l'ultime grâce attendue et accordée par Dieu, puisqu'Il l'avait maintenue en vie jusqu'à l'arrivée de ses fils, dit Charles.

— Un destin contrariant peut faire manquer un tel rendez-vous, dit lord Simon.

Au lendemain de cette conversation, le maître de Soledad dut renoncer à se rendre à Nassau pour assister à la réception du nouveau gouverneur des Bahamas. Sir H.A. Blake, récemment arrivé avec sa femme Olive, ses deux fils Arthur et Morris, et son secrétaire particulier, R.H.W Woodward, remplaçait sir Charles Lees, nommé gouverneur d'Antigua, autre colonie britannique des Antilles. *The Nassau Guardian* annonçait en même temps que l'ancien gouverneur des Bahamas, sir William Robinson, qui n'avait pas laissé que de bons souvenirs dans l'archipel, revenait à Nassau, à titre privé, pour épouser Felicia Ida Helen Rattray.

— Elle passait pour sa maîtresse quand il était en fonction, entre 1874 et 1880, Il ne fait donc que régulariser, commenta Simon Leonard que ce genre de nouvelle émoustillait.

L'arrivée du printemps coïncida avec une brusque aggravation de l'état de santé du lord. Il dut renoncer aux promenades et se résigna à passer ses après-midi sur la galerie, dans un fauteuil. Le soir où, après un semblant de repas, il trouva un goût de paille humide à un premier cigare, rejeta le second parce qu'il sentait la résine, refusa de tâter d'un troisième et ne but qu'une gorgée de porto, Pacal comprit que son grand-père n'était plus de force à lutter contre la maladie. Dès que le vieillard, accompagné par Pibia, eut, plus tôt que d'habitude, gagné sa chambre, il envoya chercher le docteur Weston Clarke, Uncle Dave habitant le village des artisans à une demi-heure de Cornfield Manor.

Le valet revint porteur d'excuses. Le médecin était au chevet de Margaret Russell, qui avait fait une chute dans l'escalier de sa maison. Il ne pouvait quitter la blessée, son cas étant plus que sérieux.

Pacal se résigna à attendre l'arrivée d'Uncle Dave qui, chaque jour en fin de matinée, rendait visite à son vieil ami.

— Comment le trouvez-vous ? demanda-t-il, pendant que Pibia faisait la barbe de son maître, avant de l'aider à s'habiller.

— Mal, assez mal. L'ictère s'est affirmé. La bile passe dans le sang, son pouls est ralenti, fuyant, et je note une légère fièvre. Ce sont les signes d'une évolution qui s'accélère. Mon

petit, si la fièvre monte, il faut nous attendre à une hémor-
ragie, peut-être cérébrale.

— Et encore ?

— À un coma, dont on ne sort pas, dit Kermor avec un
soupir.

— Il voulait tenir jusqu'au 24 mai, jour anniversaire de la
reine. Vous savez l'importance qu'il attache à cette célébration, dit Pacal.

— Je sais, j'ai toujours su, nous le savons tous capable
d'étonnants sursauts. Mais cette fois, mon garçon, ce n'est
pas lui qui décide. La volonté ne suffit plus, la machine
renâcle. Souhaitons pour lui que ça ne dure pas au-delà du
supportable.

— Il peut souffrir ?

— Certes. Cet après-midi, j'apporterai une nouvelle
potion lénitive de notre ami Palako-Mata, celle qu'il a admi-
nistrée à son père quand nous avons vu que la fin approchait.
Il est parti tranquille, notre vieux cacique, dans son sommeil.
Simon m'a dit ce jour-là : « C'est ainsi que j'aimerais m'en
aller. » « Sans simagrées », avait-il ajouté.

Le lendemain, lord Simon admit qu'une immense lassitude l'empêchait « de mettre un pied devant l'autre », suivant
sa propre expression. Il ne parut pas à l'heure du thé et,
quand Pacal lui rendit visite dans sa chambre, en fin d'après-
midi, il trouva son grand-père, le teint un ton plus jaune,
adossé à des oreillers.

— Dis-moi un peu les nouvelles, j'ai mal à la tête et je
n'ai pas envie de lire, dit-il, désignant les journaux épars sur
la courtepointe.

Pacal déplia *The Nassau Guardian* et le parcourut.

— Voilà que Grover Cleveland, le gouverneur de l'État de
New York, a toutes chances d'être, en juillet, désigné par le
parti démocrate comme candidat à la présidence des États-
Unis. C'est un veuf. On dit qu'il aurait enlevé et séquestré

une femme, à laquelle il aurait fait un enfant. Tout ça pour que l'affaire ne s'ébruitât pas[1].

– En politique, tous les coups, même les plus bas, semblent permis. Il arrive qu'un homme fasse un enfant à une femme autre que son épouse. Ça ne regarde personne, hors les intéressés. Surtout pas les polygraphes, bougonna lord Simon.

– Les républicains seraient décidés à envoyer contre Cleveland le sénateur du Maine, James Gillespie Blaine. Mais il y aurait un autre candidat, celui du parti des *green-backs*, vous savez ces gens qui, depuis 76, réclament le retour au paiement en espèces. Leur candidat serait le trop fameux général Benjamin Franklin Butler, celui que Myra Maitland et tous les Sudistes qualifient de « charlatan effronté » et nomment la Bête du Mississipi et le Boucher de New Orleans.

– Est-ce tout ?

– On vient de poser à New York la première pierre du piédestal de la statue géante de la Liberté, que la France a offerte à l'Amérique en 1876. Mon ami Artcliff a promis de me faire inviter à l'inauguration, compléta Pacal.

N'entendant aucun commentaire, il constata que son grand-père s'était assoupi. La respiration du malade lui parut régulière, ses traits détendus. Il quitta la chambre sur la pointe des pieds.

Il avait regagné Malcolm House après dîner quand, au milieu de la nuit, un valet vint le prévenir que le docteur Kermor réclamait sa présence à Cornfield Manor. Pacal

---

1. Le Révérend Kingley Twining, pasteur à Buffalo, ville dont Grover Cleveland avait été maire, démentit ces accusations en assurant que, si Cleveland avait eu autrefois, quand il était célibataire, une liaison illicite « il ne tenta pas d'échapper aux responsabilités et fit tout ce qu'il put pour remplir les devoirs qu'il avait encourus et dont le mariage ne faisait certainement pas partie ». Harry Thurston Peck, *Vingt Années de vie publique aux États-Unis (1885-1905)*, librairie Plon, Paris, 1921.

hésita un instant puis décida de réveiller son père et sa belle-mère. Ottilia était la fille de lord Simon et, à ce titre, devait être informée de cet appel inquiétant du médecin.

Une pluie drue, comme souvent en cette saison, fouettait la capote du boghei, dont les lanternes transformaient l'ondée en perles d'argent. Le vent agitait les pennes ruisselantes des palmiers. Pacal, angoissé, y vit comme des gestes d'adieu précipités. À son oreille, le martèlement du cheval, au grand trot sur la chaussée détrempée, sonnait comme un glas.

Le fidèle Pibia l'attendait sur le seuil du manoir.

— Le docteur Kermor est avec Sa Seigneurie, qui vous a plusieurs fois réclamé, dit-il.

Uncle Dave quitta la chaise qu'il occupait au chevet du malade quand Pacal entra dans la chambre et lui céda sa place.

— Simon veut te parler, dit-il à haute voix, comme s'il s'agissait d'une convocation banale.

Du regard, Pacal interrogea le médecin.

— Plus rien ne fonctionne, sauf l'esprit, souffla Kermor avant de quitter la pièce.

Lord Simon ne paraissait cependant pas plus mal qu'au moment où Pacal l'avait quitté, quelques heures plus tôt. Le front couvert de sueur, signe de forte fièvre, il prit la main de son petit-fils, geste peu familier.

— Comment vous sentez-vous ? risqua Pacal.

— En partance, mon petit, en partance. Ce qui a commencé doit finir. Je veux te dire que tu trouveras dans le tiroir de mon bureau, celui du milieu, une enveloppe à ton nom. Elle contient tout ce qu'il conviendra de faire. Je veux aussi te dire que ces derniers mois ont été fort intéressants, car ils m'ont appris à faire la connaissance de la mort. Uncle Dave, à qui j'ai demandé une totale sincérité, ne m'a rien caché de ma maladie. Ne sois pas triste. Dis-toi que la mort est un acte simple et naturel, que j'accomplirai avec une certaine curiosité. N'étant plus, on ne peut être déçu de ne plus être.

Comme Pacal allait parler, lord Simon lui serra plus fort la main.

— Ne m'interromps pas. Avant que mes idées se brouillent, je veux te dire que, ces temps-ci, le vieil égoïste que je suis n'a jamais été aussi heureux, jamais plus entouré par ma famille, plus sûr de toi. Ottilia heureuse avec Charles, le phare en service, Lamia partie, ma tâche est achevée et commence la tienne, avec tous les travaux que ton père a entrepris. Attends-toi à voir le monde changer ; le progrès va bouleverser la vie des hommes. Tu auras à protéger – mais aussi à adapter – Soledad à ce monde nouveau, qui ne me conviendrait pas.

— Mais enfin grand-père ! s'écria Pacal, incapable de maîtriser son émotion.

— Allons, sois raisonnable. Partir heureux, après une vie longue et bien remplie, est un privilège. Je veux pour toi une vie aussi riche et pleine que la mienne. Tu es un Desteyrac et un Cornfield, dépositaire du capital moral de deux nobles familles. C'est ça, l'atavisme. Mais n'oublie pas qu'avant d'être français et anglais tu es bahamien de Soledad, l'île où, comme moi, tu es né, et qui t'appartient, acheva le malade, exténué pour avoir trop longtemps soutenu l'effort d'affermir sa voix.

Tous deux se turent, ne supportant plus d'échange que par leurs regards l'un à l'autre rivés. Ce dialogue silencieux, exprimant ce qui n'était pas dicible, Pacal le ressentit comme une transfusion de pensée. Il serait désormais tel que son grand-père souhaitait qu'il fût.

— Maintenant, laisse-moi, je vais dormir, finit par articuler le malade, se laissant aller sur l'oreiller.

Pacal lui embrassa la main avant de la poser sur le drap et quitta sa chaise.

Au moment de la séparation, alors que le jeune homme

marchait vers la porte, lord Simon releva la tête avec un regard intense.

— Souviens-t'en, Pacal : la vie n'a de sens que celui qu'on lui donne.

Dans la bibliothèque, le jeune homme, accablé, retrouva Uncle Dave.

— Je crains que la mort ne s'approche, dit-il.

— La potion de Palako-Mata, que Simon a réclamée, va faire effet, empêcher qu'il ne souffre, dit simplement le médecin.

Périodiquement, l'un et l'autre se rendirent dans la chambre du mourant et, à cinq heures du matin, le 24 mai 1884, ils constatèrent que lord Simon Leonard, sixième baronet Cornfield, ne s'éveillerait plus.

Ce jour-là, on célébra, partout en Grande-Bretagne, dans l'Empire et à Nassau, le soixante-cinquième anniversaire de Sa Très Gracieuse Majesté la reine Victoria.

5.

La mort accorde parfois à ceux qu'elle vient de saisir une sereine beauté.

Cependant, quand Pacal revit son grand-père, dûment toiletté par Pibia, cravaté, vêtu d'un habit noir, le buste barré par le *Royal Blue*, ruban bleu du très noble ordre de la Jarretière, il ne reconnut pas, dans le maigre gisant au masque de vieil ivoire, l'homme qu'il aimait.

– Il n'est plus là, soupira-t-il.

– Absence de l'âme, répondit le pasteur Russell.

Au petit matin, dès l'arrivée d'Ottilia et de Charles Desteyrac, Uncle Dave et Weston Clarke conseillèrent, étant donné le genre de maladie qui avait emporté leur patient, une mise en bière rapide. Quelques heures plus tard, le cercueil d'acajou fut porté, ouvert, dans le hall du manoir, afin que les habitants du Cornfieldshire puissent rendre une ultime visite au maître de l'île.

Ottilia et Pacal s'attendaient à voir défiler, après les intimes, quelques familles du voisinage, mais sans que l'on sût comment, la nouvelle de la mort de lord Simon s'était, en quelques heures, répandue du nord au sud de l'île. Créoles, Noirs, Arawak, mulâtres arrivèrent en famille et John Maitland dut, à la demande de Pacal, placer un piquet de marins devant l'escalier du manoir pour canaliser cette foule. Hommes, femmes, enfants avançaient en file, dans un silence respectueux, tête baissée, voulant s'abstenir de toute curiosité, alors que la plupart d'entre eux franchissaient pour la première fois le seuil de leur maître et seigneur.

— Savez-vous que certains de ces petits ou adolescents se nomment Simon ou Leonard ? murmura Uncle Dave.

— Mon père a toujours accepté d'être le parrain du troisième garçon d'une famille, quelle que soit sa race ou sa condition sociale, rappela Ottilia.

Après un instant de recueillement devant le défunt — certains posaient la main sur le bord du cercueil comme qui touche une châsse —, les visiteurs sortaient par la porte du fond du hall, ouverte à deux battants pour la circonstance.

Ce défilé dura jusqu'à la fin de la matinée. Le dernier îlien parti, Tom O'Graney, retenant ses larmes, ne laissa à personne le soin de fermer la bière, hâtivement confectionnée, après qu'Ottilia y eut déposé la première rose de l'année et Palako-Mata une branche de yucca, l'arbre sacré des Arawak.

Le protocole funéraire du très noble ordre de la Jarretière exigeait une garde d'honneur jusqu'à l'inhumation du chevalier défunt. Des officiers et des marins, en uniforme de la flotte Cornfield, se relayèrent pour l'assurer jusqu'à la levée du corps.

Avec Ottilia, Pacal fixa au lendemain matin la mise au tombeau.

Comme Charles Desteyrac conviait son fils à regagner Malcolm House, celui-ci déclina l'invitation. Son premier devoir lui commandait de rester à Cornfield Manor, pour prendre connaissance des volontés de son grand-père.

Il accepta une collation, servie dans la salle à manger où Pibia avait dressé son couvert à la place du maître de maison, façon de matérialiser une succession approuvée. Il s'enferma ensuite dans le cabinet de travail du maître.

Ayant pris place, derrière la grande table d'acajou à abattants, dans le fauteuil au cuir patiné, il en caressa les accoudoirs polis par l'usage, trouvant dans ce contact assez d'émotion pour enfin s'abandonner au chagrin jusque-là contenu.

« Un homme ne verse de larmes que verticales », disait souvent lord Simon, ennemi de toute exhibition. Celles de son petit-fils n'eurent pour témoin que l'antique tête de cristal de roche aux pupilles de saphir, posée sur sa sellette, entre deux fenêtres.

Sur le buvard du sous-main, constellé de hiéroglyphes, Pacal étala le contenu de l'enveloppe laissée à son nom et trouvée, comme annoncé la veille par lord Simon, dans le tiroir central du bureau. Au cours de sa lecture, il éprouva l'étrange sensation d'entendre la voix de son grand-père prononcer les mots qu'il lisait. Comme toujours, les volontés du maître étaient clairement exprimées. Revenait à son héritier le devoir de les exécuter.

Le gouverneur et les autorités bahamiennes ne seraient prévenus du décès du lord des Bahamas qu'après l'inhumation dans la crypte où reposaient ses ancêtres, fondateurs de la colonie. Lord Simon refusait la présence « d'orateurs de cimetières ». Seraient envoyés à la Chambre des lords et au Colonial Office des messages, dont le texte avait été préparé, et, à plusieurs personnes, dont la liste était jointe, des faire-part seraient adressés en Grande-Bretagne, aux États-Unis et en Inde.

Pacal prépara ces envois, usant du stylographe à plume d'or de son grand-père et du tampon buvard qui, plus d'une fois, avait servi de projectile au lord dans un accès de colère. Le moment venu, il devrait encore attribuer les legs faits à Uncle Dave, au pasteur Russell, au père Taval, à Palako-Mata, à Lewis Colson, aux domestiques, jardiniers et pale-freniers de Cornfield Manor.

Sur le papier aux armes des Cornfield, Pacal rédigea ensuite une lettre à l'intention de son ami Thomas Artcliff, de New York, pour l'informer de son deuil et de l'impossibilité où il se trouvait de lui rendre visite, comme prévu quelques semaines plus tôt.

Adossé au cuir capitonné, dans la position où, tant de fois, il avait vu l'aïeul disparu, il se prit à réfléchir à sa propre situation. Dès que les notaires de Londres auraient confirmé ses droits de propriété et prérogatives diverses, quand la Chambre des lords aurait reconnu le titre héréditaire qui ferait d'un Desteyrac le sixième lord Cornfield, il s'installerait à la tête d'un empire.

Il devrait faire face, à la fois, aux responsabilités d'un suzerain, d'un entrepreneur, d'un exploitant agricole, d'un administrateur ou actionnaire de nombreuses sociétés, allant des fabriques de rails et de locomotives de Pittsburgh aux glacières de Boston en passant par des compagnies de chemins de fer et de navigation, des banques et même un collège, fondé à Oxford au XVIIe siècle par un lointain Cornfield, qui croyait aux bienfaits de l'instruction.

Propriétaire à part entière de la filature de Hyde, près de Manchester, et de l'élevage de moutons des Costwolds, il deviendrait aussi l'associé de lady Ottilia dans d'autres entreprises. La fille de lord Simon avait, en effet, hérité de son premier mari Malcolm Murray les parts que celui-ci avait reçues à la mort de son père, lord Richard, associé de Simon Leonard dans un élevage de moutons à Ipswich, dans les carrières de pierre du Suffolk et dans une mine de charbon, à Newcastle. À la mort de sa marâtre, plusieurs immeubles, à Londres, une galerie d'art vouée aux artistes préraphaélites et un important portefeuille d'actions lui reviendraient, Ottilia l'ayant fait son légataire universel. Au-delà de cet inventaire, une première question se posait.

Comment serait perçue et admise l'autorité d'un héritier de vingt-sept ans par les hommes d'affaires, banquiers, intendants ou représentants de son grand-père, tant en Grande-Bretagne qu'aux États-Unis ? Tous plus âgés, et sans doute plus que lui compétents dans leur partie, ne seraient-ils pas tentés d'user trop librement de leur délégation de pouvoirs ?

Un caractère faible eût été effarouché par l'ampleur quotidienne de la tâche et les risques encourus, mais Pacal Desteyrac-Cornfield, tout en mesurant les difficultés à venir, trouva dans la situation imposée par les circonstances une énergie neuve, une assurance virile et ressentit les prémices d'une consolation. Se montrer digne, en tout point, de son grand-père, suivre son exemple, assurer la continuité d'une œuvre coloniale exemplaire et la pérennité d'un patrimoine, savoir à l'occasion taire ses sentiments, accepter de passer parfois pour un hobereau tyrannique, tels seraient son comportement et sa conduite.

Les dernières paroles de l'aïeul avaient été : « La vie n'a de sens que celui qu'on lui donne. » Désormais, la vie de Pacal avait un sens.

Les funérailles de lord Simon Leonard Cornfield furent telles qu'il les avait ordonnées.

Au matin du 25 mai 1884, dans le battement monotone des tambours voilés de crêpe et rythmant une marche lente, le cortège funèbre quitta le manoir entre deux averses. Précédé par les officiers de la flotte Cornfield, brassard noir à la manche de leur vareuse, le cercueil, couvert de l'Union Jack, apparut sur le châssis d'une calèche débarrassée de sa carrosserie. Tiré par des chevaux caparaçonnés de drap noir aux armes des Cornfield, l'affût improvisé parcourut, en peu de temps, le chemin qui séparait la résidence des vivants de celle des morts. Derrière des haies de marins se pressaient les insulaires. Nombreux étaient ceux et celles qui, larmes aux yeux, jetaient des fleurs au passage du char, suivi par les seuls membres de la famille.

Devant le mausolée, attendaient le pasteur Russell, le père

Taval, en surplis de dentelle, et Palako-Mata, vêtu d'une somptueuse pelisse rouge à col de petit-gris, copie d'une antique parure de cérémonie arawak offerte par lord Simon au cacique.

Quand les porteurs, chargés du cercueil, approchèrent du tombeau, Pacal, tirant une clef de sa poche, ouvrit la grille et s'effaça pour laisser entrer le corps.

Dans la salle de prières, le pasteur Russell, seul autorisé à parler comme lors des obsèques de lady Lamia, lut un psaume de la Bible et, après un silence, ajouta, se tournant vers Pacal :

– Dieu juste et bienveillant, accueille ton serviteur Simon Leonard que pleurent ceux qui l'ont connu et aimé. Avant qu'il ne gagne ton royaume, tu lui as fait la grâce de donner à cette île un héritier qui, avec l'aide de Dieu Tout-Puissant, continuera la lignée des Cornfield et gouvernera Soledad avec sagesse.

Le père Taval donna sa bénédiction, Palako-Mata toucha du front la bière d'acajou et tous se retirèrent, laissant Pacal seul. Muni d'une lanterne, le jeune homme descendit l'escalier de la crypte où les porteurs le suivirent avec leur fardeau.

Quand le cercueil fut en place, dans la niche préparée depuis plusieurs semaines, les marins remontèrent au jour, laissant Pacal dans la pénombre. Il vérifia l'inscription, gravée le matin même. L'ayant trouvée conforme au texte rédigé par son grand-père, il quitta le mausolée, dont il ferma la grille avant de rejoindre les vivants.

Au cours des semaines qui suivirent, le nouveau maître de l'île passa ses journées à Cornfield Manor, pour expédier les affaires courantes, comme il le faisait depuis plusieurs mois avec son grand-père. Le soir, il rentrait à Malcolm House, pour dîner avec son père et Ottilia. Il s'installerait au manoir quand sa position serait officialisée par les lords et les hommes de loi.

Pendant cette période transitoire, il connut une première déconvenue. Le vieux John MacTrotter, comptable au service du lord depuis plus de trente ans, annonça un matin qu'il prenait sa retraite. Par on-dit, Pacal savait que cet Écossais, célibataire bougon, mais d'une honnêteté scrupuleuse, considérait l'héritier comme un freluquet. Savant ornithologue, correspondant de sociétés ornithologiques britanniques et américaines, il entendait consacrer ses loisirs aux oiseaux, dont l'île abritait plus de deux cents espèces. Ce taciturne s'était institué protecteur du perroquet bahamien, au beau plumage rouge et vert, que les marins capturaient pour le vendre aux touristes de passage à Nassau. Il défendait aussi, contre les chasseurs, le *savanna cucko*[1], que les insulaires appelaient *peckso* et qu'ils savaient apprivoiser.

La comptabilité tenait une place importante dans les affaires et Pacal dut pourvoir au remplacement de ce collaborateur. Il recruta Matthieu, un des fils du père Taval et de Manuela, dont lord Simon avait payé les études de droit à Baltimore. À Soledad, ce garçon retrouva Luc, son frère aîné, médecin formé à Johns Hopkins University, appelé à succéder à Uncle Dave qui, très éprouvé par la mort de son vieil ami Simon, envisageait, à plus de quatre-vingts ans, de céder son cabinet du village des artisans.

Bien que Dorothy Weston Clarke ironisât volontiers sur l'élévation sociale « des fils du curé », ces jeunes gens instruits, frottés de mœurs libérales, furent aisément admis, comme protégés du maître de l'île, dans la société du Cornfieldshire.

Pibia, le majordome, assura Pacal qu'il continuerait, lui, à assurer son service, tant que ses forces ne le trahiraient pas. Il doutait, en revanche, que sa femme, qui souffrait de

---

1. Grand coucou des savanes à longue queue.

rhumatismes, pût encore longtemps tenir les fourneaux. Le train de maison, que le nouveau maître semblait décidé à maintenir, réceptions fréquentes et table raffinée, ne s'accommoderait pas d'un service défaillant. Pacal proposa d'adjoindre à l'épouse fatiguée Ma Mae, la cuisinière de lady Lamia qui, depuis la mort de sa maîtresse, se morfondait à Buena Vista. La proposition ayant été bien accueillie, car les deux cordons bleus s'estimaient, on vit débarquer, à Cornfield Manor, Ma Mae et ses filles, Seraphita et Sylvana.

Aux premiers jours de septembre, on apprit la mort de Margaret Russell. Elle ne s'était pas remise de sa chute dans l'escalier de sa maison et venait de succomber, à l'Alister Cornfield Hospital, où elle avait été admise juste avant la disparition de lord Simon. Si les médecins, respectant le secret professionnel, s'étaient toujours montrés discrets sur l'alcoolisme de Margaret Russell, dès le décès, Dorothy Weston Clarke répandit le bruit que la chute dans l'escalier de la femme du pasteur n'était pas la cause de sa mort. « Elle a succombé à une crise de *delirium tremens* » susurrait l'épouse du médecin dans les salons.

Pacal se rendit aux obsèques et dut, à cette occasion, prononcer un bref éloge funèbre de la disparue. Il insista sur ses qualités de mère de famille et de pédagogue qui, au fil des années, avait instruit des centaines d'insulaires, dont certains lui étaient redevables aujourd'hui, dans l'archipel, de situations enviables. Ne résistant pas à l'envie de stigmatiser les propos des commères, il ajouta :

– Dans nos colonies, existent des femmes peu mondaines, qui se dévouent, sans mesurer leur temps ni leur peine, à l'instruction et à l'élévation morale des indigènes. On les rencontre dans les salles de classe, les ouvroirs et les dispensaires, plutôt que dans les salons, où potinent les dames désœuvrées. Margaret Russell fut de ces éducatrices estimables, qui ont droit au respect de tous. La nouvelle école de filles, en cours d'achèvement au village des artisans, portera son nom, conclut-il en fixant Dorothy Weston Clarke.

L'allocution fut appréciée et les assistants reconnurent que l'héritier de lord Simon avait su dire ce que son grand-père eût dit.

Devant la tombe de Margaret Russell, Madge et Emphie, venues de Nassau, se réconcilièrent dans le deuil avec leur père et leur sœur Violet qui, jusqu'au dernier jour, avait soigné leur mère.

En s'entretenant avec les jumelles, à qui leur boutique de nouveautés coquines assurait de bons revenus, Charles Desteyrac eut confirmation de la prochaine arrivée de son ami, Albert Fouquet. En route pour la France, il viendrait passer une partie de l'automne aux Bahamas. Les deux sœurs révélèrent en minaudant ce que l'ingénieur ignorait encore : Albert allait épouser l'une d'elles.

– Peut-on savoir laquelle ? demanda Charles avec malice.

– C'est encore un secret, dit Madge.

– Mais son choix est fait, assura Emphie.

Jusque-là, la correspondance, au départ de Cornfield Manor, certaines semaines abondante, était dictée à un mulâtre, ancien élève de Margaret Russell. Par distraction, ce scribe prenait parfois avec l'orthographe des libertés qui mettaient lord Simon en fureur et obligeait le coupable à recopier des versions corrigées.

Dès qu'il prit la direction des affaires, Pacal décida de créer un véritable secrétariat, du genre de celui qu'il avait vu fonctionner à l'étude des Artcliff, à New York.

– Pourquoi ne pas adopter ce qu'offre le progrès pour

faciliter le travail ? dit-il à son père, après lui avoir fait part de ses intentions.

– C'est bien pourquoi j'ai fait venir de France une de ce nouvelles machines à reproduire les plans, répondit Charles.

Pacal proposa aussitôt à Violet Russell, son amie d'enfance, libérée par la mort de sa mère, de travailler pour lui. Depuis quelques mois, Violet copiait sur une machine à écrire américaine, un peu vieillotte, les sermons de son père et avait acquis assez d'aisance pour taper plus de trente mots à la minute. Elle accepta avec gratitude l'offre de Pacal, qui commanda pour elle, à New York, une machine à écrire récente, de marque Remington.

On entendit bientôt crépiter, à Cornfield Manor, la *typewriter* de Violet Russell, promue secrétaire, avec autorité sur le copiste mulâtre, réduit au rôle d'archiviste.

À la fin de l'été, tous les documents officiels intéressant son avenir furent transmis à Pacal par le gouverneur des Bahamas. Bien que dépité de n'avoir pu organiser, pour lord Simon, des funérailles pompeuses, avec déplacement du gouvernement, le représentant de la reine joignait aux papiers envoyés de Londres ses « compliments les plus sincères au successeur d'un aristocrate et à une famille liée à l'histoire de la colonie ».

Le fils de Charles Desteyrac devint ainsi, sans cérémonie, lord Pacal Alexandre Simon Desteyrac-Cornfield.

La charte octroyée en 1647 – par le roi Charles II, à James Edward Cornfield – étant une nouvelle fois confirmée, le nouveau lord jouissait « en toute indépendance de la pleine propriété de l'île de Soledad, située dans l'archipel des Bahamas, West Indies, à charge pour lui de faire honorer en toutes circonstances Sa Très Gracieuse Majesté la reine Victoria, impératrice des Indes ; de faire respecter l'Église anglicane et ses ministres ; d'appliquer par droits de police et justice les lois britanniques et, en matière commerciale, les décisions du Colonial Office ».

Parmi les nombreux messages de condoléances et de sympathie, arrivés depuis juin, figuraient ceux de la reine, du Premier ministre, du lord de l'Amirauté et de plusieurs personnalités qui se réclamaient de l'amitié du défunt. Lord James Kelscott, fort affligé, disait trouver consolation dans la distinction et les qualités de l'héritier que lord Simon s'était choisi.

Plus personnelles furent les lettres adressées à Pacal par Anacona, en religion sœur Marie de la Fidélité, par Ann Kelscott et par Liz Ferguson, de loin la plus sensible. Lizzie concluait sa missive par une question, qui en masquait bien d'autres : « Un lord peut-il prendre son bain avec une roturière ? »

Cela fit sourire Pacal. Il répondit aussitôt qu'il était déjà inscrit, avec le lieutenant Cunnings, pour les matches de polo prévus en février 1885. Revoir Liz et lui avouer les raisons de sa dérobade, lors de leur baignade à Hog Island, le délivreraient peut-être d'un souvenir paralysant.

Dès son arrivée à Soledad, après un bref séjour à Nassau, Albert Fouquet confirma à Charles son intention d'épouser Emphie Russell et de vivre avec les jumelles.

— Deux femmes pour le prix d'une, c'est une affaire, non ?

— Et, comment as-tu choisi la légitime ? Par tirage au sort, j'imagine !

— L'ordre alphabétique désignait Emphie, mon vieux. Nous avons appris, autrefois, à ne jamais transgresser l'ordre alphabétique, s'esclaffa l'ingénieur.

— Veille tout de même à ne pas provoquer de scandale. Ces demoiselles ne sont plus de la première jeunesse, certes, mais tu es ici en terre protestante, avertit Charles.

— Compte sur moi. Gendre de pasteur, je serai le mécréant le plus anglican possible. D'ailleurs, je vais de ce pas rendre visite à Michael Russell. Emphie lui a écrit pour annoncer notre mariage.

Dès le lendemain soir, au dîner, les Desteyrac, chez qui logeait Fouquet pendant son séjour, eurent un compte rendu de l'entrevue.

Veuf, le pasteur Russell trouvait consolation dans sa foi religieuse et son activité de ministre. Il avait reçu le fiancé de sa fille avec gravité, mais aussi avec toute la chaleur dont cet austère clergyman était capable.

— Il s'est dit enchanté de voir Emphie entrer enfin, à trente-deux ans, dans « une vie régulière ». Ce sont ses mots, s'esclaffa Albert.

— Si le pauvre homme avait vent de votre institution polygamique, il en mourrait de honte, observa Ottilia.

— Il m'a grandement facilité les choses en me faisant part de sa crainte de voir une telle union séparer des jumelles qui ne se sont jamais quittées. Je l'ai aussitôt rassuré, en lui disant que j'avais envisagé cet aspect de la situation, que Madge habiterait avec nous et qu'ainsi les sœurs resteraient ensemble.

— Et cela t'a donné bonne conscience ? demanda Charles.

— Tout à fait, car Michael Russell s'est montré satisfait de cette cohabitation. Il m'a dit : « Séparer des jumelles peut causer chez elles des troubles psychologiques graves. Les médecins l'ont constaté. Je vous suis reconnaissant de ne pas éloigner Madge de sa sœur. » « Nous ferons tout, Emphie et moi, pour combler sa solitude », ai-je cru bon de préciser sans rire.

— En somme, tu es un gendre bienvenu, ironisa Charles.

— Si bien venu que le pasteur célébrera lui-même le mariage, à condition qu'il ait lieu ici, dans l'intimité et sans flaflas, à cause de la mort récente de Margaret Russell. J'ai dit que tu serais mon témoin.

Charles Desteyrac et Ottilia ne cachèrent pas leur stupéfaction devant l'audace et la désinvolture de Fouquet.

– Ce mariage me rappelle nos canulards d'étudiants. Mais des femmes sont en cause, observa Charles.

– Le mariage est une chose sérieuse et, pour le prouver, j'ai dit au pasteur que j'ai les moyens d'entretenir mon ménage et que ses filles allaient vendre la boutique qui leur avait valu une réputation de légèreté tout à fait injustifiée. Cette décision l'a ému au-delà du possible. J'ai cru qu'il allait m'embrasser, dit Albert.

– C'est bien trouvé, reconnut Ottilia.

– En vérité, elles vont mettre leur affaire en gérance. Il serait stupide de se priver de revenus dont vous n'avez pas idée. Les sœurs Russell ne s'occuperont que du choix et des commandes de lingerie, compléta Fouquet.

– Mis à part les touristes, j'imagine leur clientèle assez réduite, observa Otti.

– Pas réduite, mais soucieuse de discrétion, ma chère. Les dames de la bonne société de Nassau ne viennent pas au magasin mais, assurées de la discrétion des sœurs, elle se font présenter, non pas chez elles, mais dans des lieux sûrs, les dessous les plus polissons.

Un mois plus tard, le mariage d'Albert et Emphie se réduisit à une brève cérémonie au temple et à un dîner à Malcolm House. Au cours du repas, les jumelles, qui, pour une fois, portaient des toilettes différentes, afin que la mariée se distinguât de sa sœur, se montrèrent parfaitement à l'aise dans leur rôle d'épouse et de belle-sœur.

– Quelle tristesse que ma pauvre Margaret, tellement mortifiée par l'impudicité du commerce de nos filles, ne soit pas avec moi pour les retrouver, telles que nous les aimions, soupira le pasteur Russell.

– À les voir si semblablement heureuses, si gaies, si confiantes, on pourrait se demander laquelle est l'épouse d'Albert Fouquet, observa naïvement Lewis Colson, second témoin du marié.

– Lui-même, le sait-il ? lâcha Uncle Dave, sibyllin.

Par respect des convenances et pour accréditer la conformité de son mariage, Albert Fouquet dut passer sa nuit de noces à Malcolm House, avec sa seule épouse, Madge étant hébergée par son père.

Le lendemain matin, le trio embarqua sur le *Centaur*, commandé par Philip Rodney. Chaque semaine, un voilier de la flotte Cornfield portait à Nassau les éponges, l'écaille de tortue de Soledad, des fruits et primeurs, chargés au cours d'une courte escale à Eleuthera.

Au moment de la séparation, sur le quai du port occidental, Albert Fouquet eut un aparté avec Charles.

– Je dois faire un voyage à Paris, pour rendre compte à M. de Lesseps de certaines complications diplomatiques et financières liées aux travaux du canal de Panama. J'emmène mes deux femmes. Ce sera leur voyage de noces, ajouta Albert, toujours folâtre, avant de gravir l'échelle de coupée.

– Ça, c'est F'ançais qui sait fai'e les femmes heu'euses, Mossu l'Ingénieu'. Suis sû' que la pas ma'iée se'a pas jalouse, commenta Timbo.

Le navire s'étant éloigné du quai, Charles Desteyrac prit place dans son landau.

– Tu as l'esprit fin, Timbo, concéda-t-il en riant.

Le 4 novembre, Grover Stephen Cleveland fut élu vingt-deuxième président des États-Unis. C'était le premier démocrate qui, depuis la fin de la guerre de Sécession, accédait à la Maison-Blanche[1]. Certains Sudistes qui, pour manifester leur opposition aux républicains, portaient la

---

1. Il prêta serment le 4 mars 1885.

barbe depuis cette époque, se rasèrent en signe d'allégresse !
Les Bahamiens, eux, se plurent à imaginer que l'avènement
d'un démocrate aurait une heureuse influence sur les relations commerciales de l'Union avec l'archipel. Pendant la
campagne électorale, Cleveland n'avait-il pas promis une
réduction des taxes de douane, exagérément augmentés en
1883 par les protectionnistes républicains ?

Les exploitants, à demi ruinés, des salines des Inagua
Islands reprirent espoir. Certains se souvinrent de la disparition, dans le naufrage du Missouri, en 1872, des frères du
nouveau président. Ils adressèrent des messages de félicitations et de tardives condoléances à l'élu.

À l'entrée de l'hiver, tout le Cornfieldshire l'admit : lord
Pacal s'affirmait comme le digne successeur de son grand-
père.

Avant de s'installer à Cornfield Manor, le nouveau maître
de l'île décida une restauration de la vieille demeure. Si lord
Simon s'était montré attentif à l'entretien du gros œuvre, à
l'étanchéité des toits et des murs, il avait remis, d'année en
année, toute réfection intérieure de nature à désorganiser un
temps la vie domestique et perturber ses habitudes. Les
palmes et culots des papiers peints de Jean Zuber, importés
de France en 1832, avaient disparu sous un voile blafard et
l'on nommait complaisamment patine le brunissage crasseux
des boiseries de chêne blond. Si l'encaustique conservait aux
parquets disjoints belle apparence, elle ne pouvait en aplanir
les ondulations ni taire les gémissements.

Pacal convoqua Tom O'Graney et le chargea de la direction des travaux. Les pièces furent vidées de leurs meubles
pour un nettoyage en profondeur, les plafonds blanchis, les
boiseries décapées, les chambranles repeints, les escaliers de

chêne poncés et vernis. Les pendeloques de cristal des lustres scintillèrent à nouveau, les appliques de bronze et les lampes à pétrole furent pourvues d'abat-jour et de verres neufs. Quand les papiers peints américains, reproduisant une étoffe de soie bleu jaspé de gris, furent posés, le décor du vieux manoir retrouva l'aspect cossu des origines, dans une clarté nouvelle. Ottilia, fut la première à féliciter son beau-fils, quand il lui demanda de présider à son côté la célébration du Nouvel An.

Au cours des deux dernières années, la mort avait frappé Soledad. Après la disparition de lady Lamia et de Sima en 83, celle de lord Simon et de Margaret Russell en 84, les familiers de Cornfield Manor ne pouvaient goûter pleinement au plaisir des fêtes, bien que 1885 inaugurât le règne de la jeunesse avec l'accession de lord Pacal Desteyrac-Cornfield.

En accueillant les Desteyrac le 31 décembre, Pacal s'adressa à sa belle-mère, qu'il nomma désormais lady Ottilia, renonçant enfin au Tatoti de son enfance.

— Vous êtes ici chez vous. Car je ne me considère, malgré le titre et les propriétés que j'ai hérités de mon grand-père, qu'administrateur d'un domaine dont vous serez toujours la châtelaine, dit-il.

— J'accepte ce rôle, cher Pacal, jusqu'au jour où vous nous présenterez une épouse, répondit-elle.

En habit, un gardénia bleu à la boutonnière, lord Pacal, flanqué d'Ottilia, en fourreau mauve, ses cheveux gris coiffés en chignon, reçut les familiers. Le dîner intime, dans la salle à manger rénovée, réunit ceux que lord Simon conviaient chaque année. Les Maitland, les Weston Clarke, Uncle Dave, Lewis Colson, le pasteur Russell accompagné de sa fille Violet, Palako-Mata, cacique des Arawak. Le père Taval, à demi impotent, s'était fait excuser.

Lors de la réception d'après dîner, élargie au deuxième

cercle, on vit arriver les nouveaux officiers de la flotte Cornfield, le lieutenant Andrew Cunnings, les enseignes Joseph Balmer, écrivain de marine, Gilbert Artwood, chef mécanicien du *Phoenix II* et, pour la première fois, le lieutenant Tom O'Graney, fort embarrassé de se trouver en si belle compagnie. Pacal avait voulu que l'on dansât, cette nuit-là, au son de l'orchestre des marins, comme au temps de lord Simon. Devinant que les messieurs manqueraient de cavalières, Ottilia avait recruté Rosabel et Carly, petites-filles du regretté Sima, Seraphita et Sylvana, filles de Ma Mae.

— Ça se démocratise, chuchota Dorothy Weston Clarke à l'adresse de son mari.

Lord Pacal ouvrit le bal avec sa belle-mère, avant de danser quelques valses et scottishes avec les dames mais, dès les vœux échangés, au dernier coup de minuit, il fit taire l'orchestre, mettant ainsi fin aux réjouissances. Avant de se retirer, il invita ceux et celles prêts à prolonger la fête à se rendre au Loyalists Club, où l'orchestre de la marine allait se transporter.

— En dépit du deuil, notre jeune lord a voulu maintenir la tradition et ce fut une bonne chose. Nos défunts ne peuvent s'en offusquer, dit le pasteur Russell.

— Depuis qu'il est lord confirmé, il a vraiment l'air d'un seigneur, remarqua Myra Maitland.

— Je revois en lui mon ami Simon, jeune. Même prestance, même aisance, même réserve, aussi. Et quelle séduction héritée de sa mère ! Il porte admirablement son soupçon de sang arawak et... l'habit ! observa Uncle Dave.

— Lui manque le très noble ordre de la Jarretière ! persifla Dorothy Weston Clarke.

— Lord Pacal a plus de chance de recevoir un jour le ruban bleu que certain confrère que je connais ! répliqua sèchement David Kermor.

Cette allusion au passé londonien du docteur Weston Clarke, qui le privait à jamais de toute distinction, fit pâlir

Dorothy. Elle souffla comme une chatte en colère, tourna les talons et se dirigea d'un pas nerveux vers sa voiture.

— Quelle pécore ! grogna Uncle Dave en retournant au buffet réclamer un verre de whisky.

Comme prévu, lord Pacal se rendit, en février 1885, à Nassau, pour participer au tournoi de polo organisé par le club récemment fondé, sous le patronage du Colonial Office, par des fonctionnaires anglais. Andrew Cunnings, commandant de l'*Arawak*, étant de ses équipiers, c'est à bord du vapeur qu'ils embarquèrent pour New Providence.

Les rencontres, organisées chaque vendredi après-midi, constituaient pour la bonne société de New Providence une manifestation plus mondaine que sportive. C'était l'occasion de se retrouver entre gentlemen et d'échanger des potins. Le regard des messieurs allait plus souvent aux femmes élégantes, qui jouaient de l'ombrelle ou de l'éventail en comparant leurs toilettes, qu'aux cavaliers et au déroulement de la partie.

Comme il s'y attendait, dès la fin du premier match – que son équipe perdit – Pacal vit Liz Ferguson arriver, une serviette à la main.

— Vous êtes d'une touchante fidélité, dit-il en s'essuyant le visage.

— Je suis fidèle, lord Pacal. Opiniâtrement fidèle.

— Nous dînons ensemble, ce soir ?

— Dois-je me coiffer d'un diadème, Votre Seigneurie ?

— Inutile, la reine ne sera pas présente, plaisanta Pacal.

Dès son arrivée au Royal Victoria Hotel, le successeur de lord Simon Leonard Cornfield avait fait l'objet d'attentions particulières. Le directeur lui avait réservé, d'office, la suite qu'occupait son grand-père, pendant ses séjours à Nassau.

Cet appartement possédait une salle à manger privée, dans une loggia, avec vue sur la mer. Pacal craignit qu'un dîner tête à tête, dans sa suite, avec une femme mariée, membre des *Upper Ten*, ne compromît Liz Ferguson.

– Ce serait peut-être prêter le flanc aux ragots, reconnut-elle, quand il lui fit part de son scrupule.

– Alors, où dîner tranquillement dans cette ville où tout se sait en un rien de temps ?

– Ma cousine, Ellen Horney, possède une maison, sur la colline. Si je lui demande de nous laisser la libre disposition de sa demeure, après avoir fait préparer un repas, elle sera enchantée de me rendre service. Nous n'avons pas de secrets l'une pour l'autre.

Pacal subodora que Lizzie avait anticipé l'organisation de leur soirée. Il sourit, mais s'abstint de tout commentaire.

C'est ainsi qu'à la fin de l'après-midi, il se fit conduire par une voiturette, à l'adresse indiquée, dans les hauts de la ville, près du fort Fincastle. Il apprécia que le lieu ne fût fréquenté que par les touristes en quête d'un beau point de vue sur la capitale. Le cocher le prit d'ailleurs pour tel et lui extorqua deux fois le prix de la course.

La villa, posée au milieu d'un jardin, ressemblait à une maison de poupée. Faite de bois, sans étage, pourvue en façade d'une minuscule galerie à colonnettes, elle émergeait, blanche et discrète d'un bosquet de petits palmiers d'Égypte et d'épais massifs de rhododendrons.

Liz accueillit Pacal vêtue d'une robe de soie flottante, vert Véronèse, profondément décolletée, aux manches de mousseline blanche, mi-longues, et serrée à la taille par une large ceinture vert émeraude. Ces couleurs mettaient en valeur la blondeur mousseuse des cheveux et l'échancrure du corsage, celle d'un petit buste insolent.

– Belle toilette, concéda Pacal.

– Je l'ai achetée à Paris, l'an dernier, chez Charles Worth

et je brûle de retourner chez ce couturier, qui habille beaucoup de mes amies new-yorkaises. Elles disent : « Être belle
et faire son possible pour le montrer est un acte de
charité[1]. »

— Je vous sais charitable, dit Pacal en riant.

L'intimité de cette demeure, au décor de bonbonnière,
semblait faite pour abriter les amours illicites. Pacal et Liz
s'y sentirent tout de suite à l'aise, et leurs retrouvailles furent
tendres et gaies. Ils oublièrent le dîner froid, déjà servi, car
Liz, dédaigneuse des convenances ne dissimula pas un
appétit impérieux de plaisir. Les baisers remplacèrent
aussitôt les mots que d'autres, un moment séparés, auraient
cru bon de prononcer. Les caresses qu'ils échangèrent
devinrent celles d'amants dont les habitudes se seraient
reconnues.

Ce n'est qu'après une première étreinte apaisante, que
Pacal, jouant avec les boucles blondes de Lizzie, dont la tête
reposait sur son épaule, décida de parler.

— Je vous dois une explication pour ma dérobade de Hog
Island, il y a deux ans.

— Vous n'y êtes pas obligé. C'est si loin, dit-elle.

Mais Pacal tint à conter son aventure avec Viola et le
double drame qui s'ensuivit longtemps après. Liz était la
première personne à qui il osait faire ce récit, qu'elle écouta
sans regarder son compagnon.

— C'est pourquoi la similitude de situation, nous deux
prêts à tout sur la plage de Hog Island, comme autrefois une
autre femme et moi sur une plage du Massachusetts, m'a si
fort alarmé. Je me suis enfui, comme le criminel revoyant le
lieu de son crime. Maintenant que vous savez, je me sens
libéré de ce passé, avoua-t-il.

---

1. Cité par Élisabeth-Ann Coleman dans le catalogue *Femmes fin de siècle,
1885-1895*. Musée de la mode et du costume, Palais Galliera, éditions Paris-
Musées, 1990.

– Avec moi, vous n'avez pas à craindre de drame. D'abord, parce que je suis ainsi faite que je ne peux avoir d'enfant. Ensuite, parce que mon mariage a été de pure convention et jamais consommé. Mon mari, vous l'avez compris, ou peut-être vous l'a-t-on dit, préfère les garçons. Depuis des années, il forme avec son secrétaire une sorte de couple discret. Ils voyagent ensemble et il m'arrive de recevoir à dîner ce charmant jeune homme. Je ne parais au bras de Michael Ferguson qu'aux réceptions officielles. Il convient de sauver les apparences, et nous devons éviter un scandale que les méthodistes, de plus en plus influents à Nassau, ne pardonneraient pas.

– Étrange situation, commenta Pacal.

– Certains intimes me conseillent le divorce. Mais je ne veux pas que soient révélées au grand jour les mœurs de mon mari. Aussi bizarre que cela paraisse, il est mon meilleur ami. Un procès en divorce briserait sa carrière au Colonial Office.

– Et vous, dans tout ça ?

– Les quelques bonnes âmes informées me plaignent, mais maintenant, je ne suis plus à plaindre. Vous êtes là, dit-elle en se lovant contre Pacal.

– Qu'ai-je à vous offrir de plus que des rencontres en cachette ?

– Si nous pouvons nous retrouver, de temps en temps, comme ce soir, je serai heureuse. Maintenant, j'ai un homme à qui penser, que j'attendrai, avec qui je serai moi-même, sans effort. Voilà, ce que vous pouvez m'offrir. Et, pour moi, c'est déjà beaucoup.

– Égoïstement, j'accepte d'être l'homme à qui vous penserez.

Liz se jeta sur Pacal avec fougue.

Elle était si frêle et si légère qu'il la souleva à bout de bras, avant de la laisser retomber contre lui pour une nouvelle étreinte. Plus lente, plus délectable, plus complète. Ils en sortirent émerveillés de leur entente sensuelle. Quand elle quitta le lit pour passer un peignoir, Pacal porta sur elle le regard d'un amant comblé. Modelée comme un tanagra, statuette de chair aux petits seins pointus, hanches étroites et jambes fines, vive et souple, Lizzie inspirait un chaud désir, tempéré de tendres égards.

Se sentant observée, elle noua la ceinture du peignoir.

– Estimez-vous, comme ma mère, que je suis une femme... en réduction ? demanda-t-elle en riant.

– Je pense que la nature a fait de vous une œuvre d'art accomplie, dont je prendrai grand soin, dit-il en se levant pour la rejoindre.

Il enferma la taille de Liz dans l'anneau de ses fortes mains et la souleva de terre pour lui donner un baiser.

Quarante-huit heures plus tard, lord Pacal fit la connaissance de Michael Ferguson, lors d'un dîner chez le gouverneur, où Liz accompagnait son mari. Fort bel homme, aux tempes grisonnantes, sombre regard velouté, Michael portait l'habit avec plus d'élégance que la plupart des convives bahamiens, qui, en tenue de soirée, paraissaient empruntés, comme des acteurs mal distribués. Ferguson n'avait rien d'efféminé et s'exprimait d'une voix claire, en excellent anglais.

– Lord Pacal, Liz m'a beaucoup parlé de vous, comme d'un joueur de polo d'une grande virilité. Je ne pratique aucun sport, et je crains bien d'être incapable d'énoncer les règles du polo. En revanche, je vous suis reconnaissant de distraire Liz, car c'est une femme d'esprit, grande lectrice, et je crains souvent qu'elle ne s'ennuie, n'ayant personne avec qui parler sérieusement peinture, musique et littérature. Elle dit avoir trouvé en vous un gentleman instruit, diplômé de Harvard, ingénieur, mais aussi musicien, grand lecteur, parlant français, espagnol et même arawak. Je me réjouis de cette connivence. Très occupé par mes fonctions au Colonial Office, je voyage souvent et loin. Alors, ne soyez pas étonné, ni offensé, si je n'apparais pas en tiers lors de vos rencontres.

– Je ferai de mon mieux pour distraire votre épouse, quand je serai de passage à Nassau, monsieur, dit Pacal.

Le jeune lord fut toutefois un peu déconcerté par cette dévolution ambiguë.

Après le dîner, on commenta beaucoup, entre hommes, une récente loi, votée à l'initiative du nouveau gouverneur, sir Henry A. Blake. Les avances faites par les employeurs aux travailleurs ne pourraient plus, désormais, excéder dix shillings. Pour ses invités, le gouverneur précisa : « Il faut que les travailleurs comprennent que le *truck system*[1] doit être remplacé par le paiement en espèces, et il ne faut pas que les employeurs continuent à penser que les avances consenties à leurs ouvriers sont des dettes contractées envers eux. »

Lord Simon ayant autrefois, sur les conseils de Charles Desteyrac, substitué le paiement en espèces au *truck system*, Pacal approuva chaleureusement le gouverneur. Sachant combien les anciens planteurs esclavagistes, installés dans l'archipel, étaient hostiles à l'abandon du *truck system*, sir Henry Blake ajouta, comme si son auditoire lui était tout entier acquis, ce qui n'était pas le cas : « Il sera difficile de faire quelque chose pour les Noirs, qu'ils soient travailleurs agricoles ou forestiers, tant qu'ils n'auront pas avec eux l'opinion publique et la presse. »

Lord Pacal savait par son grand-père que Liz Ferguson, née Horney, était la plus jeune fille d'un ancien propriétaire d'esclaves de Virginie, spolié par les Nordistes.

---

1. Paiement en produits alimentaires et objets de première nécessité.

Comme d'autres planteurs, Horney avait fui le Sud après 1865 et s'était installé à Eleuthera, où il produisait, avec succès, des primeurs et des fruits. Il appartenait à cette caste d'Américains nostalgiques de l'institution particulière, qui avait longtemps donné aux planteurs le droit de vie et de mort sur les Noirs. Lord Simon avait commenté tout cela.

Arrivés avec les anciens esclaves qui avaient bien voulu suivre leur maître, ces Sudistes avaient été fort étonnés et mécontents en découvrant qu'aux Bahamas tous les Noirs étaient des hommes libres et devaient être traités comme tels. Cependant, ces planteurs ruinés se conduisaient parfois encore en esclavagistes hypocritement repentis. Lord Simon avait plus d'une fois blâmé leur comportement et menacé de poursuites judiciaires les anciens tyranneaux du coton.

Pacal, souhaitant prouver qu'il y avait encore beaucoup à faire pour assurer aux Noirs l'égalité reconnue, depuis plus d'un demi-siècle aux West Indies, par les lois britanniques, rapporta le scandaleux événement dont Harbour Island, sur Eleuthera, venait d'être le théâtre.

– Il y a quelques jours, cinq Noirs ont été condamnés à vingt shillings d'amende ou un mois de prison, au choix, pour être entrés dans la nouvelle église méthodiste, par la porte réservée aux Blancs. Tous ces garçons[1], qui avaient participé à la construction de cette église, financée par des réfugiés sudistes, avaient voulu, en agissant ainsi, se faire une idée de la sincérité des paroissiens et de leur pasteur, qui se disent hostiles à la ségrégation raciale appliquée aux États-Unis. L'expérience fut concluante et la tartuferie démontrée, conclut Pacal.

Si quelques hommes s'indignèrent, certains, persuadés de la suprématie de la race blanche, s'empressèrent de proposer d'autres sujets de conversation.

---

1. L'histoire bahamienne a retenu les noms de ces cinq Noirs : Israel Lowe, John D. Lowe, David Tynes, William Alfred Johnson et Joseph Whylly.

Le lendemain, quand le nouveau maître de Soledad retrouva Liz dans les jardins du Royal Victoria Hotel, où elle l'attendait, il rapporta seulement sa conversation de la veille avec son mari.

– Ne soyez pas étonné. Je vous l'ai dit, Michael est mon meilleur ami. Il ne souhaite que me voir heureuse et le fait qu'on vous ai vus parler et rire ensemble hier à la réception du gouverneur coupe les ailes aux ragots. Désormais, nous sommes libres de nous montrer ensemble autant que nous voulons, dit-elle.

Ils mirent cette sécurité mondaine à profit pour faire, en compagnie d'Ellen Horney, jouant les chaperons, de longues promenades en voiture avant de se retrouver seuls en fin d'après-midi, sur la colline de Nassau. On vit le trio se baigner à Hog Island et, certains soirs, dîner au Royal Victoria Hotel, avec Andrew Cunnings, promu pour l'occasion cavalier d'Ellen Horney.

Le 22 février, jour anniversaire de la naissance de George Washington, le directeur du Royal Victoria Hotel, un Américain de New York, M. S. Morton, donna un grand bal. Cette soirée fournit à lord Pacal l'occasion de retrouver Lizzie, avec qui il participait quelquefois à des *hotel hops*, réunions dansantes fort à la mode à Nassau.

La veille de son départ, ils allèrent à deux surprendre le peintre Winslow Homer, dont la présence en ville avait été annoncée par *The Nassau Guardian*. Homer passait pour un des plus grands impressionnistes américains. Ils le trouvèrent seul devant son chevalet, sur une pointe, à l'ouest de New Providence. Il peignait la plage, plantée d'ajoncs et léchée par les vagues. Winslow Homer était envoyé par *The Century*, un magazine de New York, pour peindre des paysages insulaires de nature à encourager le tourisme américain aux Bahamas[1].

Âgé de quarante-neuf ans, le peintre, peu sociable, avait été qualifié par un critique de « solitaire héroïque ». De 1859 à 1875, il avait été l'un des meilleurs illustrateurs de *Harper's Weekly* et ses reportages dessinés, pendant la guerre de Sécession, lui avait valu une grande notoriété. Après des séjours à Paris et à Londres, il avait décidé de se consacrer à la peinture à l'huile et à l'aquarelle. Il résidait habituellement à Prout's Neck, un village de pêcheurs sur la côte sauvage de l'État du Maine.

Fidèle à sa réputation d'ours mal léché, il découragea toutes les tentatives de conversation du couple trop curieux, s'arrêtant de peindre, le pinceau brandi comme une dague, jusqu'à ce que les importuns se fussent éloignés.

Pacal eut le temps de jeter un coup d'œil sur la toile commencée, qui représentait une plage dorée à l'or fin, devant un océan bleu barbeau, lisse comme un miroir, sous un ciel d'un bleu inconnu dans l'archipel.

Comme il s'étonnait de l'infidélité des couleurs, Liz souffla discrètement :

– Le véritable artiste ne copie pas la nature, il l'interprète.

Le lendemain soir, lors de la séparation, Pacal ayant décidé de dormir à bord de l'*Arawak*, dont l'appareillage était prévu à l'aube à cause de la marée, Liz remit à son amant plusieurs livres français. Quand il la prit dans ses bras pour un dernier baiser, elle murmura à son oreille :

– « S'il faut que tu m'aimes, que ce soit pour nulle autre raison que parce que tu m'aimes[2]. »

---

1. Il peignit aussi *le Pont de Glass Window*, situé sur l'île d'Eleuthera, aujourd'hui au British Museum, à Londres, et *les Pêcheurs d'éponges des Bahamas*, collection Karen A. et Kevin W. Kennedy.

2. Elizabeth Barrett Browning, *Sonnets portugais*, dans *Robert et Elizabeth Browning ou la plénitude de l'amour humain*, Charles Du Bos, éditions Klincksieck, Paris, 1982.

Puis elle se dégagea de l'étreinte et s'en fut comme un sylphe effarouché. C'était la première fois qu'elle plaçait leur relation sur le plan sentimental, ce qui ne plut guère à Pacal. Il n'entendait pas s'engager dans une *love story* accaparante et tenait à garder le cœur libre.

Au petit matin, sans que Pacal ni personne ne la vît, Lizzie Ferguson, qui, elle, espérait tout de l'amour, observa de loin l'appareillage de l'*Arawak*.

Lors du retour à Soledad, par beau temps frais, Pacal rejoignit quelquefois le lieutenant Cunnings, commandant du vapeur, sur la passerelle. Au cours d'un entretien, l'officier avoua qu'il avait été conquis par le charme d'Ellen Horney, célibataire fort libre et « assez flirt ».

— Ellen m'a confié, *my lord*, que sa cousine Liz paraît fort éprise de vous et que...

— Eh bien, commandant, soyez aussi discret en ce qui concerne Ellen Horney que Liz Ferguson, recommanda Pacal, interrompant, d'un ton catégorique, la confidence.

Même s'il lui en coûtait, car sa nature le portait au commerce confiant avec tous, lord Pacal se devait, selon les préceptes de lord Simon, de maintenir, avec bienveillance mais netteté, envers ceux que le destin avait placés sous son autorité, une certaine distance.

— Aperçu[1], *my lord*, répondit, en marin, Andrew Cunnings.

---

1. Nom du pavillon que l'on hisse sur un navire pour montrer qu'on a compris un signal.

De retour à Cornfield Manor, lord Pacal entra dans le rôle que son grand-père lui avait assigné. On le vit, comme autrefois lord Simon, parcourir à cheval, au petit matin, les chemins qui conduisaient aux exploitations agricoles, au village des artisans, à celui des pêcheurs ou des Arawak. Il apparaissait sans être annoncé chez un fermier, dans le domaine résidentiel des marins, à l'Alister Cornfield Hospital, devant les entrepôts du port occidental, sur le chantier naval du port oriental. Il poussait parfois jusqu'au phare du Cabo del Diablo et ne dédaignait pas de faire accrocher son wagon au chemin de fer pour accompagner, du sud au nord de l'île, un chargement d'éponges ou d'écaille de tortue.

Il voyait tout d'un œil neuf, d'un regard possessif, plus attentif qu'autrefois. « Rien ne doit échapper à l'œil du maître », disait lord Simon, et son héritier avait fait sienne cette devise.

Il prit conscience, au fil des semaines, que Soledad, plaque de corail posée sur l'Océan, était un canton de l'Eden. Par grand beau temps, il faisait halte sur un redan de la côte, pour jouir du lent déroulement des vagues. Dépourvues de toute hargne écumante, elles n'offraient alors, sous le soleil qu'un brasillement onctueux. Sous les palmiers qui dodelinaient au souffle de l'alizé, le cavalier trottait dans le val du Cornfieldshire, paisible comme un jardin de couvent. L'île ignorait le vrai silence, car les oiseaux, de la mouette criarde au moqueur sifflotant, emplissaient l'air de cris, de chants, de caquètements, de piaillements, auxquels se mêlaient le bourdonnement des insectes et, en fond sonore, le barrissement en mineur de l'Océan. Si quelque puissance avait fait taire les oiseaux, immobilisé les vagues, étouffé les vents, les insulaires se seraient cru abandonnés des dieux. Cette symphonie des babils exotiques, andante ou scherzo suivant l'heure, composait, de l'aube à la nuit, une ambiance de vie primitive, saine et protégée, dans un étalage de luxe dû à l'opalescence du ciel, à la franchise de la lumière, aux bigarrures et aux senteurs de la nature tropicale.

De retour à Cornfield Manor, il se faisait servir le breakfast, qu'il partagerait parfois avec son père, venu parler travaux. Il passait ensuite dans son bureau, pour se mettre à l'étude des dossiers en cours et distribuer le travail à Violet Russell et à Matthieu Ramírez, le fils de Manuela et du père Taval. Déclaré de père inconnu, comme tous les enfants du couple, le jeune comptable portait le nom de sa mère.

Quand il levait les yeux de son travail, Pacal sentait peser sur lui le regard, d'une sévérité voulue mais rassurante, de lord Simon, en uniforme de colonel des lanciers du Bengale. L'héritier avait fait descendre ce portrait des combles, où son grand-père l'avait relégué, parce que le peintre n'avait « pas été capable de trouver le jaune bouton d'or exact » de sa vareuse.

En mai 1885, la mort, à Paris, de Victor Hugo et ses funérailles, dignes d'un monarque, retinrent moins l'attention des Bahamiens que la disparition, à soixante et onze ans, d'Edwin Charles Moseley, fondateur du quotidien bahamien *The Nassau Guardian*, dont le premier numéro avait été publié le 23 novembre 1844.

Cet ancien maître d'école, devenu journaliste, avait fait son apprentissage au *Times* de Londres et au *Yorkshire Post*, avant de rejoindre son père, juriste à Nassau. Éditeur assistant au *Bahamas Argus*, fondé en 1831, il avait décidé, avec l'appui des autorités, de créer un quotidien *The Nassau Guardian*, qui devait, en 1857, absorber la *Bahamas Gazette*, fondée par le loyaliste John Wells en 1784. Le fils aîné d'Edwin Charles Moseley, Alfred Edwin Moseley, ancien secrétaire privé du gouverneur Walker, membre de la *General Assembly*, allait prendre la succession de son père, à la tête du journal le plus lu dans l'archipel.

Une autre disparition devait mettre en effervescence la communauté des anciens planteurs sudistes. Quand ces émigrés américains, installés aux Bahamas, apprirent la mort, le 23 juillet, à Saratoga, du général Ulysses Simpson Grant, ils manifestèrent une joie que beaucoup de Bahamiens jugèrent indécente. Comme soldat, Grant avait infligé de cuisantes défaites aux Confédérés, notamment à Vicksburg et dans la vallée du Mississippi. Comme républicain radical, devenu dix-huitième président des États-Unis en 1868, réélu en 1872, il avait conduit une politique coercitive contre les États rebelles, en soutenant les ambitions des *carpetbaggers*, politiciens rapaces, profiteurs des dépouilles du Sud.

En août, au cours de son séjour mensuel à Nassau, Pacal apprit par Liz Ferguson que, chez les Horney, à Eleuthera, comme partout dans les familles sudistes, on avait bu du champagne et voué l'âme de Grant aux enfers où, d'après Lizzie, « elle avait depuis longtemps sa place réservée ».

Cette confidence fut à l'origine d'un désaccord entre les deux amants.

– Ma chère Lizzie, votre père et ses amis devraient comprendre que, si le Nord ne l'avait pas emporté, si l'esclavage n'avait pas été aboli, vous tous, un jour ou l'autre, auriez été massacrés par vos nègres. Partout, dans le monde civilisé, et dans l'Empire britannique depuis 1834, le travail servile a été supprimé, et l'égalité des races, sinon admise par tous, du moins proclamée par les gouvernements européens. Même à Cuba, l'abolition de l'esclavage, décrétée par les Cortes le 24 décembre 1879, vient enfin de prendre effet.

– Vous ne pouvez imaginer ce que les Nordistes et leurs

régiments de nègres nous ont fait subir. Grant a couvert de son autorité crimes et exactions. Une de mes cousines est morte après avoir été violée par plusieurs hommes. Le bétail de mon père a été volé ; notre cave et notre lingerie ont été pillées. Notre belle argenterie George II a été emportée par des gens qui, d'ordinaire, mangent avec leurs doigts, répliqua-t-elle, offusquée.

— Et vous croyez que la mort vous venge de tels méfaits. Vous vous trompez, Lizzie. La mort installe le général Grant, qui ne fut certes pas un gentleman, dans sa gloire de soldat et le met hors d'atteinte historique de la haine des anciens esclavagistes, à l'abri de leurs rancœurs et de votre amertume. Je vous en prie, ne dansez pas sur la tombe d'un ennemi qui, si cruel qu'il eût été, vous a peut-**être** sauvé la vie, dit lord Pacal.

— Vous parlez comme mon mari ! jeta Liz.

— C'est donc un homme sensé, concéda froidement Pacal.

Vexée, elle se détourna et se mit à pleurer, telle une fillette réprimandée.

Pacal détestait les averses de larmes mais, embarrassé par l'incident, il tira son mouchoir pour sécher les pleurs de sa maîtresse. Celle-ci lui demanda de bien vouloir excuser ce moment de faiblesse et, à demi rassérénée, murmura que ses larmes n'étaient que le débord d'un chagrin ayant une cause plus affligeante.

— Mon mari est nommé au Colonial Office, à la Jamaïque, et je dois, dans un premier temps, l'accompagner. Le Premier ministre, William Ewart Gladstone, veut, paraît-il, restaurer dans cette colonie un gouvernement représentatif. Je ne pense qu'à cela depuis plusieurs jours. Quand vous viendrez à Nassau, je ne serai plus là et je n'y reviendrai pas avant plusieurs mois. Je suis malheureuse, Pacal, malheureuse d'être séparée de vous. Même si je vous voyais rarement, je vous savais proche, à deux jours de bateau. Mais la

Jamaïque, c'est loin et plein de nègres, qui se sont déjà révoltés plusieurs fois, avoua-t-elle.

— C'est une belle promotion pour Michael Ferguson et vous me manquerez, Lizzie, dit Pacal, moins ému qu'elle ne s'y attendait.

— Vous m'oublierez. Peut-être serez-vous marié quand je reviendrai, murmura-t-elle, prête à fondre en larmes à nouveau.

— À ce jour, il n'y a pas de prétendante, et je ne vous oublierai pas, Lizzie, dit-il en l'attirant vers le lit, territoire ordinaire des réconciliations.

Cet été-là, les journaux publièrent la première photographie d'une voiture automobile, ainsi nommée parce qu'elle se mouvait seule, sans l'aide d'un cheval, au moyen d'un moteur à pétrole. Construite à Mannheim, en Allemagne, par Karl Benz, elle avait l'aspect d'un tricycle et se déplaçait à la vitesse de quinze kilomètres à l'heure. Compatriote et concurrent de Benz, un autre ingénieur, Gottlieb Daimler, faisait rouler une calèche à moteur. Ces véhicules semblaient promis à un plus bel avenir que le phaéton à vapeur du comte Albert de Dion. La presse américaine montrait aussi, avançant sur ses rails, dans une avenue de Baltimore, le premier tramway électrique.

On ne manqua pas de commenter ces nouvelles, au Loyalists Club, où chacun pouvait lire les journaux livrés par le bateau-poste ou des caboteurs en escale.

— Ces progrès technologiques en annoncent d'autres, qui permettront aux chevaux de trait de se reposer, observa Uncle Dave.

Il rentrait d'un voyage à New York, où il avait circulé à bord du chemin de fer aérien et de tramways tirés par des câbles.

– Dans cette ville, qui semble grandir chaque semaine, où l'on empile étage sur étage, pour faire des maisons de plus en plus hautes, au milieu de gens affairés, qui courent d'un quartier à l'autre, en flux hébétés, inversés suivant les heures, je me suis vu dans la situation d'Hans[1], privé de sa flûte de cristal, au milieu des rats, dit le médecin.

– On est donc mieux sur notre île, *sir*, dit Sharko en servant le whisky.

– Oh ! le progrès finira bien par nous atteindre. Regardez ce qui se passe à Nassau. On prévoit la construction d'une centrale, qui produira de l'électricité. Sur recommandation de notre jeune lord, on a demandé à l'ami de Charles Desteyrac, l'ingénieur Fouquet, mari d'Emphie Russell, de participer à l'étude du projet, révéla Philip Rodney.

– Ça va coûter cher, cette usine à courant électrique. Où prendront-ils l'argent ? demanda Gilbert Artwood, l'officier mécanicien de *Phoenix II*.

– Le Colonial Office paiera, encore que la faillite de la Public Bank de Nassau[2], qui a perdu douze mille livres, ne va pas faciliter le crédit, dit Lewis Colson.

Bien qu'on eût toujours affiché, sur Soledad, un solide optimisme face aux aléas de la vie, tous savaient que le bilan agricole de l'année 85 serait déficitaire. Des pluies trop fréquentes avaient amoindri les récoltes, que les rats et les crabes de terre, affamés, dévoraient. On considérait que la production de fruits et de légumes avait diminué de cinq pour cent.

Andrew Cunnings rapporta que le consul des États-Unis à Nassau avait dit à une de ses amies que les Bahamiens appauvrissaient leurs terres.

---

1. D'après la légende germanique *le Preneur de rats*, dont Maurice Vaucaire et George Mitchell tireraient, en 1906, un opéra-comique en trois actes, sur une musique de Louis Ganne.
2. Fondée en 1836.

– D'après cet Américain, les indigènes veulent ignorer les *fertilizers*[1], refusent de pratiquer la rotation des cultures, qui laisse reposer le sol, et continuent à cultiver comme les premiers colons. Le consul a évalué à cinquante pour cent, en cinq ans, la perte de production de l'archipel, par la seule faute des insulaires, précisa l'officier.

– Les Bahamas ne sont pas le Minnesota, s'insurgea Uncle Dave.

– Tout ne va pas si mal. À South Bimini, ils ont récolté sept mille noix de coco, qu'ils ont vendues en Floride où l'on paie mieux qu'à Nassau, et un Américain – encore un ! – va établir une plantation de ricin, pour faire de l'huile à lubrifier les machines, dit Philip Rodney.

Après un automne maussade, agité par une succession de tempêtes tropicales, qui perturbèrent la navigation et nuirent aux exportations, les fêtes de fin d'année renouèrent à Cornfield Manor avec les fastes du temps de lord Simon. Les intimes reçurent des cadeaux, choisis avec soin par Ottilia, hôtesse obligée, et les invités d'après dîner célébrèrent, en dansant valses et polkas, l'avènement de 1886.

Parmi tous les souhaits adressés à lord Pacal, le plus osé fut celui de Dorothy Weston Clarke, qui dit exprimer le vœu de tous.

– Que vous nous ameniez, dans l'année, à Soledad, une épouse anglaise, dit-elle.

– Je mettrai une annonce dans *The Times* ! répondit lord Pacal en riant.

---

1. Engrais.

6.

Paul Taval rendit à Dieu son âme composite, une nuit de février 1886. Terrassé par une embolie pulmonaire, il quitta le monde en tenant la main de Manuela Ramírez, parfaite compagne de ce prêtre singulier, renié par l'Église catholique et apostolique romaine mais vénéré de tous les insulaires, sans distinction de religion.

Lord Pacal, informé par Matthieu, le jeune comptable, se fit conduire à l'ermitage. Il trouva la singulière famille rassemblée autour du mort, revêtu d'une aube de dentelle blanche, un crucifix sur la poitrine. Les traits nobles d'un dormeur serein et le vague sourire de l'ancien jésuite semblaient indiquer qu'entre ce religieux insoumis et Dieu ne subsistait aucune mésentente.

Pour respecter les volontés du défunt, qui avait souhaité être inhumé près de son ermitage, on creusa une fosse dans le calcaire corallien, à côté de celle où reposait, depuis près de deux siècles, don Pascual, le moine pirate. Celui dont le bréviaire avait livré la cachette du crâne de cristal de roche retrouvé, trente ans plus tôt, par Charles Desteyrac, dans le trou bleu nommé fuente del Ángel.

Le pasteur Russell, informé du décès de ce chrétien pittoresque, prouva une fois de plus l'authenticité de sa foi quand il proposa de célébrer, dans la chapelle du mont de la Chèvre, l'office des morts. C'est ainsi que le père Paul Taval fut accompagné vers le grand repos par les prières des derniers catholiques cubains, d'origine espagnole, unies aux psaumes chantés par les anglicans qu'on n'avait jamais vus aussi nombreux au mont de la Chèvre. Toute la bonne société du Cornfieldshire avait fait le déplacement et des résidents britanniques qui, la veille encore, critiquaient les mœurs rabelaisiennes du père Taval et dédaignaient Manuela, servante maîtresse, présentèrent des condoléances à la « veuve », allant jusqu'à l'embrasser et sécher ses larmes.

Avant qu'on couvre la tombe d'une dalle, commandée aux tailleurs de pierre du village des artisans, lord Pacal prononça l'éloge funèbre. Il rappela les qualités de cœur du défunt, son attachement à la communauté insulaire, dont il avait partagé, au fil des décennies, les chagrins et les joies, puis se tourna vers les enfants de Manuela, ce jour-là présents sur l'île.

– Vous prouvez tous que Paul Taval fut un excellent éducateur. En témoigne la réussite de ses fils, Luc, médecin diplômé de Johns Hopkins University, Matthieu, comptable patenté, Jean, ébéniste à Nassau, Marc, chef cuisinier sur un paquebot de la Cunard. Il n'a pas négligé non plus l'éducation et l'instruction de ses filles : Rosita et Pilar, institutrices, Maria, infirmière à l'Alister Cornfield Hospital, Ana, la plus jeune, qui se destine à l'éducation des orphelins. Quand j'étais adolescent, j'ai souvent gravi le mont de la Chèvre pour bavarder avec le père Taval et, parfois, lui demander conseil. Sa philosophie, fondée sur une forte culture classique, une théodicée reposant sur son inaltérable confiance en la Providence et un long commerce avec les hommes, l'avaient conduit à la même conclusion que Chateaubriand de qui il connaissait l'œuvre : « La racine du mal est la vanité. » En toute simplicité, mais avec constance, il a prouvé qu'on peut être, à la fois, vicaire du Christ, père de famille, ami sûr, et goûter aux plaisirs de la vie sans déroger. Nous donnerons son nom à l'orphelinat que nous allons ouvrir à Buena Vista, afin de perpétuer sa mémoire sur notre île.

Tous les assistants approuvèrent ce discours, même Dorothy Weston Clarke. Elle prit Pacal à part après la cérémonie.

– Je regrette aujourd'hui de m'être souvent moquée de ce curé. Il eût été plus à l'aise dans notre Église anglicane que dans l'Église catholique, qui refuse le mariage des prêtres et les incite au concubinage, dit-elle.

– Paul Taval eût fait un excellent pasteur anglican, reconnut Pacal.

Comme certains s'interrogeaient sur le devenir de l'ermitage, « Dieu y pourvoira », dit le pasteur Russell, fort affligé par la perte d'un vieux compagnon, avec qui il aimait échanger des idées, au cours d'une inépuisable controverse théologique.

En attendant que la Providence déléguât un nouvel ermite au mont de la Chèvre, Pacal, qui avait décidé de faire de l'ancienne résidence de lady Lamia, à Buena Vista, un orphelinat, proposa à Manuela de s'y installer, avec sa fille, Ana, pour héberger, nourrir et instruire les enfants sans père ni mère. Les orphelins, blancs ou mulâtres, pouvaient être confiés aux sœurs de la Charité, qui géraient l'orphelinat de Nassau, mais la plupart des enfants noirs étaient recueillis par des fermiers chez qui, même en bas âge, ils assuraient un travail de berger ou de servante. Personne ne se souciait de leur apprendre à lire, écrire, et compter.

Les Arawak, pour qui la tribu se voulait une seule et même famille, pratiquaient l'adoption interne des orphelins. Ces malheureux trouvaient une mère en toute femme arawak.

L'entente qui avait toujours régné à Soledad, entre les rares catholiques et la forte majorité protestante, n'était pas de mise à Nassau, où la rivalité entre les fidèles des deux Églises avait récemment donné lieu à des incidents.

On ne connaissait pas de prêtre catholique ayant résidé à Nassau avant 1885, année de fondation, par le père George

O'Keefe, de la cathédrale dédiée à saint François Xavier, sur West Street. L'église avait été ouverte aux fidèles en janvier 1886, au grand dam des antipapistes. N'ayant pu empêcher, malgré leurs intrigues, la construction de la cathédrale, les protestants virent la main de Dieu et se réjouirent quand, lors de l'inauguration du sanctuaire, la foudre tomba sur le parvis et tua un ouvrier qui travaillait encore à la finition de l'édifice.

Quelques jours plus tard, le pasteur Robert Dunlop de la Saint Andrew's Presbyterian Kirk, qui avait vendu le terrain aux catholiques pour y construire leur église, mourut en chaire d'une crise cardiaque ! Les anglicans virent, dans cette mort, une sanction à la cupidité de l'un des leurs ; les catholiques la prirent pour une réparation divine.

Tandis qu'en avril, Liz Ferguson voguait vers la Jamaïque, avec son époux et le charmant secrétaire de ce dernier, lord Pacal Desteyrac-Cornfield, ayant confié la gérance de l'île à lady Ottilia et à son père, embarqua pour l'Europe, via New York. Il tenait à s'assurer que les produits bahamiens, envoyés à la Colonial and Indian Exhibition, que la reine Victoria inaugurerait le 4 mai, seraient mis en valeur au milieu de tous ceux que l'Empire britannique présenterait aux milliers de visiteurs attendus à South Kensington.

La délégation bahamienne, conduite par sir Augustus Adderley, directeur du pavillon des West Indies, était en Angleterre depuis plusieurs semaines quand, le 3 avril, lord Pacal prit place, à Nassau, sur un navire de la Ward Line, qui le porta en trois jours à New York, où il retrouva son ami Thomas Artcliff.

Bien que fort occupé, l'architecte tint à lui montrer les chantiers des maisons qu'il construisait et le gigantesque pont suspendu, qui reliait maintenant Manhattan à Brooklyn.

L'ouvrage avait été inauguré en 1883, après seize années de travaux. Le père de Thomas, Alastair Gregory Artcliff, aujourd'hui décédé, avait été l'un des assistants du maître d'œuvre, John Augustus Roebling, puis du fils et successeur de ce dernier, Washington Roebling.

– New York grandit sans cesse et, étant donné l'exiguïté de la presqu'île, la ville doit s'étendre vers le nord. Grâce à nos trois lignes de chemin de fer aérien nous pouvons créer de nouveaux quartiers. Actuellement, nous bâtissons des résidences modernes, pour gens aisés, à Harlem, où la spéculation foncière est intense[1], dit Artcliff.

– Est-il exact que la ville compte plus d'un million d'habitants et que les émigrants arrivent d'Europe à pleins bateaux ? demanda Pacal.

– C'est vrai. Et Manhattan, quartier des affaires, ne peut se développer qu'en hauteur, d'où ces maisons de plus en plus élevées. Nous étudions actuellement la construction d'un immeuble de dix étages, pour le compte du fabricant de machines à coudre, Isaac Singer, et un immeuble de vingt-six étages devrait être achevé dans trois ou quatre ans, expliqua Thomas, enthousiaste.

– Mark Tilloy, un armateur de l'Illinois, ami de mon père, assure que New York est en retard sur Chicago, où l'on compte plusieurs immeubles de treize ou quatorze étages, comme la Chambre de commerce, le Tacoma et le Women's Temperance Temple, même si le siège de la Home Insurance, construit par ton confrère William Le Baron Jenney, n'a que dix étages, dit Pacal pour taquiner le New-Yorkais.

– Il est vrai que nous sommes en compétition avec Chicago pour le mouvement des affaires mais, dans tous les

---

1. Le marché foncier de Harlem s'effondrerait en 1904-1905, les spéculateurs ayant construit trop d'immeubles, dont le prix était surévalué. Pour réduire leurs pertes, ils s'adressèrent aux Noirs, à qui ils louèrent par appartement. Ces nouveaux arrivants firent fuir les Blancs. Jim Haskins, *The Cotton Club*, Jade, Paris, 1984.

domaines, nous monterons plus haut, Pacal, rétorqua Thomas.

En 1886, pour se rendre des États-Unis en Europe, le voyageur avait, à New York, le choix entre cent vingt paquebots, d'une douzaine de compagnies, qui assuraient plus de mille deux cents traversées de l'Atlantique par an.

Le jeune lord aurait pu retenir un passage pour Liverpool sur l'*Etruria*, de la Cunard, qui détenait le record de vitesse à une moyenne de dix-neuf nœuds quarante-cinq, mais il préféra le bateau français *La Champagne*, dernier-né de la Compagnie Générale Transatlantique. Ce navire reliait New York au Havre, dans des conditions de confort inégalées, en sept jours et demi.

Le chemin de fer embarqué, venant de Paris, le conduirait du Havre à Southampton, en huit heures et demie et, en moins de deux heures, le South Western Railway le porterait de Southampton à Londres.

– Tu aurais pu faire plus simple, fit observer Artcliff.

– J'ai comparé les menus proposés et la cuisine française l'a emporté ! répliqua Pacal en riant.

Il n'osa pas dire que, passer une semaine avec des Américains bruyants, sur un paquebot de la Cunard, où l'on organisait, chaque soir, des bals avec cotillon, eût gâché le plaisir de la traversée.

La Champagne était longue de cent cinquante mètres et large de quinze. Mû par une machine à piston et six cylindres, le navire prit, dès la sortie de la baie de New York, sa vitesse de croisière de dix-sept nœuds et demi. Ses deux hautes cheminées noires et ses quatre mâts, où l'on pouvait hisser des voiles en cas de panne mécanique, lui conféraient, avec sa coque basse, la silhouette puissante d'un grand coursier des mers[1].

---

1. Ce superbe navire, dont la construction aux chantiers de Penhoët avait coûté 5 500 000 francs de l'époque, fut perdu par échouage en 1915.

Répartis en trois classes, les mille passagers jouissaient d'un confort et d'un service attentifs, dosés par le seul prix de leur billet. Ceux des premières, dont lord Pacal, occupaient cinquante cabines, luxueusement meublées, et prenaient leurs repas dans une vaste salle à manger, entre des colonnettes à chapiteaux corinthiens et des plantes vertes. Des fauteuils pivotants permettaient de prendre place aisément devant les tables, sur lesquelles porcelaine fine, cristaux et argenterie scintillaient, à la lumière de nombreux globes électriques.

Devant les fourneaux de ce palace flottant officiaient les meilleurs cuisiniers français. Au fil des jours, sur un Océan compréhensif pour les estomacs sensibles, Pacal découvrit des mets inconnus aux Bahamas et aux États-Unis : hure de sanglier, rognons sautés madère, saumon fumé vénitienne, gigot de chevreuil grand veneur, filet de bœuf à la génoise, dindonneau truffé, pommes de terre frites, céleri, artichauts, consommé tapioca, petits pois verts à la Larbay, et des desserts nouveaux, comme le gâteau flamand et le nougat glacé.

Mais lord Pacal espérait de cette traversée d'autres jouissances que gastronomiques. « Pour un célibataire entreprenant, tout transatlantique offre l'occasion de galantes rencontres. En mer, les femmes cèdent plus facilement aux avances. C'est comme si elles laissaient la vertu à terre et s'octroyaient une voluptueuse parenthèse », lui avait dit Thomas Artcliff.

À bord de *La Champagne*, la plupart des passagères attirantes étaient accompagnées d'un mari ou de parents. Ce ne fut qu'au matin du troisième jour que Pacal put, enfin, aborder une jeune femme mélancolique, fort réservée, qui voyageait seule. Renseignement pris auprès d'un steward, il s'agissait d'une riche Italienne, veuve récente d'un Américain, qui regagnait son pays natal. Un long voile de tulle noir, tombant d'un grand chapeau, lui couvrait les épaules mais s'écartait opportunément sur un buste plantureux.

Depuis peu, la mode féminine était à un retour aux formes. Les élégantes ne dissimulaient plus seins pommés et croupe ronde. Celles qui s'estimaient dépourvues de ces avantages ajoutaient tournure et bustier rembourré pour acquérir une vénusté postiche.

La belle veuve italienne se passait de ces artifices. Ses vêtements de deuil et sa langueur chagrine, loin de rebuter Pacal, attisèrent son désir de conquête. Sous prétexte de s'emparer du journal que la passagère venait d'abandonner sur un guéridon, il entra en conversation avec elle. L'échange fut bref et, après quelques banalités sur l'état de la mer et la qualité du service, Pacal dut s'éloigner, la dame ne lui ayant pas offert de s'asseoir pour consulter la gazette, comme il l'avait espéré. Il avait eu cependant le temps de lire, dans un regard turquoise abrité derrière de longs cils, qu'elle n'était pas offusquée par une tentative de rapprochement, à coup sûr éventée. Les initiés à l'élection amoureuse savent, au premier regard échangé, ce que ressent l'autre et à quoi il aspire.

Au dîner, elle apparut dans un fourreau noir, à manches de mousseline, sans un bijou, ses cheveux bruns relevés en chignon, et lui adressa de loin un signe discret de reconnaissance. Dès la fin du repas, elle se couvrit d'un mantelet et passa sur le pont promenade où, renonçant au fumoir, Pacal la suivit. Chasseur avisé, il la dépassa d'un pas vif sans un regard, puis fit demi-tour au bout du pont et vint à sa rencontre, les yeux baissés, comme ignorant sa présence. Ce fut elle qui l'arrêta.

— Pardon, monsieur. Je vous ai entendu parler français au steward. Puis-je vous demander un renseignement, car j'ignore cette langue ?

— Je vous en prie, madame.

– Pouvez-vous me dire comment on dit *drawer* ou *cassetto* en français ?

– On dit tiroir, madame.

– Eh bien, je ne puis plus ouvrir un tiroir de la commode de ma cabine et je ne sais comment l'expliquer au domestique, qui ne parle ni l'anglais ni l'italien.

– Voulez-vous que je tente d'ouvrir moi-même ce tiroir ? proposa Pacal, saisissant l'occasion.

– Je n'oserais demander cela à un gentleman, minauda-t-elle.

– Osez, madame, osez. Un gentleman est toujours prêt à servir une lady.

– Puisque vous m'offrez si gentiment votre aide, et bien qu'une femme seule ne doive pas faire entrer un inconnu dans sa cabine, venez avec moi, décida-t-elle avec le premier sourire que Pacal lui vit.

Il s'inclina, suivit la jeune femme et fut mis en présence du tiroir réticent. Il comprit tout de suite qu'un objet mal placé à l'intérieur empêchait le coulissage. Il ôta le casier supérieur et accéda au corps du délit, une boîte à gants, dont le couvercle relevé bloquait le mouvement du tiroir sur ses glissières.

– Voilà le mal réparé. Aucun tiroir ne m'a jamais résisté, dit-il en riant.

– Oh ! *bene, bene,* seul un homme sait faire ces choses. Je ne sais comment vous remercier, dit-elle.

– Comment me remercier ? Je vais vous le dire : venez prendre une coupe de champagne avec moi. Le barman dispose d'un Cliquot admirable.

L'Italienne marqua un temps d'hésitation convenable, puis accepta.

En une heure de conversation, Pacal apprit tout de cette Florentine, veuve d'un riche Américain, rencontré en Italie deux ans plus tôt. Elle était sans enfants et, n'ayant plus aucune attache aux États-Unis, rentrait au pays. Il l'intéressa en lui parlant des Bahamas, archipel qu'elle eût été incapable de situer sur un planisphère. Le vin de Champagne triompha de sa pâleur et de sa réserve et, quand lord Pacal la raccompagna jusqu'au seuil de sa cabine, elle tendit sa main à baiser et promit de se trouver sur le pont-promenade le lendemain, en fin de matinée.

Dès lors, ils furent inséparables. Un maître d'hôtel, complice stipendié des idylles transatlantiques, leur réserva une table pour prendre repas et collations tête à tête. Ils en vinrent, suivant la gradation qu'un reste de pudeur impose aux femmes avant la reddition, des baisers échangés dans les coins sombres du pont aux caresses furtives, sans que Domenica permît à Pacal de franchir le seuil de sa cabine. Cette résistance, qu'il devina de pure forme, décupla son audace. La veille de l'arrivée au Havre, il se fit plus précis, certain d'être compris à demi-mot.

— Ce sera cette nuit ou jamais, Domenica, dit-il, lors de la promenade d'après dîner.

Elle lui serra fortement le bras et se laissa aller contre son épaule.

— J'ai peur, il y a près d'un an que... ça ne m'est pas arrivé et, demain, je serai encore plus malheureuse de vous quitter si...

— La vie, Domenica, nous offre de rares moments de plaisir. Ne la décevons pas, ne nous privons pas.

— Allons chez vous, souffla-t-elle.

Après avoir vécu la crainte de l'inaccessible, Pacal connut le délice des sens libérés. Sa compagne céda au déferlement d'une nature ardente et tendre. La nuit fut brève, faite d'étreintes et de somnolences alternées et, au petit matin, quand l'aube s'inséra comme une toile vierge dans le cadre du hublot, Domenica se mit à pleurer.

— Je me suis conduite comme une fille à matelot, murmura-t-elle.

— Plutôt comme une femme sevrée de tendresse et de plaisir, rectifia Pacal.

— Et vous allez disparaître de ma vie comme vous y êtes entré, balbutia-t-elle.

Alors qu'elle se taisait, lovée contre lui, tiède et parfumée, il parcourut de l'index la courbe soyeuse d'une épaule et le mamelon d'un sein.

— Êtes-vous si pressée de rentrer en Italie ? Pourquoi ne viendriez-vous pas avec moi à Londres ? Je possède un hôtel particulier à Belgravia Square. Vous y seriez comme chez vous.

Domenica se redressa, presque agressive.

— Ne me tentez pas ! Soyez charitable. Je veux garder un souvenir ébloui de notre folie. Nous avons connu le divin privilège de l'amour inattendu. Soyons satisfaits. Demander plus serait pêcher... et nous conduirait à la satiété, dit-elle en quittant le lit.

Pacal l'aida à se vêtir et, quand elle franchit le seuil, un jet éblouissant de lumière embrasa la cabine. La silhouette de l'Italienne, tel un mirage, se dilua dans le soleil. Il sut qu'il ne la reverrait jamais.

Au Havre, lord Pacal quitta le navire parmi les premiers, car le train du ferry-boat pour Southampton, venu de Paris, était en gare, derrière une machine haletante. Il fut reconnaissant à Domenica d'avoir éludé les adieux.

Repu de joute amoureuse, il dormit pendant la traversée de la Manche et ce fut en roulant vers Londres qu'il se prit à réfléchir.

De la même façon qu'une nouvelle couche de peinture fait disparaître une plus ancienne, Lizzie avait effacé Viola, Domenica avait biffé Lizzie. Ces expériences semblaient prouver que l'amour est, d'abord, un phénomène physique. Avec la maturité, le jour viendrait où, transformer une rencontre en lien prolongé serait raisonnable. Il aurait trente ans l'an prochain et devrait penser au mariage pour assurer, comme il l'avait promis à son grand-père, la lignée des Desteyrac-Cornfield. Qui avait dit et de qui : « Il épouse un ventre pour avoir des héritiers » ? En attendant, le mariage lui apparaissait comme une association risquée, où chacun devait abandonner un peu de soi-même afin de parvenir à une accoutumance harmonieuse.

À Cornfield House, il trouva le couple de domestiques qui gardaient l'hôtel de Belgravia Square dans la plus complète vacuité. En l'absence de maître, ces gens n'avaient rien à faire, sinon passer une fois par mois de l'encaustique sur meubles et parquets, entretenir tapis et tentures, polir l'argenterie, veiller à l'étanchéité des toits et attendre dans le confort la visite du propriétaire. S'inspirant des méthodes de son grand-père, le nouveau lord n'avait pas annoncé son arrivée. Son apparition soudaine remit les serviteurs à leur rang et les rendit à leurs devoirs.

Lord Pacal obtint de l'homme de loi qui, depuis longtemps, administrait les affaires des Cornfield en Grande-Bretagne, qu'il embauchât une lingère, une cuisinière, un valet et louât une calèche avec cocher pour la durée de son séjour.

Dès le lendemain, *The Times*, dans sa rubrique mondaine, publia une annonce qui fit sourire le fils de l'ingénieur français. « Nous apprenons l'arrivée à Londres de lord Pacal Alexandre Simon Desteyrac-Cornfield, petit-fils du regretté lord Simon Leonard Cornfield, partout connu comme le lord des Bahamas. Lord Pacal vient de l'île Soledad, Bahamas, West Indies, où il réside habituellement. Il est attendu à l'inauguration de la Colonial and Indian Exhibition, qui se tiendra de mai à octobre à South Kensington. »

La matinée ne s'était pas écoulée que plusieurs cartes étaient déposées à Cornfield House. Il retint celle des Kelscott et accepta l'invitation à dîner le soir même qui accompagnait le bristol.

Le Bahamien fut chaleureusement accueilli par lady Olivia et lord James, le vieil ami de lord Simon. Si la correspondance avec lady Jane s'était raréfiée au cours des derniers mois, elle n'avait jamais été interrompue. À la vue de Pacal, la jeune fille s'immobilisa, béate, rougissante et muette. Elle avait vingt-cinq ans révolus et sa mère désespérait de la marier, bien que la demoiselle eût récemment refusé deux partis flatteurs.

En prenant congé, après le dîner familial, Pacal proposa à lady Jane de l'accompagner, le 4 mai, à l'inauguration, par la reine Victoria, impératrice des Indes, de l'exposition qui se proposait de montrer aux Britanniques et aux visiteurs étrangers tout ce que l'Empire produisait de beau, de bon, d'utile. La jeune fille battit des mains, réaction enfantine hors d'âge.

Au jour dit, Jane Kelscott consacra une heure à sa toilette, hésita entre dix robes, trois chapeaux, vingt paires de gants, choisit une ombrelle à franges et guetta, derrière le rideau du salon, l'arrivée sur Park Lane de la calèche de son cavalier. Elle crut connaître le vertige quand Pacal l'aida à monter en voiture, plus encore lorsqu'il lui prit la main et la conserva un instant, tandis que la voiture roulait vers South Kensington. Elle eût aimé que le parcours durât des heures mais le trajet fut bref.

Grâce à une invitation officielle, Pacal et sa compagne furent autorisés à suivre le cheminement de la reine, quand elle fit son entrée dans le parc. Victoria, qui résidait à Windsor, était arrivée une heure plus tôt à la gare de Paddington. Dans les rues, des milliers de Londoniens avaient acclamé leur souveraine et ce fut l'œil vif, rose de plaisir, que Sa Très Gracieuse Majesté parcourut les allées de l'exposition. Petite femme potelée, mêlant animation naïve et dignité royale, elle trottinait en jouant d'une canne plus décorative qu'utile.

— Savez-vous que cette canne a été tournée, pour le prince Albert, dans la branche d'un chêne planté par Charles II, souffla Jane, émerveillée.

La reine visita la salle indienne, le bazar oriental, s'intéressa aux costumes des indigènes venus des colonies autonomes, de l'Empire des Indes, des protectorats de la Couronne. Les turbans des sikhs barbus, les fez des Égyptiens, les boubous des Nigériannes, les étains de Malaisie, les diamants des mines de Kimberley, les tapis du Kurdistan, les masques africains, les peaux de castor du Canada retinrent plus la royale attention que les produits des Bahamas : tonneaux de sel, paniers et chapeaux de sisal, ananas, mangues, citrons, conches sculptées, ambre gris et mâchoires de requins. Pacal eut cependant la satisfaction de voir le cortège s'arrêter devant deux tableaux du peintre Albert Bierstadt[1], *Plage d'émeraude* et *Une île bahamienne sous le vent du nord-ouest*, toiles peintes aux Bahamas. Il savait que l'artiste habitait souvent le Royal Victoria Hotel, où son épouse tenait salon et où elle exposait les toiles et dessins de son mari.

Tout au long du parcours, des fanfares se relayaient et la visite se termina à l'Albert Hall, où le prince de Galles lut un hommage à la reine qui répondit en quelques mots inaudibles. La cantatrice Emma Albani, dite La Jeunesse, chanta sur une musique du compositeur sir Arthur Sullivan, une ode de circonstance, écrite par le poète lauréat Alfred Tennyson.

— Je suis sûre que notre reine, qui souffre d'une incurable

---

1. Peintre d'origine allemande, né à Düsseldorf en 1830, mort à New York en 1902. Il a beaucoup peint les montagnes Rocheuses et des paysages des Bahamas et des Caraïbes.

affliction depuis la mort du prince Albert, pense à la grande Exposition universelle de 1851, qu'elle avait inaugurée à son bras, murmura Jane à l'oreille de Pacal.

À l'issue de la cérémonie, il invita la jeune fille à déjeuner chez Simpson, sur le Strand, où l'on servait, sur chariot d'argent, une selle d'agneau renommée. Au cours du repas, Jane dit tenir de son père que le Premier ministre Gladstone désapprouvait l'exposition coloniale, organisée avant son retour au pouvoir par le gouvernement éphémère de lord Salisbury.

— William Ewart Gladstone estime que cet étalage d'exotisme coûte cher et ajoute aux dépenses publiques déjà consenties pour les colonies. Je crois que Gladstone pense, sans oser le dire, que nos colons exploitent un peu trop les indigènes de l'Empire, qui n'ont pas demandé à être colonisés, dit-elle.

— Et, quelle est l'opinion de votre père à ce sujet ?

— Mon père ne s'entend qu'en Bourse, en femmes et en chevaux, dit Jane sans hésitation.

Pendant son séjour, le Bahamien fut le cavalier attitré de lady Jane. On les vit chevaucher, le matin, dans les allées de Hyde Park, déjeuner au Café Royal, que fréquentaient Oscar Wilde, le prince des esthètes, et le peintre James Whistler, à la brasserie Barclay, fort à la mode, chez les dandies, dans un restaurant indien proche de Covent Garden, où Jane ne toucha à aucun plat avant que Pacal y eût goûté sans paraître empoisonné.

— Je me demande si vous aimeriez la cuisine bahamienne. Nos conches à la sauce piquante, le foie de tortue, nos gigots de chèvre, nos crabes de terre... risqua Pacal.

— Hou ! Hou ! Je ne me nourrirais que de riz et de poisson, assura-t-elle, péremptoire.

Pacal rit franchement et, par-desssus la table, lui prit la main.

– Ce serait déjà mieux que vos rôtis trop cuits, vos puddings étouffants et vos légumes à l'eau, dit-il.

– Si, par hasard vous épousiez une Anglaise, continue-riez-vous à habiter votre île ? demanda-t-elle soudain, le feu aux joues, étonnée de sa hardiesse.

– Certes, c'est mon pays. Un très beau pays, Jane. Et une épouse doit suivre son mari.

– Ah !

– Si vous épousiez un officier de l'armée des Indes, vous devriez bien le suivre à Bombay ou à Lahore.

– Je ne serais pas obligée. Nous serions ensemble quand il viendrait en congé à Londres, n'est-ce pas ? J'ai plusieurs amies qui vivent ainsi.

Pacal la considéra en silence, d'un regard amusé.

– Vous n'allez tout de même pas passer toute votre vie aux Bahamas. Ce n'est qu'un ramassis de rochers perdus sur l'Océan, reprit-t-elle.

– Soledad est mon île natale et ma propriété, par héritage de lord Simon. J'y suis heureux et libre. Je nage, je pêche, je chasse, je navigue à la voile et, de là, je gère mes affaires. Pour tout vous dire, Jane, puisque nous parlons avec fran-chise, je ne pourrais jamais vivre longtemps à Londres, où les Anglais de la même classe mènent la même vie, au même rythme, dans le même climat compassé.

– Comment cela ?

– Entre la fête de saint George en avril, les courses d'Ascot à la Pentecôte, le Derby d'Epsom fin mai, les régates de Henley en juillet, les feux d'artifices du Guy Fawkes *Day*[1] le 5 novembre, les promenades à Hyde Park toute l'année, les représentations à Covent Garden l'hiver, l'anniversaire de

---

1. Les Anglais commémorent ce jour-là, par feux d'artifice, défilés et masca-rades, l'échec de l'attentat que devait commettre Guy Fawkes (1570-1606), un officier, organisateur du *Gunpowder Plot*, la Conspiration des poudres. En 1605, il se préparait à faire sauter le Parlement avec des tonneaux de poudre quand on l'arrêta. Condamné à mort, il fut décapité.

la reine, l'ouverture du Parlement et les bals pour débutantes, je sombrerais vite dans une saturation mélancolique.

– Vous semblez bien connaître notre calendrier mondain, observa naïvement Jane.

– Ce n'est pas tout. Je ne pourrais jamais m'adapter aux conventions d'une société qui classe socialement les individus suivant la manière dont ils aspirent la lettre H, qui veut qu'on appelle les valets par leur prénom et les femmes de chambre par leur nom de famille et règle jusqu'à la manière d'user d'un marteau de porte, quand on rend une visite. Lady Ottilia me l'a enseignée. Les gens ordinaires ne doivent frapper que deux coups, un gentleman cinq coups nets, une lady sept petits coups rapides, énuméra Pacal, moqueur.

Lady Jane fit la moue et devint morose. Sa mère avait eu l'imprudence d'imaginer devant elle que lord Pacal Desteyrac-Cornfield, qui allait avoir trente ans, était certainement venu à Londres pour choisir une épouse dans l'aristocratie. « Pourquoi ne serait-ce pas toi ? » avait ajouté lady Olivia, avant de prévenir d'un ton aigre, dans le langage trivial qui trahissait parfois la native de Whitechapel, « C'est ta dernière chance de te caser ! »

Au lendemain de cette conversation, décevante pour Jane, Pacal rejoignit lord James au Reform Club, à l'heure du *lunch*. Tandis que des serveurs à visage de bois, glissant sur leurs semelles en molleton, passaient les plats – esturgeon sauce pimentée, bœuf bouilli, cœur de laitue, fromage de Stilton, le tout arrosé d'un inoffensif *claret* – dans un silence de catacombes, Kelscott aborda le thème du mariage. Tout en désapprouvant la façon dont sa femme tentait encore de marier leur dernière fille, il s'était engagé à s'enquérir des intentions de lord Pacal.

– Je suis certain, mon garçon, que lady Olivia souhaite

un gendre tel que vous. Et vous êtes un parti que ne refuserait pas lady Jane, commença-t-il.

– Je ne suis pas candidat au mariage, lord James. Et j'ai cru comprendre que, même pour un époux dont lady Jane serait éprise, votre fille ne se résoudrait pas à quitter Londres pour le suivre. D'ailleurs, votre gouvernement n'a-t-il pas abrogé, en 1884, la peine de prison encourue par les épouses qui refusent le devoir conjugal, plaisanta Pacal.

– La vie conjugale... séparée est courante, dans nos familles de l'aristocratie. Ainsi, pendant que je servais aux Indes, avec votre grand-père, ma femme vivait à Londres. Je la rejoignais une fois par an, pendant quelques semaines.

– Le temps de lui faire un enfant, jeta Pacal.

– Et de chasser au renard ! ajouta lord James, en riant.

– Ce n'est pas ainsi que j'envisage la vie conjugale. Je ne suis donc pas un parti convenable pour lady Jane.

– Je l'admets, mon garçon. J'apprécie votre sincérité et j'admire votre prudence. En réalité, Jane a une vocation de vieille fille. Elle a fondé des ouvroirs, dans les quartiers pauvres de Londres, où elle fait fabriquer, par des filles mères sans ressources, des poupées de chiffon à la tête en celluloïd, sur laquelle on colle de vrais cheveux, ceux que ces pauvres femmes s'arrachent. Ces poupées, vendues dans les magasins de nouveautés au profit de l'œuvre, connaissent un tel succès que les ouvrières de Jane seront bientôt chauves ! ironisa lord James en passant au fumoir.

Au moment de la séparation, le vieil homme, dont l'âge n'avait pas entamé la vitalité mais réduisait l'agilité, s'appuya sur le bras de Pacal pour descendre le perron du club et rejoindre sa voiture, sur Pall Mall.

– Dites-vous bien que je préfère avoir en vous un jeune ami plutôt qu'un gendre. J'envie votre liberté. Protégez-la et, quand vous serez à Londres, venez déjeuner avec moi, dit-il en s'éloignant.

Le lendemain, avant de quitter la capitale pour Manchester, où il devait rendre visite à sa grand-tante, veuve de Willy Main-Leste, lord Pacal se présenta chez les Kelscott, afin de prendre congé dans les règles, comme la bienséance l'exigeait. Obstinée dans ses espérances, lady Olivia quitta le salon pour laisser tête à tête Pacal et sa fille.

Très conscient des sentiments que lui portait cette dernière, lord Pacal se cantonna d'abord dans les banalités d'usage, puis fit parler Jane de ses ouvroirs. En la quittant, il promit une aide financière et l'envoi de petits coquillages, avec lesquels ses protégées feraient des colliers dont elles pourraient parer leurs poupées.

— Ce sera merveilleux ! Nous vendrons nos poupées deux fois plus cher, dit Jane, reconnaissante et, cette fois, résignée pour de bon au célibat.

À Manchester, Pacal découvrit le dénuement humiliant dans lequel vivait Mary Ann, sœur de Simon Leonard. Soutenue par l'orgueil des Cornfield, la vieille lady n'avait pas informé son petit-neveu d'une situation financière désastreuse. À quatre-vingts ans elle avait dû vendre son hôtel particulier, la plupart de ses meubles et tous ses bijoux pour régler les dettes posthumes de son époux. Quant à la pension servie par lord Simon, et maintenant assurée par lord Pacal, elle lui eût permis de subsister confortablement si elle n'avait entretenu avec scrupule deux enfants adultérins de Willy Main-Leste. Son impécuniosité la condamnait à vivre dans un modeste cottage, avec la seule domestique restée à son service, malgré des gages aléatoires.

— Vous allez quitter ce lieu sordide. Je vous emmène à

Londres. Vous habiterez mon hôtel de Belgravia Square. Vous y serez chez vous, bien servie, en sécurité et vous allez cesser d'entretenir les rejetons illégitimes de votre défunt mari. Ils n'ont aucun droit à faire valoir.

Très émue, Mary Ann, qui, malgré le faix des années avait encore fière allure, s'empressa, épanouie et heureuse, d'accepter l'offre de Pacal. Revoir Londres la réjouissait. Elle y comptait encore de vieilles amies, qu'elle pourrait inviter à prendre le thé dans un décor digne de sa condition.

– Je saurai tenir votre maison pendant vos absences, dit-elle en essuyant une larme de reconnaissance.

En une semaine, lord Pacal visita sa filature de Hyde, près de Manchester, dont le directeur, mis en place en sa présence par lord Simon, quelques années plus tôt, gérait au mieux la production et les ventes. Il l'autorisa à acquérir de nouvelles machines à broches multiples et décida de l'intéresser aux bénéfices, ce qu'eût peut-être désapprouvé lord Simon. Pacal, qui avait vu fonctionner des entreprises américaines, savait que cette méthode avait de bons effets, financiers et sociaux.

Il opéra de même à la lainière de Chipping Campden et pour l'élevage de moutons Costwold, à Ipswich, dont il partageait la propriété avec lady Ottilia.

De retour à Londres avec sa grand-tante, il assista, en tant qu'administrateur, à plusieurs réunions de la West Indies Produce Association et proposa des changements de nature à favoriser le commerce avec les Bahamas et la Jamaïque, par l'affrètement de navires rapides, qui transporteraient en Grande-Bretagne les fruits et les produits coloniaux, plus vite et dans de meilleures conditions.

Lors de son second séjour londonien, disposant avec lady

Mary Ann d'une maîtresse de maison rompue aux mœurs de sa classe, il donna une réception à Cornfield House, pour les amis de son grand-père. Ce fut une noble assemblée de vieillards chenus, aux membres gourds, mais élégants, de veuves égrotantes, accompagnées de leurs petites-filles, souvent jolies, prêtes à voir dans Sa Seigneurie, lord Pacal Desteyrac-Cornfield, bel homme au teint hâlé, brun aux yeux vert pâle, généreux et plein d'attentions pour les aïeules, un mari possible.

Mais Pacal était prémuni contre l'imprudente impulsion qu'eût provoquée un irrépressible désir de femme. Dès son retour à Londres, le père de lady Jane, qui savait combien l'animal endormi en tout homme a parfois le réveil exigeant, lui avait glissé les adresses de demoiselles de bonne éducation et de vertu accommodante, qui recevaient l'après-midi, préféraient le champagne au thé et ne parlaient jamais mariage !

Au cours du dernier *lunch*, qu'il prit au Reform Club avec lord James, chez qui Pacal avait reconnu plus d'un trait de son grand-père, le Bahamien confia à son hôte qu'il avait hâte de regagner son île.

– Par saint George, si je n'étais pas si vieux, je prendrais le bateau avec vous, mon garçon, dit Kelscott, ému à la pensée de quitter un jeune ami avec lequel il avait établi une complicité spontanée.

– Pour moi, il est temps de partir, lord James, sinon je me réveillerai, un matin, marié sans m'en être aperçu, dit Pacal en serrant bien fort la main du vieil officier des lanciers du Bengale.

Le même soir, quand il embarqua pour New York sur *Etruria*, un paquebot de la Cunard, il trouva dans sa cabine une lettre de Jane Kelscott.

« Cher lord Pacal, grâce à vous j'ai passé d'heureux moments à Londres. J'en conserverai un souvenir lumineux jusqu'à ce que vous reveniez frapper "cinq coups nets" à la porte de mes parents, derrière laquelle toujours je vous attendrai. Votre amie Jane. »

Il estima que lady Jane ne manquait ni d'humour ni de sensibilité.

À bord de l'*Etruria*, Pacal ne rencontra pas de Domenica prête à égayer ses nuits. Fuyant les sauteries, thés dansants, jeux de société et exercices physiques organisés pour distraire les nombreux passagers américains, le Bahamien passa le plus clair de son temps dans sa cabine, à lire les livres acquis à Londres. Essais de Samuel Butler, poèmes de Swinburne, romans de George Meredith et Thomas Hardy. Il commença par le dernier livre de Robert Louis Stevenson *le Cas étrange du docteur Jekyll et de Mister Hyde*, ouvrage qualifié de littérature d'épouvante par les critiques.

Le voyageur rapportait pour lady Ottilia des papiers peints du préraphaélite William Morris. Devenu chef de file de *Arts and Crafts*, cet ami de Rossetti créait, à Merton Abbey, des meubles, des vitraux, des tapisseries. Pacal avait acheté, pour son compte, une série de gravures reproduisant les tableaux satiriques de William Hogarth[1], contempteur des mœurs britanniques au XVIIIe siècle, mais il destinait à sa belle-mère plusieurs dessins de Dante Gabriel Rossetti, mort en avril 1882, et un portrait de Maria Zambaco, peint par son amant, Edward Coley Burne-Jones. De cet artiste, l'un des derniers préraphaélites, il avait admiré, à la Grosvenor Gallery, une série de gouaches, préparation à de grandes toiles illustrant le *Cycle de Persée*. Il s'agissait d'une

---

1. 1697-1764.

commande d'Arthur Balfour, un des chefs du parti conservateur[1], pour le salon de musique de sa résidence londonienne,
à Carlton gardens.

En ce début d'été, la traversée fut paisible et Pacal ne fit
qu'une courte escale à New York, au cours de laquelle
Thomas Artcliff tint à le conduire sur l'îlot de Bedloe, où
l'on achevait le montage de la statue de la Liberté. Arrivée
un an plus tôt, en pièces détachées, à bord du vapeur *L'Isère*,
l'œuvre de Bartholdi, cadeau de la France, serait inaugurée
le 18 octobre par le président des États-Unis, Grover
Cleveland. Le veuf venait de convoler, le 2 juin, avec Frances
Folsom, fille d'un ancien associé. Cette union avait valu aux
époux un télégramme de félicitations de Sa Très Gracieuse
Majesté la reine Victoria et vingt et un coups de canon tirés
à l'arsenal de Washington.

La noce présidentielle avait fait oublier au peuple versatile
les événements tragiques de Chicago, où trois cent quarante
mille ouvriers s'étaient mis en grève, entre le 1er et le 4 mai,
pour exiger la journée de huit heures. Au cours d'une manifestation, une bombe avait tué sept policiers et dix passants.
Sept individus, qualifiés d'anarchistes, avaient été arrêtés[2].

Une semaine plus tard, lord Pacal retrouva Nassau en
pleine effervescence. D'abord, parce que le premier *Circuit
Justice*, envoyé de Londres était nommé et, sans plaisir,
attendu ; ensuite parce qu'on annonçait la publication
prochaine d'un journal pour les Noirs, rédigé par des Noirs,
The Freeman. Le fondateur était un mulâtre, James
C. Smith, membre de la *General Assembly*. Il proposait une

---

1. Secrétaire d'État pour l'Irlande en 1887 ; Premier ministre de 1902 à 1905.
2. Quatre d'entre eux seraient pendus le 17 novembre 1887.

complète émancipation des Noirs. Des Blancs libéraux soutenaient de leurs deniers cette feuille radicale[1].

L'arrivée d'un magistrat itinérant suscitait des craintes dans le milieu judiciaire. Chargé de parcourir les îles quatre fois par an, avec l'autorité souveraine d'un juge de *Final Appeal*, il devrait régler définitivement tous les cas litigieux. Cette prérogative excluait désormais tout recours devant la *Supreme Court*, qui siégeait à Nassau sous la présidence du plus haut magistrat bahamien, le *Chief Justice*, Henry William Austin, un Canadien. Les magistrats en place, devinant que le gouvernement britannique doutait – non sans raison – de leur impartialité, se sentaient humiliés. Les avocats et autres membres de la basoche craignaient une perte de clientèle.

Le gouverneur, sir Henry Blake, esprit libéral, avait sollicité l'envoi d'un magistrat anglais, nanti des pleins pouvoirs judiciaires, parce que justiciables et plaignants des Out Islands, mécontents d'une décision du juge résident, le plus souvent inexpérimenté et soumis à toutes les pressions locales, n'avaient que rarement la possibilité et les moyens financiers de se pourvoir devant la *Supreme Court*.

À Soledad, les rumeurs de la capitale de l'archipel trouvaient plus d'échos au Loyalists Club qu'à Cornfield Manor, où lord Pacal reprit ses habitudes après les retrouvailles avec son père, lady Ottilia et ses amis.

Cette année-là, les ouragans épargnèrent les îles et, la période de deuil terminée, les fêtes de fin d'année se déroulèrent dans la même joyeuse ambiance qu'au temps où lord Simon les présidait.

---

1. *The Freeman* fut publié de 1886 à 1889.

Au printemps 1887, Pacal dut se rendre à Nassau pour mettre plus d'équité dans le marché des éponges. Les agents des importateurs américains et européens s'entendaient avec les grossistes bahamiens pour tromper les pêcheurs sur le prix des éponges qu'ils livraient. On avait vu payer huit mille éponges onze livres sterling, ce qui laissait au pêcheur moins d'un demi-penny l'éponge. Ces mêmes éponges étaient vendues cinq ou six shillings pièce à Londres !

Lord Pacal avait les moyens de contraindre les intermédiaires commerciaux à plus de respect du dangereux métier des pêcheurs. Comme agents, grossistes et autres négociants faisaient la sourde oreille, arguant des frais considérables inhérents à leur commerce, Pacal fit retirer du *Sponge Market* toutes les pièces provenant de Soledad, de Buena Vista et de sa flottille de Key West. Ayant obtenu du Colonial Office une licence d'exportateur qu'on ne pouvait lui refuser, il décida que les éponges et l'écaille de tortue, productions de son domaine maritime, seraient désormais transportées à New York, par un navire de sa flotte, et vendues sur le marché américain par son représentant dans cette ville. Cette suppression des intermédiaires bénéficiait, certes, aux pêcheurs mais aussi à Desteyrac-Cornfield.

Les importateurs américains, comparant le prix des éponges livrées par lord Pacal à celui pratiqué par les grossistes de Nassau, exigèrent de ces derniers une révision de leurs tarifs alors que les pêcheurs envisageaient de ne plus approvisionner le marché, sans un honnête relèvement des prix. Imitant leurs camarades de Soledad, de Buena Vista et de Floride, les insulaires menaçaient de confier leur récolte à la nouvelle société exportatrice de lord Pacal et d'anéantir le *Sponge Market* de Nassau. Pacal, qui voyait sa popularité grandir chez tous les pêcheurs de l'archipel, s'abstint cependant d'accéder à leur demande dès que son but – faire payer un plus juste prix les éponges bahamiennes – fut atteint. Il ne voulait pas être accusé par les autorités d'un préjudice porté à l'économie de la colonie, ni s'arroger le monopole de l'exportation des éponges. On proclama sur le marché de Nassau et dans les îles que le fils de l'ingénieur français et d'Ounca Lou était bien le digne héritier du lord des Bahamas, de prestigieuse mémoire.

Les remous provoqués dans le petit monde du négoce autour du marché des éponges étaient retombés quand, au printemps 1887, la bonne société et le milieu judiciaire furent agités par un événement inhabituel et, pour les conservateurs de race blanche, scandaleux.

Le juge itinérant, Louis Diston Powles, payé cinq cents livres par an – le double d'un président de tribunal –, avait pris ses fonctions le 2 novembre 1886. Ceux qui l'avaient rencontré reconnaissaient à ce catholique, de carrure athlétique, une forte personnalité.

Powles, né à Londres en 1842, avait étudié à Harrow et Oxford avant d'être admis, en 1866, au barreau, où il s'était tout de suite imposé comme juriste compétent. Membre du fameux Savage Club, que fréquentait le *Lord Chief Justice of England*, ministre de la Justice de Sa Très Gracieuse Majesté la reine Victoria, il avait publié plusieurs ouvrages de droit, notamment sur le divorce, dont il s'était fait une spécialité. Entre deux affaires, il écrivait des pièces de théâtre. On lui devait une comédie *the Opera Cloak*, produite en collaboration avec sir Augustus Harris, directeur du théâtre de Drury Lane.

Or la première affaire qu'eut à traiter Louis Diston Powles, comme juge d'instance, en février 1887, lui permit d'apprécier la façon dont, à Nassau, on rendait justice aux Noirs, et lui valut une solide détestation des conservateurs.

Un certain James Lightbourn était accusé par sa servante noire, Susan Hopkins, de mauvais traitements et voies de faits. On murmurait que la jeune fille avait été battue parce qu'elle refusait à son maître certaines privautés. Plusieurs

Noirs de bonne réputation témoignaient de la brutalité de l'individu.

La sentence de Powles fit l'effet d'une bombe. Ayant condamné Lightbourn, membre de la Wesleyan Methodist Church, à un mois de prison, il refusa au condamné la commutation de sa peine en amende de quelques livres sterling et le fit emprisonner.

Au cours du procès, Lightbourn avait obtenu les témoignages de Blancs méthodistes visant, sinon à l'innocenter, du moins à réduire les violences dénoncées par Susan Hopkins à la banale correction qu'un maître était en droit, d'après eux, d'infliger à une servante désobéissante.

Plus tard, Powles aggrava son cas en disant qu'il n'avait accordé aucun crédit aux témoignages sous serment des méthodistes. Le fait qu'un magistrat catholique accusât de parjure des protestants qui avaient prêté serment sur la Bible, provoqua un tel tollé que le gouverneur, cependant bien disposé à l'égard de Powles, pria le juge de ne pas commenter le cas Lightbourn.

Mais les amis du condamné, eux, le commentèrent avec véhémence. De nombreux Blancs de Nassau déclarèrent que la condamnation infligée à Lightbourn les atteignait tous dans leur honneur et qu'il n'y avait pas d'exemple qu'un Blanc eût été emprisonné pour avoir giflé une Noire. On cita le cas d'un membre du gouvernement qui avait battu sa servante, Rosa Poictier, à qui il ne payait même pas son salaire. Il avait été condamné à payer les gages en retard, mais la plainte pour coups de la domestique n'avait pas été retenue. D'autres Blancs, qui avaient rossé plus ou moins violemment leur servante, geste assez courant, n'avaient été condamnés qu'à une amende de trois livres sterling d'amende.

« On n'a jamais vu un Blanc mis en prison pour de telles peccadilles », écrivait-on partout, y compris dans le *Nassau Times*, organe des méthodistes. Une dame vint même expliquer à Powles : « Les femmes de couleur sont seulement des femmes dans un sens limité. » Une autre ajouta : « Elles s'apparentent plutôt aux animaux. » Ce mépris des natifs blancs pour les gens de couleur, comme eux bahamiens, se doublait, dans leurs propos, d'une bonne dose de bêtise et d'une méchanceté rarement atteinte dans une colonie britannique.

Peu de temps avant l'arrivée de Powles, on avait eu la triste preuve de la partialité des juges locaux. Un Noir, Moses Wright, qui avait assailli une jeune Blanche, fille d'un pilote du port de Nassau, avait écopé de six mois de travaux forcés. N'ayant trouvé personne pour se porter garant de sa bonne conduite, pendant une période de six mois après la fin de sa peine, Wright était retourné en prison, pour un an, sur décision du juge !

La campagne de dénigrement du juge itinérant prit une telle ampleur que la *General Assembly*, où les méthodistes détenaient la majorité, refusa de verser à Powles l'indemnité que lui avait allouée le Colonial Office pour couvrir ses frais de voyage et d'installation.

Exaspéré par tant de partialité et de mesquinerie, le juge Powles, après deux circuits dans les Out islands où il fut bien accueilli, demanda son rappel en Angleterre, pour raisons de santé. Fin juin, il quitta Nassau, avec son épouse, et rentra à Londres, après huit mois passés aux Bahamas. Il en rapportait une piètre opinion de la justice coloniale, une grande amertume et un livre, qui allait faire assez de bruit en Angleterre pour être favorablement commenté par *The Times*[1].

Le 24 juin, au moment de son départ, Louis Diston Powles eut la mince satisfaction de lire une pétition de reconnaissance signée par trois cent trente Bahamiens.

---

1. Tous les cas évoqués, ainsi que l'affaire Lightbourn et ses conséquences, ont été rapportés par Louis Diston Powles dans l'ouvrage qu'il consacra à son séjour aux Bahamas : *the Land of the Pink Pearl*, publié en 1888, à Londres, par Sampson Low, Marston, Searle & Rivington, Limited.

« Vous vous êtes efforcé de rendre une justice égale pour toutes les personnes, sans tenir compte de leur race, de leur religion et de leur position sociale. Nous croyons que le Dieu de Justice vous récompensera en conséquence », put-on lire dans *The Nassau Guardian*.

L'année 1887 fut aussi marquée par le cinquantième anniversaire de l'accession au trône de Sa Très Gracieuse Majesté la reine Victoria. À cette occasion, lord Pacal décida de conduire à Nassau, où de grandes festivités étaient annoncées comme dans toutes les colonies de la Couronne, tous les citoyens britanniques de Soledad. En tout, une centaine de personnes. Il embarqua sur le *Phoenix II*, avec son père, Ottilia et les intimes comme les Weston Clarke, Lewis Colson, le pasteur Russell et sa fille Violet, Uncle Dave et le docteur González, médecin-chef de l'Alister Cornfield Hospital. Une cabine fut réservée au cacique des Arawak, Palako-Mata. Lord Pacal estimait devoir associer le chef indien au jubilé de la reine.

Commandé par John Maitland – Myra, son épouse, était aussi du voyage – le grand vapeur blanc entraîna dans son sillage d'autres unités de la flotte Cornfield, le vapeur *Arawak*, commandé par Andrew Cunnings, les voiliers *Centaur* et *Argonaut*, sous commandement respectif de Philip Rodney et de Tom O'Graney. Pour la première fois de sa longue carrière de marin, le charpentier, promu capitaine, devenait seul maître à bord d'un navire dont il connaissait chaque membrure, de l'étrave à l'étambot.

La petite escadre prit la mer en bon ordre, sous les acclamations des insulaires, venus nombreux au port occidental assister à l'appareillage.

Les fumées des deux vapeurs s'élevaient en panaches gris au-dessus des voiles blanches du brick et de la goélette, dont les capitaines s'étaient entendus pour tenter d'arriver à Nassau avant les « mangeurs de charbon ». Un vent du sud complice permit au fin manœuvrier qu'était Philip Rodney de se présenter en tête devant New Providence. Marin courtois, il mit en panne pour laisser au *Phoenix II* l'avantage de mouiller son ancre le premier dans l'avant-port de la capitale. Les quatre unités de la flotte Cornfield, sous grand pavois, furent saluées par tous les capitaines des yachts et bateaux de commerce en escale.

Le lundi 20 juin, dès le matin, Nassau s'adonna à la célébration de la cinquantième année de règne de Victoria. Sur Bay Street et dans les rues principales, des guirlandes de papier coloré festonnaient les façades et l'Union Jack frémissait mollement dans l'air tiède, aux fenêtres et balcons. Une foule endimanchée – presque toutes les femmes arboraient des toilettes blanches – se pressait en groupes bruyants pour assister au défilé d'un détachement du *First West Indies Regiment* avant de s'engouffrer dans les églises où, quel que fût le culte, on priait avec ferveur pour Sa Très Gracieuse Majesté la reine Victoria. Partout, hommes, femmes, enfants reprenait avec conviction l'hymne du jour : *Ave Imperatrix*.

Lord Pacal, en habit, et John Maitland, en uniforme de la Navy, portant ses décorations, assistèrent à la pose, par le gouverneur, de la première pierre du Victoria Jubilee Hospital. C'était la dernière apparition officielle de sir Henry Blake, son successeur étant attendu les jours suivants. Un peu plus tard, ils virent l'honorable Edward Taylor poser une autre première pierre, celle d'un Victoria Hall dont personne ne connaissait encore les plans ! Les représentants étrangers, dont le consul de France Johnson, allaient en transpirant, d'une cérémonie à l'autre, derrière les membres du gouvernement et des assemblées.

Avec la nuit commença la fête populaire. Des milliers de lanternes chinoises multicolores, importées des États-Unis, furent allumées au long des rues. Dans le port, le *Santiago,* de la ligne New York-Cuba, s'illumina comme un palais de conte oriental, au milieu des yachts américains, sous leurs festons de girandoles électriques.

Comme un jour de *goombay*, on se mit à danser à chaque carrefour. Aux rythmes africains – rendus par les tambours tendus de peau de chèvre, les bouteilles emplies de gravier et les grattoirs –, se mêlaient des airs de polka et de quadrille, le son du banjo et celui de l'accordéon. De tous les bals organisés cette nuit-là, le plus couru fut celui du Royal Victoria Hotel, où se produisait un véritable orchestre. Pacal regretta que Liz Ferguson ne fût plus à Nassau quand Cunnings apparut avec sa cavalière, Ellen Horney, cousine de Lizzie. Entre deux danses, Andrew rapporta à Pacal ce que lui avait confié la jeune femme, devenue sa maîtresse, et qu'il présentait comme sa fiancée.

– Il semble, *my lord*, que Liz Ferguson s'ennuie tellement à la Jamaïque qu'elle soit tombée malade. Elle se demande si les lettres qu'elle vous envoie arrivent bien à Soledad, osa Cunnings.

– Elles arrivent, répondit Pacal, laconique.

Il ne répondait pas toujours à la prose gémissante de Lizzie. L'épouse du collaborateur du Colonial Office vivait dans la crainte des incendies que les indigènes, en rébellion latente, allumaient parfois dans les plantations de canne à sucre. Le crépitement et les geysers aveuglants du feu d'artifice permirent à lord Pacal de se dérober à la curiosité de l'officier, qui ne faisait que relayer celle d'Ellen Horney.

À l'occasion de ce séjour à Nassau, Charles Desteyrac revit son ami Albert Fouquet, maintenant employé du gouvernement pour les travaux publics. Son dernier voyage à Panama avait été décevant, la Compagnie universelle du canal transocéanique, fondée par Ferdinand de Lesseps, avait un besoin crucial de capitaux. Les difficultés de percement de l'isthme et le coût des travaux dépassaient de beaucoup les prévisions.

– Ce canal, dont l'utilité ne fait aucun doute, est un gouffre financier et un tueur d'hommes. J'ai été effrayé de constater que l'on compte près de trois cents morts au kilomètre creusé, par accident, fièvre jaune ou malaria[1]. Lors de mon voyage en France, j'ai assisté le président-directeur, mon maître, Ferdinand de Lesseps, pour la préparation d'un emprunt de sept cent vingt millions de francs, à lancer en juin 1888. Il sera, hélas, « sans aucune garantie ou responsabilité de l'État ». Les obligations seront offertes à trois cent soixante francs et si Pacal, ton fils richissime, veut souscrire, il pourra bientôt le faire par correspondance, dit Albert.

– Pacal est, comme son grand-père, un investisseur prudent, se contenta de répondre Charles.

Albert Fouquet menait maintenant à Nassau une vie agréable. S'il conservait amitié et estime pour Lesseps, il avait abandonné toutes fonctions dans la Compagnie du canal pour se consacrer aux chantiers de la colonie, dont le projet d'une centrale électrique.

Charles admira avec quelle audace et sang-froid Albert gérait son étrange ménage à trois. Du fait de la ressemblance, subtilement entretenue, entre Emphie, l'épouse légitime, et Madge, belle-sœur et maîtresse, l'ingénieur pouvait, dans les réceptions officielles, être accompagné, tantôt de l'une ou de l'autre, sans que personne pût se douter que Madge s'appelait parfois Emphie !

Le pasteur Michael Russell, voyant les jumelles heureuses et épanouies, n'eut jamais le moindre soupçon. Seule Violet, la dernière de ses filles, secrétaire de lord Pacal, qui logea chez les Fouquet pendant son séjour à Nassau, entrevit le

---

1. Le coût définitif du canal de Panama fut de 352 millions de dollars et l'on déplora 375 morts au kilomètre.

lit des époux et s'étonna de ses dimensions exceptionnelles. Quand elle s'en ouvrit à sa sœur, celle-ci, loin de se troubler, répondit que la couche conjugale avait été fabriquée d'après un dessin de son mari.

– Nous aimons nos aises, ma petite, dit Emphie.

– À Paris, on appelle ça un lit de compétition ! s'exclama Madge.

De retour à Soledad, lord Pacal lut avec retard dans *The Key of the Gulf*, journal de Key West auquel il était abonné, un article publié le 14 mai 1887. Il était signé de E. J. Flemming, rédacteur de *The Freeman*, hebdomadaire de la communauté noire. Ce journal paraissait maintenant régulièrement à Nassau, sous la devise qui n'avait rien de révolutionnaire : « Pour Dieu et le droit, la reine et la patrie ».

Cependant, depuis sa fondation, la gazette dénonçait le *truck system* qui, affirmait-elle, perpétuait « une sorte d'esclavage en maintenant les gens dans la pauvreté, ce qui les empêche d'envoyer leurs enfants à l'école ».

L'article reproduit par le journal de Key West était d'abord un appel de fonds, adressé aux natifs des Bahamas qui travaillaient en Floride dans les fabriques de cigares, la construction des maisons, ou qui pêchaient les éponges, comme les gens de Soledad de la Cornfield Fishery. Il s'agissait de la survie de *The Freeman*.

« Pour la première fois dans l'histoire des îles Bahamas, une tentative a été faite pour publier un bulletin – cependant assez copieux pour être appelé journal – exclusivement dédié aux intérêts des gens de couleur », rappelait le journaliste.

Après avoir expliqué que les Noirs étaient « amateurs de chose écrite », il poursuivait : « Il peut vous sembler étrange, à vous qui vivez dans les fortes lumières du jour, qu'il puisse être difficile de trouver quatre cents souscripteurs à trois cents chacun la semaine, pour maintenir en vie un journal né pour une cause aussi noble. Et cependant, tel est le cas. »

Flemming justifiait ensuite la raison d'être de *The Freeman* : « Depuis l'émancipation de 1837, ce pays a été dominé par une petite bande de Blancs et prétendus Blancs, dont le principal objectif a été, depuis qu'ils ne pouvaient plus maintenir les gens de couleur en esclavage, de les empêcher de s'élever jusqu'à ce qu'ils puissent faire autre chose que "couper du bois et puiser l'eau". Ils nous regardent tels des chiens et tels des chiens ils nous traitent, non seulement sans gentillesse, comme c'est la règle, mais avec l'absence d'attention qu'ils accordent à leur chien. Ni plus ni moins.

» Afin d'extirper leur idée de maintenir au plus bas les gens de couleur, aucun effort efficace n'avait été fait dans le domaine de l'éducation, jusqu'à ces dernières années et même si les choses s'améliorent rapidement, la moyenne de l'instruction est d'environ soixante-quinze pour cent inférieure à celle de la mère patrie ou à celle de l'Amérique.

» Les créoles ont été aidés dans leur conspiration par la situation géographique du pays, qui est coupé du reste des possessions britanniques dans les West Indies. Les autres îles ont été reliées à la mère patrie et à l'Amérique – et entre elles – par le télégraphe électrique et des lignes rapides de vapeurs postaux. Les Bahamas ont été laissées à l'écart, isolées du reste du monde. Elles n'ont pas de télégraphe et leur communication par bateau avec l'Amérique est assurée par une ligne de vapeurs, qui passent par Nassau une fois par mois, à l'aller et au retour, entre Belize et l'Angleterre.

» À l'époque où nous vivons, un pays sans télégraphe, sans chemin de fer et seulement avec le passage occasionnel d'un vapeur, est hors de course.

» C'est ce qui se produit ici. L'Angleterre ne sait rien de cela et le reste des West Indies moins que rien de nous.

L'Amérique connaît notre existence, mais elle n'a pas intérêt à nous faire progresser et n'aurait pas la possibilité de le faire, même si elle le voulait.

» Pendant ce temps, la plus grande partie des gens de couleur continue à végéter, avec juste assez pour manger et boire et avoir un abri pour dormir, alors que les Blancs natifs font la loi.

» Les gens de couleur sont conscients que les choses ne sont pas normales, qu'ils sont à peine mieux considérés que des esclaves. Ils ne savent ni où est le remède ni comment l'appliquer.

» Ce qu'ils veulent, ce sont des lumières et non des droits. Des droits, ils en ont eu depuis cinquante ans, mais ceux-ci ne leur ont rien apporté puisqu'ils n'ont pas eu les compétences pour apprendre à utiliser ces droits. Les connaissances leur viendront de deux façons, rapidement par Key West et plus lentement à travers les écoles.

» L'objectif de *The Freeman* est de leur fournir une troisième lumière, qui leur dira comment utiliser les deux autres pour un meilleur emploi. Mais ils ont tout à apprendre et, en premier lieu, ils doivent apprendre ce que représente la valeur d'un organe qui leur appartient en propre. Actuellement ils réalisent difficilement ce qu'est un journal et moins encore ce qu'il peut faire. Nous calculons qu'au rythme ou les choses progressent ici cela prendra trois ans pour leur inculquer les rudiments de cette compréhension.

» S'il y eut jamais un moment dans lequel un journal a été nécessaire pour dire la vérité, c'est bien le moment présent. Une cruelle erreur est perpétrée dans notre communauté et il n'y a aucune voix, hors celle de *The Freeman*, pour protester. »

Le journaliste donnait aussi sa version des démêlés qu'avait connus le juge Powles.

« En février dernier, Louis Diston Powles avait fait comparaître un homme blanc, nommé James Lightbourn, qui avait agressé et battu sa servante noire, une délicate jeune fille, et condamné cet homme à un mois de prison pour agression sur une femme, sans option d'amende. Antérieurement, Powles avait envoyé trois ou quatre hommes noirs en prison, pour agression sur des femmes, et personne n'avait trouvé à redire à cela. Mais, parce qu'il avait traité de la même façon Blancs et Noirs, le magistrat a été soupçonné, au cours des deux derniers mois, de toutes sortes de persécutions par les natifs blancs et, pour couronner le tout, l'*Assembly* a refusé de payer à Powles les deux cent cinquante livres promises par le gouvernement anglais pour ses frais de passage aux Bahamas. Quels que soient les motifs évoqués pour ne pas payer cette somme, chacun sait que la vraie raison est que Powles a envoyé un Blanc en prison, pour avoir frappé une jeune fille noire, sans lui laisser l'option de l'amende. Dans n'importe quel autre pays que celui-ci, les gens auraient organisé des manifestations de masse et envoyé des pétitions aux autorités pour que justice soit rendue à l'homme qui a essayé de faire justice pour eux. Nos gens ne manquent pas de générosité, mais ils sont tellement en retard sur le monde qu'ils ne comprennent pas ces réalités. Pourquoi les natifs bahamiens de Key West ne nous aideraient-ils pas en envoyant leur abonnement pour garder *The Freeman* en vie et l'aider à se développer, pour atteindre la taille d'un journal respectable ? »

Le journaliste, soucieux de ne pas compromettre ses confrères de *The Key of the Gulf* ajoutait : « Je ne peux pas conclure sans préciser que, moi, le rédacteur de cet appel, je suis seul responsable de l'envoi de cette lettre et des opinions qu'elle contient. » L'article était signé « *A Voice from Bahamas*, Nassau, New Providence, Bahama Islands, 21 avril 1887. »

Le jour même, lord Pacal Desteyrac-Cornfield donna l'ordre à sa banque de Nassau d'envoyer cent dollars à *The Freeman*. Son grand-père, n'avait-il pas, pendant des années, sans se soucier de l'opinion de ses cousins planteurs sudistes, soutenu de ses dollars *The Liberator*, de William Lloyd Garrison, organe des abolitionnistes américains ?

7.

À la fin de l'année 1887, lord Pacal reçut une lettre d'une société hotellière de New York le conviant, le 15 janvier 1888, à l'ouverture, à Saint Augustine, en Floride, de l'hôtel Ponce de León, dont les journaux avaient déjà annoncé qu'il serait le plus somptueux palace des États-Unis. Tout en faisant la part de l'outrance des Américains, quand il s'agissait de vanter une réalisation de leurs architectes ou la réussite de leurs financiers, Pacal décida de répondre à l'invitation. Il avait des intérêts en Floride et sa flottille de pêcheurs d'éponges était parmi les plus actives sur le *Mud*[1]. Il savait que le promoteur du tourisme en Floride était Henry Morrison Flagler, un des neuf administrateurs de la Standard Oil Company.

De son grand-père, Pacal avait appris la méfiance. Lord Simon répétait qu'il ne fallait pas accepter d'invitation de quiconque avant de connaître ses tenants et ses aboutissants.

Or, Pacal avait en Thomas Artcliff, son ancien condisciple du MIT, devenu un des architectes les plus cotés de New York, un excellent informateur. Sollicité, Thomas répondit aussitôt à sa demande de renseignements : « Si Rockefeller est le roi du pétrole, Flagler en est le vice-roi »,

---

1. Zone qui s'étend sur cent quarante milles de long et dix à quarante milles de large, entre Andros Island et la Floride. Ce serait encore le plus grand gisement d'éponges du monde.

assura-t-il dans une lettre. Était joint à celle-ci un dossier, en forme de biographie de Henry Morrison Flagler.

Garçon épicier entreprenant, Flagler avait, dans les années 1860, créé à Cleveland un négoce de grains, sur un terrain appartenant à John Davison Rockefeller, qui exploitait alors une entreprise « d'épicerie en gros et expéditions en tout genre ». Flagler avait gagné beaucoup d'argent en approvisionnant l'armée de l'Union pendant la guerre civile. Plus tard, à la suite de placements hasardeux il avait fait faillite.

Cheveux noirs ondulés, grosse moustache tombante, lèvres épaisses, il ne manquait pas de charme viril. Son mariage avec la fille de Stephen V. Harkness, enrichi par le commerce du whisky, et la dot de sa femme – soixante mille dollars – avaient facilité le rétablissement de ses affaires. En 1867, on le comptait parmi les associés de Rockefeller qui, de l'épicerie en gros, était passé au raffinage et au transport du pétrole, manne de Cleveland.

« On dit à Wall Street que c'est Flagler qui décida Rockefeller à acquérir de nombreuses petites raffineries afin de créer la Standard Oil, qui contrôle maintenant les neuf dixièmes du commerce pétrolier des États-Unis », écrivait Artcliff. Et le New-Yorkais commentait : « En plus d'intérêts communs, une amitié sans faille, et sans doute le partage de quelques secrets touchant aux affaires et à la politique, lient les deux hommes, qu'aucun scrupule ne retient quand il s'agit de faire du dollar. »

Quand, en 1885, Henry Flagler avait découvert, sur la côte est de la Floride, entre le fleuve Saint Sebastian et la baie du Matanzas, la petite ville de Saint Augustine, qui passe pour la plus ancienne des États-Unis, car fondée en 1565 par le conquistador espagnol Pedro Menéndez de Avilés, le financier avait tout de suite imaginé le profit qu'il pourrait tirer de l'aménagement touristique de cette cité.

Elle ne possédait alors qu'un hôtel, le San Marco, vieille bâtisse en bois, dépourvue du plus élémentaire confort.

Flagler, dont la fortune était évaluée à soixante millions de dollars, décida aussitôt de créer un club, où il accueillerait ses riches amis. Le projet prit vite de l'ampleur et, quand il regagna New York, sa décision était prise : il ferait de Saint Augustine une station d'hiver où l'on jouirait, en plus de la mer, du doux climat, de l'exubérante flore subtropicale, d'un luxe raffiné et de tous les plaisirs sportifs et mondains. De surcroît, dans un site historique où s'étaient livrées de sanglantes batailles entre Espagnols et Indiens, puis entre Espagnols et protestants français et enfin, plus récemment, en 1842, entre Seminole et Américains.

Brûlée par le pirate anglais Francis Drake en 1586, bombardée en 1750 par le général anglais James Oglethorpe, fondateur de la Georgie et défenseur des huguenots, la ville située sur une côte plate et sablonneuse, entre deux fleuves, face à l'île Anastasia, ne conservait, comme vestige de son tumultueux passé, qu'un couvent de franciscains. Les bâtiment construits en 1690 avaient été transformés en caserne par les Américains. Seuls deux piliers de l'ancienne porte espagnole de la ville et le cimetière, où reposaient les huguenots français de l'amiral de Coligny, massacrés par Menéndez en septembre 1565, attestaient de la prospérité et des malheurs de la cité.

Pour attirer et conduire la clientèle fortunée jusqu'à Saint Augustine, où l'on n'accédait encore que par de mauvaises routes, Flagler décida de prolonger la Savannah, Florida and Western Railroad, dont le terminus était Jacksonville, capitale de la Floride. Devenue la Florida East Coast Railway, la nouvelle ligne côtoierait les Everglades où, dans les marais peuplés d'alligators, tentaient de survivre les derniers Seminole. Les touristes seraient certainement intéressés par une incursion dans cette nature primitive, dont les moustiques défendaient l'accès aux peaux sensibles !

Restait à construire un palace digne de ce nom. Fort sagement, Flagler demanda à ses architectes d'adopter le style mauresque espagnol, dont subsistait un échantillon, le couvent des franciscains.

Après trois ans de travaux et un million sept cent cinquante mille dollars dépensés, le résultat, que Pacal découvrit le 15 janvier, avec deux cents invités, qui tous possédaient au moins dix millions de dollars en banque, étonna le Bahamien par son originalité et sa grandiloquence hispano-mauresque.

De part et d'autre d'un grand jardin de plantes tropicales, rafraîchi par des fontaines, se faisaient face les longs bâtiments jumeaux ocre rosé de l'hôtel Ponce de León. Chacun offrait, sur un rez-de-chaussée à arcades, deux étages d'appartements, ceux du second ouvrant sur une loggia. Des tours carrées, au toit pointu, s'élevaient aux extrémités des bâtiments. On accédait à ceux-ci par des galeries claustrales, à partir d'un porche monumental coiffé d'un toit en pagode.

Sous le soleil d'hiver, l'ensemble méritait bien le nom de palace subtropical que lui donnaient les journalistes. À l'intérieur de l'hôtel se succédaient salons, galeries, salles à manger, de bal, de jeux, salon de correspondance, fumoir. On trouvait aussi un joaillier, une marchande de mode, un antiquaire, une boutique à journaux. Tout semblait organisé pour que les clients puissent dépenser leur argent sans avoir à sortir du domaine, gardé par des portiers en uniforme.

Lors de la visite inaugurale de l'hôtel Ponce de León, ainsi nommé en souvenir du découvreur de la Floride, lord Pacal fit la connaissance de l'homme de confiance de Rockefeller, parfois son exécuteur des basses œuvres, soupçonnaient certains. Flagler montrait une cinquantaine conquérante et l'assurance que donne la fortune à ceux qui, partis de rien, sont arrivés, par la puissance financière, au sommet de l'échelle sociale. On le devinait au comble de la satisfaction quand ses invités distillaient des compliments le plus souvent sincères.

La décoration du hall et des salons illustrait, par des fresques, des tableaux et des inscriptions, l'histoire de la Floride et le souvenir du grand navigateur. On voyait aussi, dans des vitrines, des flèches des Seminole, des arquebuses espagnoles, des débris de poteries trouvés lors des travaux de terrassement.

Le directeur de l'hôtel, ayant terminé son discours de bienvenue et le résumé emphatique du passé de Saint Augustine, duquel on pouvait déduire que la ville venait d'être sauvée de l'abandon et son histoire de l'oubli par Henry Morrison Flagler, lord Pacal attendit l'extinction des applaudissements pour approcher du buffet.

Il observa trois femmes qui, à l'écart, semblaient se gausser de l'empressement des invités, impatients de boire et manger, alors qu'aucun n'avait jamais connu la famine !

D'âges différents, mais toutes trois d'une élégance de bon ton, elles riaient franchement. Leur toilette raffinée tranchait sur celle des épouses, trop parées, des hommes d'affaires. Comme il renonçait à la quête d'une boisson, le Bahamien perçut l'attention insistante que lui portait la plus âgée des femmes, qu'il eut l'impression d'avoir déjà croisée.

Pacal avait hérité de lord Simon l'art de décourager les curiosités, d'où qu'elles vinssent. Il toisa l'invitée d'un regard tranchant et se détourna, en regrettant que ce ne soit pas la plus jeune des trois rieuses, une grande blonde aux formes affirmées, qui se fût intéressée à sa personne. Si tel avait été le cas, ce chasseur de jupons de trente et un ans eût répondu d'un regard plus encourageant.

Nullement impressionnée par la rebuffade muette de Pacal, la dame indiscrète vint à lui et, sans façon, l'aborda.

— Ne nous sommes-nous pas rencontrés, monsieur, il y a... mon Dieu... quelques années déjà, à Boston, lors de vos études à Harvard, quand vous logiez chez Robert Lowell, une de mes connaissances ? Mes amis de New York, les Artcliff, me dirent plus tard que vous étiez un condisciple de leur fils, Thomas. Voyez comme le monde est petit...

– Thomas Artcliff, madame, est mon meilleur ami. Nous étions, en effet, ensemble à Harvard... et je regrette qu'il ne soit pas avec nous ce soir.

– À Boston, vous aviez échangé quelques mots avec ma nièce et ma petite-nièce mais, naturellement, une dame de mon âge ne pouvait retenir votre attention. Moi, en revanche, j'avais remarqué ce jeune homme dont Bob m'avait dit qu'il venait des îles Bahamas. Car, ne le prenez pas en mauvaise part, vous n'avez pas le type américain, s'empressa-t-elle d'ajouter.

– Existe-il un type américain ? persifla Pacal.

Son interlocutrice négligea la réflexion.

– Eleanor Artcliff m'a rapporté que vous parliez parfois français avec Thomas. Vous usiez tous deux de cette langue pour moquer les chapeaux de ses amies, paraît-il.

Les deux autres femmes, surtout la plus jeune, rirent d'un semblant de confusion chez Pacal.

– Puisque vous m'avez fait, madame, la grâce de me reconnaître, sachez que j'ai entendu parler de votre famille par la veuve de Louis Agassiz, notamment lors de la dédication, à la mémoire du défunt professeur, du musée de zoologie comparée, qu'il avait créé, dit Pacal, retrouvant son aménité.

– La galanterie vous tient lieu de mémoire.

– Je suis une ancienne élève d'Elizabeth Cary-Agassiz, la seconde épouse du professeur, une Bostonienne qui avait ouvert un cours libre pour jeunes filles, intervint la femme d'âge moyen.

– Et nous nous trouvions toutes deux au cimetière de Mount Auburn, à Cambridge, quand, au printemps 1874, on déposa sur la tombe du maître ce gros morceau de rocher que ses amis avaient fait venir du glacier de l'Aar, en Suisse, pays natal de Louis Agassiz, reprit la plus âgée.

– Peut-être serait-il temps de faire les présentations, dit, d'un ton enjoué, la jeune fille, étrangère à ce passé commun.

Pacal tira une carte de visite de son portefeuille et la tendit à la doyenne, qui lut pour les deux autres.

– Lord Pacal Simon Alexandre Desteyrac-Cornfield, Soledad, Bahamas, West Indies, c'est...

– Vous êtes un lord anglais ! coupa la jeune fille, émerveillée comme qui se trouve en présence du dernier exemplaire d'une espèce en voie d'extinction.

– Le titre est héréditaire, il me vient de mon grand-père maternel, lord Simon Leonard Cornfield. Desteyrac est le nom de mon père, Charles Desteyrac, ingénieur français, mademoiselle.

– Pardonnez-moi, mais vous êtes le premier lord anglais que je vois, monsieur.

Pacal rit franchement quand la plus âgée des femmes posa sur la jeune fille un regard réprobateur.

– Un lord est toujours anglais, Susan. Dire « lord anglais » constitue ce qu'on nomme, en grammaire française, un pléonasme, n'est-ce pas, monsieur ?

Elle avait prononcé ce mot en français, avec un léger accent de Nouvelle-Angleterre.

– Vous possédez admirablement le français, madame.

– Vous avez devant vous, monsieur – peut-être devrais-je dire Votre Seigneurie, minauda-t-elle – trois générations de femmes qui ont appris et parlent le français. C'est une tradition familiale. Nous tenons cette langue de mon père, un Suisse, Guillaume Métaz, venu aux États-Unis en 1820, de Vevey, un pays de vignes, au bord du lac Léman.

– Admirable, mais j'ignore encore vos noms, mesdames.

Il revint encore à la plus âgée d'éclairer lord Pacal.

– Je suis née Lorena Margaret Metaz O'Brien. Sans accent. Car, au fil des années, pour américaniser son nom, mon père avait décidé d'en supprimer l'accent. Tout le monde m'appelle Maguy, tante Maguy. Je suis, comme on dit en France, une vieille fille, ajouta-t-elle avec malice.

– Voyons madame ! Le terme vieille fille définit un état d'esprit, qui n'est certes pas le vôtre, dit Pacal.

– C'est bien trouvé. Voici Fanny Buchanan Metaz O'Brien, ma nièce, la fille de ma sœur aînée, Johanna-Caroline qui épousa John Francis Buchanan, ajouta-t-elle, désignant celle qui devait avoir une quarantaine d'années.

Comme Pacal se tournait vers la troisième, tante Maguy acheva les présentations.

– Quant à Susan, que voici, elle est ma petite-nièce, fille d'Arnold Buchanan, fils de Johanna et de John Francis. Il épousa Lucy, une vague cousine, laquelle, hélas, mourut en donnant le jour à la ravissante créature que vous voyez là, débita celle qui s'affirmait incontestablement comme chef de famille.

– Tante Maguy, je vous en prie ! s'écria la jeune Susan, le rouge aux joues.

– C'est vrai, Maguy, on dirait que tu fais l'article ! s'indigna Fanny.

– Madame n'a fait que souligner une évidence, répliqua Pacal en s'inclinant.

Voyant que la plus âgée se dandinait d'un pied sur l'autre, signe de fatigue, il désigna des sièges vides, autour d'un guéridon.

– Allez vous asseoir, mesdames. Je vais obtenir de quoi nous rafraîchir.

Les trois obtempérèrent et Pacal arrêta un serveur.

– Faites porter une bouteille de champagne et quatre coupes à cette table, ordonna-t-il avec autorité en désignant le guéridon, maintenant occupé par ses nouvelles connaissances.

Puis il rejoignit les trois femmes et, quand le champagne fut servi, il leva sa coupe.

— Buvons à nos heureuses retrouvailles et à la prospérité des entreprises de notre hôte, Henry Flagler.

— D'autant plus volontiers que sa prospérité est un peu la nôtre, ajouta naïvement Fanny, ce qui lui valut un regard excédé de son aînée.

Pacal sut, dès cet instant que, seule, Fanny lui apprendrait tout ce qu'il voudrait savoir de cette famille.

Au cours de la conversation, alors que Maguy et sa petite-nièce s'étaient un instant absentées, cette femme qui se définit elle-même comme « célibataire recuite », lui révéla que tante Maguy, propriétaire, avec son neveu Arnold Buchanan, du plus important *general store* de Nouvelle-Angleterre, était à la tête d'une fortune considérable. Fiancée à un médecin tué pendant la guerre de Sécession, elle ne s'était jamais mariée et se consacrait aux affaires familiales.

— Elle ne fait aucune confiance à des conseillers financiers. Elle gère elle-même ses biens et les miens, car je n'ai jamais su compter. Elle a hérité le sens des affaires qui permit à son père, mon grand-père, le Suisse Guillaume Métaz, membre du Liberty Party, antiesclavagiste militant, de faire fortune et d'être connu comme l'un des plus riches négociants de Nouvelle-Angleterre, ajouta-t-elle fièrement, au moment où ses deux parentes approchaient.

— Je ne sais ce que Fanny vous a raconté. Hors les mœurs des poissons que lui a enseignées Louis Agassiz, un savant du même pays que mon père, et son ami, elle n'entend rien aux affaires, s'empressa de prévenir la vieille dame, dès son retour.

— Ce qui ne doit pas être votre cas, risqua Pacal.

— Il faut bien, dans cette sacrée famille, qu'il y ait quelqu'un qui engraisse le patrimoine. Mon neveu, Arnold Buchanan, s'est remarié, après deux années de veuvage, et il a déjà donné à Susan six demi-frères et demi-sœurs. Vous imaginez le nombre d'héritiers !

– Cela ne me dit pas la raison de votre présence à cette cérémonie, fit observer Pacal.

– Je crois à l'avenir du tourisme en Floride, car les gens riches des États du Nord ont de plus en plus envie de passer une partie de la saison froide au soleil. Nous avons donc investi dans le Florida East Coast Railway de Flagler, qui nous a aimablement invitées à cette inauguration, révéla Maguy.

– Et, comme tante Maguy détient par héritage la majorité dans une fabrique de rails de chemins de fer, à Pittsburgh, elle vend à Flagler, l'associé de Rockefeller, que nous appelons entre nous « la pieuvre », quantité de ferrailles pour étendre son réseau, pouffa Fanny.

Tante Maguy contint son agacement et en vint au sujet du jour.

– Cet hôtel est splendide, n'est-ce pas ? Et nos appartements, décorés dans le goût espagnol, sont des plus confortable. Nous n'avons pas un aussi bel hôtel à Boston. On dit qu'il existe, à Nassau, un palace de bon confort où descendent les Américains, commenta Susan, que Pacal devina soucieuse de sortir des confidences familiales.

– Le Royal Victoria Hotel est en effet un palace fort apprécié des New-Yorkais et des Bostoniens, qui échangent volontiers vos brumes froides et humides pour notre soleil. Car nos hivers sont toujours doux. Dans nos îles, l'air marin est plus pur que partout ailleurs. Il n'existe pas de marécages, comme les Everglades pas très loin d'ici, dit Pacal.

– Ces marais, qui donnèrent la fièvre aux Espagnols, maugréa tante Maguy.

– Savez-vous que Ponce de León – on nous a, tout à l'heure, rappelé qu'il aborda ici en 1512 – passa l'année suivante aux Bahamas, dans l'île de Bimini, toute proche, pour y chercher une fontaine, née de la métamorphose par Jupiter d'une nymphe désobéissante nommée Jouvence. Le maître de l'Olympe a concédé à cette source le pouvoir d'assurer, à qui boirait son eau, une éternelle jeunesse.

– J'aurais bien besoin de boire cette eau. Peut-être me rendrait-elle, sinon mes vingt ans, du moins mes quarante, lança tante Maguy en riant.

– Si vous décidiez un jour, madame, de passer aux Bahamas, je vous accompagnerais volontiers jusqu'à la source de jouvence de Bimini... sans toutefois vous garantir le rajeunissement spectaculaire dont vous n'avez d'ailleurs que faire, proposa Pacal, exagérément galant.

À l'heure du dîner, on décida, d'un commun accord, de partager la même table. Dans la vaisselle importée de Limoges, capitale mondiale de la porcelaine, on servit du jambon de Virginie, des homards et du gigot de cerf, animal qui abondait dans la région. À la fin du repas, lord Pacal apprit par la carte gravée, aux lettres ornées, que lui remit Maguy, ce qu'était l'entreprise familiale, maintenant dirigée par le père de Susan. Il lut :

O'Brien, Metaz & Buchanan, General Merchants
217 Fremont Street
Boston (Mass.)
Dry goods, Boots & Shoes, Drugs, Guns, Furnitures,
Traveller's & Sailors's Supplies, Books, Maps.
Branches at Pittsburgh, Cincinnati, Des Moines, Denver.

De la côte est à la côte ouest, dans les nombreux magasins O'Brien, Metaz & Buchanan, on pouvait acheter plus de choses qu'il n'était annoncé : lessiveuse à pression, tracteur agricole, cafetière italienne, fusil Holland, pelle mécanique et, depuis peu, bicycle et raquette de tennis.

Pacal savait que la publication annuelle du catalogue de la société constituait un événement, et bon nombre de petits Américains des campagnes avaient appris à lire dans ce gros livre illustré.

Au bal qui suivit le dîner, lord Pacal dut faire danser, à tour de rôle, les trois femmes. La plus âgée céda rapidement sa place à la plus jeune.

Susan valsait de la manière la plus rigide, une main sur l'épaule de Pacal, l'autre soutenant sa robe longue. La Bostonienne était ce que Charles Desteyrac eût appelé en français « une belle plante ». Port altier, solide charpente, joues pleines et roses, lèvres charnues et bien ourlées, grands yeux couleur châtaigne, hanches rondes et buste ferme, cette grande fille respirait la santé de qui n'a jamais manqué de nourriture et de soins corporels. Pacal pensa incongrûment qu'elle avait été nourrie de toasts beurrés, d'œufs brouillés crémeux, de thé au lait, de marmelade d'oranges, de bœuf braisé et de pommes cuites. La carnation de Susan, la tiédeur de son corps à travers la soie fleurie, son parfum discret signaient cependant une féminité assurée. « Voilà une femme saine et robuste, propre à faire de beaux enfants », se dit-il.

Dès le lendemain, comme si leur entente allait de soi, lord Pacal reprit son rôle de chevalier servant. Pendant deux jours, le joyeux groupe alterna courses en calèche, visites de la ville, marches sur la plage, conversations dans le jardin, à l'ombre de parasols, thés, soirées dansantes, toutes manifestations au cours desquelles le Bahamien acquit le sentiment que ses attentions ne déplaisaient pas à Susan Buchanan. De bal en bal, elle s'abandonna, de plus en plus confiante, aux enlacements de son danseur. Pacal lui apprit la valse viennoise, plus tourbillonnante, à pas glissés, plus rapide que le boston, plein de raideur, qu'elle pratiquait jusque-là.

Il remarqua aussi que tante Maguy trouvait souvent prétexte à s'éloigner avec sa nièce Fanny, le laissant tête à tête avec Susan. Lord Pacal n'était pas dupe de ce manège, depuis certaine confidence de Fanny.

— Susan risque, elle aussi, de finir vieille fille, comme Maguy et moi, si elle continue à refuser tous les partis qui se présentent, avait-elle dit lors d'un aparté.

— Sa fortune et ses espérances doivent en effet attirer beaucoup de soupirants, avait supposé lord Pacal.

— Oh ! Tante Maguy veille, croyez-moi. Les coureurs de dot et les endettés sont vite éconduits, s'était empressée de déclarer Fanny.

Lors du dernier dîner, le moment de la séparation approchant, les trois femmes manifestèrent le même regret de voir une si agréable relation prendre fin.

— Il ne tient qu'à vous, mesdames, de la prolonger, dit Pacal.

— Comment cela ? demanda Fanny.

— Nous ne pouvons pas rester plus longtemps à l'hôtel. Une nouvelle vague d'invités, des agents de voyages, arrivent demain. La gouvernante nous a prévenues. Nous devons quitter nos appartements avant midi, révéla Susan, marquant ainsi qu'elle eût volontiers prolongé le séjour.

— Je ne vois donc pas comment nous pourrions faire durer le plaisir qu'a donné votre compagnie à des femmes sans mari, avoua tante Maguy.

— En venant visiter les Bahamas, suggéra abruptement Pacal.

Les trois femmes échangèrent des regards où se lisait

moins l'étonnement qu'une évaluation positive de la proposition. Pacal ne leur laissa pas le temps de formuler des objections.

— Les cabines de mon yacht sont, au moins, aussi confortables que les chambres du Ponce de León. Et nous pourrons, sur la route de Soledad, faire escale aux Bimini Islands pour boire de l'eau de jouvence, compléta-t-il, avec un clin d'œil à Maguy, de qui dépendait la décision.

— Oh oui ! Naviguer sur un yacht me plairait beaucoup, s'écria Fanny, toujours plus expansive.

— J'aimerais voir votre île et votre manoir, ajouta Susan.

— Si nous acceptions votre invitation, comment ferions-nous pour rentrer à Boston ? s'inquiéta Maguy, admettant ainsi le principe d'une croisière à bord du *Phoenix II*.

— Je vous conduirai à Nassau, d'où partent d'excellents paquebots de la Ward Line. Ils vous porteront en trois jours à New York, précisa Pacal.

— Et de là, nous prendrons un train rapide pour rentrer chez nous, compléta Susan, avec un sourire d'intense satisfaction.

L'après-midi du même jour, ces dames embarquèrent sur le *Phoenix II*. Elles se dirent émerveillées par le grand yacht blanc, sa figure de proue, le mobilier des cabines et salons, l'éclairage électrique. Accueillies, avec les honneurs dus à des visiteuses de marque, par le commandant John Maitland, elles jouirent de l'appareillage comme d'une récréation, avant de passer à la salle à manger.

— Votre yacht est aussi beau et aménagé avec bien meilleur goût que l'*Alva* de William Kissam Vanderbilt, le petit-fils du commodore. Son bateau a coûté un demi million de dollars, dit Susan.

— Alva, c'est le prénom de l'épouse de Vanderbilt. On dit

que l'entretien de ce navire revient à cinq mille dollars par mois, révéla Fanny.

— Mon neveu Buchanan, le père de Susan, dit qu'un yacht est un gouffre financier, ajouta tante Maguy.

Pour se faire une idée de la fortune de son hôte, elle eût voulu savoir combien lord Pacal consacrait à l'entretien du *Phoenix II*.

— Mon bateau n'est pas une résidence flottante pour réceptions mondaines, comme souvent les yachts des millionnaires et financiers de Wall Street. Il navigue beaucoup entre Soledad, Nassau, la Floride, New York et autres ports américains ou canadiens. C'est un moyen de transport qui m'évite la promiscuité des paquebots, précisa Pacal, sans satisfaire la curiosité de Maguy.

L'escale, à South Bimini – à cinquante milles des côtes de Floride –, d'un grand bateau attira les autochtones pour qui toute visite assurait profit.

— Méfiez-vous des gens d'ici. Ce sont de fieffés coquins. Descendants des pirates qui pillaient les galions espagnols, ils vivent aujourd'hui plus du pillage des épaves que de la récolte des éponges, prévint John Maitland.

— Les naufrages sont, en effet, fréquents dans ces parages et, si les gens de Bimini sauvent des vies, il arrive aussi qu'ils égarent, par des feux, les navires sur les récifs, pour s'emparer de leur cargaison, compléta Cunnings.

— Ils tenteront de vous vendre des colliers de coquillages au tarif des bijoux de Tiffany, renchérit Andrew Cunnings.

Ces considérations firent glousser les Bostoniennes. Dans leur décor sauvage, ces îles jumelles, peuplées de naufrageurs, exhalaient un parfum exotique, procuraient frisson d'aventure, sensation d'autant plus excitante que la présence des marins du *Phoenix II* conjurait tout danger.

Tandis que ces derniers écartaient les indigènes importuns, la petite troupe, conduite par Tom O'Graney qui connaissait les lieux, se mit en route. Les femmes, sur les conseils de Maitland, s'étaient couvert le visage de voilettes, portaient des manches serrées au poignet et des gants pour se protéger des piqûres de moustiques. Par un sentier sinueux, dans une mangrove bourdonnante d'insectes, après une marche difficile au cours de laquelle tante Maguy ne lâcha pas le bras de Pacal, Fanny ayant tout de suite élu le lieutenant Cunnings pour cavalier, les visiteurs connurent une amère déception. La source miraculeuse, que Ponce de León avait vainement cherchée en 1513, était asséchée !

– La nymphe Jouvence s'est esbignée, constata Pacal.

– Moi qui comptais sur cette source pour effacer mes rides ! plaisanta tante Maguy.

– Le Seigneur se moque toujours des coquettes. Les anges ont bu l'eau rajeunissante, lança Fanny.

On fit demi-tour en riant et, après le déjeuner à bord du *Phoenix II*, lord Pacal fit déplacer le yacht vers North Bimini, « île plus civilisée », d'après le commandant Maitland.

– Vous y trouverez un bourg, Alice Town[1], et une source sulfureuse chaude, qui guérit les rhumatismes, expliqua l'officier.

Prudente, tante Maguy refusa de suivre Susan et Fanny, qui débarquèrent avec leur hôte. Sur la berge, ils furent accueillis par Terence Chandler, un vieil Anglais connu de lord Pacal. L'unique résident britannique de l'île, sorte d'ascète à la peau parcheminée, respecté de tous, faisait fonction de médecin et, à l'occasion, de juge de paix. En d'autres temps, il avait accompagné lord Simon et son petit-fils à la pêche au tarpon et au marlin bleu, qui abondaient dans les

---

1. Ernest Hemingway y résida entre 1935 et 1937. C'est aux Bimini Islands qu'il situa et aurait écrit son roman *le Vieil Homme et la mer*.

eaux du Gulf Stream, entre Floride et Cuba. Dans sa barque, il conduisit Pacal et ses amies, par un dédale de petits cours d'eau cachés dans la végétation tropicale, à la source chaude, plus fréquentée que l'ingrate fontaine de Jouvence. Le lieu bucolique invitait à la méditation[1] et, tandis que Pacal et Susan observaient l'envol de colibris au plumage multicolore, Fanny décida, sans façon, d'ôter ses bas pour tremper les jambes dans le bassin naturel. Des bulles crevaient à la surface de l'eau en dégageant une vague odeur de soufre. La baigneuse, soutenue par Cunnings, dit ressentir un bien-être immédiat et ne rétablit sa toilette qu'à regret.

– J'ai maintenant la jambe légère comme une danseuse. Dommage que cette fontaine soit si loin de Boston. J'y viendrais volontiers chaque semaine, dit-elle.

Chandler, habitué aux engouements de ce genre, emplit deux bouteilles d'eau trouble et les offrit, ce qui lui valut, au retour, d'être invité à bord du *Phoenix II* à l'heure du thé.

Comme Fanny vantait encore avec enthousiasme les merveilleux effets de la source tiède, lord Pacal intervint.

– De tout temps, les hommes ont accordé aux sources une puissance souveraine. Ainsi, la fontaine d'Argos, en Grèce, où se baignait Junon, avait le pouvoir de rendre leur virginité aux imprudentes qui l'avaient perdue, dit-il.

– Oh ! je n'en demande pas tant ! lança naïvement Fanny, ce qui déclencha l'hilarité générale et donna à penser que cette Bostonienne, que lord Simon eût qualifiée d'ancienne beauté, avait dû connaître les plaisirs de l'amour.

– On dit aussi qu'à Cyzique la fontaine de Cupidon soulageait les tourments des amoureux, compléta Terence Chandler.

– Retiens cette adresse, Susan ! s'écria Fanny, ce qui fit rougir l'interpellée et sourire la compagnie.

---

1. Le pasteur Martin Luther King aimait à s'asseoir près de cette source pour préparer ses sermons. L'actrice Judy Garland y vint aussi plusieurs fois.

– Depuis que des pêcheurs d'éponges ont découvert, au nord-ouest de notre île, d'énormes blocs de calcaire manifestement taillés par l'homme, des archéologues américains ont émis l'opinion que nous vivons peut-être au-dessus des ruines de l'Atlantide[1]. Cette cité, aussi vaste qu'un continent, aurait été engloutie en une nuit, lors d'un ouragan, 9 000 ans avant Jésus-Christ, rapporta le vieil Anglais.

– Mais Platon situe l'Atlantide près du détroit de Gibraltar et, pour avoir navigué dans ces parages que les anciens appelaient colonnes d'Hercule, je puis vous dire que le lieu me paraît plus convaincant que les Bimini Islands, dit John Maitland.

– Lord Simon tenait l'Atlantide, que d'autres savants ont située près des îles Canaries où à Thera, en Égypte, pour légende mythologique. Mais on sait qu'à chaque époque les hommes ont rêvé d'une Atlantide, société idéale et raffinée, commenta Pacal.

– Je puis vous assurer, mesdames, que l'île qui, le plus, ressemble à l'Atlantide est Soledad, déclara avec assurance Andrew Cunnings, avec un clin d'œil à Fanny.

Au cours du voyage vers l'*insula Cornfield*, ainsi qu'elle figurait sur certaines cartes anciennes, lord Pacal constata avec satisfaction que Susan Buchanan recherchait souvent sa compagnie. Dès le premier jour de navigation, elle marqua beaucoup d'intérêt pour les îles approchées et voulut connaître leur histoire, le mode de vie des habitants, les méfaits des ouragans. Elle s'étonna qu'on produisît ici du sel, ailleurs des légumes, des fruits, du bois de charpente, des chapeaux de paille, et que les conches continssent parfois

---

1. D'après les derniers examens scientifiques, ces blocs ne seraient que vestiges du lest des galions espagnols, naufragés près des Bimini Islands.

des perles précieuses, comme celle que les Bahamiens avaient envoyée à la reine d'Angleterre à l'occasion de son jubilé.

– Les ananas et les langoustes que vous dégustez à Boston et à New York, l'écaille de tortue dont sont faits vos peignes et vos boîtes à poudre, l'éponge douce qui, peut-être, sert à votre toilette, viennent des Bahamas, ainsi que certaines roses vendues par vos fleuristes, précisa lord Pacal.

Février 1888 se fit complice de l'héritier de lord Simon, qui souhaitait présenter l'archipel à ses invitées sous son aspect le plus séduisant. Soleil chaleureux, ciel bleu pastel, mer nonchalante assurèrent une navigation sereine, sans grains ni opposition des vents. Cette douceur réjouissait les Bostoniennes qui imaginaient leur ville sous la neige.

Le tête-à-tête vespéral de Susan et Pacal devint un rite quand, après le dîner, John Maitland et le second, Cunnings, se voyaient mobiliser pour la partie de whist de tante Maguy et de sa nièce Fanny. D'après Andrew, cette dernière trichait sans vergogne et son aînée fulminait quand elle commettait une bévue. Du pont où ils se tenaient, côte à côte sur des fauteuils d'osier, Pacal et Susan percevaient parfois les éclats de rire de Fanny et les vociférations de Maguy.

La nuit tôt venue créait, pour le couple, une intimité favorable aux confidences, comme si chacun tenait à se faire mieux connaître de l'autre à des fins inexprimées.

Susan plaisait de plus en plus à lord Pacal et ce dernier avait le sentiment qu'il s'agissait d'un attrait réciproque. Il en eut confirmation quand, un soir, tout en bavardant, il prit la main de la jeune fille et que celle-ci répondit à la pression de ses doigts sans réticence. Leur duo se prolongea assez tard pour que, la partie de cartes terminée, tante Maguy surgît sur le pont, apportant un châle à sa petite-nièce.

– Si vous devez passer la nuit ici à bavarder, mieux vaut te couvrir, dit en riant la vieille dame.

Sans ressentir la pulsion charnelle qui l'avait poussé vers d'autres femmes, Viola, Lizzie ou Domenica, Pacal, regagnant sa cabine, se prit à considérer Susan Buchanan O'Brien comme une épouse possible. L'éducation de la jeune fille lui permettrait d'être à l'aise en toute circonstance et sa fortune personnelle mettrait son mari à l'abri d'éventuelles extravagances dépensières.

Certes, Susan n'exprimait pas d'idées originales, mais sa conversation, comme ses manières, relevait d'une circonspection puritaine, tempérée de bon sens. Aucune médisance ne sortait de sa bouche, non plus que ces potins mondains, délectation des bourgeoises oisives.

D'une beauté saine, d'allure aisée, elle pouvait être enjouée avec mesure, expansive sans excès, capable de réflexion. Elle touchait agréablement le piano, conduisait un boghei mais ne montait pas à cheval, pratiquait le canotage mais ne jouait pas au tennis.

Épiscopalienne pratiquante, Susan n'eût pas cueilli de fleurs le dimanche mais n'appelait pas un taureau « vache mâle », comme ceux et celles qui tenaient ce bovin pour symbole d'une ardeur sexuelle peccamineuse. Ses goûts littéraires, influencés par sa foi et une correction morale de tous les instants, la conduisaient à ne lire, elle l'avait confié à Pacal, que les romans sélectionnés par le pasteur de sa paroisse, lequel n'hésitait pas à arracher les pages jugées trop osées d'un livre, avant de le mettre en circulation.

Pour le Bahamien, qu'une telle censure amusait, cette étroitesse d'esprit illustrait la contention calviniste des instincts naturels, imposée dès l'enfance aux rejetons de la société protestante. Calvin reconnaissait à l'homme « un droit d'usage des biens terriens même s'ils semblent plus servir à plaisir qu'à nécessité », mais il souhaitait que l'adultère fût puni de mort et condamnait, même dans le mariage, l'« intempérance lascive ». Dans une société puritaine, cette doctrine aboutissait à la recherche du profit et à la dissimulation de tout ce qui touchait au sexe, à ses manifestations comme à ses exigences. Susan devait être une vierge garantie !

Avant que le *Phoenix II* ne touchât le port occidental de Soledad, lord Pacal s'était persuadé que la Bostonienne ferait une épouse sérieuse, sachant conduire un train de maison et recevoir dans les règles. Sa bonne santé et sa robustesse autorisaient à penser qu'elle pourrait mettre au monde de beaux enfants. Restait à savoir si cette demoiselle fortunée accepterait de lier son sort à celui d'un homme qui n'avait rien d'un *WASP* et se résoudrait à vivre sur une île, loin des siens et de la Nouvelle-Angleterre.

Dès le débarquement, les Américaines exprimèrent autant d'étonnement que d'admiration. Elles avaient imaginé Soledad presque aussi sauvage que les Bimini Islands et découvraient des installations portuaires ordonnées, autour de bâtiments bien entretenus et, par-delà, sur de vertes collines, une nature maîtrisée comme la campagne anglaise. Des indigènes, propres et souriants, attendaient sur le quai, près de calèches attelées de superbes chevaux, conduits par des cochers en livrée.

Le trajet à travers le Cornfieldshire, sur une route asphaltée entre palmiers et buissons d'azalées, confirma leur sentiment de pénétrer un décor de contes de fée. Quand la calèche franchit la grille du parc, entre les piliers portant les lions sculptés, dont une patte griffue protégeait le blason des Cornfield, Fanny ne put retenir une exclamation jubilatoire.

– Mais nous entrons chez un prince ! s'écria-t-elle.

Les massifs fleuris, les alignements de palmiers argentés, les allées sablées, bordées d'hibiscus et de gardénias, puis la vue de Cornfield Manor arrachèrent aux trois Bostoniennes, habituées à de plus austères décors, des commentaires émerveillés.

– On ne voit ça que dans les livres s'images, s'écria Fanny.

Pibia, le vieux butler, hiératique dans son habit bleu à

boutons dorés, descendait le grand escalier pour venir à la rencontre de lord Pacal et de ses invitées.

Le soir même, le maître de l'île donna un dîner de vingt couverts, au cours duquel les Bostoniennes firent la connaissance de Charles Desteyrac et de lady Ottilia, ainsi que des familiers du manoir.

Au cours des jours suivants, avec lady Ottilia, Charles Desteyrac, Myra Maitland ou plus rarement Pacal, les Américaines parcoururent l'île en tous sens. Au village des artisans, elles achetèrent des chapeaux de paille et des dents de requins montées en pendentifs ; chez les Arawak, où les reçut avec déférence et breuvage de bienvenue le cacique Palako-Mata, elles s'étonnèrent qu'à quelques miles du Cornfieldshire, où l'on voyait de belles et confortables résidences comme Valmy, Exil House, Malcolm House et quantité de villas disséminées autour de Cornfield Manor, ces descendants d'Indiens puissent continuer à vivre dans des abris à toit de palmes, comme leurs ancêtres.

– À Cornfield Manor, notre femme de chambre, qui est de cette race, nous a dit que ses parents invoquent des dieux païens, se coiffent de plumes et se barbouillent le visage, pour danser en rond, au son de tambours en peau de chèvre, dit tante Maguy.

– Mais elle nous a affirmé qu'ils n'étaient pas anthropophages, ajouta Susan, mi-plaisante, mi-sérieuse.

– Ils sont plus gentils que nos Peaux-Rouges qui, dans l'Ouest, tuent nos fermiers et nos soldats. Et leur vin de palme est rudement bon, observa Fanny.

– Et, comme nous tous, ils vénèrent la reine d'Angleterre, qu'ils appellent *The Good Mistress*, compléta Ottilia en désignant le portrait de la souveraine, suspendu dans la case de Palako-Mata.

Au mont de la Chèvre, Manuela Ramírez fit les honneurs de l'ermitage – en attente d'un nouvel ermite – et, à Buena

Vista, l'intrépide Fanny gravit l'escalier du phare jusqu'à la lanterne.

– De là-haut, on voit vraiment que Soledad mérite son nom. Sur l'immensité de l'Océan, votre île est bien l'endroit le plus isolé du monde, commenta-t-elle en rejoignant Pacal et ses parentes.

En dehors de quelques visites, qu'il accompagna par courtoisie pour ses invitées, lord Pacal ne modifia en rien ses habitudes. Tôt levé, comme autrefois son grand-père, il passait sa tenue d'équitation. Vêtu d'une redingote vert amande, à col et parements de velours noir, cravate de soie blanche, melon gris et botte de cuir fauve, lustré à l'os de cerf, il galopait sur les chemins, visitait une ferme, rejoignait son père sur un chantier, faisait halte, tantôt au village des artisans chez Uncle Dave, tantôt chez les Arawak. Sans jamais être annoncé – encore une règle grand-paternelle – il allait s'assurer du bon entretien du phare, du fonctionnement de l'orphelinat de Buena Vista, interrogeait la capitainerie sur les mouvements du port. À la résidence des marins, à l'hôpital, dans les écoles, ses apparitions étaient toujours appréciées. Conscient de ses responsabilités, il écoutait doléances et suggestions, avec le réel souci d'assurer au mieux le bien-être de tous, malades ou bien-portants, matelots, employés du chemin de fer, commerçants, débardeurs ou pêcheurs d'éponges. Quand, plus rarement, il allait inspecter la discrète résidence des prostituées, depuis peu pourvue d'un dancing, qui donnait aux rencontres vénales un ton plus social, il se faisait accompagner du docteur Luc Ramírez, fils de Paul Taval et de Manuela, successeur d'Uncle Dave comme responsable sanitaire de la flotte Cornfield.

Après une fin de matinée consacrée à l'étude des dossiers préparés par Violet Russell et à la correspondance, lord Pacal prenait, seul, une rapide collation dans son antichambre, avant de se remettre au travail. Ses invitées, qu'il ne retrouvait qu'à l'heure du thé, déjeunaient avec lady Ottilia, maîtresse de maison attitrée.

Pour Susan Buchanan commençait alors le meilleur moment de la journée. Pacal la conviait souvent à une promenade à deux, en boghei, car tante Maguy avait décrété que « les vieilles gens comme elle et Fanny devaient se reposer avant le dîner ».

À la fin d'un après-midi radieux, Pacal conduisit Susan à Deep Water Creek et l'invita à s'asseoir près de lui, dans le creux de rocher où, souvent, il venait méditer.

— Le regretté Malcolm Murray, un architecte ami de mon père, nommait cet endroit le siège d'Arthur, parce qu'il lui rappelait un autre siège, creusé dans le roc, au bord de la falaise de Camelford, en Cornouailles, où d'après la légende, le roi Arthur aimait à méditer devant la mer.

— Le roi Arthur ?

Pacal comprit que la jeune fille ignorait tout de la légende arthurienne. On ne l'enseignait pas chez les puritains, à cause sans doute de l'infidélité de la reine Guenièvre, mauvais exemple pour les jeunes filles ! Il résuma en l'édulcorant l'histoire des chevaliers de la Table ronde, qu'elle jugea « aussi édifiante que celle des pèlerins du *Mayflower* ».

— Si nous nous revoyons, vous aurez beaucoup à m'apprendre, lord Pacal. Je suis assez ignorante de l'histoire d'Angleterre, confessa-t-elle.

— Ne serait-il pas plus simple qu'à la mode américaine nous nous appelions par nos prénoms, Susan ?

— Je veux bien, même si le vôtre n'est pas très chrétien, dit-elle.

— C'est celui d'un roi maya... mais je me nomme aussi Simon et Alexandre ! Vous avez donc le choix, rétorqua Pacal en riant.

Dans un élan soudain de tendresse, la jeune fille se blottit contre son compagnon. Surpris mais enchanté, Pacal entoura de son bras les épaules de Susan et lui posa un baiser sur la joue. Elle lui rendit son baiser, mais quand il voulut ses lèvres, elle les défendit en détournant vivement la tête. Ne sachant quelle contenance adopter devant cette réticence et voyant le trouble de Susan, joues empourprées, poitrine frémissante sous la soie du corsage, Pacal quitta le rocher et tendit les mains pour aider la jeune fille à se relever.

— Il est temps de rentrer, dit-il.

— Ne soyez pas fâché. Le flirt n'est pas mon fort. Ce que je ressens est si neuf, si inattendu, qu'il me faut le temps de comprendre, de m'habituer à ces... mouvements, dit-elle confuse.

— Je ne voulais pas vous déplaire, Susan.

— Mais vous ne me déplaisez pas. Au contraire, j'éprouve du plaisir en votre compagnie. Nous sommes ici depuis plus d'un mois, nous partirons bientôt et j'aurai regret à vous quitter. Vous l'avez bien compris puisque...

— ...j'ai embrassé votre joue.

— Ce baiser, je l'ai rendu, n'est-ce-pas ?

— Alors, comme au tennis, quinze partout, plaisanta Pacal.

— Je ne joue pas au tennis et l'on n'échange pas des baisers comme des balles, répliqua Susan avec gravité.

Le soleil allait disparaître, laissant sur l'Océan un sillage doré, quand ils regagnèrent en silence Cornfield Manor. Ils furent étonnés de voir, en conversation animée sous la véranda, Charles Desteyrac avec Maguy et Fanny. Avant même que Susan et Pacal aient pris pied sur la galerie, tante Maguy révéla l'événement qui mettait le trio en émoi.

— Les journaux de Nassau, que vient de nous apporter Charles Desteyrac, annoncent, avec une semaine de retard, que, les 14 et 15 mars, des tempêtes de neige et un furieux blizzard ont ravagé l'est des États-Unis. À New York, la vie s'est arrêtée pendant trois jours et l'on compte quatre cents morts. On ne dit rien de Boston, mais nous devons craindre que la ville n'ait été, elle aussi, touchée. Qu'est-il advenu de nos parents et amis, de nos maisons ? Impossible de le savoir. Ici, il n'y a pas le télégraphe, et le courrier, comme nous l'avons constaté, met quinze jours ou trois semaines pour venir des États-Unis. Alors, nous allons faire nos bagages et rentrer chez nous le plus tôt possible.

Une décision de la doyenne ne supportait pas de contestation. Susan et Fanny se déclarèrent disposées à partir, dès le lendemain, pour Nassau, où Charles Desteyrac avait proposé de les faire conduire par un bateau de la flotte Cornfield.

— Si Boston avait souffert comme New York, *The Nassau Guardian*, qui dispose du télégraphe, n'aurait pas manqué de le signaler. Mais puisque vous souhaitez partir au plus tôt, je vais demander à John Maitland de mettre en chauffe les chaudières du *Phoenix II*, qui vous portera à Nassau, d'où vous pourrez télégraphier à Boston. Ensuite, nous vous trouverons un passage sur un navire de la Musson Steamship Line. On compte un départ par semaine. En trois jours, vous serez rendues chez vous, dit Pacal.

Le dernier dîner des Bostoniennes fut mélancolique, bien que Pacal l'eût voulu intime.

— Je m'étais déjà habituée à ce doux climat, au chaud soleil, aux bains de mer, à l'absence d'obligations mondaines. Des semaines sans sermons, sans ouvroirs, sans thés ennuyeux, sans commérages. J'étais faite pour une existence de lady sans souci, dit Fanny, maussade.

— Eh bien moi, ne rien faire m'amollit. J'ai certes apprécié ce séjour pendant lequel tout a été organisé pour notre confort et notre distraction. Une délicieuse parenthèse, mais j'ai hâte de retrouver une activité. Je suis certaine que des affaires m'attendent, surtout si le mauvais temps a causé des dégâts à nos magasins et à nos maisons, avoua tante Maguy.

Lord Pacal tint à accompagner ses invitées jusqu'à Nassau. Durant la traversée, ses rapports avec Susan se firent plus tendres et des baisers, qui n'étaient pas de nourrice, furent échangés lors d'apartés concertés. Sous les assauts de Pacal, le décolleté de la prude Susan s'enflammait d'érythème pudique, ce qui ajoutait du charme à de brefs abandons, consentis mais contrôlés.

À Nassau, John Maitland obtint de l'amirauté des informations télégraphiques sur les dégâts causés sur la côte est des États-Unis par la récente tempête de neige : elles furent rassurantes. La neige était tombée en abondance à Boston, mais le blizzard destructeur avait épargné la capitale de la Nouvelle-Angleterre.

– Nous nous sommes peut-être un peu trop pressées pour faire nos bagages, observa Fanny, avec un regard langoureux pour le lieutenant Cunnings.

Son cavalier lui avait prouvé avec chaleur qu'une quadragénaire pouvait encore plaire et éveiller le désir. Elle eût volontiers prolongé le séjour en compagnie du galant officier.

Tante Maguy n'était pas de cet avis. À son souhait de retourner aux affaires s'ajoutait une raison plus sérieuse. Depuis quelques jours, la vieille dame observait le comportement de sa petite-nièce et de leur hôte. Elle craignait maintenant que Susan ne succombât au charme d'un célibataire que Dorothy Weston Clarke avait décrit comme grand amateur de femmes, ayant maîtresse à Nassau, à New York et à Londres. Susan, encore ignorante des entreprises des coureurs de jupon et découvrant le plaisir de cajoleries, peut-être osées, n'était pas à l'abri d'un moment de faiblesse. Mieux valait l'éloigner du séducteur.

C'est seulement au moment de la séparation, devant le navire de la Musson Steamship Line, que Pacal dévoila ses intentions, fruits d'une réflexion prolongée. Comme Susan, dolente, lui tendait ses mains, le jeune homme les serra fortement.

— Consentiriez-vous à devenir ma femme ? demanda-t-il
à voix basse, sans préambule.

Elle écarquilla les yeux, comme frappée de stupeur, et ses
doigts se crispèrent sur ceux de son compagnon.

— Parlez-vous sérieusement ? finit-elle par articuler, la
gorge nouée par l'émotion.

— Très sérieusement. Mais avant de formuler auprès de
votre père ou de tante Maguy, une demande protocolaire, je
veux connaître votre sentiment.

Un coup de trompe impératif, rappelant aux passagers
qu'il était temps de mettre fin aux effusions, interrompit le
dialogue. Après s'être assuré du chargement des bagages,
tante Maguy approchait. Elle pressa le mouvement.

— Susan, nous n'attendons plus que toi ! lança-t-elle en
s'engageant sur la passerelle.

— C'est si soudain que j'ai besoin de réfléchir. Je vous
écrirai bientôt, glissa la jeune fille, avant de suivre sa
grand-tante.

Du haut du pont, les trois femmes, appuyées à la lisse,
agitèrent gants et pochettes, jusqu'à ce que le navire, escorté
par un vol de mouettes, se fût éloigné sous un panache de
fumée.

Pensif et doutant déjà du bien-fondé d'un mariage américain, lord Pacal rejoignit Andrew Cunnings, qui l'attendait
près de sa calèche.

— J'ai le sentiment, lieutenant, que vous avez fait une
conquête. C'est à vous que s'adressait ce baiser du bout des
doigts, soufflé par Fanny, dit-il.

— Je dois vous avouer, *my lord*, que je ne suis pas fâché de
voir cette dame partir. Dès que nous étions seuls et où que
nous soyons. Oui... *my lord*, ce que vous pensez. Et quel feu !

— Votre agissante courtoisie laissera à cette femme de
bons souvenirs, j'en suis sûr, plaisanta Pacal.

— Elle m'a offert son éventail en disant qu'elle n'en aurait pas besoin à Boston, révéla le lieutenant, tandis que la voiture se mettait en route.

Violet Russell fut, elle aussi, satisfaite, pour plusieurs raisons, de voir les visiteuses regagner Boston. Fille de pasteur anglican de la Haute-Église, elle considérait les presbytériens comme des égarés et désapprouvait leur puritanisme, souvent empreint d'hypocrisie. Contrainte de faire la dactylographie, à la demande de lord Pacal, du courrier de Maguy, elle avait constaté que la Bostonienne écrivait un Anglais émaillé d'américanismes, de fautes de syntaxe et même d'orthographe. Secrétaire dévouée, attentive au bien-être du lord – elle ne manquait jamais de fleurir son bureau –, elle avait vite soupçonné l'ébauche d'une relation amoureuse entre le maître de l'île et Susan Buchanan. Un sentiment qu'elle n'eût osé nommer jalousie la faisait se réjouir secrètement du départ des Américaines.

Le soir même, Pacal fit part à son père et à lady Ottilia de son intention d'épouser Susan Buchanan.

– Je me dois, comme promis à lord Simon, d'assurer la descendance des Cornfield de Soledad, expliqua-t-il, comme s'il devait justifier sa décision.

– Alors, il est temps en effet que tu te maries. Susan Buchanan peut paraître, bien qu'américaine et fort prude, un parti avantageux, dit Charles d'un ton neutre.

– Êtes-vous vraiment amoureux de cette belle fille ou avez-vous décidé de vous marier par devoir ? demanda Ottilia.

– Devoir et amour peuvent aller de pair, dit Pacal.

– Si cette conjonction existe, nous te souhaitons, Otti et moi, tout le bonheur possible, dit Charles.

Cette banalité confirma pour Pacal le manque d'enthousiasme paternel, mal dissimulé.

– Je vous en conjure, Pacal, ne vous mariez pas sans amour, implora Ottilia.

– Ce projet doit rester confidentiel, tant que je n'ai pas reçu l'acceptation formelle de Susan, exigea Pacal, coupant court à d'autres commentaires.

Susan Buchanan devait encore réfléchir, car la lettre de château que lord Pacal reçut de Boston, dans le délai proto-colaire, était signée de tante Maguy. Seul un post-scriptum annonçait : « Ma petite-nièce Susan, très honorée comme toute notre famille de l'offre d'épousailles que vous lui avez faite, lors de notre départ de Soledad, me charge de vous dire qu'elle vous écrira bientôt. »

Ainsi, Susan avait fait part de sa demande et Pacal imagina toutes les discussions que cette proposition avait dû provoquer. D'où, sans doute, cette longue et agaçante attente.

Un mois plus tard, lord Pacal reçut la lettre de Susan. « Mon bien cher ami, le mariage constitue un lien d'une extrême importance, entre deux êtres qui ressentent l'un pour l'autre une mutuelle attirance. Si l'on en perçoit tout de suite les agréments, on ne peut en méconnaître les contraintes. Celles-ci doivent être évaluées par les futurs époux et par eux acceptées.

» C'est pourquoi, mon ami, que je crois avoir aimé dès le premier jour de notre rencontre, je dois, moi qui brûle de m'unir à vous pour la vie, mettre à mon consentement certaines conditions, propres à garantir la pérennité de notre entente. Mon père et notre notaire de Boston estiment que je puis demander à lord Pacal de s'engager sur les points suivants :

– 1. Nos enfants naîtront aux États-Unis et seront de nationalité comme d'éducation américaine.

– 2. Vous consentirez à me laisser visiter ma famille et séjourner en Nouvelle-Angleterre, avec ou sans vous, chaque année, pendant la saison d'hiver. Je ne pourrais mener une vie contraire à mes goûts, qui me portent vers la peinture, la musique et le théâtre, arts et distractions qui font défaut aux Bahamas.

– 3. Nous devrons aussi décider dans quelle religion seront élevés nos enfants. Même si nous sommes tous deux chrétiens, je suis épiscopalienne et vous êtes anglican de la Haute-Église.

» Tels sont les principaux points que notre notaire nous a conseillé de vous soumettre, afin de recueillir votre avis. Je dois aussi vous faire savoir que ma dot sera de vingt-cinq mille dollars.

» Je n'aurais pas accepté d'entendre votre demande si je n'étais pas convaincue qu'en me proposant de fonder avec moi une famille, vous pensiez aussi assurer votre propre bonheur. De ce jour, je vous considère donc comme mon fiancé.

» Je suis impatiente, mon très cher ami, de savoir qu'aucun obstacle ne nous empêchera de devenir mari et femme. C'est mon plus ardent désir, car j'ai trouvé en vous le parfait gentleman, digne en tout d'un sentiment dont j'ai découvert à Soledad qu'il se nomme amour. Votre aimante et sincère, Susan. »

Ce n'était pas la lettre que Pacal attendait. Il espérait un acquiescement enthousiaste et recevait une sorte de mémoire de notaire, assorti de sentiments un peu mièvres. Sa première réaction fut celle, catégorique imagina-t-il, qu'aurait eue son grand-père : « On ne dicte pas de conditions à un Cornfield. »

Après réflexion, Pacal en vint à considérer les circonstances et les mœurs puritaines. Après tout, le mariage était une association et, si la famille Buchanan O'Brien Metaz voulait traiter celui de Susan comme une affaire, autant entrer dans leur jeu. Cette perspective ne le gênait guère, car ce n'était pas une flambée de passion qui avait dicté son choix mais la nécessité, étant donné son âge, de contracter une union équilibrée et raisonnable.

« Ne vous mariez pas sans amour » avait recommandé lady Ottilia. Cette femme, longtemps malheureuse, devait son bonheur tardif à l'adulation qu'elle vouait à Charles Desteyrac, le seul qui l'eût comprise et aimée. Pour elle, la raison ne pouvait s'imposer sans l'amour. « Dans toute union conjugale, l'amour n'est-il pas affaire de dosage ? » se dit Pacal. Et il calcula, avec un rien de cynisme, qu'il suffit d'une once de connivence et de deux onces de désir pour qu'un mariage de raison soit aussi réussi qu'une union d'inclination.

Lord Pacal prit aussitôt sa plume et, s'efforçant de dominer son agacement, demanda à son tour un temps de réflexion, les conditions posées méritant examen. Il tenait ainsi à montrer qu'il assimilait, comme les Buchanan, le mariage à une affaire d'un genre particulier, où les sentiments ne pouvaient faire « méconnaître les contraintes qui doivent être évaluées par les futurs époux et par eux acceptées », ainsi que l'avait écrit Susan, sans doute sous la dictée d'un tabellion.

En réponse à sa courte missive, la fiancée répondit une lettre plus affectueuse, où perçait l'inquiétude d'avoir, par ses exigences, offensé son prétendant. Elle concluait : « Je suis certaine que votre générosité vous conduira à agir de manière à ne pas retarder le bonheur d'un heureux mariage et cela sans désobliger ma famille. »

Cette fois-ci, lord Pacal répondit qu'il acceptait les conditions énumérées par le notaire des Buchanan, mais qu'après avoir consulté son père et son propre notaire il entendait que fût ainsi réglé le sort des enfants à naître de leur union.

« S'il s'agit de filles, elles seront élevées dans la religion de leur mère, qui assurera leur instruction et leur éducation, en Nouvelle-Angleterre si cela convient. En revanche, s'il s'agit de garçons, ceux-ci seront élevés dans la religion de leur père, qui assurera leur instruction et leur éducation suivant la tradition britannique et le mode de vie des Cornfield. » Et Pacal ajoutait cet avertissement, de nature à faire réfléchir Susan et les siens : « Je me dois d'attirer votre attention, bien chère Susan, sur le fait que, s'il nous est donné un fils, qui naisse à Boston et soit, de ce fait, de nationalité américaine, celui-ci ne pourra, en aucun cas, prétendre à recevoir, à ma mort, le titre héréditaire de baronet Cornfield, réservé aux seuls sujets de Sa Très Gracieuse Majesté la reine Victoria. »

Il concluait : « Si votre bonheur dépend de votre union avec moi, sachez que je ferai tout pour vous rendre heureuse, même si je dois vous perdre pendant plusieurs semaines par an, au cours desquelles, à Boston, vous sacrifierez aux arts et aux spectacles, dont vous seriez privée à Soledad. Je ne puis vous garantir de passer ces semaines avec vous en Nouvelle-Angleterre, mes responsabilités m'interdisant de trop longues absences, surtout depuis que j'ai succédé à mon grand-père, lord Simon. Je vous promets solennellement, bien chère Susan, de faire tout ce qui sera en mon pouvoir pour vous témoigner une affection sincère et de tous les instants. Donnez-moi maintenant en toute franchise, sans arguties ni atermoiements, la réponse que j'attends. De tout cœur. Lord Pacal Simon Alexandre Cornfield. »

Cette fois, la réponse de Susan fut rapide, positive, fervente et lyrique. Lord Pacal était attendu à Boston pour une célébration officielle des fiançailles. Dans une lettre de félicitations, tante Maguy, dont Pacal savait déjà qu'elle remplaçait auprès de Susan la mère que celle-ci n'avait pas connue, proposait que le mariage fût célébré à Boston, en automne. Une troisième lettre d'Arnold Buchanan, père de Susan, exprimait la satisfaction de cet homme d'affaires d'avoir pour gendre un membre de l'aristocratie britannique « dont les ancêtres avaient contribué à la colonisation de l'Amérique ».

Lord Pacal acquiesça et, lors d'un dîner à Cornfield Manor, annonça officiellement aux intimes qu'il allait épouser Susan Buchanan avant la fin de l'année. Tous les convives applaudirent sauf Dorothy Weston Clarke, déçue de constater que Maguy Metaz O'Brien n'eût pas tenu compte du portrait qu'elle avait fait du fils, fort dissipé, d'Ounca Lou, l'Arawak, et de Charles Desteyrac, le Français.

Uncle Dave, confident depuis toujours du petit-fils de son ami Simon, savait que Pacal ne faisait pas un mariage d'amour. Vieux célibataire libertin, il reconnut qu'il s'agissait, pour le lord, héritier de l'empire Cornfield d'une « obligation dynastique ». Aussi, à l'heure du porto et du cigare, tira-t-il Pacal dans l'embrasure d'une fenêtre.

– « En venir, de but en blanc, à l'union conjugale, ne faire l'amour qu'en faisant le contrat de mariage, et prendre justement le roman par la queue, il ne se peut rien de plus marchand que ce procédé[1] », dit-il, citant Molière avec un regard malicieux.

– Mais, Uncle Dave, « l'hymen ne ferme pas la porte à la fleurette[2] », répliqua lord Pacal, citant le même auteur, sur le même ton.

Le vieil homme et le jeune lord choquèrent leurs verres en riant.

---

1. *Les Précieuses ridicules*, acte I, scène 4.
2. *Le Dépit amoureux*, acte III, scène 9.

TROISIÈME ÉPOQUE

Le Temps des Américains

1.

Les fiançailles – et, partant, le mariage – de lord Pacal Desteyrac-Cornfield avec Susan Buchanan Metaz O'Brien furent, à deux reprises, retardées.

Une première fois, à l'automne 1888, à cause des ouragans qui, en septembre, firent d'énormes dégâts aux Bahamas. Si Soledad ne souffrit que de légers dommages, les îles du sud-ouest de l'archipel, proches de Cuba, comme Crooked, Acklins et Ragged, furent en partie dévastées. Dès que l'Océan redevint navigable à moindre danger, Pacal se rendit à Crooked Island où il possédait une exploitation de cascarille[1], dont les Cornfield vendaient l'écorce odorante à un distillateur milanais, Gaspare Campari. Cette écorce servait à aromatiser le bitter que l'Italien fabriquait depuis 1862. Charles Desteyrac avait accompagné son fils à Crooked car il s'intéressait à la remise en état du phare construit en 1876, dont l'ouragan avait détérioré la lanterne.

Un nouvel ajournement, début décembre, fut motivé par

---

1. Arbuste qui croissait, à l'origine, sur l'île d'Eleuthera, d'où son nom latin *cortex eleutheranus*. Les Espagnols s'en servaient en fumigations et comme masticatoire pour faire disparaître l'odeur du tabac. L'écorce de cascarille, d'un brun sombre, se présente en petites plaques de 4 à 10 centimètres que l'on roule. Elle a une saveur aromatique amère et une odeur musquée particulière. Dès que les Bahamiens connurent les propriétés de la cascarille, ils en plantèrent sur d'autres îles de l'archipel. On soutient aujourd'hui aux Bahamas que c'est le parfum de la cascarille qui conduisit Christophe Colomb à nommer les Bahamas, d'abord appelées Lucayes, les îles parfumées.

un deuil. La seconde épouse d'Arnold Buchanan, marâtre de Susan, venait de succomber à une fièvre puerpérale. Son septième enfant était mort-né. La durée du deuil exigeait que l'on reportât à mars ou avril 1889 les noces de la jeune fille et du Bahamien. Il fut décidé, d'un commun accord, de supprimer la cérémonie des fiançailles, plus mondaine que liturgique, les promesses de mariage étant depuis longtemps confirmées.

Vint enfin le jour de printemps 1889 où, en début d'après-midi, le *Phoenix II* s'amarra, dans le port de Boston, au quai privé de l'entreprise Buchanan Metaz O'Brien.

Susan, accompagnée de sa tante Fanny, avait tenu à venir accueillir son fiancé, et ce fut avec des larmes d'émotion, oubliant convenances et inhibitions puritaines, qu'elle se jeta dans ses bras en murmurant, la gorge nouée : « Enfin, vous voilà ! » Elle se fût montrée moins expansive devant tout autre que Fanny, sa confidente privilégiée depuis le séjour à Soledad.

Pacal trouva Susan appétissante comme une brioche meringuée. Dans un manteau crème, à col de velours châtaigne, coiffée d'un minuscule chapeau bergère, orné d'une houppe de dentelle, planté sur le front et laissant libre la cascade de ses cheveux blonds, elle offrait avec innocence l'attrait sensuel d'une beauté épanouie.

Comme les fiancés entamaient une conversation, pendant que débarquaient Charles Desteyrac, lady Ottilia, le pasteur Russell et les autres invités bahamiens, Fanny intervint.

— Pour bavarder, vous serez plus à l'aise à la maison, dit-elle en désignant les voitures envoyées par Arnold Buchanan, retenu à cette heure-là dans ses bureaux.

— Nous dînons ce soir chez mon père, mais nous allons prendre le thé chez nous, précisa Susan. « Chez nous » désignait l'hôtel particulier de Beacon Street, que tante Maguy avait hérité de son père, le Suisse Guillaume Métaz, fondateur de la dynastie Metaz O'Brien. Fanny et Susan habitaient aussi sous ce toit familial.

Tandis que les voitures gravissaient la faible pente de Beacon Hill, Susan prit la main de Pacal.

– Il y a si longtemps que j'attendais ce jour. Il y a près d'un an que nous nous sommes vus. Et, sans vos lettres, j'aurais cru avoir rêvé. Vous pouviez m'oublier et je me demandais, ce matin, si vous alliez me reconnaître, minauda-t-elle.

– Comment aurais-je pu vous oublier ! Il y a deux photographies de vous sur mon bureau. Je travaille sous vos yeux. Mais je vous vois encore plus belle qu'autrefois, ajouta Pacal, en portant à ses lèvres la main de sa fiancée.

Dès que les voitures s'arrêtèrent, un Noir se précipita pour abaisser le marchepied de la calèche et Susan prit le bras de Pacal, tout en marchant vers la maison.

Derrière sa grille de fer forgé, la bâtisse, de deux étages sur rez-de-chaussée surélevé, faite de briques sang-de-bœuf, pouvait, comme toutes les demeures de Beacon Street, s'enorgueillir d'une patine historique. Un fronton triangulaire, chaque année repeint en blanc, comme les encadrements des fenêtres à petits carreaux, coiffait les trois marches de granit d'un modeste perron, flanqué de minces colonnes. La porte, laquée de vert sombre, pourvue d'un heurtoir de cuivre, si bien frotté chaque matin au blanc d'Espagne qu'il avait pris l'éclat de l'or neuf, et les jardinières, posées sur les appuis des fenêtres, conféraient à cette résidence la sobriété cossue des fortunes puritaines. Dans le quartier à prétention aristocratique de Back Bay, établi sur le comblement d'anciens marécages et dominé par la coupole dorée du palais du gouvernement, l'hôtel Metaz, ainsi que les vieux Bostoniens le nommaient encore, passait pour référence architecturale de la prospérité post-coloniale de la ville la plus commerçante de l'Union. Au cours de l'année précédente, plus de quatre mille bateaux de commerce avaient mouillé dans le port de la capitale du Massachusetts, qui se voulait aussi métropole spirituelle et intellectuelle de l'Union.

En pénétrant dans le hall, dallé de marbre, Pacal ne fut pas surpris de voir venir à sa rencontre, en compagnie de Maguy Metaz O'Brien, son ami Thomas Artcliff. L'architecte, qui avait accepté le rôle de garçon d'honneur de son ancien condisciple du Massachusetts Institute of Technology, était arrivé le matin même de New York. Si l'impérieuse tante Maguy le traitait encore comme l'enfant et l'adolescent qu'elle avait connu, lui ne cachait pas son plaisir d'être reçu par une vieille amie de sa mère. Tandis qu'on servait le thé dans le grand salon, éclairé par un bow-window qui donnait sur un petit jardin et, au-delà, sur le fleuve Charles, Pacal parcourut du regard les portraits suspendus aux murs.

Fanny, tout émoustillée à la pensée qu'elle allait renouer avec le lieutenant Cunnings, second du *Phoenix II* – il lui avait adressé un signe amical du haut de la passerelle alors qu'il dirigeait l'accostage –, révéla l'identité d'un portraituré.

– Voici mon grand-père, le père de Maguy et de ma mère, Guillaume Métaz qui, comme son ami Louis Agassiz, quitta sa Suisse natale pour venir aux États-Unis. Vous le voyez peint par le disciple le plus doué de notre grand peintre bostonien John Singleton Copley[1], dit-elle en désignant le tableau placé au-dessus du manteau de la cheminée.

Pacal pensa aussitôt que l'élève de Copley s'était, à coup sûr, inspiré, pour représenter l'ancien vigneron vaudois devenu grand bourgeois de Nouvelle-Angleterre, du portrait de Samuel Adams. Étudiant au MIT, il avait admiré, au

---

1. 1738-1815. Est encore considéré par les historiens d'art comme le premier des grands artistes américains. Loyaliste, il quitta Boston pour Londres en 1775, au commencement de la guerre de l'Indépendance. Il avait été l'élève, à Paris, de Thomas Couture.

Museum of Fine Arts, la toile représentant le célèbre politicien, membre de la chambre des Représentants du Massachusetts, qui, le 5 mars 1770, avait vécu le « Massacre » de Boston[1] et, plus tard, la fameuse *Tea Party*, du 16 décembre 1773[2].

Comme le héros américain, Guillaume Métaz avait posé debout, dans un habit de drap brun, ouvert sur un long gilet, de même tissu, le cou serré dans une étroite cravate blanche. Visage épais, peau lisse, nez fort, lèvres minces, vaste front, cheveux blancs rejetés en arrière sans souci de coiffure, le négociant, figuré dans la force de l'âge, fixait le spectateur d'un regard à la fois rusé et sévère, sourcils froncés. Émanait de cet homme une apparence de droiture, de fermeté, d'intelligence, mais aussi d'austérité un rien ostentatoire.

– Calviniste bon teint, républicain et maître en affaires, comme l'indique le livre de comptes qu'il désigne d'un index catégorique, souffla Thomas à l'oreille de Pacal.

– Je trouve à tante Maguy une certaine ressemblance avec son défunt père.

– Plus qu'une ressemblance physique, crois-moi. Maguy, c'est l'homme de la famille ! dit Thomas.

---

1. À la suite d'une rixe entre un ouvrier et un soldat anglais – ces derniers étaient injustement calomniés par le *Journal of Events*, de Samuel Adams –, des bandes parcoururent les rues en exigeant le départ des militaires. L'armée anglaise intervint et cinq manifestants furent tués.

2. Ce jour-là plusieurs milliers de Bostoniens, excités par Samuel Adams, qui voyait dans la taxe de trois pence par livre de thé, livré par la Compagnie des Indes orientales, « un monstre menaçant », envahirent les quais où accostaient les bateaux chargés de thé. Deux cents fidèles d'Adams, déguisés en Indiens, montèrent à bord d'un navire et jetèrent à la mer trois cent quarante-deux caisses de thé, d'une valeur totale de douze mille livres sterling. C'est de cette rébellion commerciale que naquit la guerre de l'Indépendance des colonies britanniques et, partant, la création, en 1776, des États-Unis d'Amérique.

Un peu plus tard, alors que les deux amis se rendaient à l'hôtel Vendome, où ils étaient logés avec les invités bahamiens, à proximité de la résidence d'Arnold Buchanan, sur Commonwealth Avenue, Thomas compléta l'information de Pacal sur le fondateur de la dynastie Metaz O'Brien.

– Personne ne te dira la raison pour laquelle ce brave vigneron quitta Vevey, en 1820. Ma mère s'amuse de ces cachotteries pusillanimes. Ce fut, mon cher, à la suite d'un cocuage romanesque, longtemps dissimulé. La première épouse de Guillaume Métaz, une Vaudoise, trompa son mari avec un officier de l'armée napoléonienne, qui franchit le col du Grand-Saint-Bernard en 1800, s'illustra à Marengo et finit général. Quand Métaz découvrit, dix-huit ans plus tard, qu'il n'était pas le père de son fils, il exigea le divorce et quitta la Suisse pour les États-Unis, emmenant sa fille, une certaine Blandine, que ma mère a connue. Cette jeune Suissesse avait épousé le fils d'un planteur de Louisiane, Lewis Calver, esclavagiste. Elle divorça, pour une raison inconnue, après que son mari lui eut donné une fille. J'imagine que, pendant la guerre de Sécession, ce Calver servit dans l'armée sudiste. C'est sans doute pourquoi tante Maguy et sa sœur aînée, Johanna-Caroline, mère de Fanny, n'entretiennent plus de rapports avec leur demi-sœur et ses descendants, expliqua Thomas.

Avant le dîner familial chez son futur beau-père, Pacal eut, avec ce dernier, l'entretien qui s'imposait. Arnold Buchanan, veuf pour la seconde fois et dans les mêmes circonstances, assumait sa peine en chrétien qui croit à la vie éternelle. Les âmes de ses épouses, toutes deux pieuses, devaient se trouver réunies dans la demeure de Dieu. Il lui plaisait d'imaginer qu'elles conversaient en évoquant les mérites – osait-il penser les vertus ? – de l'époux, resté dans la « maison d'argile », qui, un jour ou l'autre, viendrait à se dissoudre comme l'annonçait saint Paul dans son épître aux Corinthiens !

Arnold Buchanan accueillit le Bahamien avec une affabilité empreinte de gravité. Ce croyant s'était toujours méfié de ce qu'il disait être « l'hérésie molle des aristocrates anglais, plus soucieux d'urbanité que de religion ». Bien que l'épiscopalisme ne fût que l'anglicanisme mis à la mode américaine – par substitution, comme autorité suprême, des évêques à la reine d'Angleterre –, il craignait que, dans les colonies de la Couronne, dont les Bahamas, les Trente-Neuf Articles de la doctrine chrétienne ne fussent interprétés avec laxisme. Sans doute par puritanisme atavique, il observait strictement l'inactivité dominicale, militait pour la fermeture des théâtres, salles de concerts, débits de boissons et lieux de plaisir le dimanche. Ce jour-là, il interdisait à ses enfants de se mettre au piano, de monter des pantomimes, de jouer au cricket et les conduisait, tous les six en rang discipliné, aux offices puis sur la tombe de leur mère. Ce patricien avait toujours fui la compagnie des hommes dissolus, ne buvait qu'un verre de vin au repas et considérait que, seule, la maternité justifie l'existence des femmes. La vie était, à ses yeux, un investissement de Dieu sur la terre. On se devait de le faire fructifier en faisant des enfants et des affaires.

Il apparut à Pacal comme le type achevé du grand bourgeois bostonien. Toujours vêtu d'une redingote noire, Arnold Buchanan n'avait eu, pour marquer son deuil, qu'à échanger le gilet de soie et la cravate gris perle, qu'il portait habituellement, contre cravate et gilet noirs. C'était un homme grand, fort, bedonnant et sanguin. Malgré ce physique impressionnant, Pacal comprit que l'assurance dont faisait montre le père de Susan était tout de surface. Elle relevait, plus d'une attitude sociale et mondaine composée, que de la nature d'un puissant businessman, ainsi qu'on nommait, depuis les années soixante-dix, les grands entrepreneurs *yankee*.

Pacal eut confirmation de cette intuition quand, après les considérations d'usage sur le mariage, Arnold Buchanan en vint à rappeler, avec plus de fierté que de savoir-vivre, le montant de la dot de sa fille.

Pacal retint un sourire dédaigneux.

– Suivant mon souhait, mon notaire a obtenu du vôtre que cette somme fût placée sur un compte ouvert au nom de Susan, dans une banque de son choix et qu'elle seule y ait accès. Les Cornfield et les Desteyrac ont toujours agi ainsi. Nous n'acceptons pas l'argent qui viendrait par les femmes. La dot de votre fille, puisque dot il y a, restera sa propriété pleine et entière. Soyez assuré que j'eusse épousé une demoiselle dépourvue de tout bien. Or Susan est un don suffisamment précieux pour être prise sans dot, dit lord Pacal en s'inclinant, avec le sentiment de jouer une scène de Molière.

– Mais, monsieur, ne pas doter une jeune fille donnerait à penser, à Boston, qu'elle se marie sans le consentement de son père ! D'ailleurs, quand *The Boston Globe* annonce un mariage dans son carnet mondain, le chroniqueur donne toujours le montant de la dot de la mariée.

– Détestable habitude, monsieur. On saura donc que votre fille est dotée. Mais, rassurez-vous, personne ne connaîtra les dispositions que j'ai prises, et je vous prie de ne pas les considérer comme mépris de votre fortune ou de votre générosité, mais comme l'expression du respect, de l'affection profonde et sincère que j'ai pour ma fiancée, ajouta Pacal.

– Je comprends. Vos coutumes familiales ne sont pas les nôtres, mais j'apprécie la noblesse de vos sentiments. Vous devrez toutefois en faire part à Maguy Metaz O'Brien. C'est elle qui gère les affaires de Susan, acheva Arnold Buchanan.

Lord Pacal se garda de dire que tout était déjà réglé avec tante Maguy et que cette dernière avait été rassurée par le refus élégant de la dot de sa petite-nièce.

« Ce Britannique des îles n'est pas un coureur de magot

et la bague de fiançailles, achetée chez Tiffany, à New York, qu'il a offerte à Susan, prouve qu'il a les moyens d'épouser sans dot ! » avait-elle confié à Fanny.

Au cours des quelques jours qui précédèrent la cérémonie de mariage, prévue à Trinity Church, lord Pacal put se faire une plus juste idée de la haute société bostonienne, qu'il avait peu fréquentée pendant ses études au MIT.

Il découvrit, au cours des visites protocolaires qu'il dut faire avec Susan, qu'on avait cessé de s'apitoyer sur la mort de la seconde épouse d'Arnold Buchanan.

– Il ne faut pas que la peine d'Arnold dure plus que la décence ne l'exige. Nous souhaitons que ce pauvre ami trouve une nouvelle épouse, capable de l'aider à élever ses six enfants, dont l'aîné vient d'avoir treize ans, dit la présidente de la Women's Christian Temperance Union, qui passait pour l'arbitre des convenances.

Par Thomas Artcliff, avec qui il fit quelques sorties en célibataire, comme au temps de leurs études, il apprit que la coterie locale s'étonnait, plus ou moins discrètement, de voir l'héritière des Buchanan Metaz O'Brien General Stores, une des plus grosses fortunes de Nouvelle-Angleterre, s'être amourachée, au point de l'épouser, d'un colon des Bahamas.

On ne s'étonna plus quand lord Pacal fit son apparition dans les salons. Yeux finement bridés, regard vert clair passant du glacial au velouté enjôleur, teint mat, cheveux lustrés noirs de jais partagés par une raie nette, haute taille, forte carrure, hanches étroites et ventre plat, la beauté athlétique de Pacal et son aisance, frôlant la désinvolture, séduisirent les femmes et agacèrent les maris. Pour le Bahamien, ces derniers semblaient tous sortis du même moule que le père de Susan. Enrichis par le négoce, l'armement maritime ou la banque, ils montraient souvent poil roux, teint coloré, moustaches cirées, jambes courtes et ronde bedaine. Comme Arnold Buchanan, ils ne demandaient à leur épouse que de procréer, s'habiller avec élégance, c'est-à-dire en robe de Worth, mais avec un retard de deux ans sur la mode – il eût été commun de suivre l'engouement du moment –, et de se muer, au théâtre, au bal ou lors de réceptions officielles, en présentoir à bijoux. Car ces maris et pères offraient, à chaque naissance ou anniversaire, bagues, colliers, pendentifs. Ostensiblement portés par une épouse, diamants, perles et pierres précieuses attestaient de la fiabilité financière du mari. Cela revêtait une certaine importance dans la ville la plus riche des États-Unis.

« On estime la valeur totale de la fortune publique à neuf cents millions de dollars et nous sommes le second marché du monde pour les laines, juste après Londres », avait précisé Arnold Buchanan.

Bien que Fanny eût répété dans les salons le récit de sa villégiature « au paradis de Soledad où lord Pacal règne comme un prince », certaines caqueteuses du New England Women's Club avaient répandu, à mots couverts, le bruit que la mère du prétendant était une fille que le défunt et « très original lord des Bahamas » avait eu, hors mariage, avec une Indienne, et son père, un révolutionnaire français, exilé par Napoléon III. Une douairière, épouse de brasseur, ayant déclaré au cours d'un thé que le fiancé de Susan ne devait son titre et sa fortune qu'au fait que lord Simon Leonard Cornfield n'avait pas eu d'héritier mâle plus légitime, regretta aussitôt ce propos.

– C'est toujours mieux que sortir d'un beuglant pour cow-boys de Sacramento ! lança Fanny, qui connaissait le passé de la dame.

Tous ces ragots, lord Pacal voulut les ignorer, sans se priver toutefois de glisser, avec une feinte admiration, à tel importateur que tout le monde lui reconnaissait beaucoup de mérite pour être parvenu à une si belle situation, bien que né dans une baraque de rondins. Sur le même ton d'extrême courtoisie et avec le regard chatoyant, il osa demander à une jeune pécore, vexée de n'avoir pas été choisie comme demoiselle d'honneur par Susan, des nouvelles de son grand-père récemment exclu du Somerset Club pour tricherie au jeu. Cette attitude et sa capacité de réplique valurent bientôt à Pacal le respect craintif de cette gentry philistine, où régnaient les jupons, où les hommes supportaient patiemment le bavardage des femmes, sans jamais les contredire.

C'est de Fanny que le Bahamien avait appris les informations sur l'origine, souvent plus que modeste, et les fondements, parfois peu avouables, de la fortune de ceux qui tenaient à Boston le haut du pavé.

Tout le monde savait, en ville, que Fanny Buchanan Metaz O'Brien, quadragénaire libérée, d'une beauté mûre mais attirante et enviée de ses contemporaines, avait grand cœur et langue acerbe. On lui prêtait quelques aventures amoureuses *extra-muros*, mais aucune commère ne se serait risquée à y faire allusion.

Lors du concert donné, chaque vendredi, par le Boston Symphony Orchestra[1], au Music Hall, Pacal et Susan firent sensation. « Quel beau couple », murmurèrent les lectrices de romans à l'eau de rose. Ce soir-là, plus d'une fille à marier envia l'héritière Buchanan d'avoir mis la main sur un aristocrate qui portait l'habit avec une telle élégance que tous les prétendants, dans le même uniforme, paraissaient gauches et empruntés.

Cette soirée ayant confirmé, au vu de tout ce qui comptait à Boston, l'union imminente de Susan Buchanan Metaz O'Brien avec lord Pacal, mariage annoncé le lendemain dans

---

1. Fondé en 1881 par Henry Lee Higginson.

The Globe, les fiancés purent sortir sans chaperon. Susan entraîna Pacal dans Washington Street et Newbury Street, où se trouvaient les galeries d'art, les magasins de nouveautés les plus réputés, les meilleurs restaurants, les librairies. Ils prirent des glaces chez Huyler's, où Pacal constata à quel point le parler américain corrompait la langue anglaise. Il avait parfois du mal à comprendre, aussi bien le langage rude des gens du commun, que le dialecte mondain des notables « de la colline », ainsi qu'on nommait les riches résidents de Beacon Hill. Les propos de ces derniers, expurgés de tout vocable allusif au sexe, au corps, aux passions, dissimulaient, sous la couche démocratique et républicaine, des envies aristocratiques.

La veille du mariage, pour une dernière escapade en célibataires, Pacal et Thomas allèrent à Cambridge, comme lorsqu'ils étudiaient au MIT, manger des crêpes au *Blue Parrot*, pour se frotter aux étudiants de Harvard et se remémorer leur jeunesse. Ils s'y rendirent à bord du nouveau tramway à traction électrique, qui franchissait le pont ouest, sur la Charles River. Crêpes et cidre commandés, Thomas se pencha vers son ami.

— Ainsi, tu épouses la gentille Susan. Je crois que tu vas être heureux. « Couler une main libre autour d'un sein neigeux[1] », ah ! je t'envie, cita Artcliff.

— Point n'est besoin d'épouser pour faire ce que tu dis, plaisanta Pacal.

— Avec une fille comme Susan, c'est indispensable. J'ai su qu'elle était très demandée depuis des années. Si ce brave Arnold, dont le zèle démographique est prouvé, souhaitait

---

1. Alexandre Hardy (1570-1632).

depuis longtemps caser sa fille d'un premier mariage, tante Maguy veillait au grain, dit Thomas.

– Je m'en suis aperçu. J'ai su qu'elle avait demandé à son notaire une évaluation de mon patrimoine et l'état de mes comptes en banque. Elle en a été pour ses frais, les notaires et banquiers des Cornfield sont, autant par intérêt que par fidélité, d'une exemplaire discrétion. Mais j'ai trouvé le procédé de la vieille tante on ne peut plus discourtois, révéla Pacal.

– C'est que, chez nous, les prétendants étrangers de nos héritières, même titrés, sont trop souvent de charmants dilettantes, dont l'avenir professionnel et pécuniaire apparaît vague. Et, comme les jeunes Américaines ne rêvent que devenir comtesse ou baronne, le danger s'évalue en dollars.

– Comme tout ici. Mais tante Maguy n'a pu me faire évaluer, dit Pacal en riant.

– Toi, tu as du bien au soleil. Elle a vu ta principauté bahamienne, et ton titre de baronet est plus ancien que le *Mayflower* !

– N'es-tu pas, toi aussi, tenté par le mariage ?

– Pour le moment, beaucoup de travail m'en détourne. J'ai d'importants chantiers à New York et aussi à Chicago, pour l'Exposition prévue en 1892, quatrième centenaire de la découverte de l'Amérique par Colomb. Depuis la mort de mon père, ma mère tient ma maison. Alors, mon petit vieux, je papillonne quand j'en ai le temps. Des femmes mariées uniquement. Tu vois que je me souviens des conseils que nous avait donnés ton cher grand-père, quand il vint au MIT pour la remise de nos diplômes.

– Depuis ce temps, Cambridge a changé, grandi, embelli, constata Pacal.

– Et Harvard, première université et la plus riche de l'Union, construit chaque année de nouveaux bâtiments. Grande nouveauté, on vient d'admettre trois cents filles à

Fay House, qu'on appelle aussi *Annex*. Elles reçoivent l'enseignement des professeurs de l'université et se proposent de battre les garçons dans toutes les matières... sauf au baseball, dit Thomas Artcliff.

– Au temps où nous étions étudiants, Boston ne me plaisait guère. J'épouse une Bostonienne, mais mon opinion sur cette ville et ses habitants n'a pas varié. Ici, tout semble baigner dans ce qu'un écrivain bostonien émigré à Londres[1] nomme « le bain tiède de la démocratie ». Les mœurs sont douces et pleines de réserve, certes, mais on n'a jamais le sentiment de vivre dans la grandeur, comme à Londres ou Paris. Même les dynastes du cuir, de la laine ou des assurances ont l'air de paysans hollandais endimanchés. On a l'impression qu'ils viennent de quitter leurs sabots, garnis de paille, et leur blouse, de toile bleue, pour se déguiser en citadins fortunés. Tout est imitation, dans cette société qui ne pense qu'au commerce et à ses profits. L'élite y tient peu de place, asséna Pacal.

– Tu es injuste ! Tu oublies des célébrités locales de réputation universelle : Benjamin Franklin, Hawthorne, Emerson, Longfellow, Agassiz, les James, William et Henry, et bien d'autres, que je pourrais citer. On trouve ici des entrepreneurs, des hommes d'affaires, des philosophes et des artistes. Et puis, il y a notre université, la plus ancienne de l'Union. La ville de Boston, dans le domaine intellectuel et artistique est, crois-moi, mieux pourvue que New York.

– Sauf en architectes ! lança Pacal, ponctuant sa réflexion d'une bourrade affectueuse.

Avant de regagner son hôtel, le Bahamien voulut revoir la maison du professeur Robert Lowell, où il avait vécu quinze ans plus tôt. Y était attaché le douloureux souvenir de Viola et d'irrémissibles remords. Thomas Artcliff, à qui Pacal avait conté son aventure avec la jeune femme, la fin

---

1. Henry James.

tragique de celle-ci et le suicide de Bob Lowell, tenta de le dissuader.

– Tu ne devrais pas, la veille de ton mariage, faire un tel pèlerinage, réprouva l'architecte.

– Chacun doit assumer ses fautes et, à l'occasion, se les remémorer, insista Pacal.

Ce fut presque avec satisfaction qu'il découvrit que la petite maison de son mentor avait été rasée, comme ses voisines. La pioche des démolisseurs avait dégagé un grand espace libre, nu, aplani, sur lequel – un panneau l'indiquait – serait construite une résidence pour étudiants, grâce au don d'un ancien de Harvard, millionnaire reconnaissant.

– N'est-ce pas mieux ainsi ? risqua Thomas.

– Oui et non. C'est comme si on avait amputé ma mémoire d'un support matériel, dit tristement Pacal.

Quand ils arrivèrent devant leurs chambres, Thomas Artcliff retint son ami.

– C'est ta dernière nuit solitaire. La prochaine mettra dans ton lit une des plus belles filles de Boston. Mais, au fait, où aura lieu l'immolation de la vierge ? Ici, à l'hôtel ? Il se pourrait que les prétendants évincés vinssent donner un concert de casseroles sous ta fenêtre. Ça se fait, dit-on.

– Ils seront déçus car, demain, le *Phoenix II* lèvera l'ancre à l'heure de la marée, c'est-à-dire avant minuit. Nous aurons une nuit de noces en mer, sur la route de Liverpool et non à Saratoga, station conseillée pour la défloration des demoiselles bostoniennes, annonça Pacal.

– Liverpool ! s'étonna Thomas.

– Porte de l'Europe. À Liverpool, mon vapeur subira une révision complète, recevra de nouvelles chaudières, une machine plus puissante et une installation électrique dernier modèle. Pendant les travaux, que dirigeront Maitland et Cunnings, je montrerai Londres, Paris et Esteyrac à Susan.

– J'ai toujours su que les Cornfield ne faisaient rien comme le commun des mortels. Une nuit de noces en plein

Océan, quelle trouvaille ! À condition que la mariée n'ait pas le mal de mer ! plaisanta Thomas.

— Je dois te prévenir que cette croisière risque de créer un petit scandale. J'emmène Fanny Buchanan, ajouta Pacal.

— J'ai cru remarquer que le beau lieutenant Cunnings ne lui était pas indifférent, reconnut Artcliff.

— Tu as vu juste. L'attirance est réciproque, bien que la demoiselle prolongée ait quelques années de plus qu'Andrew. Naturellement, tante Maguy, qui a l'œil à tout, n'a pas caché à sa nièce que ce flirt, et crois-moi, il y a plus que flirt, lui déplaisait fort. On peut donc s'attendre à une tornade familiale, quand le dragon découvrira que j'ai embarqué Fanny. Tu es, avec Ottilia et mon père, le seul dans le secret, et je compte sur toi, demain soir, après le dîner, pour aider Fanny à rejoindre discrètement le bord, où Cunnings aura déjà fait transporter ses bagages, révéla Pacal.

— Compte sur moi. Mais, toi parti, peut-être m'attarderai-je ici, pour jouir de la fureur de tante Maguy. Toutes les commères de Boston vont se régaler de l'affaire. On peut même escompter un écho dans *The Globe*, qui s'étonnera hypocritement qu'une mariée ait encore besoin d'un chaperon, se réjouit Thomas.

— Ce sera plutôt une dame de compagnie. Je profiterai de mon séjour en Angleterre pour visiter mes entreprises et Susan risque d'être seule pendant le temps que je consacrerai aux affaires. La présence de sa tante la rassurera.

— Et, quand te reverrai-je à New York ? Car je tiens à ce que tu t'arrêtes au retour. Ma mère souhaite voir ta lady, demanda Thomas.

— Nous serons de retour au printemps 90. Mon père et Ottilia se chargent de la gestion de Soledad, pendant mon absence, précisa Pacal en donnant l'accolade à son ami.

Seul, dans l'attente du sommeil, lord Pacal alluma un cigare, ouvrit la fenêtre de sa chambre et s'accouda au garde-fou. La nuit de printemps frissonnait, sous un ciel laiteux, vide d'étoiles, et le vent marin, portant des odeurs de goudron, susurrait dans le feuillage des ormes. Les réverbères à gaz étiraient des haies de lumière jaune, de part et d'autre du terre-plein central de l'avenue la plus huppée de Boston, conçue, disait-on, d'après les plans du baron Haussmann.

De temps à autre, le trot rapide d'un cheval annonçait l'apparition d'un cab, d'où descendait une femme emmitouflée, accompagnée d'un homme en frac, haut-de-forme, écharpe de soie blanche. Bavards, rieurs ou silencieux, ces couples symbolisèrent soudain pour Pacal le mariage dans ce qu'il supposait de contraintes implicites, d'asservissement consenti, de mièvre routine. Bientôt, Susan et lui formeraient ainsi une nouvelle entité sociale et mondaine. On ne devrait plus les voir l'un sans l'autre, au théâtre, au concert, dans les dîners donnés, au restaurant. Cette évidence le troubla au point qu'il en vint à se demander comment il en était arrivé là. Une honteuse panique le saisit. Et si, profitant de la nuit, il décidait de fuir, de retourner à Soledad, comme le renard apeuré court à son terrier ? La pensée du beau scandale que causerait une telle défection de dernière heure le fit sourire.

Certes, le corps de Susan ne lui avait pas inspiré jusque-là de réelle convoitise, encore moins le subil désir de possession ressenti près d'autres femmes, comme Lizzie Ferguson ou Domenica, l'Italienne du paquebot. Cela, estima-t-il, devait tenir plus à l'éducation inhibitrice de la Bostonienne qu'à sa saine nature.

Il tira une bouffée de son havane et redevint plus conscient d'une réalité qu'il avait orchestrée. Se dérober, après avoir tant promis, serait indigne d'un Cornfield et Susan, ayant toutes les qualités souhaitées chez une épouse, ne méritait pas qu'il lui infligeât pareil affront. Elle ferait une épouse Desteyrac-Cornfield fort présentable à Soledad, à Nassau et à Londres. Elle connaissait les convenances, au piano servait Chopin avec application, léchait des aquarelles dans le goût des paysages de George Innes ou de Thomas Cole et, l'été venu, herborisait avec les anciennes élèves d'Agassiz. En revanche, elle ne s'était jamais baignée en maillot, ne pratiquait pas le canotage, montait en amazone, jouait au crocket, pas au tennis, et chaque mois restait couchée deux jours. Ce serait à lui de faire une maîtresse de cette belle fille, dont les sens somnolaient dans l'ignorance entretenue des plaisirs charnels.

Au matin, tous les phantasmes de la nuit s'étant estompés, il se vêtit d'une chemise au plastron finement plissé, serra ses manchettes avec les boutons aux armes des Cornfield, hérités de son grand-père, comme l'épingle dont il se servit pour fixer sa cravate. Après deux tasses de thé, il endossa une jaquette gris azuré, à revers de soie gris perle, se coiffa du haut-de-forme traditionnel et rejoignit Thomas Artcliff, dans le hall de l'hôtel. Les deux amis se complimentèrent en riant de leur élégance et sautèrent dans un cab. Ce 5 avril resterait, dans leur souvenir, comme un regain de complicité.

La cérémonie nuptiale, organisée à Trinity Church, la grande église épiscopalienne, achevée en 1877, attesta de la sobriété exigée par le deuil qu'un veuf, qui marie sa fille, se devait d'observer pendant un an. Car, sous les voûtes de style franco-roman, décorées par le peintre La Farge[1], le même

---

1. John La Farge, artiste d'origine française, né à New York, en 1835, mort à Providence, Rhode Island, en 1910. Illustrateur et peintre verrier, il fut le décorateur préféré des architectes américains de la fin du XIXᵉ siècle. On lui doit, en plus des vastes décorations de Trinity Church (1876), celles de l'église de l'Ascension, à New York (1890), et celles du palais de justice de Baltimore.

évêque, qui unit Susan à Pacal, avait présidé, quatre mois plus tôt, aux funérailles de la seconde épouse d'Arnold Buchanan.

Dans une robe de faille blanche à volants, coiffée d'un voile retenu sur la tête par une couronne de fleurs d'oranger, Susan ressemblait, au bras de son père, à toutes les mariées de bonne famille, dont les magazines publiaient les photographies.

Arnold Buchanan apprécia avec émotion le geste des époux qui, sitôt la cérémonie terminée, firent porter sur la tombe de la mère de Susan, les fleurs envoyées à leur intention.

La réception qui suivit rassembla au Mechanic's Hall, seule salle assez vaste pour accueillir les invités du négociant, plus de trois cents personnes, dont tous les notables de la ville, y compris le lieutenant-gouverneur, le maire et le *Chief Justice*. Le soir, un dîner réunit autour des nouveaux époux, dans l'hôtel particulier de Commonwealth Avenue, les membres des familles, les témoins, garçons et demoiselles d'honneur.

Lady Ottilia, qui avait conduit son beau-fils à l'église, apparut dans une robe de soie lilas, agrémentée d'une guipure noire au point d'Irlande. Dans une maison endeuillée où, même les domestiques portaient un nœud de crêpe à l'épaule, cette toilette austère fut estimée. À cinquante-huit ans, mince, vive, altière, cheveux argent dressés en chignon, doux visage à peine marqué de rides fines, l'épouse de Charles Desteyrac conservait la séduction d'une femme épanouie et heureuse. Le père de Pacal voyait dans le mariage de son fils avec Susan Buchanan un aboutissement satisfaisant. À soixante ans, il considérait son devoir paternel accompli. Le fils d'Ounca Lou, qui jamais ne dissimulait les faibles signes de son hérédité maternelle, imposait le sang des Arawak à la société la plus aryenne d'Amérique. De quoi réjouir lord Simon, s'il eût été encore de ce monde, comme l'eût enchanté la haie d'honneur formée à la sortie de l'église par les marins du *Phoenix*, élevant une voûte de hallebardes.

Face aux mariés, lady Ottilia présida la table d'honneur, à la droite du maître de maison, tante Maguy se tenant à la gauche de celui-ci. Le contraste entre les deux femmes illustrait tout ce qui différenciait l'aristocratie de souche de la ploutocratie du dollar. Haute, large, lourde, chair molle, double menton, tante Maguy, à peine plus âgée qu'Ottilia, faisait figure de matrone romaine, dans une robe de taffetas prune dont le bustier menaçait à chaque inspiration de déverser sa forte poitrine. Or, la fille de Guillaume Métaz avait de beaux traits réguliers, hélas empâtés, et de grands yeux noisette, pétillants ou courroucés, suivant l'humeur du moment. Véritable chef de famille, elle avait adopté Pacal et ne cachait pas sa satisfaction de voir Susan enfin pourvue d'un mari selon son cœur et qui répondait aux critères sociaux et financiers depuis longtemps fixés. La fortune, l'élégance et l'éducation du lord permettaient qu'on oubliât ses yeux bridés et son teint mat.

Cavalier de Maguy, le pasteur Michael Russell s'était étonné, à Trinity Church, en tant que ministre de la Haute-Église anglicane, de voir l'évêque épiscopalien mitré, vêtu d'un surplis de batiste avec manches de dentelle et gants violets. Le fait que le prélat, au visage poupin, fût poudré à frimas, qu'il imprimât à tous ses gestes un arrondi gracieux et chantât les psaumes comme s'il s'agissait d'airs d'opéra, avaient autant gêné le vieux pasteur que les vitraux, les lustres et les peintures du sanctuaire. Ce décor, neuf et coloré, confirmait, à ses yeux, le penchant des épiscopaliens américains pour l'opulence et les pompes de l'Église de Rome.

Tout se déroula suivant le plan établi par Pacal avec l'aide de son père et de la tante Fanny. Quand, après le dessert, les valets desservirent et enlevèrent la nappe pour signifier aux dames que l'heure était venue de laisser les messieurs entre eux, avec alcools et cigares, Susan s'en fut troquer ses encombrants atours de mariée contre une robe et un mantelet à col de petit-gris. Sans avoir pris congé de quiconque, comme les y autorisait la coutume, Pacal et sa femme montèrent dans une calèche, en attente sur Commonwealth Avenue, tandis que Thomas Artcliff, dans un cab anonyme, convoqué derrière la maison, enlevait, par la porte du jardin, une Fanny sous voile, primesautière comme une pensionnaire fugueuse.

Le *Phoenix II* avait appareillé depuis deux heures quand Arnold Buchanan apprit par Artcliff, de retour du port, que sa fille, qu'il croyait dans un wagon-lits en route pour Saratoga Springs, dans l'État de New York, voguait vers l'Europe. En public, il se retint de commenter le procédé, mais, économe, décida aussitôt de faire annuler par télégramme la réservation de la suite pour jeunes mariés au Grand Union Hotel, réputé le plus somptueux et le plus coûteux hôtel du monde.

Bien qu'il fût plus de minuit, la nouvelle fut aussitôt portée à tante Maguy, déjà rentrée chez elle, à Beacon Hill.

Le teint enflammé par le vin de champagne, la vieille dame se déshabillait avec l'aide de sa femme de chambre, une jolie Noire portant bonnet de dentelle, quand on pianota sur la porte.

— Voyez qui frappe et ce qu'on veut, Angela, dit Maguy.

L'entretien fut bref et la camériste revint près de sa maîtresse.

– C'est le cocher de m'sieur Buchanan qu'apporte ce billet, m'ame.

– Lisez-le-moi, Angela ; je ne sais où sont mes lunettes.

Angela s'exécuta et ce fut d'un ton enthousiaste qu'elle éteignit, d'une phrase, l'allégresse de la lumineuse journée.

– Ça dit que miss Fanny, elle est partie en Europe, sur un bateau, avec les mariés, m'ame !

L'émotion fut si forte que la vieille demoiselle se retint de gifler la domestique, qu'elle congédia d'un geste, avant de se laisser tomber dans un fauteuil, la rage au cœur.

Tandis que tante Maguy se préparait, en ruminant sa colère, une nuit d'insomnie, Susan et Pacal, à bord du *Phoenix II*, se préparaient à leur nuit de noces. L'appartement du lord avait été aménagé pour recevoir le couple. D'après les plans de Charles Desteyrac, Tom O'Graney avait ajouté au salon et à la chambre un deuxième cabinet de toilette et un boudoir.

Dès qu'ils s'étaient retrouvés seuls, Susan, se balançant d'un pied sur l'autre en essayant de contenir son appréhension, Pacal lui avait pris la main avec autant de commisération que de tendresse.

– Cette journée a été pour vous éprouvante. Si vous préférez dormir seule, cette nuit, je me satisferai du sofa du salon, proposa-t-il.

– Ah ! mais non ! Je dois et je veux dormir avec vous. Nous sommes mari et femme. Je sais ce que cela comporte et je ne veux ni ne souhaite m'y dérober, bien cher Pacal. Je vous aime, moi, conclut-elle en se jetant dans les bras de son mari, avec une fougue inattendue.

Pacal lui rendit enlacement et baisers.

– Je vous rejoindrai dans un moment, dit-il, enchanté de l'heureuse disposition de Susan.

La jeune femme se révélait mieux préparée qu'il ne craignait à l'étreinte conjugale, événement aussi intimidant qu'affolant pour une vierge, mais qu'elle semblait avoir hâte de vivre.

Laissant Susan à sa toilette, il rejoignit le commandant John Maitland sur la passerelle, le félicita pour la bonne tenue de l'équipage, qui avait fleuri tout le navire, et s'enquit de la route choisie.

– Nous pourrions suivre la latitude la plus élevée, pour profiter des vents dominants d'ouest, mais, en cette saison, nous courrions le risque de rencontrer des icebergs. Aussi, je préfère la route par les Açores, où nous ferons escale pour nous approvisionner en charbon, mais aussi en fruits et légumes frais. Pour prévenir tout risque de heurt avec des glaces dérivantes, des vigies se relaient à l'avant, expliqua Maitland.

Lord Pacal approuva et, comme il quittait la passerelle, l'officier le retint.

– Le premier lieutenant Andrew Cunnings, mon second, qui prendra le quart à six heures, me donne quelque souci, *my lord*.

– De quel ordre ?

– Eh bien, il est... au mieux, si j'ose dire, avec miss Fanny Buchanan qu'il a proprement enlevée, avec votre permission, m'a-t-il dit. À terre, ce genre de relation ne me regarde pas et ne crée pas de difficulté, mais à bord...

– Miss Fanny Buchanan est mon invitée, commandant. Mais je demanderai aux tourtereaux d'être discrets, très discrets, concéda Pacal en souriant.

Reconnaissant au maître de Soledad d'avoir permis à Myra d'embarquer avec lui pour le séjour à Liverpool, après avoir assisté au mariage, John Maitland renouvela ses vœux de bonheur pour les époux et souhaita une bonne nuit au jeune marié.

Regagnant son appartement, Pacal fut étonné de trouver la chambre déserte et le lit vide. Susan l'attendait dans son boudoir, en chemise de batiste, sous un déshabillé que tante Maguy eût jugé impudique, bien qu'il ressemblât plus à une coule monacale qu'à un négligé suggestif.

– Vous jouez de l'orgue, comme à Cornfield Manor ? demanda-t-elle en désignant l'instrument de salon sur lequel lord Simon avait longtemps, pendant ses croisières, exhalé ses mélancolies et apaisé ses colères.

Pacal se mit au clavier, devinant que Susan, moins assurée qu'un moment plus tôt, essayait de retarder l'étreinte.

– Cette nuit, un seul morceau s'impose, dit-il en attaquant avec brio la fameuse Marche nuptiale du *Songe d'une nuit d'été*, de Félix Mendelssohn.

Quand il se retourna, ayant plaqué le dernier accord, Susan avait disparu. Couchée, les draps jusqu'au menton, les yeux mi-clos, elle attendait son approche.

– Venez, j'ai froid, murmura-t-elle.

Pacal éteignit la lampe de chevet, se dévêtit et se glissa près d'elle. Avec délicatesse, il parcourut patiemment d'une main câline, sous la fine chemise, un corps tiède et ferme, qui se révéla sensible à la caresse. S'il avait dénié à cette femme la capacité d'allumer désir et convoitise, il s'en repentit et en vint aux attouchements plus précis. Ils furent acceptés sans réticence.

– Fanny m'a prévenue. La première fois, ça peut faire mal, dit-elle, plaintive, en s'abandonnant.

La souffrance dut être brève et légère car, au petit matin, quand Pacal quitta le lit, laissant sa femme endormie, il avait appris qu'une puritaine, dès lors que le mariage lui donne libre accès aux ébats de l'amour, est prête à en user et veut connaître tout ce qu'on lui a caché. Il ramassa la chemise de nuit de Susan, jetée au cours de la nuit, et quitta la chambre.

Rasé, vêtu de sa tenue de croisière, pantalon blanc, veston

bleu marine à boutons dorés, lord Pacal se rendit à la salle à manger et trouva les œufs brouillés, les toasts et les confitures meilleurs que jamais. Plein d'un entrain neuf, heureux, enfin amoureux de Susan, il grimpa sur la passerelle, où le second lieutenant, l'officier mécanicien Gilbert Artwood, assurait le quart.

– Le soleil de la mariée est au rendez-vous, *my lord*. Temps splendide, mer belle, gentil vent d'ouest, nous filons douze nœuds. Ce soir, nous serons sortis de la zone des glaces flottantes et, dans deux jours, nous toucherons aux Açores, dit-il.

Comme autrefois son grand-père, lord Pacal parcourut le pont, visita les machines, s'entretint avec le maître d'équipage, fit servir à l'équipage un *pink gin* bien dosé et demanda qu'on établît le toit de toile sur la plage arrière, afin que les passagères puissent se prélasser à l'abri des escarbilles rejetées par la cheminée.

Vêtue d'un tailleur blanc, Susan l'attendait dans leur salon.

– Non seulement vous m'avez abandonnée, vilain mari, mais vous me laissez mourir de faim ! lança-t-elle gaiement.

– La cloche du *lunch* va sonner dans quelques minutes. Nous avons un très bon maître coq, je suis certain que le menu vous plaira. Par respect pour la fonction de John Maitland, seul maître à bord après Dieu, nous prendrons, si vous le voulez bien, ce premier repas à la table du commandant.

En prononçant ces mots, lui revint brusquement à l'esprit le fait que Susan ignorait encore la présence sur le vapeur de sa tante Fanny. Depuis l'appareillage, personne n'avait vu cette dernière, sauf, sans doute, le premier lieutenant Cunnings. La rencontre entre tante et nièce risquait de se faire en public, à l'heure du repas. « Quelle sera la réaction de Susan ? » se demanda Pacal. Pour prévenir tout incident, il décida d'informer sa femme.

– Susan chérie, je dois vous annoncer qu'une surprise vous attend. Comme je crains que vous ne restiez seule à Londres, quand je devrai voyager pour mes affaires, je me suis permis de demander à votre tante Fanny de nous accompagner. Elle est à bord, avoua Pacal.

– Cher, bien cher mari, ce n'est pas une surprise. Fanny m'avait mise dans la confidence et demandé de préparer moi-même ses bagages, de les mettre avec les nôtres, pour que les domestiques ne se doutent de rien. Je suis contente qu'elle soit du voyage.

– J'ignorais l'étendue du complot, dit Pacal en riant.

– Je sais aussi que le lieutenant Cunnings fait la cour à Fanny, depuis notre séjour à Soledad. Et cela lui plaît fort. Quand je me suis inquiétée des proportions que prenait ce flirt auprès de lady Ottilia, elle m'a dit une chose que je n'ai pas très bien comprise. Elle m'a dit : « Mon enfant, moi qui ai longtemps, bien longtemps, attendu de connaître le bonheur d'un amour partagé, j'imagine les aspirations de Fanny. Laissez-la courir sa chance d'être aimée de qui lui plaît. » Pourquoi lady Ottilia, qui fut, m'a dit le pasteur Russell, une vraie beauté, a-t-elle attendu si longtemps l'amour ? insista Susan.

– Chaque être a son mystère, Susan, se contenta de répondre Pacal.

– Je suis prête à aimer lady Ottilia, comme la mère que je n'ai jamais connue, acheva la jeune femme.

Les retrouvailles entre Fanny et sa nièce furent celles de complices, heureuses de vivre ce qu'elles avaient espéré. Les Bostoniennes formèrent bientôt, avec Myra Maitland, un charmant trio papoteur, qui établit ses rites : thé en commun, lecture, musique, farniente sur la plage arrière.

Après l'escale aux Açores, la mer se fit plus houleuse mais les passagères supportèrent vaillamment tangage et roulis. Susan trouva même que les mouvements du bateau invitaient aux ébats amoureux, auxquels elle avait pris goût.

– Une de mes amies récemment mariée m'avait dit, comme tante Fanny : « La première fois ce sera douloureux », mais elle avait ajouté : « Après on ne peut plus s'en passer. » Je suis un peu honteuse de penser qu'elle a peut-être raison, avoua la jeune femme, mimant la confusion.

À Liverpool, les jeunes mariés prirent la route de Manchester, Pacal devant visiter sa filature de Hyde et la lainière de Chipping Campden avant de se rendre à Ipswich, où prospérait son élevage de moutons, et au château de Sansbury, dont le locataire, un vieux juriste londonien, ami de lord Simon, venait de mourir. Le notaire affirma qu'il n'aurait aucun mal à lui trouver un successeur, la mode étant, chez les nouveaux riches de la City, de se faire châtelains à bon compte.

Susan tint à accompagner son mari dans ses déplacements. Fanny préféra rester à Liverpool avec Myra Maitland, pendant que le *Phoenix II*, conduit aux chantiers de la Mersey, recevrait les modifications prévues. Elle rejoindrait les jeunes mariés à Londres, dès qu'ils seraient installés à Cornfield House.

– C'est pour ne pas quitter Andrew Cunnings que Fanny a voulu demeurer à Liverpool. Je suis sûre qu'ils sont amants. Toutes les fois que je suis entrée dans la cabine de ma tante, pendant la traversée, j'ai deviné qu'un homme y avait passé la nuit, ce qu'elle n'a pas nié. Je la crois même assez fière de sa conquête, observa Susan.

– En tout cas, cette aventure lui réussit. Elle a rajeuni de dix ans. Je n'ai jamais trouvé Fanny aussi agréable à regarder, vive, enjouée. Elle affiche une joie de vivre qui fait plaisir à voir.

– Mais elle a plus de quarante ans !

– Une beauté qui se conserve au-delà de la jeunesse est une faveur des dieux. Un poète grec a dit : « Vous qui ne fuyez pas les désirs bouillonnants, vrais amants, venez ici, sans regarder au nombre des décennies[1] », cita Pacal.

– J'appréhende la réaction de tante Maguy. Fanny m'a dit lui avoir écrit une lettre qu'elle a fait mettre à la poste par votre ami Thomas, après notre départ.

Les époux surent bientôt à quoi s'en tenir. En arrivant à Belgravia Square, en pleine saison londonienne, Pacal trouva des lettres de son père et de Thomas Artcliff. Le premier, rentré avec Ottilia et le pasteur Russell à Soledad, donnait des nouvelles de l'île.

Les entrepôts de G. W. Higgs à Hovelton, sur Hog Island, par où transitaient éponges, écaille de tortue, fruits et légumes des domaines Cornfield, avaient été détruits par un incendie. Higgs cherchait à emprunter de l'argent pour reconstruire. Une nouvelle banque venait d'ouvrir à Nassau et le gouverneur, sir Ambros Shea, encourageait la culture du sisal pour compenser le marasme des salines des Inagua Islands. Déjà des Britanniques se proposaient d'investir dans des plantations nouvelles. On déplorait, à Cornfield Manor, l'attaque cérébrale dont avait été victime Pibia. « En attendant ton retour, j'ai demandé à Timbo d'assurer les fonctions de majordome, bien qu'en ton absence on ne donne aucune réception au manoir », concluait Charles Desteyrac.

Thomas, rentré à New York, rapportait les événements vécus après le départ des mariés et la fugue de Fanny.

« Pendant les trois jours où je suis resté à Boston, tante

---

1. Philodème de Gadara, qui vécut à Rome dans l'entourage de Cicéron.

Maguy alterna colère et abattement. Ses imprécations atterraient les domestiques. Je l'ai entendu traiter Fanny de gourgandine. Elle a même convoqué son notaire pour modifier son testament. Elle entend priver Fanny de son héritage, car elle voit en Cunnings – je te rapporte ses propos – "un gaillard plus intéressé par la fortune que par les derniers élans lubriques" de sa nièce ! Elle se dit très déçue par Susan, depuis qu'elle a appris, par un domestique, que la jeune mariée avait aidé à la préparation de la fugue de Fanny. Dans ses périodes de calme ou d'épuisement, la vieille fille est capable de rester, pendant des heures, silencieuse, ce qui inquiète Arnold Buchanan, lequel n'est finalement pas mécontent de savoir sa fille, c'est-à-dire ta femme, assistée de sa tante. »

Pacal communiqua ces informations à Susan qui, dans le même temps, avait reçu une lettre de Maguy. C'est en pleurant qu'elle en révéla la teneur à son mari.

« Ta conduite, ma chère petite – tu sais à quoi je me réfère – me peine beaucoup. Si tu veux réparer le méfait auquel tu as participé, par naïveté, je veux bien le croire, en aidant Fanny dans sa coupable entreprise, je te demande instamment de lui signifier qu'elle doit immédiatement rentrer à Boston et rompre toute relation avec ce marin anglais, dont elle s'est entichée. Seule son impudicité et la cupidité de l'homme peuvent expliquer une telle relation. Je lui écris aujourd'hui pour lui dire ce que je pense de sa conduite et lui intimer l'ordre de rentrer. Que ton mari t'assiste, comme il doit le faire, et l'embarque sur le premier bateau en partance pour l'Amérique. Je compte sur vous deux pour agir sans faiblesse. Il y va de la réputation de notre famille. »

– Comme elle est dure, se plaignit Susan, blottie dans les bras de Pacal.

– Que comptez-vous dire à Fanny ? Elle arrive demain à

Londres. Allez-vous la convaincre de rentrer à Boston, comme une écolière qui a manqué la classe ?

— Fanny n'est pas obéissante. Et puis, nous l'avons vue si heureuse. Elle n'a rien de sénile et, depuis que je sais qu'Andrew Cunnings n'a que six ans de moins qu'elle, je me dis, après tout, qu'ils vont bien ensemble. Mais je dois tout de même lui faire part de l'exigence de tante Fanny.

— Avant cela, laissez-moi le temps de confesser Cunnings. Il va nous amener Fanny avant de se rendre chez ses parents, dans le Kent. Andrew est un gentleman. Il sera sincère avec moi. Et maintenant, allez vous habiller : nous dînons en ville, dit Pacal.

Dès son arrivée à Belgravia Square, Susan avait été conquise par Cornfield House. Elle évoluait dans le décor de ce vieil hôtel, d'une somptueuse simplicité, comme en rêve, au bras de lady Mary Ann Gordon, la veuve de Willy Main-Leste, maîtresse de maison en l'absence du propriétaire. Meubles anciens, tapis persans, portraits d'ancêtres peints par des maîtres, souvenirs des Indes, dont un tigre royal naturalisé, vases précieux, porcelaines de Minton, cristaux de Baccarat, lourde argenterie armoriée éblouissaient l'Américaine. Elle découvrait que luxe, confort et raffinement de bon ton, que les Bostoniens enrichis tentaient parfois de reproduire chez eux, étaient ici des données familières, un art de vivre façonné par des choix ancestraux.

La veille de la réception que lord Pacal donna pour les derniers amis survivants de son grand-père, afin de présenter sa femme à ces représentants de l'aristocratie, Fanny et Cunnings arrivèrent.

Tandis que Susan installait sa tante, lord Pacal conduisit Andrew Cunnings dans son cabinet de travail.

— Vous êtes en train, lieutenant, de semer le désarroi dans ma belle-famille. Votre aventure avec miss Fanny Buchanan m'oblige à vous mettre en garde. Cette femme, encore fort désirable, je le reconnais, est si manifestement amoureuse de vous qu'elle brave tous les tabous familiaux. Je crains que, votre passade consommée, elle ne se retrouve désemparée et malheureuse. Y avez-vous songé ?

— Il ne s'agit pas d'une passade, *my lord*. J'aime miss Fanny. Au commencement, ce ne fut qu'attirance physique. Je me disais : « Bonne affaire de mettre dans mon lit de célibataire une femme mûre, au corps sans défaut, ardente et tendre. » Mais j'ai découvert ses qualités, son intelligence, toutes les frustrations imposées par une éducation puritaine. À l'âge de cinq ans, la redoutable tante Maguy l'enfermait dans un réduit, pendant une heure chaque jour, pour qu'elle apprenne par cœur des poésies religieuses. Elle a mis des années à s'affranchir de cette religiosité contre nature. Elle dit avoir trouvé, auprès de moi, l'honnête jouissance des plaisirs qu'offrent le corps, le cœur et l'esprit. Si nous devions être séparés, *my lord*, je serais au moins aussi malheureux qu'elle, acheva l'officier en triturant sa casquette d'une main nerveuse.

— Pourquoi vous sépareriez-vous Andrew ? Si vous l'aimez, épousez-la, que diable !

— Je n'ose le lui proposer, *my lord*. Miss Fanny est riche, très riche, et j'ai six ans de moins qu'elle. À Boston, on pensera : « S'il prend une épouse plus âgée que lui, c'est à cause de la fortune des Buchanan. » Je passerai pour un séducteur intéressé.

— Je vous connais assez, Andrew, pour me porter garant, devant tout Boston, de vos sentiments et de votre sincérité. Voulez-vous que je parle à miss Fanny ?

— Ah ! *my lord*. Si vous pouviez la convaincre, vous feriez deux heureux. Elle aime Soledad et serait, je crois, heureuse d'y vivre. Et puis, j'ai les moyens d'entretenir un foyer.

— Avant de regagner les chantiers de la Mersey, après

votre séjour dans le Kent, passez par Londres. J'aurai parlé
à miss Fanny, dit Pacal.

Le lord imaginait qu'il lui serait aisé d'emporter l'adhésion
de Fanny. Il attendit deux jours, un moment où elle se tenait
seule, dans le petit salon, pour intervenir.

À peine eut-il prononcé le nom de Cunnings, que, sans
lui laisser le temps d'en dire plus, Fanny, se méprenant sur
ses intentions, lui coupa la parole.

– Je savais que ça ne pourrait pas durer, mon ami. Tante
Maguy m'a envoyé une lettre insultante et Susan m'a
confirmé ses exigences. Je vais rentrer en Nouvelle-
Angleterre. Je me résigne. Mais j'aurai de merveilleux souvenirs. Personne ne pourra me les ravir, dit-elle.

– Vous n'avez aucune raison de céder à l'ukase de tante
Maguy, dit Pacal, du ton d'un Cornfield indigné.

– Que faire d'autre ?

– Mariez-vous !

– Ne soyez pas cruel, Pacal.

– Le lieutenant Andrew Cunnings, pour qui j'ai grande
estime, m'a chargé de demander votre main, dit Pacal.

Fanny ouvrit de grands yeux étonnés. Son regard passa en
un éclair de la joie à la désolation.

– J'ai quarante-deux ans, il en a trente-six. Il me propose
le mariage parce qu'il pense m'avoir compromise, comme
disent les imbéciles. J'ai eu dans ma vie d'autres aventures et
au début, avec Andrew, j'ai cru que ce n'était, comme
souvent, que pour le plaisir. On dit que les marins sont ainsi.
Mais, aujourd'hui, un véritable sentiment s'est immiscé
entre nous.

– Alors, mariez-vous, soyez heureux et laissez famille et
commères envier votre bonheur mérité. Vous vivrez à
Soledad, si vous le souhaitez, et Susan sera enchantée de
cette solution.

– Non, Pacal. Dans dix ans, peut-être avant, je serai une
vieille femme décatie et tout se dissoudra. Je deviendrai

gênante, une épouse plus âgée qu'on cache et sans doute qu'on trompe. Andrew regrettera, sans le dire, car c'est un gentleman, de m'avoir épousée. Non, Pacal, il est venu trop tard. Mais, sachez que je ne capitule pas devant Maguy, Je me soumets à la raison, ajouta-t-elle en quittant la pièce, secouée par des sanglots.

Deux semaines plus tard, quand Andrew Cunnings se présenta, frémissant d'impatience, à Cornfield House, Pacal eut la déplaisante mission de lui apprendre que miss Fanny Buchanan voguait vers Boston, à bord d'un paquebot de la Cunard.

Comme il fallait s'y attendre, on lut un matin dans le carnet mondain du *Times*, que lord Pacal Desteyrac-Cornfield, héritier de lord Simon, dit le lord des Bahamas, et sa jeune femme, avaient choisi de passer leur lune de miel à Londres. « L'heureuse épouse du propriétaire de l'île de Soledad, West Indies, est américaine. Susan Desteyrac-Cornfield, née Buchanan Metaz O'Brien, elle est la riche héritière d'une vieille famille de négociants de Boston. »

Très consciente de sa nouvelle position sociale et mondaine, Susan fut, à Cornfield House, une parfaite hôtesse dont on apprécia autant la chair lumineuse que l'élégance et les manières. La seule critique colportée eut trait à son langage. Elle parlait, avec un bizarre accent, un anglais sans modulations, presque rugueux, et usait d'expressions inconnues à Mayfair. En quelques semaines, réceptions et dîners établirent cependant sa réputation et démontrèrent, aux pairesses les plus rigoristes, qu'une Américaine, dont on pouvait s'attendre à ce qu'elle commît des impairs et fît de risibles entorses à l'étiquette, évoluait dans le monde avec aisance et simplicité, signes d'une distinction rustique.

Convié au Derby d'Epsom par les Kelscott, Pacal eut

l'occasion de présenter Susan à Jane, informée depuis long-temps, par lettre, de son mariage.

Les deux femmes conversèrent aimablement et, quand elles se séparèrent, avec promesse de se revoir, à Londres, à Boston ou à Soledad, Jane donna à Susan un baiser sororal.

– Lord Pacal, votre mari, est un homme exceptionnel. Vous avez de la chance. Moi, il n'a pas voulu m'épouser, lança lady Jane en riant.

Dans la voiture, en route vers Londres, Susan revint sur cette réflexion inattendue.

– S'il est vrai que vous avez refusé de l'épouser, pourquoi Jane m'a-t-elle dit ça en riant ?

– C'est de l'humour anglais, ma chère.

Un jour de fin juillet, quand le couple quitta Londres pour Paris, par Newhaven et Dieppe, sans descendre du wagon-lits, grâce au London-Brighton and South Coast Railway, dont les vapeurs traversaient la Manche en cinq heures, toute la ville était en effervescence : Jack l'Éventreur venait de frapper à nouveau.

Ce criminel, toujours recherché, qui entre Noël 1887 et le 9 novembre 1888, avait égorgé et mutilé, d'horrible manière, six prostituées, récidivait. Le 16 juin, Alice Mackenzie avait été retrouvée, dans Castle Alley, affreuse-ment massacrée. Cette prostituée, comme les précédentes, hantait le quartier de Whitechapel, où évoluaient plus de mille de ses compagnes. Les journaux s'en prenaient aux limiers de Scotland Yard, qui n'arrivaient pas à mettre la main sur ce boucher. Tous les suspects interpellés, possédant des alibis vérifiés, avaient été relâchés et les bruits les plus divers circulaient, depuis des mois, sur l'identité de l'introu-vable tueur. Certains allaient jusqu'à prétendre que le monstre, qui signait ses lettres aux journaux et à la police

« *Jack the Ripper* », ne pouvait être inquiété parce que membre de la famille régnante. Comme on avait vu circuler, de nuit, à Whitechapel, une berline aux armoiries royales, on citait le nom d'Eddy, duc de Clarence, petit-fils de Sa Très Gracieuse Majesté la reine Victoria, un habitué des mauvais lieux. D'autres soupçonnaient un cordonnier ou un boucher. D'autres encore, sans plus de raison, voyaient en sir William Gull, médecin du prince de Galles et grand amateur d'autopsies, le dépeceur des pauvres filles[1] !

Une effervescence d'un autre genre régnait à Paris quand Pacal et Susan descendirent du train, gare Saint-Lazare. Derrière les glaces de la voiture de remise, qui les conduisit au Grand Hôtel du Louvre, près du Palais-Royal, ils virent les murs de la ville couverts d'affiches électorales. Anarchistes, républicains, révolutionnaires socialistes, antiplébiscitaires et autres vilipendaient, en termes variés, le général Boulanger et le duc d'Aumale, soupçonnés de vouloir établir une dictature.

Plus attirante, pour les étrangers, que l'expression des rivalités politiques, l'Exposition universelle, qui occupait le Champ-de-Mars, les jardins du Trocadéro et l'esplanade des Invalides, drainait, chaque jour, des foules considérables.

Dès le lendemain de leur arrivée, les Bahamiens s'y rendirent, pour voir la tour de M. Eiffel, de qui toute l'Europe vantait – ou moquait – l'originalité et la hardiesse. Haut de trois cents mètres, bien campé sur ses quatre jambes arquées, énorme mais élancé, cet assemblage audacieux de poutres de

---

1. Dans son ouvrage *Portrait of a killer : Jack the Ripper, case closed*, l'écrivain Patricia Cornwell assure, après une longue et minutieuse enquête, avoir identifié le tueur dans la personne du peintre Walter Sickert (1860-1942). En Grande-Bretagne, les spécialistes et les autorités semblent accorder crédit à cette nouvelle thèse. Time Warner Books, 2004, London.

fer entrecroisées et dressées, dominait le Champ-de-Mars et l'Exposition. En détaillant le plan de celle-ci, Pacal constata, avec un peu d'amertume, que tous les pays du globe, ou presque, étaient représentés, y compris les colonies britanniques... sauf les Bahamas !

Pendant deux jours, les jeunes mariés déambulèrent entre les pavillons, parcoururent le hall des Beaux-Arts, ceux des Machines, du Textile, de la fée Électricité, ainsi qu'on nommait la vedette incontestée du moment. Paris offrait en effet au monde la première exposition éclairée à la lumière électrique, avec plus de mille cinq cents lampes à arc et dix mille ampoules à incandescence. En flânant, d'un stand à l'autre, les époux, dont les nuits étaient tendrement animées, se nourrirent en roumain, en indien, en arabe, en chinois et, la nuit venue, admirèrent les grandes fontaines lumineuses et multicolores du Trocadéro.

Ayant l'impression d'avoir fait le bilan d'une civilisation inventive, Pacal accompagna sa femme dans les boutiques de nouveautés et chez le couturier Charles Worth, où elle retint un costume de voyage en fin cachemire de l'Inde, gris ramier, jupe plate et tunique ajustée, ainsi qu'un long fourreau de soie, vert céladon, accordé à la blondeur de sa chevelure. Elle se pourvut aussi, seule cette fois, de dessous très féminins, conçus par le couturier pour Pauline de Metternich, Sarah Bernhardt et les plus célèbres courtisanes de Paris, ce que la vendeuse s'abstint de révéler.

Rue de la Paix, chez Mellerio dits Meller, joaillier des cours européennes depuis Marie-Antoinette, Pacal offrit à sa femme le collier d'émeraudes qui manquait à son élégante panoplie. Un soir, à la Comédie-Française, théâtre proche de leur hôtel, ils assistèrent aux adieux à la scène de Coquelin Aîné, dans une comédie de Molière.

Après deux mois passés dans la capitale française, gorgés de visites de musées et de lieux historiques, du Louvre à Versailles, du tombeau de Napoléon à la tombe de La

Fayette, héros de l'indépendance des États-Unis, au cimetière de Picpus, ils prirent la route de l'Auvergne. Pacal tenait à montrer à sa femme le village d'Esteyrac, lieu d'origine de sa famille paternelle.

Le Bahamien trouva le château dans le même état qu'il l'avait vu, avec son père et Ottilia, onze ans plus tôt. Comme en 1878, un chien hargneux annonça la présence de la voiture de louage, dès qu'elle eut franchi la grille délabrée de la clôture. Le même paysan, propriétaire des lieux, apparut, appuyé sur un bâton et Pacal dut se faire reconnaître.

— Je me souviens de votre visite. Vous étiez avec vos parents. Eh ben ! vous avez forci ! Vous voilà marié et vous avez l'air à l'aise, hein. Pour moi, c'est pas le cas, grogna l'Auvergnat.

— Pourquoi donc ?

— Mes fils veulent pas reprendre. Y en a un qu'est entré au chemin de fer et l'autre qu'a marié une Normande. Il est parti travailler avec son beau-père, un bouilleur de cru cousu d'or. Ah ! il a tiré la bonne carte, celui-là !

— Vos fils ont donc bien réussi. Et votre fille ? Vous n'avez pas de gendre ? s'enquit Pacal.

— Ma fille s'est faite nonne. Moi, j'ai plus qu'à vendre ma ferme ! Ma femme est malade et j'ai des douleurs, qui me nouent les jambes et les bras. Et personne, dans le pays, veut reprendre cette foutue ruine. Y veulent bien les champs et le bétail, mais nenni pour ce nid de corbeaux. Je sens bien qu'on finira à l'hospice des indigents.

Pacal, comme lors de sa première visite, examinait la façade lépreuse du corps principal, avec ses fenêtres à meneaux, les deux ailes coiffées de toits affaissés, l'escalier à double révolution, aux marches ébréchées, auquel l'absence de balustres conférait une désolante nudité. Soudain, il se tourna vers le paysan.

— Si j'achète le château avec vos terres, me le vendez-vous ?

L'homme, surpris, ôta son chapeau informe et se mit à tirailler sa moustache.

— C'est-y que vous voulez rire !

— Je suis sérieux. Ce château est celui des ancêtres de mon père. Quand nous sommes venus ici, ensemble, je sais qu'il l'aurait acheté, s'il en avait eu les moyens. Moi, je les ai et je suis prêt à l'acquérir. Voulez-vous me le vendre ?

— Comme ça, tout à trac, je sais pas si je peux. C'est à voir avec mon notaire d'Issoire, mon bon monsieur.

— Si nous nous entendons, vous pourrez rester dans votre maison. Je louerai les terres à qui vous me conseillerez, vous toucherez les fermages et vous serez l'intendant du domaine. Ainsi, vous ne changerez rien à votre façon de vivre et j'aurai ici, en vous, un homme de confiance, précisa Pacal.

— Le château, vous allez le démonter pour l'emporter en Amérique ? On dit que les Américains font ça. J'ai vu dans le journal qu'y en a même un qui a acheté un cloître, l'a fait démonter, pierre à pierre, et embarqué pour je ne sais où.

— Je ne suis pas américain. Je ne démonterai pas le château. Je lui rendrai son bel aspect d'autrefois et j'y viendrai de temps en temps, en vacances.

— Si je m'en souviens bien, vos îles, elles sont aussi loin que l'Amérique.

— On traverse l'Océan en moins d'une semaine, aujourd'hui, répliqua Pacal.

Après un instant de réflexion, le vieil homme se décida.

— Attendez un peu, que j'aille parler de ça à ma femme, dit-il en s'éloignant, clopin-clopant.

Pendant son absence, Pacal fit le tour du bassin aux nymphes, martyrisées par les révolutionnaires de 1793. Il l'imagina, dans sa belle apparence, les eaux jaillissantes et les naïades ayant retrouvé leur tête et leurs bras.

Quand le paysan revint, son pas parut plus assuré et c'est avec une satisfaction, qu'en bon Auvergnat il dissimula derrière un sourire résigné, qu'il annonça l'accord de son épouse.

— Venez donc manger un morceau chez nous, on pourra mieux parler, offrit-il.

Tandis qu'ils cheminaient vers la chaumière, Susan ralentit le pas.

— Nous n'habiterons jamais ici. Pourquoi achetez-vous ces vieilles pierres ? chuchota-t-elle.

— Pour l'honneur des Desteyrac, dit Pacal.

2.

La frénésie mondaine qui, chaque année, agitait Londres pendant la *season* était retombée quand, après trois mois passés en France, Pacal et Susan regagnèrent l'Angleterre.

Le nouveau lord des Bahamas, ainsi qu'on nommait déjà Pacal dans les milieux d'affaires, devait assister à une importante réunion de la West Indian Produce Association, dont il était administrateur. L'institution se préoccupait des conséquences que pourrait avoir, pour les colonies des West Indies, et les Bahamas en particulier, le conflit économique ouvert entre les États-Unis et l'Europe.

Furieux de voir certaines puissances européennes, dont la Grande-Bretagne, prohiber l'importation de la viande de porc américaine, en raison de la mauvaise qualité de sa salaison, le gouvernement des États-Unis venait de prendre des mesures de rétorsion. Une loi de circonstance autorisait désormais le président de l'Union, « dans le cas où il estimerait injuste une mesure de discrimination des produits américains, par un gouvernement étranger, à suspendre, par proclamation, l'importation aux États-Unis des produits de ce pays ». Déjà, l'Administration américaine considérait comme frelatés, donc nuisibles à la santé du citoyen, des aliments et des boissons en provenance des pays qui refusaient le porc américain !

Les Bahamas vendaient, aux États-Unis, ananas, tomates, homards, crabes, jus de fruits et fruits en conserve. Les îles risquaient donc, en tant que colonie britannique, d'être concernées par la menace.

On disait Benjamin Harrison, élu vingt-troisième président de l'Union en 1888, entré en fonction le 4 mars 1889, favorable à la création d'une série de taxes protectrices, que réclamaient des industriels influents, soutenus à la Chambre des représentants par un élu républicain de l'Ohio, William McKinley. Devant ses pairs, lord Pacal s'en émut et dit craindre que cette dispute ne ranimât de vieux griefs américains, déjà formulés à l'encontre des Bahamas.

En Nouvelle-Angleterre, le Bahamien avait, en effet, perçu la méfiance ancestrale de certains Bostoniens à l'égard d'une colonie britannique qui, lors de la guerre de l'Indépendance, puis de la formation de l'Union, avait accueilli les loyalistes, opposés à George Washington, avant qu'ils ne refusent, la victoire des indépendantistes acquise, la citoyenneté américaine. Pacal avait dû détromper les amis des Buchanan, qui le classaient dans cette catégorie, ignorant que les Cornfield étaient propriétaires aux Bahamas depuis 1667, sous le règne de Charles II.

Un autre grief moins ancien, donc plus vif, visait l'attitude de la colonie pendant la guerre de Sécession. Nombreux étaient les Yankees qui reprochaient encore aux Bahamiens d'avoir eu des sympathies coupables pour le camp sudiste, d'avoir fourni les rebelles esclavagistes en armes et en munitions et, surtout, de s'être enrichis des malheurs d'une nation déchirée, pendant quatre ans, par la guerre civile. Les Américains des États du Nord, cependant de plus en plus nombreux à venir profiter du climat hivernal de l'archipel, appréciaient peu de rencontrer d'anciens planteurs esclavagistes, de Virginie ou de Louisiane, qui tenaient le haut du pavé à Nassau et siégeaient dans les assemblées coloniales.

Au cours du nouveau séjour londonien, Susan fit la connaissance d'une incommodité citadine propre à Londres. Dès les premiers jours de l'automne, un épais brouillard, jaunâtre et malodorant, que les gens du commun appelaient *fog* et les aristocrates *London Particular,* comme s'ils en étaient fiers, enveloppa la métropole. Aux brumes de la Tamise se mêlaient les fumées domestiques et industrielles, produites par la combustion de charbon gras. La Bostonienne en eut la gorge irritée, l'œil larmoyant, et décréta que le climat des îles britanniques était préjudiciable à sa santé.

– Je souhaite revoir Boston, puis Soledad, au plus tôt, dit-elle un matin, à l'heure du breakfast.

– Le *Phoenix II* ne sera pas prêt à prendre la mer avant février prochain. Vous verrez que *Christmas* est une grande fête en Angleterre et nous donnerons une réception, pour célébrer l'année nouvelle, le 1er janvier 1890. Et puis, mieux vaut ne pas naviguer dans les eaux bahamiennes en cette saison, qui est celle des ouragans, dit Pacal.

– Ah oui ! Les ouragans ! J'oubliais les ouragans, dit-elle d'un ton où perçait un peu d'agacement.

En attendant, lord Pacal fit tout pour distraire sa femme. On les vit souvent à Covent Garden et au théâtre de Drury Lane, aux concerts du Queen's Hall, où se produisait le London Symphony Orchestra, et à ceux de l'Aeolian Hall où ils entendirent des quatuors de Beethoven. Un soir, lors d'une réception, la Bostonienne eut l'honneur insigne d'être présentée au nouvel ambassadeur de son pays en Grande-Bretagne, Robert Todd Lincoln[1], fils d'Abraham Lincoln, le président assassiné.

---

1. 1843-1926. Diplômé de Harvard University, il fut le secrétaire à la Guerre des présidents Garfield et Arthur, avant d'être nommé ambassadeur en Grande-Bretagne (1889-1893) par le président Harrison. Il fut, de 1897 à 1911, président de la Pullman Company.

Depuis qu'il résidait à Londres, chaque jour, Pacal vérifiait la justesse de l'aphorisme que lord Simon avait naguère lancé, dans un moment d'exaspération : « On naît anglais, on ne le devient pas. » Franco-anglo-indien, le jeune lord se voulait avant tout bahamien. En lui, trois cultures s'étaient fondues et il pouvait, à juste titre, se réclamer de Shakespeare aussi bien que de Corneille, des Trente-Neuf Articles anglicans comme du Livre des Destinées, le codex des Arawak.

Il choisit donc, quand le moment fut venu de se rendre à Liverpool, où le *Phoenix II*, radoubé et modernisé, attendait ses passagers, de faire un détour par Stratford-upon-Avon, pèlerinage shakespearien.

C'est dans la ville vouée au poète qu'il évalua combien les connaissances de Susan comportaient de lacunes, combien elle était représentative d'une caste américaine encore bridée par les tabous puritains.

Entraînée par son mari, Susan visita, sans y prêter grande attention, la maison natale de Shakespeare et l'église de la Sainte-Trinité où l'auteur d'*Hamlet* est inhumé. Elle trouva bien naïf le buste du poète, sculpté et peint par Gerard Johnson en 1623.

– Il a l'air d'un marchand drapier qui fait ses comptes, plume en main, commenta-t-elle, avant de confesser qu'elle n'avait jamais été autorisée à lire ou à voir représenter les pièces de Shakespeare.

– Notre pasteur juge ces œuvres pleines de violences, de crimes, de sang, d'amours illégitimes, et émaillées de mots qu'on ne doit pas prononcer, comme étant d'inspiration païenne, précisa-t-elle.

– Parfois même paillarde ! compléta Pacal, moqueur.

Susan surprit son mari en déclarant que Stratford-upon-Avon avait, à ses yeux de Bostonienne, un mérite bien plus grand que celui d'avoir donné naissance à un poète sulfureux.

C'était la ville natale de John Harvard, fondateur en 1639 de l'université qui porterait son nom et remplacerait une petite école créée en 1636. Elle voulut voir, en face de l'hôtel de ville, la maison où, en 1607, quarante-trois ans après la mort de Shakespeare, était né John Harvard, fils d'un boucher et de la fille d'un marchand de bestiaux. Le fait que ce diplômé de Cambridge, la vieille université anglaise, eût choisi d'émigrer en Nouvelle-Angleterre en 1637, qu'il eût été pasteur puritain et, par héritage, immensément riche, ajoutait beaucoup, pour Susan, à ses mérites de pédagogue éclairé.

Parce qu'il savait combien elle appréciait, comme bon nombre de ses compatriotes, les ouvrages de sir Walter Scott, Pacal conduisit sa femme à Abbotsford, la résidence construite par l'écrivain. Ils visitèrent l'étrange demeure, imitation tarabiscotée d'un château médiéval, où l'auteur d'*Ivanhoé* était mort en 1832.

Quand ils quittèrent les bords de la Tweed, pour la forêt de Sherwood, Susan fut déçue de découvrir que ne subsistaient plus que quelques douzaines des chênes bicentenaires des bois immenses, autrefois refuge d'un autre de ses héros romantiques, Robin Hood. Alors qu'ils flânaient, au crépuscule, dans le cloître à demi ruiné de l'abbaye de Newstead, où avait vécu lord Byron, Pacal, qui s'amusait de voir Susan goûter la traversée de lieux fertiles en légendes et contes étranges, lui récita le poème du moine noir, fantôme résident.

— Que nous pourrions bien rencontrer, si nous nous attardons, ajouta-t-il, mimant un air craintif avant de déclamer :

Dieu vous garde du moine noir
Qu'on voit, marmottant sa prière,
Quand la nuit descend sur la terre,
Rôder autour de ce manoir.

Au temps où lord Amundeville
Chassa les moines de ces tours,
Un moine refusa toujours
De quitter cet antique asile[1].

– Allons-nous-en, souffla Susan, se serrant, apeurée, contre son mari.

Ils passèrent leur dernière nuit en Angleterre dans une modeste auberge de Nottingham, d'où partait autrefois en expédition, contre Robin des Bois et ses bandits, le redoutable shérif du comté.

C'est sur un yacht repeint en blanc, figure et frises de proue redorées, boiseries intérieures vernissées à neuf, éclairage électrique dernier cri, que les époux embarquèrent pour Boston, mi-février, à Liverpool. Susan souhaitait revoir sa famille avant de suivre son mari à Soledad.

Équipé de nouvelles machines, plus puissantes et moins bruyantes, d'une cheminée pourvue d'un filtre à escarbilles, plus efficace que l'ancien, et d'une commande de gouvernail assistée par l'électricité, le *Phoenix II* pouvait filer quinze nœuds en toute sécurité. L'état-major et l'équipage ovationnèrent le couple, et Myra Maitland se prépara au rôle de dame de compagnie avec enthousiasme. Deux hommes se montrèrent maussades : Andrew Cunnings et le lieutenant Tom O'Graney. Le premier, parce qu'il ne parvenait pas à oublier Fanny, le second parce que les nouvelles reçues

---

1. Ballade ajoutée par Byron au chant XL de *Don Juan*. Traduction de Benjamin Laroche, *Œuvres complètes de lord Byron*, Librairie Charpentier, Paris, 1838. Thomas Moore rapporte : « Pendant une visite à Newstead, en 1814, lord Byron s'imagina avoir vu le fantôme du frère noir qui, selon la tradition, hantait cette abbaye depuis la dispersion des moines par ordre d'Henri VIII. »

d'Irlande, pendant son séjour sur les chantiers de la Mersey, l'irritaient encore.

– Les propriétaires anglais – les *landlords* comme ils se font appeler – dépouillent les paysans irlandais du fruit de leur travail. Ils font détruire, par la police, les chaumières de ceux qui ne peuvent pas payer les fermages, à cause des mauvaises récoltes. Ces hobereaux sans cœur jettent femmes et enfants à la rue. Les pères de famille et les fils aînés sont traînés, menottes aux mains, devant un juge, qui confirme leur éviction des terres qu'ils ont cultivées. Croyez-moi, *my lord*, si je n'étais pas un vieil homme, je rejoindrais la Ligue agraire de Michael Davitt, un fenian, qui, plus que Charles Stuart Parnell et sa *Home Rule*, est décidé à chasser les *landlords* de nos terres, développa O'Graney.

– J'ai appris à Londres que Parnell est poursuivi par la justice de Sa Très Gracieuse Majesté la reine Victoria pour collusion avec les rebelles, dit Pacal.

– Parnell n'est pour rien dans la rébellion des paysans. Tout ça, c'est fabriqué. Mais, maintenant qu'on sait qu'il a pour maîtresse, depuis 1880, l'épouse de son ami William O'Shea, croyez-moi, ça fait mauvais effet[1], précisa Tom, soudain déridé.

L'Océan ayant décidé de mettre à l'épreuve le vapeur restauré, la traversée fut agitée. Si le *Phoenix II* supporta vaillamment grains et forte houle, Susan fut prise de

---

1. Charles Stuart Parnell fut innocenté en 1890 de sa collusion avec les fenians, auteurs d'attentats, les accusations publiées par *The Times*, en 1888, reposant sur des faux. En revanche, le procès en divorce, intenté par le mari trompé, et la condamnation de l'amant pour adultère, écourtèrent la carrière politique de Parnell. Le clergé irlandais le condamna vigoureusement et le parti libéral de Gladstone rompit avec lui. Isolé et dépouillé de toute influence, Parnell mourut en 1891, à Brighton.

fréquentes nausées, qui, souvent, la détournèrent de la salle à manger. Comme Pacal s'inquiétait de ces malaises, attribués à l'état de la mer, Myra, la seule autre femme du bord, eut un sourire entendu.

— Ce n'est pas le mal de mer, *my lord*. Je crois bien, d'après ce que m'a confié votre épouse, que vous serez père dans quelques mois, dit-elle.

— Pourquoi, diable, Susan ne m'en a-t-elle rien dit ? s'étonna Pacal.

— Elle veut être certaine de son état avant de vous annoncer la bonne nouvelle. J'espère qu'elle pardonnera cette indiscrétion. Je voulais seulement apaiser vos inquiétudes.

— Vous êtes pardonnée, Myra. Je vais, de ce pas, dire à ma courageuse épouse tout le plaisir qu'elle me cause, répondit le lord.

Cette révélation confirmée par l'intéressée, Pacal sut qu'il avait toute chance d'être père au cours de l'été 90.

— En pleine période des ouragans, hélas, fit-il observer.

— Cela n'aura pas d'importance, mon ami, puisque suivant mon état, deux ou trois mois avant l'accouchement, je vous demanderai la permission de m'installer à Boston, dans ma famille, dit-elle.

Elle rappelait ainsi, sans insister, que leur contrat de mariage avait prévu qu'elle mettrait ses enfants au monde à Boston, d'abord par confort et sécurité pour elle-même, ensuite pour qu'ils soient, selon son vœu, de nationalité américaine.

Susan fut bien aise de retrouver la terre ferme à Boston, où elle était attendue, avec une curiosité émue, par les siens. Dès l'arrivée des époux à Beacon Street, tante Maguy, Junon autoritaire, entraîna sa petite-nièce dans son boudoir, escomptant des confidences qu'elle estimait être la seule à pouvoir entendre. La vieille fille avait toujours imaginé que l'acte que recouvrait le terme « devoir conjugal » était une pénible et dégoûtante épreuve. Elle fronça le sourcil, étonnée, prête à imaginer Susan glissant vers la luxure, quand la jeune mariée lui confia combien elle appréciait que Dieu, dans son immense sagesse, et l'Église épiscopalienne, dans son humaine compréhension, aient fait, par un simple sacrement, du péché d'Adam et Ève un plaisir autorisé.

– D'ailleurs, notre union est à nouveau bénie, car je serai mère en août prochain, compléta Susan.

– Ma pauvre petite ! Déjà ! Ton mari ne pouvait pas attendre ! s'exclama tante Maguy, comme horrifiée.

À l'heure du dîner, les arrivants s'étonnèrent de ne pas avoir encore vu Fanny. Tante Maguy posa brusquement son couvert, attendit que le maître d'hôtel eût quitté la pièce.

– Depuis son retour d'Europe, Fanny est toujours en mouvement. On dirait qu'elle ne tient pas en place. Ainsi, il y a une dizaine de jours, quand nous avons reçu le télégramme annonçant votre arrivée, elle a décidé de partir, sur-le-champ, pour Chicago. Pourquoi Chicago ? Comme s'il ne lui plaisait pas de vous revoir. Allez comprendre !

Pacal comprit que miss Fanny Buchanan ne souhaitait pas rencontrer Andrew Cunnings, qui, dès l'accostage du *Phoenix II*, s'était attendu à la revoir.

L'idylle entre l'officier et la Bostonienne semblait bel et bien terminée.

En Nouvelle-Angleterre, comme ailleurs, régnait à nouveau un climat hostile aux Indiens, depuis qu'un chef des Piaiute, nommé Wowoka, fort respecté, annonçait aux tribus cantonnées, depuis 1880, dans des réserves, que le Grand Esprit allait revenir, que les Indiens tués par les Blancs allaient renaître à la vie. Le prophète invitait tous les Indiens à ranimer les anciennes coutumes, à former la *Ghost Dance*[1], pour entrer en communication avec les esprits des ancêtres, à chasser tous les gibiers, sans tenir compte des interdictions.

Arnold Buchanan craignait que cette agitation ne dégénérât et finît par être préjudiciable aux affaires que traitaient ses gérants dans les succursales des Grandes Plaines.

– On leur a cependant donné des territoires, mais ces Sauvages ne sont jamais contents. Ils ont encore assassiné des colons, dit le négociant.

Pas plus que ses compatriotes, il n'avait oublié l'affront subi par la cavalerie du colonel Custer en 1876.

Après une semaine de retrouvailles, d'embrassades, d'échange de cadeaux, de dîners et de visites à la parentèle, lord Pacal voulut presser le départ pour Soledad, via New York, où Thomas Artcliff, averti par télégramme, attendait le couple.

Au Bahamien, la Nouvelle-Angleterre inspirait maintenant un sentiment de moisissure, d'étroitesse, de figé. Il devait sans cesse, dans cette famille possessive, affirmer son indépendance et celle de son ménage. Tous semblaient s'entendre pour lui faire sentir qu'il avait été admis, par faveur insigne, tel un prince consort exotique, dans une communauté sûre de sa prépotence méritée.

La veille du départ, un souhait de sa femme, jusque-là inexprimé, le surprit désagréablement.

– Comme je ferai de fréquents séjours à Boston – vous aussi sans doute – ne pensez-vous pas qu'il serait bon que nous possédions ici une résidence ? Je ne suis plus obligée de vivre sous le toit de tante Maguy, quand je viendrai seule, et je ne nous vois pas habiter l'hôtel quand nous serons ensemble, dit-elle.

Un peu interloqué, Pacal ne put que souscrire à cette idée.

---

1. Danse des Esprits, ronde rituelle symbolisant le rassemblement des tribus. Elle était interdite et réprimée par le gouvernement américain.

Il découvrit, un peu plus tard dans la journée, que Susan avait déjà pris des dispositions. Sa demande d'avis avait donc été de pure forme.

— On m'a indiqué sur Beacon Hill, tout près d'ici, une maison de bonne apparence, que je me fais fort d'aménager. Pourrions-nous l'acheter ? demanda-t-elle.

Comme Pacal, de plus en plus déconcerté, semblait réfléchir, sa femme enchaîna.

— Je puis acquérir cette demeure ancienne avec ma dot, que vous avez eu la générosité de laisser à mon crédit, expliqua-t-elle.

— Un mari se doit de loger sa femme. Si cette demeure vous plaît, retenez-la. Ce sera votre pied-à-terre à Boston, précisa Pacal, marquant ainsi que la résidence des époux restait Cornfield Manor, à Soledad.

Enchantée de cette approbation, aussi formelle que sa demande, Susan embrassa son mari. Le même soir, elle confia à son père le soin de mettre en train les formalités d'achat d'une demeure, dont Pacal apprit — nouvelle surprise — que sa femme l'avait déjà visitée avec tante Maguy. Mis devant le fait accompli, il s'inclina.

— Puisque les choses sont si avancées, je donnerai l'ordre à mon banquier de Boston d'honorer la demande de fonds que vous formulerez, dit-il à Buchanan.

— Mais, vous ne voulez pas voir cette maison ? s'étonna Arnold.

Il n'avait jamais acheté un crayon sans le prendre en main, en éprouver la mine, en discuter le prix.

— Vous savez, mieux que moi, ce qui convient à votre fille. Cette maison sera sienne, répondit Pacal.

Arnold Buchanan, dont l'esprit était plus pratique que subtil, ne releva pas le ton sec de la réplique.

À New York, lord Pacal et Susan furent reçus, dans l'hôtel des Artcliff, sur Madison Avenue, par la veuve du grand architecte Alastair Gregory Artcliff et Thomas Artcliff, successeur de son père.

Pendant qu'Eleanor Artcliff accompagnait Susan à la Lenox Library, où la Bostonienne souhaitait voir la Bible de Mazarin, imprimée par Gutenberg en 1455, Thomas montra à Pacal le chantier d'un nouvel hôtel, en cours de construction sur la Ve Avenue, entre les 33e et 34e Rues, pour le compte d'un millionnaire, William Waldorf Astor.

– Le Waldorf Astoria aura quatorze étages, abritera mille quatre cents chambres et coûtera, au moins, sept millions de dollars. L'ouverture est prévue en 93, précisa Thomas, qui, avec d'autres architectes, travaillait au projet[1].

Après un inventaire des nouveaux immeubles géants, de dix ou quinze étages, dans une ville d'un million quatre cent mille habitants, qui, sur son étroite presqu'île, ne pouvait grandir qu'en hauteur, Thomas Artcliff emmena son ami déjeuner au Delmonico's, restaurant à la mode.

Au cours du repas, l'architecte s'enquit de ce que son ancien condisciple pensait du mariage.

– J'aimerais savoir, parce qu'un jour ou l'autre je devrai y passer. Ma mère dit ne pas vouloir me laisser sans femme, lorsqu'elle mourra, expliqua Thomas.

– Je n'ai pas encore d'opinion, car je ne me sens pas différent de ce que j'étais avant d'avoir prononcé, devant un évêque, la formule fatale « *ego conjungo vos* », dit Pacal, amusé.

– Tu devrais bientôt savoir. Tu as toujours été d'une grande lucidité, dit Thomas.

– La lucidité est le premier ennemi de l'amour, compléta Pacal, avec un sourire.

---

1. Il s'agit du premier Waldorf, qui fut détruit en 1930, pour permettre la construction de l'Empire State Building. Le Waldorf Astoria actuel se trouve 301 Park Avenue.

Thomas, ne voulant pas être indiscret, eût volontiers changé de sujet si lord Pacal, ayant dégusté son dessert, ne s'était lancé dans une nouvelle critique de la société américaine.

– Ma belle-famille me porte sur les nerfs. Ces gens ont réussi le fructueux amalgame du matérialisme le plus arrogant avec les pratiques religieuses les plus hypocrites ; le tout assaisonné d'une certaine dose de curiosité pour les lettres, les arts et une philosophie pastorale simplette. Mais, quand on s'enquiert de la personnalité de quelqu'un, on vous répond en dollars. M. X vaut dix millions de dollars et ce pauvre M. Y seulement cent mille dollars. La valeur d'un individu s'exprime en billets verts, comme celle d'un cheval de course ou d'une paire de chaussures. Les capacités intellectuelles d'un homme, ses connaissances en art ou en science, son éducation, sa manière de se comporter dans la vie ne sont pas prises en considération. Il vaut ce que vaut son compte en banque ! Je ne peux m'habituer à cette évaluation mercantile de l'être humain, déclara Pacal.

Thomas considéra son ami avec une touchante commisération.

– Tu ne comprends pas que nous sommes, ici, en train d'inventer une nouvelle civilisation. Nous devons nous débarrasser des encombrants rebus, hérités des siècles passés et de la vieille Europe, même glorieux, car le progrès est continu. Qui ne l'enfourche est, par lui, écrasé. La vie des hommes, même si on les pèse en dollars, d'une façon un peu triviale, j'en conviens, s'améliore chaque jour. Par exemple, il y a déjà des milliers d'abonnés au téléphone à New York et, de mon bureau, je peux parler, par ce moyen, avec des gens qui habitent Chicago ou Washington. Un jour prochain, je pourrai m'entretenir, par le téléphone, avec toi, aux Bahamas, et avec un ami résidant à Paris ou à Londres. Et puis, tu es un peu injuste avec Boston. C'est la plus riche ville de l'Union, certes, mais c'est aussi celle où l'on vend le plus de livres, celle où l'on compte le plus d'écoles ; et le budget du conservatoire de musique est, cette année, de trois cent mille dollars. C'est là que nous avons étudié, dans la meilleure université, souviens-t'en.

– *Sweet land of liberty*[1], ironisa Pacal.

De retour au cabinet d'architecture, Thomas, comprenant que ses arguments n'avaient pas convaincu, tira de sa bibliothèque un volume à la couverture fatiguée. Il le feuilleta et retint une page.

– Écoute ce qu'a écrit un poète, en 1855, et tu comprendras ce qui est en train de se passer sur ce continent, dit Thomas, avant de commencer sa lecture :

Une croissance rapide désormais,
Des éléments, des races, des ajustements, turbulents,
prompts, audacieux,
Un monde primitif à nouveau, des perspectives de gloire sans
interruption qui se ramifient à l'infini,
Une race nouvelle, dominant les races antérieures et bien plus
grande, avec de nouvelles luttes,
Une nouvelle politique, des religions et des littératures
nouvelles, de nouvelles inventions et de nouveaux arts,
Voici ce qu'annonce ma voix, aussi ne vais-je plus dormir,
mais me lever[2]. »

» Et l'Amérique s'est levée, pour donner au Vieux Monde une impulsion régénératrice, conclut Thomas avec enthousiasme en refermant le livre.

– C'est une profession de foi, dit Pacal.

---

1. En français : « Douce terre de liberté ». Leitmotiv de l'hymne *America*, écrite par le révérend Samuel Francis Smith, pasteur baptiste, et chantée pour la première fois le 4 juillet 1831, sur l'air du *God Save the King*, lors d'un service à l'église de Park Street, à Boston.
2. *Leaves of Grass* – en français *Feuilles d'herbe* – de Walt Whitman (1819-1892), traduction de Roger Asselineau, Les Belles Lettres, Paris, 1956.

Il s'empara de l'ouvrage et lut le titre, *Leaves of Grass*, et le nom de l'auteur, Walt Whitman.

– Notre poète est aujourd'hui âgé de soixante et onze ans. Il est impotent et pauvre. Une souscription publique a été nécessaire pour lui offrir un cabriolet et un cheval. Nous sommes nombreux à l'admirer et à suivre ses conférences sur Abraham Lincoln, mais certains le considèrent comme un illuminé et trouvent ses vers libres obscènes. Un critique a même dit qu'il était « habité par l'âme d'un âne sentimental qui serait mort d'un chagrin d'amour ». Heureusement que le philosophe Emerson nous a encouragés, jusqu'à sa mort, en 82, à le lire, dit Thomas.

– Si ton poète voit juste et si l'Amérique ressemble bientôt à ce qu'il annonce, tu ne me verras pas souvent à New York, plaisanta Pacal.

– Toi, tu vis sur ton île, comme au XVIIᵉ siècle. Les Cornfield y règnent depuis toujours en souverains paternalistes, avec une indifférence aristocratique au changement, rétorqua Thomas.

– Peut-être, mais à Soledad on trouve tout ce qui fait défaut ici. Considération pour l'être humain, quel que soit son sexe, la couleur de sa peau ou sa condition sociale, courtoisie, hospitalité, garantie du toit et du pain, rythme de vie en accord avec la nature. La courtoisie facilite les rapports, l'hospitalité est spontanée et ce paternalisme, que tu moques, débarrasse la charité de ce qu'elle a d'humiliant pour celui qui en bénéficie, quand elle est parcimonieusement réglementée par vos bienfaiteurs puritains. Leurs œuvres donnent bonne conscience aux millionnaires philanthropes, tel le rusé Rockefeller qui, après avoir désespéré et ruiné ses concurrents, inflige à leur descendance, avec une jouissance perverse, de nouvelles humiliations en ouvrant dispensaires, écoles et musées, pour soigner les corps, les esprits et les âmes qu'il a rendus malades. La civilisation nouvelle, que vous êtes en train d'inventer, Thomas, fera de l'homme un citoyen-marionnette, dont politiciens, affairistes et pasteurs tireront les ficelles. Très peu pour un Britannique ou un Français !

– En une génération, les États-Unis deviendront un modèle de civilisation évoluée et la première puissance au monde, comme le prévoit Whitman, asséna Thomas avec conviction.

– *Sweet land of liberty*, répéta lord Pacal, sans rire cette fois.

Lors de la traversée vers Soledad, Pacal devina que Susan s'efforçait de cacher une discrète mélancolie. Dès qu'eurent disparu les côtes américaines, elle ressentit le mal du pays. L'Océan étant calme, elle fit de longues stations sur la plage arrière, à l'abri d'un soleil de plus en plus brûlant, alors que le vapeur naviguait au sud, vers les Bahamas. Le roman de Henry James, *Daisy Miller*, qu'elle avait emporté dans ses bagages, gisait le plus souvent sur le pont et, seule, la brise narquoise en tournait les pages. Dans ces moments-là, Myra Maitland respectait le silence de la jeune femme, attribuant cette humeur sombre au fait qu'aucune des domestiques, noire ou mulâtre, qui servaient à Beacon Hill, n'avait voulu suivre sa maîtresse. Même pas la gentille Angela, pleurnicharde mais insoumise.

Susan supportait mal les rares absences de son mari, seul capable de lui faire oublier le sentiment de solitude qui l'angoissait dès qu'il s'éloignait. Pacal était tout ce qui la rattachait à ce qu'elle venait de quitter, celui avec qui elle puisse s'entretenir de Boston, de ses parents, de ses amis, dont chaque tour d'hélice l'éloignait davantage.

L'arrivée à Soledad, au premier jour du printemps, atténua sa morosité, car elle allait devoir tenir à Cornfield Manor le rôle, souvent imaginé, d'une vraie lady.

L'accueil enflammé de la population de l'île, accourue au port occidental, lui rendit sourire et confiance en la vie. Elle reçut, des mains d'une petite Arawak, un collier de coquillages et Ottilia lui offrit les premières roses de son jardin, avant de l'entraîner à Malcolm House, tandis que Timbo, nouveau majordome, organisait le transport des bagages vers Cornfield Manor.

Dès le lendemain, lord Pacal reprit avec satisfaction ses habitudes, entre son cabinet de travail, toujours fleuri par Violet, secrétaire attentive, ses inspections à travers l'île, ses entretiens avec les fermiers, les artisans, le cacique des Arawak et les visites des chantiers en cours avec son père.

Les deux hommes se plaisaient ensemble. L'amour filial et l'amour paternel avaient fondé leur féconde complicité, après la mort précoce d'Ounca Lou. Ils conservaient le même goût pour les chevauchées matinales, la baignade et la navigation autour de l'île, à bord d'un petit voilier bahamien, récemment livré par le chantier des Albury de Man O'War Cay. Pacal choisit une journée radieuse, lors d'une halte à Deep Water Creek, pour annoncer à Charles qu'il avait acquis en France le domaine, autrefois abandonné par leurs ancêtres, et qu'il comptait rendre à la vieille gentilhommière auvergnate son charme rustique et améliorer son confort.

Charles remercia son fils en le serrant dans ses bras, autant pour montrer que pour cacher son émotion. L'ingénieur voyait, dans cette décision de Pacal, une claire volonté de confirmer leurs attaches françaises.

— Puisque vos travaux d'adduction d'eau sont achevés, pourquoi n'iriez-vous pas passer quelques mois en France, avec Tatoti, pour diriger la restauration d'Esteyrac ? proposa Pacal.

— L'idée est séduisante. Nous en reparlerons, dit Charles.

Susan, aidée de lady Ottilia et du personnel du manoir, prépara la grande réception que son mari donna, le 5 avril 1890, à l'occasion du premier anniversaire de leur mariage.

La grossesse, vaillamment supportée, conférait à la future mère un port majestueux.

– M'ame Susan est une v'aie lady amé'icaine, décréta Timbo.

– Il n'est de lady qu'anglaise, rectifia Sharko, le barman du Loyalists Club, venu préparer les cocktails.

La fête, à laquelle participèrent tous les intimes du Cornfieldshire, fut chaleureuse, bien que Ma Mae, la cuisinière, considérant le teint de lis et de rose de sa nouvelle maîtresse, eût prédit que celle-ci portait une fille, alors qu'un garçon était souhaité par lord Pacal.

Uncle Dave, appuyé sur sa canne, les Weston Clark – Dorothy percluse de rhumatismes, les cheveux teints, aigre et envieuse, lui, amer, s'estimant injustement traité par Dieu et les hommes –, le pasteur Russell, montrant la sérénité d'un cœur pur, Palako-Mata, cacique déjà chenu des Arawak, Lewis Colson, peu prolixe, résigné à la retraite, Philip Rodney, éternel grognon, les Maitland, fiers d'appartenir à une communauté hors du commun : tous portèrent des toasts aux époux avant que Pacal ne levât son verre, devant le portrait de lord Simon, génie tutélaire de Soledad, qui, dans son cadre tarabiscoté, posait sur l'assemblée un regard souverain.

Quelques jours plus tard, l'annonce par un courrier envoyé de Nassau de la mort soudaine de Madge, une des jumelles Russell, belle-sœur d'Albert Fouquet, sema la consternation dans le Cornfieldshire. L'ingénieur disait attendre l'arrivée du père de la défunte, pour célébrer les funérailles. Pacal fit aussitôt mettre sous pression les chaudières de l'*Arawak*, commandé par Andrew Cunnings, pour transporter à New Providence, le vieux pasteur Russell et sa fille Violet. Charles Desteyrac et Uncle Dave décidèrent de les accompagner.

Le climat imposant une mise en bière rapide, personne n'avait pu voir le corps de la morte, emportée par une imprévisible embolie. Après l'office à la Christ Church Anglican

Cathedral, sur King Street, le cercueil fut porté à bord de l'*Arawak*, le pasteur souhaitant que sa fille reposât à Soledad, dans le caveau de famille, près de sa mère. Restait à accomplir une formalité macabre. D'après la loi, le coroner ne pouvait autoriser le transport d'un corps dans une île extérieure qu'après la formelle identification du cadavre. On dut donc ouvrir la bière devant le magistrat. Pour éviter cette épreuve à la survivante, anéantie par la disparition de sa jumelle, au pasteur et à Violet Russell, Uncle Dave, Charles Desteyrac et Cunnings se joignirent à Fouquet.

Avec une conscience tatillonne, le coroner fit écarter le linceul, pour dévoiler un corps de femme âgée, mais intact. Pressés d'en finir, deux garants étant nécessaires, Uncle Dave et Andrew Cunnings signèrent le procès-verbal et le cercueil fut refermé.

Durant l'opération, Albert Fouquet avait surpris le regard incrédule de Charles et sa brève hésitation quand l'officier de police lui avait demandé, comme aux autres, s'il reconnaissait la défunte.

Avant qu'il ne quitte le bord, au moment de l'appareillage de l'*Arawak*, Desteyrac, jusque-là silencieux, retint son ami, qui restait à Nassau avec la sœur de la défunte, rendue muette par le chagrin.

– La morte n'est pas Madge mais Emphie, lança brutalement Charles.

– Comment peux-tu dire ça ! s'indigna Fouquet.

– Il y a bien longtemps, quand tu t'es mis en ménage polygame avec les jumelles Russell, je t'ai demandé comment tu pouvais différencier deux femmes si semblables...

– ... et je t'ai répondu qu'Emphie avait, à la hanche une cicatrice due à une chute quand elle était enfant, coupa Fouquet, sans s'émouvoir.

– Cette cicatrice, je viens de la voir, Albert. La morte est ton épouse légitime, Emphie, et non Madge, belle-sœur et maîtresse ! Pourquoi cette substitution abominable ? Tu trompes ce pauvre pasteur et Violet.

– J'ai fait ça pour Madge, pour continuer à vivre avec elle, sans attirer l'attention. Tout ça, à cause de votre stupide loi anglaise, qui interdit à un veuf d'épouser la sœur de sa femme décédée[1]. Tout le monde n'est pas gendre de lord Simon qui savait comment contourner officiellement la loi !

– Et Madge a accepté ce changement d'identité ?

– C'est elle qui l'a proposé. Désormais, elle se nomme Emphie, mon épouse légitime. Elle a pris les papiers de sa sœur et détruit les siens. Ni vu ni connu, dit Fouquet.

– Faites en sorte que Michael Russell et Violet n'en sachent jamais rien, grommela Charles, abasourdi par cette consternante substitution.

– Tu es le seul à connaître notre secret, mon vieux.

– C'est pour ce bon pasteur et sa fille que je garderai le silence. Mais je trouve votre complicité odieuse. Vous êtes des dépravés, asséna Charles.

– Tu devrais, au contraire, être satisfait ! Je n'ai plus désormais, comme le premier mari venu, qu'une seule épouse, répliqua avec cynisme Albert.

– Tais-toi ! Marque un peu de respect pour Emphie, je te prie ! s'écria Charles, scandalisé.

Albert ne tint compte ni de la violence du ton ni du regard méprisant de son vieil ami. Considérant l'incident clos, il annonça son prochain départ pour la France.

– Je me fais un devoir d'aller témoigner pour mon maître, Ferdinand de Lesseps, malade et très diminué. Une instruction judiciaire a été ouverte contre les membres du Conseil d'administration de la Compagnie du canal de Panama, mise

---

1. Cette loi dite *Deceased Wife's Sister's Marriage*, qui qualifiait d'inceste le mariage d'un veuf avec la sœur de son épouse décédée, ne fut abrogée qu'en 1907. La loi interdisant, pour la même raison, à une veuve d'épouser le frère de son mari défunt, ne fut abrogée qu'en 1921. *Principles of Family Law*, Stephen M. Cretney and J. M. Masson. Harry D. Krause publisher, 1990, London.

en liquidation parce qu'obligations et actions n'ont pas tenu leurs promesses et que trop d'argent a été distribué à des politiciens corrompus. Les travaux de percement de l'isthme sont interrompus, depuis deux ans, et l'on rend responsable des déboires financiers et autres M. de Lesseps, un grand ingénieur de quatre-vingt-cinq ans[1], débita Albert Fouquet, qui trouvait là, en revanche, matière à s'indigner.

— Et tu emmènes Madge ? Peut-être dois-je dire Emphie ? demanda Charles.

— Bien sûr. Son voyage de noces en quelque sorte, s'exclama Albert.

Devant une telle insolence, Charles Desteyrac se retint de le gifler. D'un geste, il lui désigna l'échelle de coupée et le congédia sans lui serrer la main.

— Va-t'en et ne reviens pas ! jeta-t-il rageur.

Alors que le navire prenait le large, Desteyrac, qui n'avait rien de prude, s'interrogea longuement sur les égarements érotiques des humains. Il en vint à la conclusion que Willy Main-Leste, Malcolm Murray, Albert Fouquet, les sœurs Russell appartenaient à la même catégorie d'êtres, dont une sensualité perverse avait détruit le filtre de la conscience. Cette réflexion lui rappela le cabinet de curiosités de Malcolm. Il faudrait bien, un jour ou l'autre, qu'il informât Pacal de l'existence de ces étranges collections, enfouies sous le pavillon du parc d'Exile House, aujourd'hui résidence des Maitland.

---

1. Le montant des actions souscrites avait atteint 1 369 711 186 francs, qui, cette année-là, ne représentait plus que 169 516 903 francs, soit une moins value de 1 200 194 283 francs. Cette faillite provoqua un scandale parlementaire et le procès qui eut lieu dès le 21 mars 1893, aboutit à plusieurs condamnations dont celle, à cinq ans de prison et 750 000 francs d'amende, du ministre des Travaux publics, Charles Baïhaut.

En juin, Susan Desteyrac-Cornfield, qui avait élu comme médecin insulaire Luc Ramírez, un des fils de Paul Taval et de Manuela « parce que diplômé de l'école de médecine d'Hopkins, université américaine renommée », se prépara à partir pour Boston. L'accouchement étant prévu en août, elle devait quitter les Bahamas avant l'arrivée des ouragans. Dans le même temps, Charles et Ottilia, répondant à la suggestion de Pacal, décidèrent de se rendre en France, pour remettre en état le château d'Esteyrac. Ils embarquèrent avec Susan à bord du *Phoenix II*, pour New York où leurs passages pour Le Havre avaient été retenus sur *La Bourgogne*, luxueux paquebot de la Compagnie Générale Transatlantique, dont la vitesse annoncée dépassait dix-sept nœuds.

Après cette escale, le *Phoenix II* poursuivit sa route jusqu'à Boston où Susan, dès son arrivée, se confia aux soins du médecin des Buchanan, le docteur Gerald Barrett. La passagère débarquée, le *Phoenix II* reprit aussitôt la mer pour Soledad.

Lord Pacal, retenu sur son île en l'absence de son père, n'avait pas accompagné sa femme. Il s'était seulement engagé à la rejoindre, début août, pour être présent lors de l'accouchement. Susan n'avait pas voulu qu'il en fît une promesse formelle.

— Ne prenez pas le risque de naviguer si surviennent des tempêtes. Timbo, qui connaît le temps, m'a dit que les hutias cachent des provisions dans les trous de rochers, signe qu'ils prévoient l'arrivée d'ouragans dont ils ont très peur, s'était-elle forcée à dire.

Timbo et les hutias avaient prédit juste. Fin juillet, l'ouragan, formé comme toujours au cap Vert, frôla Cuba, s'attarda sur les Bahamas, causant quelques dégâts sur plusieurs îles, avant de poursuivre sa charge endiablée vers la Floride. Retenu à Soledad, lord Pacal s'impatientait, mais John Maitland et Philip Rodney déconseillèrent le départ et c'est par le bateau-poste de Nassau, livrant fin août un télégramme expédié de Boston, via la Floride, huit jours plus tôt, que lord Pacal apprit qu'il était père d'une fille. « Elle est superbe et sa maman se porte bien. Toutes deux vous attendent », écrivait Susan.

Quand, un mois plus tard, lord Pacal se trouva en présence de sa progéniture, il demeura un instant silencieux et sa perplexité, qu'elles prirent pour de l'attendrissement, amusa les dames Buchanan. Observant ce petit être, aux yeux mi-clos, coiffé d'un duvet décoloré et qui, emmailloté, ressemblait à une chrysalide dans son cocon, Pacal dit son bonheur et sa reconnaissance, alors qu'il s'étonnait de ne ressentir aucune émotion particulière. Il eût, certes, préféré un garçon, mais se garda de le laisser supposer devant une famille où régnait une sorte de matriarcat. Susan, embellie par la maternité, rayonnait de bonheur. Elle afficha une gaieté mutine en passant au doigt le saphir, monté en bague, cadeau d'un mari reconnaissant. Le bébé reçut pour prénoms Martha et Lucy. Celui de l'épouse de George Washington, vénéré dans la famille, et celui de la mère que Susan n'avait pas connue.

– Vous l'appellerez lady Martha, ordonna Susan aux domestiques, qui constatèrent que l'épouse du lord avait bien assimilé l'étiquette anglaise.

Dans une société où mondanités, sorties au théâtre et parties de campagne tenaient une large place, les jeunes mères n'allaitaient pas leur nouveau-né. Susan ne fit pas exception et le docteur Barrett recruta une nourrice. Les brunes passant pour produire un meilleur lait que les blondes, une belle Italienne fut retenue. Le praticien la présenta lui-même aux parents de Martha Lucy.

— Voici Paulina, c'est une fille mère que j'ai accouchée moi-même, il y a six semaines, d'un garçon qui, hélas, n'a pas vécu. Vingt-six ans, une bonne constitution, de l'hygiène, les dents saines, les poumons en bon état, pas de ganglions au cou, qui révéleraient une nature lymphatique, de beaux seins en poire – montrez vos seins, Paulina –, d'où sort un excellent lait, qui jaillit aisément comme vous voyez, dit le praticien en pressant le mamelon gonflé.

Gêné par l'air confus de la jeune Italienne, dont Barrett, tel un maquignon, venait de vanter les capacités de nourrice comme s'il se fût agi d'une vache laitière, Pacal intervint.

— Je vous suis reconnaissant d'avoir accepté de nourrir ma fille. Puisse sa présence vous consoler, en partie, de la perte de votre bébé, Paulina, dit-il avant de la congédier avec un sourire.

— Elle a l'air d'une brave fille et nous vous faisons confiance, docteur Barrett, émit Susan.

— Ne soyez pas trop aimable avec ce genre de femme. Dans sa position, celle-ci ne peut que se réjouir de l'aubaine qui lui échoît, fit observer le médecin, sèchement.

— Pourquoi avez-vous choisi une fille mère ? s'étonna le père de Martha.

— Je déconseille les nourrices mariées. Le mari a toujours des exigences, vous comprenez lesquelles, et, trop souvent, ces femmes se retrouvent enceintes, ce qui nuit à la qualité de l'allaitement. Et puis, j'ai dû en trouver une qui accepte d'aller vivre dans vos îles. J'espère, pour Susan et l'enfant, que vous avez là-bas un bon médecin, ajouta le praticien, un rien dédaigneux.

— Le docteur Luc Ramírez est diplômé de Johns Hopkins University, à Baltimore, ce qui vaut bien, j'imagine, l'école de médecine d'Halifax, dont on m'a dit que vous sortez, répliqua lord Pacal, mettant fin à l'entretien.

Le nouveau père souhaitait conduire femme et fille à Soledad, dans les meilleurs délais, mais il dut, avant d'embarquer, visiter la demeure acquise par Susan par l'intermédiaire d'Arnold Buchanan.

Dans cette maison cossue, en brique rouge sombre, percée de fenêtres aux encadrements blancs, seul le grand salon était déjà meublé.

– De quoi se faire une idée. Les autres pièces seront prêtes pour notre prochain séjour, expliqua Susan.

Au premier regard, Pacal reconnut le décor de la plupart des résidences de Beacon Hill. Cheminée de marbre avec pendule de bronze, servant de siège à une Athéna casquée, tapis à motifs floraux, lampes à pétrole ventrues, en porcelaine bleue et or, doubles rideaux en damas, cantonnières festonnées, lourdes passementeries, canapé en bois de rose, débordant de coussins, fauteuils à oreillettes, guéridon à pied tripode constituaient l'ensemble le plus prisé des riches bourgeois bostoniens.

– Tante Maguy nous offre ce paravent de tapisserie, ouvrage de ma grand-mère, Fanny O'Brien Metaz, et ma tante Fanny me donne ce paysage du cap Cod, de Copley, dit la jeune mère, désignant les objets censés conférer à la pièce un cachet particulier.

Bien que la saison des ouragans ne fût pas close, lord Pacal décida avec autorité, sans tenir compte des réticences de tante Maguy, du retour de sa famille à Soledad. Cette fois-ci, après bien des hésitations, quelques larmes et une augmentation de ses gages, Angela, la femme de chambre que tante Maguy « offrait » à sa petite-nièce, accepta de suivre sa nouvelle maîtresse.

Les Buchanan n'eussent pas pardonné à Pacal les dangers encourus par Susan si le *Phoenix II* avait dû affronter les tempêtes automnales. Par bonheur, le temps fut clément, la traversée sereine et la vie avait repris son cours, à Cornfield

Manor, quand, en novembre, les grosses pluies s'abattirent sur l'île.

Paulina se révéla une excellente nourrice et lady Martha prospéra, suivant les normes de poids et de taille établies par le docteur Barrett.

Pacal comprit bientôt que sa femme considérait Cornfield Manor comme une résidence de vacances, non comme le foyer familial. Elle appréciait Soledad, ainsi que les Américains des États du Nord faisaient cas de Nassau ou de Key West.

Pas une journée ne s'achevait sans qu'elle eût vanté, dix fois, à ses interlocutrices les plus familières, Dorothy Weston Clarke, Myra Maitland ou Violet Russell, les charmes inégalables de Boston.

– Il s'y passe toujours quelque événement intéressant. Une conférence de la ligue anti-alcoolique, le récital d'une cantatrice étrangère, la création d'une pièce de théâtre, une exposition de peinture, le bal des débutantes ou la fête des promotions, à Harvard. Si vous aviez vu Sarah Bernhardt dans *la Dame aux Camélias*, ce destin d'une courtisane scandaleuse, vous comprendriez qu'on ne peut trouver, nulle part ailleurs, autant de distractions, assura-t-elle un jour.

Avec un retard qu'elle déplorait, les lettres de Fanny, redoutable épistolière, les journaux et magazines, comme *The Globe* et *The Christian Examiner*, de Harvard, l'informaient de la vie, mondaine et culturelle, *Harper's Bazaar* et *Godey's Lady's Book* lui permettaient de suivre l'évolution de la mode, entre deux histoires, sentimentales mais édifiantes, et les conseils de beauté. L'épouse de Pacal trouvait dans ces lectures et la correspondance, régulièrement entretenue avec ses parentes et ses amies de pension, de quoi meubler les mois qui la séparaient d'un nouveau séjour en Nouvelle-Angleterre.

Au cours des premiers jours de 1891, s'accrût la méfiance que la jeune mère avait des Indiens, quand une lettre de tante Maguy et les journaux apprirent aux Bahamiens que les Sioux des Grandes Plaines, répondant aux exhortations de leur prophète Wowoka, avaient quitté les réserves, ce qui faisait craindre un soulèvement général des tribus. Le président des États-Unis, Benjamin Harrison, avait aussitôt donné l'ordre d'en finir avec la résistance indienne et d'incarcérer le vieux chef Sioux, Sitting Bull. Le 14 décembre, celui-ci avait été tué, lors de son arrestation, ainsi que ses deux fils. Le 29 décembre, trois cent cinquante-six Sioux, conduits par le chef Big Foot, entrés en rébellion, avaient dû se rendre aux militaires américains. Ils campaient paisiblement à Wounded Knee Creek, Sud Dakota, quand un détachement du *Seventieth Cavalry Regiment* les avait encerclés, après qu'un jeune Sioux eut brandi une carabine, échappée au désarmement. Suivant les ordres du général Nelson Miles, pourfendeur des Cheyenne lors de la campagne des Nez-Percés, les militaires avaient investi le camp. Au cours de l'assaut, cent quarante-quatre Indiens, dont quarante-quatre femmes et seize enfants, avaient été massacrés. Les Sioux ne disposaient que de massues, d'arcs et de couteaux. Ils avaient néanmoins tué une trentaine de cavaliers. Le lendemain, les corps des Indiens exécutés avaient été jetés, pêle-mêle dans une fosse commune[1].

– Je souhaite qu'un sort semblable à celui de ces Sioux soit réservé à tous les Indiens, afin que l'installation de la civilisation ne rencontre plus d'obstacle sauvage sur le territoire de l'Union, dit-elle.

---

1. Le 27 février 1973, deux cents membres de l'*American Indian Movement* (*AIM*) investirent le hameau commerçant de Wonded Knee et s'y enfermèrent en réclamant l'indépendance de la nation Sioux, une renégociation de tous les traités passés entre le gouvernement américain et les Indiens et une enquête du Sénat sur les traitements infligés aux Indiens en général. Assiégés par la police, ils résistèrent pendant soixante et onze jours et ne se rendirent, le 8 mai, qu'après avoir obtenu l'assurance de l'ouverture rapide de négociations loyales. Au cours du siège, deux indiens avaient été tués et un *federal marshal* grièvement blessé.

Pacal se retint de contester le souhait de son épouse, sans doute partagé par de nombreux Américains. Il n'entendait pas ouvrir de discussion sur un tel sujet.

Au printemps, lord Pacal décida de rendre visite aux équipes de Bahamiens qui récoltaient les éponges, pour le compte de la Cornfield Sponge Company, autour des Bimini Islands et à Key West. Il proposa à Susan qu'elle l'accompagnât, pour un séjour à l'hôtel Ponce de León, le palace de Saint Augustine où ils s'étaient rencontrés, quatre ans plus tôt. L'offre fut reçue avec un enthousiasme décuplé quand Pacal suggéra que Fanny pourrait les rejoindre par le train.

De décembre à mai, le Ponce de León, comme le Cordova et l'Alcazar, hôtels plus récents mais moins luxueux, faisait le plein de vieux couples américains, venus chauffer leurs membres rhumatisants au soleil, et de jeunes mariés fortunés, à qui l'on garantissait une lune du meilleur miel !

Servis par des domestiques stylés, nourris de poisson, de homards, de langoustes, de légumes frais, de fruits exotiques et de crème glacée, tous jouissaient de distractions organisées. Excursions dans les Everglades, *lawn tennis*, pêche à l'espadon, thés dansants occupaient les journées des plus actifs. Les épouses des sédentaires papotaient inlassablement dans les patios, pendant que les maris jouaient au bridge en guettant l'arrivée des cours de la Bourse de Wall Street, envoyés par télégramme de New York.

La nuit venue, dîners habillés et bals devenaient tournois d'élégance. Certaines épouses de millionnaires se présentaient parées de bijoux telles des vitrines de Tiffany.

Lord Pacal et Susan vécurent d'heureux moments dans l'oasis de Henry Flagler, entre massifs de fleurs tropicales et fontaines murmurantes. La tiédeur des nuits floridiennes, attisant la sensualité d'ordinaire plus complaisante que fougueuse de Susan, Pacal ne dormit pas souvent seul. Pour la Bostonienne, le plaisir de l'étreinte conjugale allait de pair avec l'ambiance féerique du lieu et donnait un charme libertin au petit déjeuner que les époux prenaient, en robe de chambre, dans l'intimité. Celle que tous les résidents désignaient comme « la châtelaine des Bahamas », était là dans son élément. L'arrivée de Fanny, qui aurait dû ajouter à son bien-être, jeta une ombre sur un bonheur béat. Sa tante faisait un visible effort pour montrer un peu de l'enjouement folâtre qui égayait autrefois son entourage.

Un matin, descendant tôt au jardin, Pacal aperçut Fanny accoudée au balcon de sa chambre. Elle observait, à distance, la baie du Matanzas et le port encombré de yachts. Jamais visage de femme n'avait exprimé une aussi grande lassitude de vivre.

Sachant Andrew Cunnings à bord du *Phoenix II*, ancré devant la cathédrale, qui, en partie détruite par le feu en 87, venait d'être restaurée, Fanny espérait, autant qu'elle redoutait, une rencontre avec son amant d'une saison.

— Je me sens maintenant à l'écart de la vie, confia-t-elle, un moment plus tard, à Pacal en l'assurant de sa gratitude pour l'invitation qu'il lui avait adressée.

Le Bahamien comprit que la plaie, ouverte par le renoncement imposé à Fanny d'une union avec le marin, n'était pas cicatrisée.

— Je devine l'origine de votre mélancolie, dit-il, profitant d'une absence de sa femme.

— Que voulez-vous, mon ami, je dois me faire une raison, l'amour, c'est pour les autres. Je suis vouée à la solitude, acheva-t-elle, dans un souffle, comme Susan approchait.

Devant lord Pacal, qui n'encourageait pas, il est vrai, les confidences, Cunnings n'avait jamais fait allusion à son aventure avec la quadragénaire, dont la toison blond filasse absorbait heureusement les premiers cheveux blancs. Pacal savait que son équipier au polo avait renoué, à Nassau, avec Ellen Horney, la cousine de Lizzie Ferguson, exilée à la Jamaïque. Sans être un lovelace, Andrew séduisait sans effort, car les quêteuses intuitives devinaient d'emblée, en lui, le serviteur de femmes. Profiter de ce don sans s'engager était règle de célibataire, mais, avec Fanny, femme mûre, il avait connu l'ineffable fusion du désir et de la dilection, d'où naissent les amours véritables et les folles passions. Avait-il oublié ?

John Maitland et son second, se relayant à bord du *Phoenix II*, faisaient des apparitions à l'hôtel, où Pacal conviait l'officier libéré du service à partager un repas. C'est ainsi qu'Andrew se retrouva, lors d'un déjeuner, en présence de la tante de Susan.

À la vue de l'officier, Fanny vacilla, au bord de la défaillance. Sans se soucier de la présence des autres, Cunnings lui prit la main, la conduisit à un fauteuil, dans le hall de l'hôtel, et s'assit près d'elle. D'un geste, Pacal retint sa femme, qui, alarmée par la soudaine pâleur de sa tante Fanny, s'apprêtait à rejoindre le couple.

– Laissez-les en paix, Susan ! ordonna-t-il vivement en lui prenant le bras, pour se diriger vers la salle à manger.

Quand, un quart d'heure plus tard, Fanny et Andrew se présentèrent à table, la même confusion allègrement assumée se lisait sur leur visage. Le regard de la Bostonienne avait retrouvé son éclat malicieux. L'aparté avec Cunnings venait de lui effacer des mois de déréliction et, pour la première fois depuis son arrivée en Floride, Pacal et Susan l'entendirent rire.

Au dessert, l'officier, qui devait regagner le yacht en fin d'après-midi, demanda à lord Pacal la permission d'enlever Fanny pour une promenade au fort Marion. La permission accordée, une voiturette à dais de toile fut aussitôt commandée. Pour meubler l'attente, Pacal, devinant que

Susan désapprouvait cette escapade, traita les amoureux en touristes.

– La construction de fort Marion, sur l'emplacement de l'ancienne forteresse espagnole San Marco, d'après des plans de Vauban, a duré cent ans. Elle n'a été achevée qu'en 1821. Vous y verrez la cellule d'où s'échappa Coaconchee, le chef des Seminole, fait prisonnier pendant la guerre que les Américains menèrent contre les Indiens de Floride, entre 1835 et 1842, commenta-t-il.

Quand les promeneurs s'éloignèrent, lord Pacal s'attendait à un commentaire critique de Susan, sur la conduite de sa tante, mais ce fut aux Seminole qu'elle s'en prit.

– La gouvernante de l'hôtel m'a dit qu'au cours de cette guerre, dont vous venez de parler, les Indiens seminole avaient tué plus de deux mille soldats américains. Elle m'a dit aussi que, quelques Indiens, que notre gouvernement a eu le tort d'épargner, vivent dans les marécages des Everglades, avec les alligators. Comme ils font beaucoup d'enfants, on craint ici qu'ils ne reviennent, un jour, attaquer les Blancs, dit-elle.

– Vous oubliez toujours, Susan, que les Indiens – Sioux, Seminole, Choctaw, Algonquin, Huron : on en comptait plusieurs millions, répartis en cent nations – furent les premiers Américains et que les descendants des Seminole sont chez eux en Floride, comme les Sioux dans les Grandes Plaines. Les premiers Européens sont venus ici chasser le castor, rappela Pacal.

– Les Blancs ont apporté la civilisation, répliqua Susan.

– Et, aussi, des maladies alors inconnues des Indiens, comme la variole et l'alcoolisme. Vos ancêtres colonisateurs sont aussi coupables que les miens, concéda Pacal, pour mettre un terme provisoire à une discussion qui ne serait jamais close.

Fanny rayonnait de joie candide quand elle revint, seule, au Ponce de León, à la fin de l'après-midi. Les Bahamiens surent bientôt la raison de cette exubérance retrouvée.

— Andrew et moi, nous avons décidé que plus rien, sauf la mort, ne pourra désormais nous séparer. Si vous voulez bien de moi à Soledad, je m'y installerai. Andrew dit que le pasteur Russell pourra nous marier et que son bungalow est assez vaste pour abriter notre ménage. Voilà ce que nous avons décidé cet après-midi, au fort Marion, débita Fanny sans reprendre souffle.

— Est-ce sage, Fanny ? Que va dire tante Maguy ? risqua Susan, stupéfaite.

— Ah, parlons-en de Maguy ! Sais-tu qu'elle ne m'a jamais remis les lettres que m'envoyait Andrew ? Je n'ai que faire de l'avis de ce dragon égoïste. Je ne veux plus entendre parler d'elle, et je vais lui ôter l'administration de mes biens. Désormais, je suis libre, et personne ne m'empêchera de faire ce que bon me semble. Voilà ! déclara la Bostonienne, péremptoire.

— Mais, à votre âge, est-ce judicieux, de vous engager à un homme plus jeune que vous ? insista Susan.

— Oublie mon âge, s'il te plaît ! Un jour, tu l'auras, et je te souhaite d'avoir alors la jambe aussi légère et la fesse aussi ferme que les miennes aujourd'hui, ma petite ! lança Fanny, excédée.

La trivialité voulue du propos et l'hilarité de Pacal firent monter le rouge aux joues de Susan.

— Je ferai tout pour que vous soyez heureuse, dit le lord en prenant la main de Fanny pour y poser un baiser.

— Vous, Pacal, vous me comprenez, n'est-ce pas ? Je ne demande que quelques années de vie intense, tous risques acceptés. Si le Seigneur est juste, comme on le dit, il me les accordera. Alors, voulez-vous m'emmener avec vous à Soledad ?

– Dans une semaine, nous appareillerons pour... Cythère, confirma gaiement lord Pacal, satisfait du bon tour joué à la parentèle puritaine de son épouse.

Ce soir-là, Susan n'invita pas son mari à la rejoindre dans sa chambre. Trop d'idées se heurtaient dans son esprit, pour qu'elle se prêtât aux caresses. Étant donné la fortune dont pouvait disposer Fanny Buchanan, elle n'imaginait pas Andrew Cunnings en amoureux désintéressé. Dans sa prière du soir, qu'elle récitait depuis l'enfance, à genoux au pied de son lit, elle demanda au Seigneur de pardonner la déraison de sa tante et d'aider la famille à supporter l'humiliation et les moqueries qui prévaudraient quand on apprendrait, dans les salons de Beacon Hill, l'extravagance d'un tel mariage.

Dès le retour à Soledad, Susan, encouragée par son mari, pressa le pasteur Michael Russell de célébrer au plus vite, dans l'intimité, l'union de Fanny et Andrew.

– Si l'on tarde, ces deux-là sont bien capables de vivre sous le même toit – et de partager le même lit – aux yeux de tout le Cornfieldshire, sans être unis par le sacrement de mariage, présagea Pacal avec malice.

Une semaine après le retour de Floride, l'ordre moral fut respecté et lord Pacal donna, à Cornfield Manor, un dîner pour les époux, qui reçurent, suivant la tradition établie par lord Simon, un grand bol à punch en argent.

Quoiqu'il lui en coûtât, Susan s'habitua à considérer sa tante comme l'épouse d'Andrew Cunnings et à la voir partout reçue avec respect et considération.

– Enfin, une vraie femme parmi nous, commenta Dorothy Weston Clarke, qui tenait l'épouse américaine de Pacal pour poupée de *tea-cosy*[1].

---

1. Cache-théière.

Dans une longue lettre, envoyée de France en juin 1891, Charles détaillait, pour son fils, l'état d'avancement des travaux à Esteyrac.

« La vieille gentilhommière auvergnate se prête, sans surprise − et je veux croire avec plaisir − à une restauration qui lui a déjà rendu l'apparence qu'on lui voit sur des gravures du XVIIe siècle, qu'Ottilia et notre architecte ont trouvées, dans les archives départementales et chez les libraires. Les villageois, le maire le premier, suivent avec intérêt la rénovation de ce que les anciens nomment toujours "le château".

» La remise en état du gros œuvre est terminée. Les combles sont hors d'eau, depuis que les toits ont été couverts d'ardoises neuves et les chéneaux remplacés avec art par des couvreurs venus de Bourgogne, MM. Guingand, père et fils. Les tailleurs de pierre ont refait à l'identique encorbellements, encadrements, fenestrelles et meneaux. Pour l'escalier, un ferronnier se dit capable de forger une balustrade suivant le modèle d'origine, dont nous possédons le dessin. La façade, débarrassée de plusieurs couches de crépis, qui n'étaient pas d'origine, restitue, dans toute leur sévérité grise, les belles pierres de Volvic. Un jeune sculpteur, qui travaille l'arkose de Montpeyroux − ce grès composé de quartz et de feldspath, dont sont faites la plupart des églises romanes de la région − a rendu aux nymphes du grand bassin leurs membres amputés par les révolutionnaires. Visages et bustes ont aussi retrouvé intégrité et charme. Ne manque ni un nez ni un téton. Grâce au maître fontainier d'Issoire, l'eau coule à nouveau des amphores de nos naïades, en mélodieux clapots. Le curé m'a demandé si nous allions, aussi, restaurer la chapelle, transformée en porcherie au temps de la déesse Raison. J'ai pris sur moi de l'assurer qu'il pourrait, un jour, dire la messe au château, comme le faisaient, paraît-il autrefois, ses prédécesseurs.

» Nous entreprendrons l'aménagement intérieur dès que les parquets disjoints auront été remplacés par le charpentier du village. Ottilia et une jeune institutrice, passionnée par l'histoire locale, vont se mettre en chasse pour tenter de dénicher, chez les d'antiquaires d'Issoire et de Clermont, de quoi compléter le mobilier. J'ai déjà acheté, à des gens du cru, des meubles d'époque, enlevés en 1793 aux châteaux du Cantal, par quelques jacobins, volontiers pillards. Ces paysans conservaient, plus par économie que par goût, armoires, commodes, vaisseliers et bahuts, reçus en héritage. Je leur ai offert de quoi se procurer des meubles neufs, sortis des fabriques clermontoises.

» Le père Travol, le fermier à qui tu as acheté le domaine, prend très au sérieux son rôle d'intendant. Coiffé d'un chapeau neuf et de son bourgeron des dimanches, il veille sur le chantier et éloigne les curieux. Sa femme nous sert, chaque jour à midi, des menus peu variés mais roboratifs. Depuis notre arrivée, nous logeons chez une veuve proprette, qui s'occupe de l'entretien de notre linge. Elle a définitivement gâché une chemise de batiste d'Ottilia en la mettant à bouillir, avec de la cendre de bois, dans sa lessiveuse, afin qu'elle soit plus blanche ! Comme tu vois, nous sommes de vrais ruraux en attendant de devenir, grâce à toi, de nouveaux châtelains. Je compte encore six mois avant de pouvoir te remettre les clefs d'une gentilhommière habitable. »

À la suite de ce rapport circonstancié, l'ingénieur révélait un événement, à ses yeux considérable, qui s'était produit dans le parc du château d'Arminvilliers, près de Paris, le 9 octobre de l'année précédente, et que les journaux américains n'avaient pas rapporté.

« Un ingénieur électricien, M. Clément Ader, a volé à bord d'une machine de son invention, baptisée *Éole*, du nom du dieu des vents, chez Homère.

» Ce premier vol d'un homme sur un engin aux ailes semblables à celles des chauve-souris, mu par une hélice à quatre pales et un moteur à piles électriques, fut court et bref. Entre cinquante et cent mètres, à vingt mètres au-dessus du sol. On dit que, depuis cet exploit, M. Ader a fait mieux. Dans sa propriété des environs de Paris, interdite aux curieux, il aurait volé sur trois ou quatre cents mètres », précisait Charles Desteyrac.

— Le rêve d'Icare est peut-être réalisable, grâce à l'électricité[1], dit Pacal à Susan.

— Ceux qui veulent voler, comme l'oiseau, provoqueront la colère du Créateur et périront. L'espèce humaine n'a pas été créée pour voler. L'homme doit rester à sa place sur la terre, asséna Susan.

— C'est bien Dieu qui créa l'électricité. Elle est contenue dans la foudre et l'homme n'a fait que domestiquer ses effets, fit observer Pacal.

— C'est parce qu'elle vient de Dieu, le Grand Justicier, que l'effet foudroyant de l'électricité a été utilisé pour exécuter, de manière propre et sans douleur, un criminel, un certain Kemmeler, répondit Susan.

La Bostonienne faisait allusion à la première exécution par la chaise électrique, qui avait eu lieu dans la prison d'Auburn, État de New York, le 6 août 1890, mais dont les autorités avaient retardé la divulgation au public.

— Sans douleur, dites-vous ! Ce n'est pas ce qu'a rapporté le journal français *L'Illustration*, que reçoit mon père. Ce fut, ma chère, une épouvantable expérience. Vous devez le savoir, même si vos gazettes bostoniennes n'en ont rien révélé, dit Pacal.

Il se fit apporter le magazine par Violet Russell, l'ouvrit et lut :

---

1. Les piles ne délivrant qu'un courant peu puissant, et pendant peu de temps, Clément Ader abandonna bientôt l'électricité comme moyen de propulsion.

– « Quand la communication électrique fut établie, le corps se souleva avec de violents soubresauts, malgré les liens dont il était surchargé. Les mains se contractèrent, avec tant de force, que l'ongle d'un index s'incrusta dans la paume, en faisant couler un filet de sang. La peau devint livide, puis d'un rouge sombre, mais il fallut dix-sept secondes pour que le condamné ne donne plus signe de vie. On crut que tout était fini et le courant fut interrompu ; la contracture générale cessa aussitôt, mais bientôt la poitrine du supplicié se souleva dans un violent effort pour respirer, les mâchoires s'entr'ouvrirent et un flot d'écume sanglante s'échappa de la bouche qui émettait des sons inarticulés. » Voilà ce que raconte un témoin. Il ajoute qu'on dut remettre les électrodes en place, sur le condamné, pour une nouvelle décharge, qui, cette fois, fut fatale, mais après deux minutes de torture, dit Pacal.

– Ce Kemmeler était un horrible assassin. Les journalistes de Boston ont écrit, il y a peu, qu'il avait accepté la mort par électrocution, mon ami. Vous n'allez pas le plaindre, s'indigna Susan.

– Il a payé ses crimes et ce n'est pas lui que je plains. Ce sont ses bourreaux, qui, pour appliquer une sentence, sans doute justifiée et équitable, se sont ravalés au niveau des tortionnaires du Moyen Âge, qui donnaient la question et la roue aux condamnés, avant de les pendre ou de les brûler.

– Notre justice a besoin d'exécuteurs...

– ... et de bons électriciens, coupa lord Pacal.

3.

Le dernier tournoi de polo de la saison 1891 fut organisé en juin, à Nassau. Au premier jour de l'été, lord Pacal et Andrew Cunnings, les meilleurs joueurs de l'équipe des Out Islands, quittèrent Soledad, à bord de l'*Arawak*. Susan et sa tante Fanny furent conviées à les accompagner.

Les rencontres de polo étaient devenues, au fil des années, un événement aussi mondain que sportif. Dans les tribunes, et au cours des réceptions qui suivaient les matches, les notables des îles extérieures rencontraient, hors de leur bureau, des membres du gouvernement, des élus et les fonctionnaires du Colonial Office, à qui les propriétaires avaient toujours quelque doléance à exprimer ou faveur à demander. C'était, pour les élégantes, l'occasion d'exhiber leurs toilettes d'été, pour les esseulées, l'espérance d'une invitation, pour les mères, l'opportunité de présenter aux célibataires – officiers de la Navy en escale, fils de négociants fortunés, jeunes touristes américains – les filles à marier.

Quand les gens de Soledad s'installèrent au Royal Victoria Hotel, trois jours avant le premier match, le directeur, accueillant lord Pacal, avec les mêmes égards dus autrefois à son grand-père, signala avec fierté la présence de deux personnalités anglaises.

– Nous avons dans nos murs, depuis le 25 mai, MM. Austen et Neville Chamberlain, fils de deux mariages de Joseph Chamberlain, ancien maire de Birmingham, qui fut ministre du Commerce dans le gouvernement de William Gladstone. L'aîné, Austen Chamberlain, militant libéral unionist, briguera, l'an prochain, un siège à la chambre des Communes, mais son demi-frère, Neville Chamberlain[1], qui n'a que vingt-deux ans, va nous rester, car son père vient d'acquérir quatre mille acres[2] sur Andros Island, à seize miles de Fresh Creek. Les Chamberlain veulent établir à Twin Lake une plantation de sisal et Neville en sera le gérant, confia le directeur.

Dès le lendemain, le fondé de pouvoir des Cornfield à Nassau compléta l'information de lord Pacal. Il lui rappela d'abord que Joseph Chamberlain, homme politique fort ambitieux, s'était séparé, en 1886, du Premier ministre libéral, William Gladstone, à la suite d'un désaccord sur l'Irlande, et avait aussitôt rejoint les dissidents libéraux unionistes, proches des conservateurs, qui n'acceptaient pas que l'Irlande pût un jour se séparer du Royaume-Uni. Enrichi par la fabrique de vis familiale, à Birmingham, le politicien avait perdu récemment une partie de ses avoirs dans des spéculations hasardeuses, en Argentine.

– Il se prépare à investir cinquante mille livres sterling à Andros en espérant que le sisal[3], dont la culture, fort

---

1. 1869-1940. Il s'agit du futur Premier ministre de Grande-Bretagne, qui, le 29 septembre 1938, à Munich, signa avec Édouard Daladier, président du Conseil français, le Duce Benito Mussolini et le chancelier Adolf Hitler, les accords dits « de Munich » qui livrèrent les territoires des Sudètes à l'Allemagne. Son demi-frère, sir Austen Chamberlain (1863-1937), fut successivement chancelier de l'Échiquier, de 1903 à 1906, puis secrétaire pour l'Inde et ensuite ministre des Affaires étrangères, de 1924 à 1929.
2. Environ six cents hectares.
3. Sisal est le nom usuel de la fibre qu'on tire de l'agave, plante tropicale vivace, ayant le port de l'aloès. Sa hampe florale peut atteindre six mètres de hauteur. Ses feuilles allongées, aiguës, épaisses, dégagent une odeur suave et mesurent parfois deux mètres de longueur. Les fibres textiles, qui deviennent le sisal, se trouvent dans les feuilles et peuvent être récoltées dès la troisième année de la végétation de la plante. Le sisal tient à la fois du chanvre et du lin. On en fait des lignes pour la pêche, mais aussi des textiles, des filets, des cordages, des brosses, des tapis, des paillassons. Le sisal résistant à l'eau salée, les marines de

rentable, est vivement encouragée par notre gouverneur, sir Ambrose Shea, lui permettra de restaurer sa fortune, expliqua le courtier.

– Le jeune Neville est-il capable de gérer une plantation ? demanda lord Pacal.

– Je sais qu'il envisage de planter six mille pieds d'agave qui, dans trois ans, devraient produire le sisal qu'on extraira sur place, dans des moulins. Il doit embaucher, à Andros, au moins cinq cents ouvriers. Mais je doute un peu des compétences de Neville Chamberlain. Il a étudié la métallurgie et les sciences à l'université de Birmingham, avant de travailler dans un cabinet d'experts-comptables. Rien, en somme, qui prépare à l'agriculture, observa l'homme d'affaires.

Pacal, dont un ami cultivait l'agave à San Salvador, savait à quoi s'en tenir sur la rentabilité du sisal. Son prix de revient était de douze livres sterling la tonne, qu'on vendait entre vingt et vingt-cinq livres en Angleterre et aux États-Unis. Les moulins à décortiquer la fibre demandaient un entretien constant, et un ouragan pouvait abattre des milliers d'agaves en quelques minutes. À Andros Island, Neville Chamberlain devrait donc attendre trois ans avant d'effectuer une première récolte. On ne pouvait que lui souhaiter bonne chance.

Dès la fin du premier match de polo, que son équipe remporta, lord Pacal vit venir à lui, abritée sous une ombrelle festonnée de dentelle, Ellen Horney, la cousine de Lizzie Ferguson. Andrew Cunnings avait annoncé son mariage à cette maîtresse accommodante et rien, dans l'attitude de la jeune femme, ne laissait supposer déception ou amertume. Libre et disposant de copieux revenus, elle ne songeait guère

---

commerce et de guerre en faisaient, au XIXe siècle, une grosse consommation. Comme les Mexicains, certains Bahamiens tirent de l'agave une liqueur sucrée, dont le goût rappelle celui du cidre.

au mariage, « institution qui fait de la femme l'esclave, non seulement d'un homme, mais aussi de rites mondains, de tabous, de préjugés encombrants », avait-elle dit un jour.

– J'ai aperçu l'épouse d'Andrew. C'est une belle dame, un peu mûre, mais c'est ce qu'il faut à ce charmant quadragénaire. Le président du Polo Club m'a présentée à votre épouse. Elle est superbe. Terriblement américaine de Nouvelle-Angleterre, mais d'une fraîcheur de lys et de rose. Qu'elle veille à protéger sa carnation de porcelaine. Le climat de nos îles et l'air océanique brunissent le teint, fripent la peau et nous rident comme des pommes oubliées au cellier. Offrez-lui vite une ombrelle, mon ami, dit Ellen, persifleuse, en s'éloignant.

Quelques jours plus tard, à l'issue d'un match moins heureux, Pacal, essoufflé et claudiquant – il avait reçu un coup de maillet au tibia et mis à mal trois de ses poneys –, avançait vers les vestiaires, appuyé à l'épaule de Cunnings, lui aussi très éprouvé, quand Ellen Horney vint à leur rencontre, portant un grand pichet d'eau fraîche.

– Puisque vos épouses papotent avec la femme du gouverneur, je vous apporte, en bonne camarade, de quoi vous désaltérer, dit-elle.

Le rafraîchissement fut apprécié, mais ce geste de samaritaine n'était que prétexte à une confidence destinée à Pacal.

– Lizzie, qui se réjouit de vous savoir père de famille, m'écrit de la Jamaïque, pour annoncer son retour à Nassau, l'an prochain. Ferguson doit prendre la direction des Lloyd's pour les West Indies. Elle espère avoir conservé votre amitié, dit Ellen.

Lord Pacal avait, longtemps, entretenu avec Liz Ferguson une correspondance épisodique, qui avait été interrompue après l'annonce de son mariage avec Susan Buchanan.

– Quand vous écrirez à votre cousine, dites-lui ma reconnaissance pour une saison qu'elle rendit fort agréable, répondit Pacal en s'éloignant.

C'était manière de clore courtoisement une relation qui ne lui laissait que de bons souvenirs.

– Les femmes acceptent qu'on les quitte, mais pas qu'on les oublie, commenta Cunnings en riant, quand les deux amis se retrouvèrent seuls aux vestiaires.

Au cours de deux semaines consacrées au polo, les habitants de Nassau firent leurs adieux au *First West Indies Regiment* qui, du fait de la fermeture de l'Imperial War Department aux Bahamas était envoyé à la Jamaïque. Le Colonial Office autorisa, dans le même temps, la création d'une gendarmerie insulaire, pour assurer la sécurité de l'archipel, qui comptait alors quarante-sept mille cinq cents habitants.

Avant de regagner Soledad, lord Pacal participa financièrement à l'achat d'un vapeur, destiné à la Bahamas Steamship Company récemment créée. Le paquebot, sous pavillon bahamien, relierait chaque semaine Nassau à New York.

Les yachts américains étant de plus en plus nombreux, dans le port de Nassau, où leurs riches propriétaires et les équipages goûtaient les plaisirs d'une escale exotique, la direction du Royal Victoria Hotel décida, le 4 juillet, de célébrer, par un dîner de gala et un bal, l'Independence Day, fête nationale des États-Unis. Susan, que les galants de la haute société coloniale avaient surnommée « le lys de Soledad », apparut comme reine de la fête quand le consul des États-Unis lui demanda d'ouvrir le bal avec lui.

Après la fête, elle commenta ces moments de bonheur.

– Ce soir, j'ai eu le sentiment de représenter mon pays. J'ai compris combien tous ces Bahamiens aiment les États-Unis, si proches de leurs îles, dit-elle, après avoir accueilli, en grande dame, les hommages des notables et reçu une gerbe de roses du gouverneur.

Si Pacal fut flatté par la déférente estime témoignée à sa femme, Fanny Cunnings estima que sa nièce avait, d'abord, été louangée comme épouse d'un baronet Cornfield, descendant de la plus ancienne famille anglaise des Bahamas. Elle trouva un rien exagérée l'obséquiosité de certains envers une Américaine plus naïve que modeste.

— Elle va se prendre pour Betsy Ross[1], persifla-t-elle.

C'est pendant la traversée de retour vers Soledad que Susan annonça à son mari qu'elle attendait un deuxième enfant.

— J'espère que ce sera un garçon, un frère pour Martha. Nous l'avons, je crois, conçu en Floride. Il devrait voir le jour en janvier prochain. Comme je suis heureuse, dit-elle.

— Garçon ou fille, cet enfant sera le bienvenu, commenta Pacal en enlaçant sa femme.

Dès le lendemain, Susan ayant rappelé qu'elle souhaitait passer les derniers mois de sa grossesse à Boston, se posa la question de l'époque à retenir pour son passage aux États-Unis. Attendre novembre serait s'exposer au risque d'une traversée en fin de période des tempêtes et, peut-être, d'ouragans tardifs.

Lord Pacal aurait aimé que l'enfant attendu naquît à Soledad, surtout s'il s'agissait du fils espéré, mais les Buchanan avaient bien stipulé, dans le contrat de mariage de Susan, que ses enfants naîtraient à Boston et seraient, garçons ou filles, citoyens américains.

Les vieux marins, comme Lewis Colson et Philip Rodney, qui, depuis plus d'un demi-siècle, naviguaient entre États-Unis et Bahamas, savaient que le gros temps, les cyclones, qui se développaient parfois localement, et les ouragans,

---

1. D'après la légende, Betsy Ross (1752-1836) serait la jeune femme de Philadelphie qui confectionna The Stars and Stripes, le premier drapeau de l'Union, en juin 1776, à la requête de George Washington.

venus de l'Équateur, rendaient toute traversée hasardeuse entre août et octobre.

Lord Pacal donna loyalement le choix à sa femme.

— Ou vous partez pour Boston aux premiers jours d'août ou vous attendez décembre, résuma-t-il.

— Je suis prête à partir demain, si vous venez vous installer, avec moi, dans notre maison de Beacon Hill, dont je sais maintenant, par tante Maguy, qu'elle est prête à nous recevoir. Partir seule serait être bien longtemps séparée de vous, répondit-elle.

Lord Pacal prit le temps de la réflexion.

— Je vous accompagnerai, mais mon séjour à Boston sera de courte durée. Nous allons célébrer ici, l'an prochain, le quatre centième anniversaire du débarquement de Christophe Colomb sur l'île de San Salvador. Je dois, aussi, préparer la participation des Bahamas à l'Exposition universelle en cours d'organisation, à Chicago, précisa-t-il.

Au moment du départ, début août, surgit une complication ancillaire. Martha avait été sevrée et Paulina pouvait regagner la Nouvelle-Angleterre, libérée de sa fonction de nourrice. Lord Pacal, sachant que l'Italienne avait engagé un flirt avec un quartier-maître de la flotte Cornfield, ne fut pas étonné quand elle demanda à rester à Soledad, le marin lui ayant promis le mariage.

— Ainsi, votre prochain bébé aura un père connu, fit observer Pacal, narquois.

— *My lord*, je connais bien le père du bébé que j'ai perdu. Certes, il était tout bleu à la naissance, à cause du cordon qui l'avait à moitié étranglé, mais je peux dire que c'est son père qui l'a laissé mourir, pour protéger sa réputation, confessa-t-elle, humiliée par la réflexion du lord.

— Comment cela ?

– C'était le médecin, *my lord*. Celui qui a mis au monde mon bébé.

– Vous parlez du docteur Gerald Barrett !

– Oui, *my lord*. Je vais tout vous dire, car je suis pas *una sgualdrina*[1]. J'étais lingère chez les Barrett et, comme les autres filles de service, j'ai dû en passer par où le docteur voulait. Sinon, j'aurais perdu ma place et j'en aurais pas trouvée d'autre à Boston, *my lord*. J'ai du chagrin, d'être séparée de la petite Martha, si douce et gentille. Mais, gardez-moi à Soledad, je vous en prie, *my lord*. Ici, je serai heureuse avec un brave Irlandais, supplia-t-elle.

Lord Pacal accéda à ce souhait et décida d'inviter Susan à choisir un nouvel accoucheur. La clientèle huppée du docteur Barrett ne pouvait ignorer sa paillardise, à coup sûr divulguée, d'une office à l'autre, par la gent domestique. Seule, la dissimulation hypocrite des puritains bostoniens faisait encore écran au scandale.

Un matin d'août, radieux, alors que ciel et mer composaient un camaïeu de bleus dont Susan avait vainement tenté de capturer les nuances dans ses aquarelles, le *Phoenix II* prit le large. Paulina avait accepté de faire la traversée pour s'occuper de Martha, blonde et gazouillante fillette d'un an, marcheuse précoce, toujours prête à s'échapper. L'Italienne reviendrait à Soledad avec lord Pacal.

Susan, qui souhaitait donner à sa fille une nurse anglaise, se dit satisfaite du choix de la nourrice, qui n'eût pu tenir une fonction d'éducatrice.

– Ainsi, je n'aurai pas à congédier cette femme, au regard insolent. Elle refusait les menus, ordonnés par le docteur Barrett, pour qu'elle produisît un bon lait digeste, précisa Susan.

– Notre fille est en excellente santé. Paulina a donc bien rempli ses devoirs, constata sèchement Pacal.

---

1. Gourgandine, en italien populaire.

– Certes, mais j'ai dû lui interdire de parler italien à
Martha et de lui chanter des berceuses de son pays. Vous
imaginez ma fille m'appelant *mamma mia*! Maintenant,
nous n'avons plus besoin d'elle. Qu'elle aille où bon lui
semble, conclut Susan.

Fanny, truculente épouse d'Andrew Cunnings, avait
embarqué avec son mari, comme Myra Maitland, femme
du commandant. Embarrassé mais courtois, Pacal n'avait pu
s'opposer au désir de Fanny « d'aller mettre de l'ordre dans
ses affaires à Boston » et, partant, refuser à John Maitland
d'être, comme son second, accompagné de son épouse.

Tom O'Graney, dont toison et barbe rousses viraient, avec
l'âge, à la couleur chanvre, estima qu'il y avait trop de dames
à bord.

– Au temps de lord Simon, nous n'aurions jamais
embarqué cinq femmes, *my lord*. Quand les dames sont
nombreuses, il s'en trouve toujours une pour créer des
complications, bougonna-t-il.

– Si des complications devaient survenir, du fait d'une
dame, le commandant saurait y trouver solution, lieutenant.

– Ce que j'en dis, *my lord*, c'est qu'en cas de gros temps
nous aurons des malades. Les dames sont pas amarinées.
Dès que ça roule et que ça tangue, elles ont le cœur au bord
des lèvres, insista Tom.

– Uncle Dave leur donnera ses soins, lieutenant.

– Ah! vous connaissez ses médecines. Le gin au citron,
c'est pas un remède de ladies, *my lord*!

Éole et Neptune, occupés à fomenter des tempêtes dans
la mer des Caraïbes, oublièrent les Bahamas et firent de la
navigation du *Phoenix II*, entre Soledad et Boston, la plus
sereine que le navire eût connue. Uncle Dave, qui célébra en
mer ses quatre-vingt-deux ans, vit, dans cette clémence des

dieux marins, une attention personnelle solennisant ce qu'il avait affirmé être sa dernière croisière. Le médecin n'eut pas à intervenir auprès des dames et, quand le yacht s'amarra dans le port de Boston, Tom O'Graney, prenant congé des passagères, les félicita pour leur bonne tenue à la mer.

Dès son arrivée en ville, lord Pacal découvrit sa résidence américaine, dans l'aménagement de laquelle il n'avait eu aucune part. Aussi, connut-il l'étrange sensation d'être en visite chez sa femme. Il lui serait difficile de vivre, à l'aise, dans un décor convenu, où les meubles, les objets, et même les roses, alanguies dans les vases, prenaient un air compassé.

Sacrifiant au conformisme hypocrite qui, tant lui déplaisait, il dut cependant adresser des remerciements à tante Maguy, auteur de cette mise en scène domestique. Comme aucune passion n'animait plus son intimité avec Susan, il s'accommoda de la situation, après avoir fait modifier la disposition des meubles, dans le cabinet de travail dévolu au maître de maison, belle pièce à bow-window sans autre vis-à-vis que la rive opposée de la Charles River.

Prétextant des affaires à traiter avec les représentants des intérêts Cornfield, le mari de Susan s'absentait plusieurs heures, chaque jour, laissant sa femme recevoir ses amies, lors de thés babillards, fort courus depuis que *The Globe* avait annoncé la présence de Susan Desteyrac-Cornfield, née Buchanan, dans sa nouvelle résidence de Beacon Hill, « aménagée avec un goût exquis », précisait le chroniqueur, qui n'avait pas visité les lieux.

Lord Pacal vécut, durant trois semaines, le rituel social des patriciens de Nouvelle-Angleterre. En l'absence de rapports fondés sur une vraie sympathie avec les familiers des Buchanan, il dut supporter, au cours de dîners interminables, les propos de table de négociants embourgeoisés, sans idées ni compétences, en dehors de celles de leur état. Les roucoulements de certaines épouses, regard et décolleté dignes de considération, le firent douter de la fidélité de ces porteuses de bijoux, dont les maris, pleins de sollicitude mais dépourvus de fantaisie, satisfaisaient tous les caprices. Pour ces jeunes Bostoniennes, un peu délurées, le mariage, loin d'être une servitude, avait été une libération.

Au cours de son séjour, le seul épisode dont lord Pacal se divertit en cachette fut la tragi-comédie que déclencha l'annonce, par Susan à tante Maguy, du mariage de Fanny avec Andrew Cunnings. Bien que la jeune femme, rompue à la dialectique puritaine de sa caste, eût usé de tous les ménagements pour livrer la nouvelle, la doyenne des Buchanan, dans un premier temps rendue muette par l'émotion, entra dans une colère qui la conduisit au bord de l'apoplexie. Le fait que Fanny fût descendue à l'hôtel, avec son mari, pour ne pas résider à Beacon Hill, fit augurer une floraison de ragots. En deux jours, tout ce qui comptait à Boston sut en effet que miss Fanny Buchanan Metaz O'Brien avait épousé un marin anglais et, chose encore plus condamnable qu'une mésalliance, se préparait à retirer tous ses capitaux des Buchanan Metaz O'Brien General Stores.

– De quoi semer, chez nos actionnaires, un doute sur la solidité de nos entreprises, gémit Arnold Buchanan, dont les bajoues vermillon pâlirent comme saindoux.

Après un conseil de famille crucifiant, les Buchanan réagirent avec réalisme. Toute honte bue, ils attendirent que la scandaleuse conduite de Fanny se traduisît, du fait des indiscrétions répandues dans le milieu financier, par une baisse des actions des General Stores. Ils rachetèrent alors, au plus bas cours, celles de leur parente, conscients de punir la dévergondée, en s'assurant, compensation consolante, une plus-value, quand la confiance des actionnaires serait rétablie. Toutefois, l'amende infligée à Fanny parut une peine insuffisante à l'aînée des Buchanan.

– J'ai fait un nouveau testament. Quand je mourrai, Fanny, jusque-là mon héritière, n'aura pas un chandelier, pas un napperon, pas un dollar. J'ai décidé de tout léguer à ma chère Susan, révéla tante Maguy, avant de s'effondrer, en pleurs dans les bras de sa petite-nièce.

Un peu plus tard, rassérénée mais sourcils froncés et ton acerbe, la vieille dame entreprit Pacal, seul au salon.

– Votre marin a bien réussi son coup, n'est-ce pas ! Il a convaincu cette pauvre idiote de Fanny de retirer ses capitaux de nos affaires et d'aller vivre sur votre île sauvage. Il va la ruiner en un rien de temps, vous verrez ! Vous auriez dû empêcher ça, Pacal. Oui, par égard pour notre famille, vous auriez dû empêcher ce mariage, insista Maguy.

– « Vivre et laisser vivre », disait mon grand-père, lord Simon. C'est aussi ma devise, ma tante, répliqua Pacal, avant de quitter la pièce.

Bien que septembre soit souvent porteur de tempêtes, entre la côte des États-Unis et les Bahamas, lord Pacal se prépara, dès les premiers jours du mois, à regagner Soledad. Les épouses de John Maitland et Andrew Cunnings, devenues inséparables, embarquèrent les premières, avec Paulina, qui manifesta, avec toute l'exubérance italienne, un bruyant chagrin, au moment de se séparer de Martha, l'enfant qu'elle avait nourrie.

Au cours de la traversée, Fanny, conseillée par Pacal, décida d'investir en Floride, où le tourisme se développait à un rythme inattendu, les trois cent mille dollars enlevés aux entreprises Buchanan.

En effet, pour accueillir les Américains des États du Nord, en villégiature hivernale, le bâtisseur Henry B. Plant avait ouvert, à Tampa, sur la côte ouest, un nouveau palace, le Tampa Bay Hotel, propre à concurrencer le Ponce de León, joyau de la côte est, construit par Henry Flagler en 1887. De style hispano-mauresque, caricature architecturale de l'Alhambra de Grenade, le Tampa Bay Hotel, luxueux caravansérail hérissé de treize minarets aux dômes argentés, comptait six cents chambres ou suites avec salle de bains. Ses restaurants, fontaines et jardins, plantés de citronniers, attiraient dans ce port, où Vicente Martínez Ybor, le Cubain, avait établi, en 1886, une grande fabrique de cigares, plus de visiteurs que la ville de six mille habitants ne pouvait en héberger. Car le *Florida Special*, de George Pullman – wagons-lits, restaurant, fumoir, salon – déversait, trois fois par semaine, sur les rives du golfe du Mexique, des douzaines de New-Yorkais fortunés, qui acceptaient de passer quarante-cinq heures en train.

Sur la côte est, Henry Flagler, craignant la concurrence, avait entrepris la construction de nouveaux hôtels. Des ingénieurs étudiaient, pour le compte de l'associé de Rockefeller, la prolongation, jusqu'à Key West, de la ligne de l'East Coast Railway. Par une succession de ponts audacieux, elle enjamberait les keys, de Key Largo à Key West. Le branle étant donné par Plant et Flagler, chaque jour débarquaient, sur la presqu'île floridienne, des promoteurs immobiliers et des architectes, porteurs de projets. Ils ouvraient des chantiers, sur lesquels travaillaient déjà de nombreux Bahamiens.

Tel l'aigle regagnant son aire, lord Pacal se blottit, satisfait, à Cornfield Manor. Apaisé par la sérénité insulaire, qui succédait à l'animation mondaine de Boston, il reprit le rythme de vie institué par lord Simon, qu'il avait fait sien depuis l'adolescence, le seul qui lui convînt.

Charles Desteyrac et Ottilia annoncèrent bientôt leur retour, dans une lettre à laquelle étaient jointes des photographies du château d'Esteyrac, rendu à sa belle apparence d'autrefois, par une restauration consciencieuse. Charles assurait son fils qu'il ferait bon vivre dans cette gentilhommière, dont la noblesse relevait de la sobre architecture du

XVIIe siècle auvergnat. De même qu'on eût cherché, chez un paysan du cru, au bas de laine bien garni, le moindre signe extérieur de richesse, Esteyrac offrait au regard la rusticité cossue, voulue par les premiers seigneurs. Pacal examina longuement les clichés, s'attardant sur la fontaine aux nymphes, et se promit d'aller revoir cette demeure.

L'ambiance quiète, les couleurs de la végétation avivées par le soleil, les galopades à travers champs, les haltes au village des Arawak, à l'orphelinat de Buena Vista, l'inspection du phare du Cabo del Diablo, les heures de travail sur les dossiers, avec Violet Russell et le comptable Matthieu Ramírez, le plaisir de dîner seul, « comme lord Byron », puis de se mettre au piano pour jouer cette *Sonate en* ut *majeur*, de Mozart, qu'il préférait entre toutes : tout le comblait d'aise. À la nuit tombée, se balançant dans un rocking-chair sur la galerie, quand s'exerçait l'oiseau moqueur, quand les lucioles ponctuaient l'ombre tiède d'éclairs lilliputiens, quand le vent d'est ébouriffait les pennes des palmiers, lord Pacal, un verre de vieux whisky à portée de main, reconnaissait, avec un peu de honte, que son épouse ne lui manquait guère ! À trente-quatre ans révolus, il admettait que la solitude pût être sa vraie demeure, comme elle l'avait été pour son grand-père. À la vue des étoiles palpitantes de la constellation du Sud, le vieux lord disait souvent, en pointant son cigare vers le ciel : « L'univers est algèbre et Dieu, équation insoluble. Profitons du moment. »

Le 5 novembre, lors d'une garden-party donnée à Cornfield Manor, à l'occasion du Guy Fawkes *Day*, célébré en Grande-Bretagne et dans toutes les colonies de la Couronne, Violet Russell et Matthieu Ramírez annoncèrent leurs fiançailles. Tandis que les enfants, comme chaque année, mettaient le feu à l'effigie du fameux conspirateur, pendue à une potence improvisée, Dorothy Weston Clarke, qu'on poussait maintenant dans un fauteuil à roulettes, commenta l'événement.

– Un fils de curé épousant une fille de pasteur ! On aura tout vu, sur cette île ! lança-t-elle.

Quelques jours plus tard, malgré de lourds nuages aux couleurs de crassiers, venus du sud, à basse altitude, l'*Arawak* appareilla pour Nassau, dans la lumière blafarde d'un gros temps annoncé. Lord Pacal tenait à accueillir son père et Otillia, à leur retour d'Europe.

Une succession de grains et d'énormes creux rendirent la traversée mouvementée. Andrew Cunnings prouva, dans la tempête, une rare capacité à composer avec les éléments, pour assurer la marche et la sécurité du vapeur.

– Heureusement que nous n'avions pas de femmes à bord, commenta l'officier en accostant dans le port de Nassau.

Les gabiers venaient de jeter le chemin-planche et Pacal posait le pied sur le quai, quand un commissionnaire accourut. Il apportait deux télégrammes, à lui destinés.

– Nous allions les confier au bateau-poste, mais, puisque vous voilà, autant vous les remettre, n'est-ce pas ?

Depuis que le gouverneur Shea avait inauguré le câble télégraphique, entre Nassau et Jupiter, Floride, en échangeant un message avec le ministre des Colonies, à Londres, les télégrammes des États-Unis et d'Europe arrivaient en quelques heures. La *General Assembly*, sollicitée par les notables des Out Islands, venait de promulguer une loi prévoyant l'établissement du télégraphe électrique entre les grandes îles de l'archipel. Soledad, lointaine propriété privée, ne pourrait bénéficier d'une telle liaison que si le propriétaire s'engageait à financer les travaux de liaison.

Les télégrammes qu'on remit, ce jour-là, à Pacal venaient de New York et de Boston. Ce dernier émanait de Susan et livrait une triste nouvelle : « J'ai perdu mon bébé, à la suite d'une chute. C'était une fille. J'ai été très malade. Le docteur conseille un long repos. J'aimerais que vous soyez là. Mille pensées. Votre Susan. »

Le second télégramme, émis par Charles Desteyrac, à New York, annonçait son arrivée, par le prochain paquebot de la Musson Steamship Line. Dans quarante-huit heures, il serait à Nassau avec Ottilia.

Pacal décida, sur-le-champ, qu'après avoir reçu son père, à qui il déléguerait la responsabilité de Soledad pendant son absence, il s'embarquerait pour Boston, les circonstances exigeant sa présence auprès de sa femme.

Les retrouvailles, après un an et demi de séparation, inspirèrent aux Desteyrac un grand désir de connaître leur petite-fille, Martha. Ils furent déçus de la savoir à Boston et fort chagrins quand ils apprirent que le second bébé de Susan ne verrait pas le jour.

À soixante-deux ans, Charles Desteyrac conservait une aisance athlétique. Il était de ces hommes, grands et secs, dont les années voussent les épaules, strient le front de rides, confèrent aux traits un aspect lapidaire, pâlissent le regard, sans pour autant faire oublier ce que fut, chez eux, l'apparence de la jeunesse. Seule, une calvitie avancée prouvait l'intransigeance de l'âge. Près de lui, Ottilia, de deux ans sa cadette, apparaissait comme « une ancienne belle femme », ainsi que la qualifia, plus tard, cette mauvaise langue de Dorothy Weston Clarke. Charles et Otti formaient un couple biblique, ajusté, indissociable. Pacal leur vit une indéfinissable ressemblance.

« Mimétisme des vieux amoureux », devait diagnostiquer Uncle Dave, quand le lord lui ferait part de son impression.

Après une soirée, au cours de laquelle Ottilia détailla la restauration d'Esteyrac, et une courte nuit au Royal Victoria

Hotel, père et fils se séparèrent à nouveau. Le même paquebot de la Musson Line, qui avait porté les Desteyrac, de New York à Nassau, en deux jours et demi, emporta lord Pacal vers Boston, tandis que l'*Arawak* prenait, par beau temps, la route de Soledad.

Trois jours plus tard, après une traversée sans aléas et une nuit en chemin de fer, lord Pacal retrouva son épouse, dans leur maison de Beacon Hill, sous la neige. Susan, un peu amaigrie, avait recouvré la santé, mais ne put retenir ses larmes en évoquant la perte de son enfant. Pacal apprit sans plaisir que la chute, responsable de la fausse couche, s'était produite au cours d'une séance de patinage, sur le grand étang gelé des *Boston Public Gardens*. L'accident était donc dû à une imprudence. Susan, excellente patineuse depuis l'enfance, n'avait pas imaginé que le fait de porter un enfant pouvait modifier son équilibre sur la glace. Pacal fit tout pour l'aider à oublier sa responsabilité.

Lord Pacal avait dû révéler à sa femme les turpitudes du docteur Barrett, pour obtenir qu'elle changeât de médecin et la persuader de faire appel au professeur d'obstétrique Mathias Collins, de la Harvard Medicine School. Les compétences de cet Écossais étaient unanimement reconnues mais son diagnostic sûr, assorti d'une franchise brutale, lui valait autant méfiance que considération. En donnant ses soins, après la fausse couche, il avait été formel pour déconseiller toute nouvelle grossesse. Celle-ci pourrait mettre en danger la vie de Susan. Lady Martha serait donc fille unique, si l'avis du praticien était suivi par les époux.

Lord Pacal avala sa déception sans mot dire, Susan l'assurant que la privation, dont elle souffrirait autant que lui, serait, par elle, considérée comme sainte preuve d'amour.

Elle tint à ce qu'on célébrât les fêtes de fin d'année sous son toit et ce fut, entre le 24 décembre et le 2 janvier 1892, une succession de dîners, de réceptions, avec échanges de cadeaux et de vœux.

Au cours de ce séjour, tante Maguy, tantôt compatissante, tantôt défiante, voire péremptoire, répéta sur tous les tons à Pacal qu'il devrait, étant donné l'avertissement du médecin, s'abstenir, désormais, de tout rapport intime avec sa femme.

– Je conçois la déconvenue que cela représente pour un époux aimant, dans la force de l'âge, mais il y va de la vie de Susan ; Collins a été catégorique.

Après un instant d'hésitation, elle ajouta, d'avance compréhensive, d'un ton mielleux, presque complice :

» Nous savons, cher ami, comment les célibataires s'accommodent discrètement d'une telle privation.

Pacal en déduisit qu'on admettrait donc, à Beacon Hill, qu'un mari, contraint à l'abstinence, pût chercher, hors de la couche nuptiale, « de quoi contenter la bête », comme disait lord Simon. À condition, sans doute, qu'il y mît toute la discrétion requise et trouvât un exutoire hors des frontières de l'État ! Maintenant rompu à la dialectique pateline du puritanisme, Pacal se montra chevaleresque.

– Le bonheur d'un couple, ma chère tante, ne tient pas uniquement au plaisir de la procréation, dit-il, humblement.

Son désappointement trouva consolation dans l'attitude de sa fille, trottinante et gaie.

La petite Martha n'avait d'yeux que pour son père, lui faisait mille caresses, sautait sur ses genoux, dès qu'il s'asseyait au salon, le suivait dans son cabinet de travail et réclamait une feuille de papier et un crayon pour l'imiter, quand il travaillait, penché sur un dossier. En promenade, elle abandonnait Erika, sa nurse allemande, pour prendre la main de Pacal et, le soir, refusait de s'endormir avant qu'il ne soit venu à son chevet raconter « une histoire des îles », avant de l'embrasser. Aussi, se montra-t-elle plus enthousiaste que sa mère quand, en février, lord Pacal donna le signal du retour à Soledad.

En cette saison, seule la dérive des glaces, descendant par le canal du Labrador au sud de Terre-Neuve, constituait parfois un danger. Après quelques heures de navigation plein est, pour s'éloigner des côtes américaines, avant que le *Phoenix II* ne mît cap au sud, Susan aperçut, non sans frayeur, des débris d'iceberg, qui s'en allaient fondre dans les eaux tièdes du Gulf Stream.

– Comme elles sont grosses, ces meringues, observa Martha, dont un goût vif pour les sucreries inspirait les comparaisons.

À Cornfield Manor, l'intimité entre père et fille devint plus occasionnelle, car les journées de lord Pacal étaient remplies et rares les heures qu'il pouvait consacrer à l'enfant, déjà prise d'une tendre affection pour Ottilia. Grand-mère patiente, raconteuse d'histoires, chanteuse de comptines, la fille de feu lord Simon accueillait, presque chaque après-midi, à Malcolm House, sa petite-fille, plus souvent accompagnée par sa nurse rougeaude et moustachue que par Susan, rendue dolente par le climat.

Lord Pacal et sa femme avaient toujours eu des chambres séparées même si, jusque-là, les incursions nocturnes de l'un chez l'autre avaient été fréquentes. Bien résolu à ne pas faire courir à Susan le risque d'une nouvelle maternité, il s'abstint désormais de toute manifestation de désir et, lors de la séparation vespérale des époux, les élans de tendresse se réduisirent, au fil des semaines, en baisers légers et serrements de mains. La privation de l'étreinte amoureuse ne fut évoquée qu'une seule fois, entre eux, et Susan demanda qu'on ne revînt pas sur le sujet, disant que l'abstinence était sans doute exigée par le Seigneur, comme prix d'un bonheur paisible et d'une existence confortable.

Lord Pacal mit sur le compte d'une inhibition, née de la crainte d'une grossesse fatale, la facile résignation de sa femme.

Fanny, dont le chaud tempérament ne se fût pas accommodé d'une telle continence, crut venir en aide à Pacal en décidant de compléter l'instruction de sa nièce.

– Ma petite, il existe plus d'une manière de donner sans risque du plaisir à son mari et d'en recevoir. Viens un peu, que je te parle, dit-elle un après-midi, entraînant Susan dans le petit salon pour une conversation discrète.

Personne ne sut jamais la teneur de l'enseignement que voulut dispenser Fanny ce jour-là, mais, après dix minutes d'entretien avec sa tante, Susan quitta la pièce, rouge d'indignation, la respiration courte, l'air courroucé de l'honnête femme qui vient d'entendre égrener un chapelet d'obscénités.

Mi-mai, lord Pacal, accompagné de sa femme, dut se rendre à Nassau. Susan, enchantée de retrouver, dans l'ambiance mondaine du Royal Victoria Hotel, des Américains fortunés, venus profiter du doux climat des îles, ne perçut pas l'agitation occasionnée dans la capitale par l'incarcération d'Alfred Edwin Moseley, éditeur du *Nassau Guardian*.

Lord Pacal apprit vite, par son fondé de pouvoir, les détails d'une affaire qui faisait grand bruit.

– Il y a quelques jours, le *Chief Justice* des Bahama Islands, l'honorable Roger Dawson Yelverton, s'est ému de la livraison, à Nassau, de cinq cents tonnes de charbon anglais, destiné au gardien du phare de l'Imperial Lighthouse Service. Le magistrat a aussitôt adressé une lettre au *Nassau Guardian*, pour mettre en garde la population contre les risques d'une épidémie de malaria, que ferait courir ce charbon, entreposé dans les hangars du ministère du Commerce, sur Bay Street. Cela fit rire les insulaires et l'inspecteur de l'Imperial Lighthouse Service, le capitaine Scobell Clapp, répondit avec humour, par la même voie de presse, que le charbon, pas plus que les pierres, ne propage la fièvre jaune. Le *Chief Justice* a répliqué, par une nouvelle lettre, dans laquelle il a tenté de démontrer que, dans le passé, les épidémies de fièvre jaune avaient toujours coïncidé avec une livraison de charbon !

– Tout le monde connaît la phobie du juge Yelverton. Cet ancien avocat anglais voit partout des foyers de maladies infectieuses, observa Pacal.

– À son arrivée, il a même refusé les ananas offerts par le barreau de Nassau, dit en riant le juriste.

– Tout ça n'explique pas l'incarcération d'Alfred Moseley.

– Dans un premier temps, cette affaire amusa les lecteurs du *Guardian*, qui a publié, le 11 mai, une nouvelle lettre non signée, émanant d'un citoyen qui ne ménageait pas ses critiques à l'égard d'un magistrat « excentrique, ignorant, irresponsable, qui ridiculise la fonction de *Chief Justice* ». D'après le rédacteur anonyme, Yelverton se montre, en toutes circonstances, d'une nervosité excessive, ce qui le met dans l'incapacité évidente d'assumer les responsabilités de son poste. Le magistrat a fort mal pris cette mercuriale. Il convoqua Alfred Edwin Moseley, propriétaire et éditeur du *Nassau Guardian*, et le somma de lui révéler le nom de l'auteur de l'article injurieux. Alfred Edwin Moseley demanda quelques heures de réflexion, après lesquelles il fit savoir, par écrit, au *Chief Justice*, qu'il refusait de divulguer l'identité du rédacteur de la lettre incriminée. Le dénoncer eût été mettre en cause la liberté de la presse et la liberté d'expression des citoyens, expliqua-t-il. Le propriétaire du *Guardian* s'est dit prêt, en revanche, à assumer toutes les conséquences de son refus.

– Depuis 1844, *The Nassau Guardian* de la famille Moseley a toujours été un exemple de probité journalistique, commenta lord Pacal.

– N'empêche que, convoqué le lendemain devant la Cour, présidée par Roger Dawson Yelverton, Moseley s'entendit condamner à une amende de quarante livres sterling, pour publication d'une lettre diffamatoire, plus vingt-cinq livres d'amende, pour avoir refusé de livrer à la justice le nom de l'auteur de celle-ci. Et le juge le fit, aussitôt, arrêter et conduire en prison. Il devrait y rester jusqu'au jour où il déciderait de révéler le nom de celui dont il protège l'anonymat.

— Incroyable ! s'exclama Pacal.

— La nouvelle de l'incarcération d'Alfred Moseley s'étant rapidement répandue en ville, les citoyens réagirent avec indignation. Hier, 18 mai, cinquante notables ont formé un comité des citoyens, qui a tenu réunion dans le hall du temple maçonnique, devant une foule scandalisée. Plusieurs motions ont été votées et une délégation s'est rendue chez le gouverneur, pour demander la libération immédiate d'Alfred Moseley. Sir Ambrose Shea, m'a-t-on dit, a entendu avec bienveillance les arguments présentés. Il a demandé un temps de réflexion. Nous attendons sa réponse, conclut l'homme d'affaires.

— Qu'elle soit rapide et positive : c'est tout ce qu'on peut souhaiter, commenta lord Pacal, avant de s'intéresser à ses propres affaires.

Le lendemain, au cours de l'audience de la cour Suprême, le *Chief Justice* stigmatisa la démarche « de ceux qui avaient osé importuner le représentant de Sa Très Gracieuse Majesté pour une affaire aussi futile ». Il menaça de faire arrêter les protestataires et confirma que Moseley resterait en prison, jusqu'à ce qu'il vînt à résipiscence, « vingt ans si nécessaire », conclut le magistrat.

Ces déclarations stimulèrent les citoyens, de toutes classes et de toutes couleurs, de plus en plus nombreux à manifester leur colère. Des tracts furent rédigés, expédiés dans toutes les possessions britanniques des West Indies et envoyés à Londres. Lord Pacal, qui partageait l'indignation générale, rejoignit le comité des notables et fit savoir au gouverneur ce qu'il pensait des agissements du *Chief Justice*.

Le 20 mai, devant de nouvelles manifestations populaires, qui menaçaient de tourner à l'émeute, le gouverneur

Ambrose Shea prit contact, par câble, avec le Colonial Office, à Londres, qui l'autorisa à faire libérer Moseley le jour même, à trois heures de l'après-midi. Dès que la décision fut connue, les drapeaux jaillirent des maisons et, derrière l'Union Jack, la population de Nassau se rendit, en bruyant cortège, à la prison, pour assister à la libération d'Alfred Moseley, le nouveau héros bahamien. Le *Chief Justice* réussit à faire retarder de trois heures cet élargissement en interdisant au gardien de la prison d'obtempérer à l'ordre du gouverneur, arguant de la séparation des pouvoirs politiques et judiciaires. Mais, à six heures, le fonctionnaire, qui avait un sens aigu de la hiérarchie, rendit Alfred Moseley à la liberté.

La foule, brandissant drapeaux et bannières, derrière une fanfare qui jouait des airs de *goombay* avec accompagnement de cloches et de sifflets, tira la voiture du journaliste dans les rues de la ville, jusqu'à son domicile. Alfred Moseley remercia chaleureusement les citoyens de Nassau.

– Vous avez prouvé, en fiers sujets de Sa Très Gracieuse Majesté la reine Victoria, votre attachement à deux principes sacrés, la liberté de la presse et la liberté d'expression, lança-t-il, ovationné par la foule.

Le comité des citoyens adressa une lettre de remerciements au gouverneur.

Pacal apprit plus tard que le secrétaire d'État aux Colonies, Joseph Chamberlain, propriétaire à Andros d'une plantation de sisal que gérait son fils Neville, avait été informé, de première main, d'une affaire dont les journaux britanniques rendaient maintenant compte[1].

Quand, la semaine suivante, Yelverton, bénéficiant d'un

---

1. Cette publicité suscita la création, au Parlement britannique, d'un Comité judiciaire, dont le rapport fut adressé au Conseil privé de la reine Victoria. Ce texte influença notablement la réorganisation de la justice dans les colonies de la Couronne. Aujourd'hui encore, ce cas est inscrit, en Grande-Bretagne, au programme des études de droit.

congé pour raison de santé, s'embarqua pour l'Angleterre, les membres de la *General Assembly* se réunirent pour condamner les agissements du *Chief Justice*. Une lettre, à la rédaction de laquelle lord Pacal prit part, fut adressée à Joseph Chamberlain, devenu ministre des Colonies. On y lisait : « Le retour aux Bahamas de l'honorable Roger Dawson Yelverton, où il a détruit la confiance des citoyens dans la justice, n'est pas souhaitable, car il pourrait provoquer des troubles à l'ordre public. »

Pacal et Susan furent de retour à Soledad pour fêter, le 24 mai, le soixante-treizième anniversaire de Sa Très Gracieuse Majesté la reine Victoria. Toujours célébrée avec faste dans les villages de l'île et par un dîner à Cornfield Manor, cette journée fut l'occasion, pour Susan, de jouer les hôtesses accueillantes. Au cours du bal qui suivit, Andrew Cunnings fit part à lord Pacal de son souhait d'être libéré de ses fonctions dans la flotte Cornfield.

– Nous avons décidé, Fanny et moi, de nous installer en Floride, afin de gérer sur place les investissements immobiliers que vient d'y faire ma femme, dit-il.

Tout en regrettant de perdre un excellent marin et le meilleur *hustler*[1] de son équipe de polo, lord Pacal admit le choix des époux. Son grand-père lui ayant appris à tirer profit de toutes les situations, il convoqua Cunnings, après vingt-quatre heures de réflexion.

– Puisque vous avez choisi de vous installer en Floride, peut-être pourriez-vous assumer la direction de mes équipes de pêcheurs d'éponges, qui plongent sur le *mud*. Vous pourriez aussi veiller à ce que les entrepreneurs *yankee* ne traitent pas nos Bahamiens, de plus en plus nombreux à s'exiler pour

---

1. Fonceur, attaquant, bousculeur. Le numéro 2, dans une équipe de polo.

travailler sur leurs chantiers, comme ils exploitent leurs nègres en versant des salaires de misère. Vous seriez aussi mon fondé de pouvoir, pour gérer les intérêts Cornfield dans les importations de fruits et primeurs. Le froid inhabituel, qui a sévi cet hiver en Floride, a décuplé les commandes des hôteliers. Que pensez-vous de ma proposition ?

Celle-ci fut d'autant plus aisément agréée qu'en devenant le représentant de Cornfield en Floride, région en pleine expansion, Andrew Cunnings, pourvu d'un bon salaire et intéressé aux bénéfices, ne passerait plus pour mari vivant aux crochets de sa riche épouse !

Estimant que Cunnings aurait besoin d'un vapeur pour ses déplacements, lord Pacal lui offrit l'*Arawak*, que l'officier commandait depuis longtemps. Ce navire rapide, construit dans les années soixante, pendant la guerre entre les États américains, était d'une conception dépassée, mais il restait robuste et sûr. Il allait être remplacé, dans la flotte Cornfield, par un nouveau bateau, dont l'architecte naval George Watson avait déjà présenté les plans : un yacht élégant, proue et poupe de clipper, avec deux mâts auxquels on hisserait des voiles en cas de panne des machines. Entièrement équipé à l'électricité et pourvu de deux hélices, il atteindrait la vitesse de dix-huit nœuds. L'aménagement intérieur, dessiné par lord Pacal, conseillé par Lewis Colson et Tom O'Graney, comprendrait une suite pour l'armateur et seulement six cabines pour passagers, toutes avec salle de bains. Optant pour la sobriété, Pacal, qui se moquait volontiers de la goélette *Ingomar*, de Morton F. Plant, maniérée comme un palais vénitien, avait exigé que les boiseries fussent de citronnier, à baguettes et listels d'ébène. Quant au mobilier, il serait extrait de la vieille goélette *Centaur*, maintenant réduite au transport des éponges et de l'écaille de tortue. L'ensemble Adam, autrefois composé par lord Simon, allumait, à chaque escale à Nassau, la convoitise des yachtmen anglais, car on ne trouvait plus, aujourd'hui, pareil ameublement que chez les antiquaires de Bond Street.

Tandis que Fanny et son époux voguaient vers la Floride, lord Pacal convainquit John Maitland de se rendre en Écosse, aux chantiers de Dumbarton, sur la Clyde, pour surveiller la construction de son nouveau yacht et recruter deux officiers, si possible de la Royal Navy. Ces hommes succéderaient à Andrew Cunnings et à Philip Rodney qui, comme Lewis Colson, aspiraient à la retraite. Alors que John et Myra se préparaient à quitter Soledad, pour un séjour de plusieurs mois en Europe, l'officier se présenta au lord.

– Avez-vous déjà pensé, *my lord*, à un nom pour votre nouveau yacht ?

– Nous l'appellerons *Lady Ounca*, dit Pacal.

C'était là volonté de rendre hommage à la mémoire de sa mère en lui conférant le titre dont elle avait été longtemps privée.

Fin juillet 1892, Susan, qui venait de passer huit mois à Soledad, émit le souhait de regagner Boston avant la saison des ouragans, annoncée par une succession d'orages impétueux. Pacal, retenu sur l'île par ses obligations et la gestion de ce qu'on appelait, depuis lord Simon, l'empire Cornfield, ne pouvait accompagner sa femme. Au jour du départ, celle-ci fut assez contrariée par l'attitude de sa fille, Martha. Âgée de deux ans, cette enfant, chez qui s'affirmait déjà un caractère entier, exprimait hardiment ses choix. Son père, avec une certaine satisfaction, voyait dans cette précoce pugnacité une résurgence du tempérament Cornfield. Aussi, quand, par pleurs et trépignements, elle manifesta clairement le désir de rester à Soledad, lord Pacal dut promettre, pour mettre fin à une scène déplaisante, d'être présent à Boston pour célébrer *Christmas*. À cette date, John Maitland livre-rait dans ce port le nouveau yacht.

L'été, lourd de menaces climatiques, s'écoula, malgré des pluies torrentielles, sans dommages pour l'archipel. En octobre, lord Pacal invita quelques intimes, dont le vieux pasteur Russell et le cacique des Arawak, Palako-Mata, à l'accompagner, à bord du *Phoenix II*, pour une croisière au sud-est de Soledad, qui les conduirait à Watling Island. Là, ils assisteraient, en compagnie des autorités de la colonie, à l'inauguration d'une stèle, érigée par le journal *Chicago Herald*, sur les lieux où Christophe Colomb était censé avoir débarqué, quatre cents ans plus tôt.

Au cours de la traversée, entre deux grains malveillants, fut ranimée la question dont les insulaires débattaient depuis plusieurs générations. Watling, du nom du pirate George Watling, qui avait pris possession, vers 1680, d'une île autre-fois nommée San Salvador, était-elle bien le lieu d'atterris-sage de l'explorateur espagnol ?

Les Arawak, descendants des Lucayens, premiers occu-pants, déportés à Cuba par les Espagnols, n'en doutaient pas et préféraient appeler l'île aux vingt-huit lacs de son nom indien : Guanahani. En revanche, les habitants de Cat Island contestaient l'authenticité du site et tentaient de démontrer, avec l'aide de géographes américains, que c'était sur leur île, située à une cinquantaine de milles au nord-ouest de Watling, que Colomb avait pris terre dans le Nouveau Monde[1].

Les habitants de Watling demandaient depuis des années au gouvernement bahamien et au Colonial Office de rendre

---

1. L'authenticité du lieu de débarquement, mise en doute en 1986, par un envoyé du *National Geographic* fut, semble-t-il, confirmée en 1989 par Robin Knox-Johnson, marin anglais. Usant des instruments de navigation dont avait disposé Colomb, tenant compte du journal de bord de ce dernier et des vents, l'expert aboutit à San Salvador et non à Cat Island ou à Samana Cay, îles qui prétendent, encore aujourd'hui, être le siège du débarquement historique.

à leur île le nom de San Salvador, donné par Christophe Colomb, en reconnaissance au Saint Sauveur qui, le 12 octobre 1492, avait mis fin à son errance océanique[1].

Tandis qu'à Chicago le vice-président des États-Unis, Levi Parsons Morton, posait, avec un an de retard, la première pierre de *The World's Colombus Exposition*, qui marquerait le quatre centième anniversaire de la découverte de l'Amérique, sur l'île Watling fut dévoilé, au bord de l'Océan, un globe de marbre, posé sur un piédestal de calcaire corallien. Il portait en lettres d'or : « *On this spot Christopher Colombus first set foot upon the soil of the New World. Erected by the* Chicago Herald. *1892*[2] ».

Le représentant du gouverneur des Bahamas donna aussitôt lecture de l'extrait du journal de bord de Christophe Colomb, en date du vendredi 12 octobre 1492.

« À la deuxième heure après minuit, la terre apparut, distante de deux lieues. Ils carguèrent les voiles, ne gardant que le tréou, qui est la grande voile sans bonnettes, puis se mirent en panne, temporisant jusqu'au jour du vendredi, où ils arrivèrent à une petite île des Lucayes qui, dans la langue des Indiens, s'appelait Guanahani.

« Ils virent alors des gens nus, et l'Amiral se rendit à terre, dans sa barque armée, avec Martín Alonzo Pinzón et Vicente Yañez, son frère, qui était capitaine de la *Niña*. L'Amiral déploya la bannière royale et, les capitaines, deux de ces étendards à croix verte que l'Amiral avait pour emblème[3]. »

Cette lecture convainquit les insulaires que leur île était bien celle que Dieu avait élue entre toutes pour accueillir

---

1. Les San Salvadoriens obtinrent gain de cause en 1926.

2. « En ce lieu, Christophe Colomb fit le premier pas sur le sol du Nouveau Monde. Érigé par le *Chicago Herald*, 1892 ».

3. *La Découverte de l'Amérique. Journal de bord et autres écrits, 1492-1493*, Christophe Colomb. Traduction de Soledad Estorach et Michel Lequenne, éditions François Maspero, Paris, 1979.

le plus illustre découvreur. Autre preuve que San Salvador jouissait de la protection divine : de toutes les îles de l'archipel, c'était celle où l'on vivait le plus longtemps. En 1886, Samuel Hunter était mort à cent dix ans, plus jeune toutefois que son père, disparu, assurait-on, à cent vingt ans !

De retour à Cornfield Manor, lord Pacal fut prévenu par Violet de la santé déclinante d'Uncle Dave. Le vieux médecin refusait les invitations et ne quittait plus sa maison du village des artisans.

– Il a souvent demandé quand vous seriez de retour. Je crois qu'il attend votre visite, dit la secrétaire.

Pacal fit aussitôt atteler son boghei et se rendit au chevet de celui que tous les insulaires, de toute race et de toute condition, vénéraient à l'égal d'un homme-médecine des Arawak. Il trouva le vieillard sur la petite galerie de sa maison, allongé sur une méridienne de rotin, les joues creuses, le teint gris, l'œil atone.

– Ah, je t'attendais. Mon garçon, mon cœur s'est, deux fois, arrêté de battre ces jours-ci. Chaque fois, il s'est remis en marche, vieille machine usée qui a fait son temps. Le prochain arrêt sera définitif. Le petit Ramírez est du même avis. Aussi, j'avais besoin de te voir arriver, histoire de prendre congé décemment.

Pacal n'était pas de ceux qui mentent, pour rassurer et donner une espérance de vie fallacieuse à qui sait reconnaître l'approche de la mort. David Kermor n'eût pas accepté un apitoiement lénifiant.

– La mort est, pour tous, un dénouement naturel, un fait biologique. Je l'ai souvent rencontrée, au chevet de ceux et celles que je lui disputais. Nous sommes de vieux adversaires, comme au *lawn tennis*, respectueux des règles. Peut-être, par égard pour le médecin qui doit inspirer confiance au malade, la mort m'a souvent concédé quelques sets, pour différer une fin de partie qu'elle était sûre de remporter, un jour ou l'autre. Aujourd'hui, il n'y a plus d'enjeu entre nous. Elle va servir la balle de match, dit Uncle Dave, usant d'une métaphore propre à banaliser son trépas.

Comme Pacal prenait congé en serrant fortement la main du médecin, celui-ci le retint.

– C'est un drôle de mariage, que tu as fait, hein !

– J'espérais un fils, mais les médecins disent qu'une nouvelle maternité pourrait être fatale à Susan.

– Taratata ! C'est histoire de femmelette. Tout accouchement comporte des risques. Si ta Bostonienne fait la mijaurée, va vers une autre. Choisis une belle Arawak et fais-lui un garçon, comme ton grand-père fit une fille, conseilla Uncle Dave, forçant le visiteur à sourire.

Sur le chemin du retour vers Cornfield Manor, lord Pacal fit un détour par Deep Water Creek, au nord-est de l'île. Sur la falaise isolée, assis dans un creux de rocher en forme de siège néolithique, il avait le sentiment de penser plus juste et plus sereinement. L'Océan, désert solennel, privait le regard de toute sollicitation, créait une illusion d'infini et rendait Pacal à lui-même. Il se voyait, alors, dans la situation du *Voyageur contemplant une mer de nuages*, ce tableau de Gaspar David Friedrich, que lord Simon avait fait copier, au musée de Hambourg, et suspendre au mur de son cabinet de travail. Tel le promeneur du peintre allemand, campé sur un rocher, face aux nuées qui lui cache un monde, dont on ne sait s'il a été exclu ou s'est exclu, Pacal s'abandonnait à la liberté de penser, sans entraves ni scrupules.

Le matin même, il avait trouvé, dans son courrier, une lettre de Liz Ferguson. Elle annonçait son retour de la Jamaïque en août 1893 et se montrait un rien taquine. Ainsi, de temps à autre, veilleuse fidèle, elle rappelait à Pacal son existence. Par sa cousine, Ellen Horney, Liz savait tout des absences régulières de Susan et de l'inconsistance d'une union contractée par raison. On la devinait prête à ranimer une liaison, qui avait marqué sa vie plus que son partenaire ne pouvait – ou ne voulait – l'imaginer. Pacal tira la lettre de Liz de sa poche et relut la dernière phrase, tracée d'une écriture ferme : « Je me suis toujours demandé comment il fallait s'y prendre pour pénétrer dans votre vie. Une autre aurait-elle trouvé la clef ? »

Ces lignes le firent sourire et lui restituèrent l'image de Liz, sur la plage de Hog Island. Allongé contre elle après le bain, la joue posée sur le bras de sa compagne, il décelait l'efflorescence d'un duvet doré, que le soleil frisant du couchant avait l'indiscrétion de révéler. Le souvenir de cet effet de mirage s'imposait, chaque fois que Pacal pensait à l'amie lointaine et, parfois, éveillait son désir.

Le soir, il s'attarda dans son cabinet de travail et répondit aimablement à la lettre de Liz, ce qu'il n'avait pas fait depuis longtemps.

Au petit matin, un petit-fils de Fili-Fili Percy, le tailleur du village des artisans, voisin de David Kermor, apporta un message de Luc Ramírez : Uncle Dave arrivait au terme de la vie.

Le vieux médecin s'était préparé à la mort avec lucidité et lord Pacal le trouva, pressé de dire, d'une voix faible, le souffle court, ses dernières volontés.

– Je ne veux pas être mis en terre. Je veux une sépulture de marin. Tu me mettras dans un sac, bien lesté, et tu me jetteras à la mer. À l'est, au grand large. Les requins sont d'excellents fossoyeurs. Voilà. Je laisse mes instruments et mes livres au petit Ramírez, qui prend ma suite ici. C'est un bon médecin. Vous en aurez besoin. Ne fais pas cette tête. J'ai eu une bonne vie. Pas de regrets, quelques remords, comme tout un chacun. Sans importance.

Uncle Dave se tut, oppressé, après l'effort qu'il venait de fournir.

– Prends ma montre. Elle me vient de ton grand-père, trouva-t-il encore la force d'ajouter.

Comme soulagé, il saisit la main de Pacal, ferma les yeux, prit une large inspiration, de quoi réussir son dernier soupir et, l'heure étant venue, glissa dans le néant.

Pacal posa la main inerte sur le drap et appela Luc Ramírez, posté sur la galerie.

– Pour lui, n'existait ni Dieu ni diable. Il ne croyait pas plus à l'âme qu'à l'après-mort. Il disait, comme Charles Darwin, que l'homme n'est qu'un singe évolué, qui vient de nulle part et y retourne. Admirable et désespérante certitude, commenta le fils de Paul Taval, catholique romain comme son père.

Deux jours plus tard, à l'aube, cousu dans un linceul fait de toile à voile et lesté d'une gueuse de fonte, Uncle Dave embarqua pour sa dernière croisière sur le *Phoenix II*, commandé pour la circonstance par son vieil ami Lewis Colson. Ses marins portant un crêpe au bras, le yacht fit le tour de l'île, Union Jack déployée à mi-mât, pavillon Cornfield cravaté de noir, en donnant de la corne de brume. Du rivage, la population de Soledad suivit en silence le circuit du vapeur, tandis que les Arawak l'accompagnaient, trottant sur les berges en tirant de leurs tambours en peau de chèvre des roulements funèbres.

À dix milles de l'île, Colson mit le navire en panne et, face au soleil levant, le corps d'Uncle Dave fut placé sur une planche que Tom O'Graney, la barbe humide de larmes, ne laissa à personne le soin de basculer. L'Océan aux sillons frémissants, tel un père d'enfant prodigue, accueillit la dépouille emmaillotée de l'Écossais David Kermor, dit Uncle Dave.

Lewis Colson commanda une salve d'honneur et le yacht regagna Soledad. Comme le pasteur Russell, interdit d'office des morts par lord Pacal, beaucoup, pendant ces funérailles, avaient prié en silence pour le salut d'un incroyant au grand cœur.

En décembre, un paquebot de la Ward Line porta lord Pacal, en trois jours, de Nassau à New York, où le reçut Thomas Artcliff. Peu pressé de se rendre à Boston, le Bahamien fit, avec son ami, une cure de théâtre et de musique. Dans la ville en pleine expansion, on commentait encore l'élection, pour la seconde fois à la présidence des États-Unis, de Grover Cleveland. Le démocrate avait battu le républicain, Benjamin Harrison, président sortant, qui s'était représenté.

– Tout le monde croyait la carrière politique de Cleveland terminée. Il avait même repris la pratique du droit. Il nous avait dit, lors d'un banquet à Tammany Hall : « Nous n'avons pas trompé le peuple par de fausses promesses et de faux arguments. Nous savons aussi que nous n'avons pas corrompu ni trahi le pauvre avec l'argent du riche. » Eh bien, la convention démocrate s'en est souvenue, quand nous l'avons désigné comme candidat ; et les électeurs aussi, s'en sont souvenus. Son élection, pour un second mandat, est une bonne chose. Tous espèrent que les affaires vont reprendre. Les grèves violentes des ouvriers des aciéries de Pittsburgh, en juillet, quand Andrew Carnegie a refusé de reconnaître les unions ouvrières et décrété le lock-out, avaient rendu les entrepreneurs méfiants. Deux grévistes avaient été tués, ainsi que sept gardes de ce qu'on a appelé l'armée des non-syndiqués. Il a fallu l'intervention de la garde nationale de Pennsylvanie pour restaurer l'ordre.

– Mauvaise affaire pour les républicains, bien sûr, d'où l'élection de Cleveland, commenta Pacal.

– Naturellement, un million de mécontents ont préféré donner leur suffrage au nouveau People's Party, celui des populistes. Ces gens veulent nationaliser les chemins de fer, instaurer un impôt progressif sur le revenu, rendre libre et illimitée la frappe de l'argent, élire les sénateurs au suffrage universel et autres mesures révolutionnaires mais irréalistes, développa Thomas Artcliff, membre actif du parti démocrate.

— Aux Bahamas, nous craignons que vos déboires financiers — on dit que les États-Unis vivent à crédit — et vos troubles sociaux ne se traduisent par une nouvelle augmentation des taxes douanières. Pour certaines denrées, celles-ci ont déjà atteint quarante-neuf pour cent. Or, j'exporte de plus en plus de fruits et légumes vers la Floride, et notre sel est devenu invendable, depuis que vous en produisez. Alors, je ne me réjouis pas outre mesure du retour de Cleveland à la Maison-Blanche, dit Pacal.

La veille de son départ pour Boston, Pacal confia à Thomas l'état de continence que lui imposaient les risques qu'une nouvelle grossesse ferait courir à Susan.

— Et ça te pèse ?

— Certains jours, ou plutôt certaines nuits, concéda Pacal, sans malice.

— Si tu dois rester fidèle de cœur à ta malheureuse épouse, tu dois te sentir libre de chercher ailleurs, avec discrétion, le plaisir qu'elle te refuse. Tu n'as, pas plus que moi, vocation d'ascète ?

— Nous y avions déjà renoncé quand nous étions étudiants. Souviens-toi des demoiselles de la pension des Fleurs, plaisanta Pacal.

— Alors ?

— À Soledad, mon cher, tout écart m'est interdit. J'ai, dans ce domaine, à restaurer la réputation des Cornfield, mise à mal par mon grand-père, grand fornicateur insulaire. J'en suis d'ailleurs le produit, rappela lord Pacal en riant.

— À New York, avec un million et demi d'habitants, conserver l'anonymat est aisé. Veux-tu que je demande à la créature avec laquelle je couche actuellement, une gentille vendeuse de Bloomingdale's, d'amener, ce soir, une amie sûre et agréable. Nous dînerons, en cabinet particulier, au Delmonico's, à Madison Square. Après, ce sera à toi de jouer.

– Ce sont des prostituées ?

– Pas exactement. Ce sont des filles d'origine modeste mais de bonne éducation. Elles partagent le plaisir comme un bon repas. Elles acceptent les... hommages des messieurs aisés pour arrondir leurs fins de mois. En fait, elles veulent toutes réunir assez de dollars pour acheter une boutique de fanfreluches ou de chaussures et finir dans la peau d'une dame patronnesse. Elles opèrent avec discrétion, pour ne pas perdre leur place car, chez Bloomingdale's et Macy's, on veut des vendeuses jolies, honnêtes et vertueuses. Avec ce genre de fille, tu passes un bon moment, tu paies et tu t'en vas. Et, si tu as envie de les revoir, c'est toujours possible, expliqua Artcliff.

Le même soir, la rencontre se déroula au mieux. Babe, l'élue de Thomas, présenta Lily à Pacal et, quand le Bahamien prit le train pour Boston, il s'était fait, à New York, une relation galante, voluptueuse par goût, cupide par nécessité.

Après ces jours de liberté, vécus en célibataire avec son ami Artcliff, lord Pacal retrouva Susan et sa famille dans la placidité, un rien pincée, qui tenait lieu de distinction à la classe régnante. Les fêtes de fin d'année eussent été uniquement dévotes et mondaines sans la petite Martha, dont la vitalité rayonnante n'était pas aisément contenue par sa mère et sa nurse Erika.

Seule, tante Maguy, massive comme un cavalier des Life Guards, mains puissantes, traits épais de sculpture inachevée, immenses yeux marron, impressionnait l'enfant. La doyenne de la lignée Metaz O'Brien Buchanan entendait bien dicter à Martha maintien et conduite, ainsi qu'elle l'avait fait avec Susan, orpheline de mère. Son seul échec, dont il était interdit de prononcer le nom, était Fanny, nièce dénaturée. De Floride, cette dernière adressait à Susan des lettres enthousiastes. Non seulement la dévergondée était heureuse en ménage, mais ses affaires immobilières prospéraient si bien qu'elle et son mari faisaient construire, à Palm Beach, une somptueuse demeure, proche de celle de Henry Flagler.

Les échos de cette réussite, rapportés par Susan à Arnold Buchanan, agaçaient le négociant, car la situation économique, en Nouvelle-Angleterre comme ailleurs dans les États industriels, suscitait bien des inquiétudes.

En s'emparant des mines de charbon, les sociétés de chemins de fer faisaient la loi des tarifs de transport de ce combustible, indispensable à l'industrie et aux foyers domestiques. Autres rapaces, la Standard Oil, de Rockefeller, en situation de monopole pour l'extraction et le transport du pétrole, ainsi que, depuis peu, pour la production d'électricité, défiait les lois de la concurrence, comme les trusts du sucre et de la viande de bœuf.

– Le pouvoir économique est aux mains de quelques hommes, qui sont dans toutes les productions vitales. Ils possèdent des journaux, qui influencent l'opinion, des banques, qui jouent du crédit, des compagnies d'assurances. Ce sont eux qui financent les partis politiques, afin de faire élire des hommes à leur dévotion. Ah ! ce brave Cleveland, que je tiens pour un honnête homme, aura fort à faire, pour défendre les intérêts des simples citoyens. Quand Benjamin Harrison est arrivé au pouvoir, il y a quatre ans, l'excédent du Trésor était de quatre-vingt-dix-sept millions de dollars. Tout à été englouti, on ne sait comment, et, aujourd'hui, l'État fédéral ne peut même plus faire face aux dépenses courantes, développait le père de Susan, cramoisi d'indignation.

Les démonstrations de ce genre, lord Pacal en entendit tous les jours, avec quelques variantes, lors des dîners ou des soirées au fumoir. Aussi, fut-il bien aise d'apprendre, un matin de février 1893, que le yacht *Lady Ounca* était à quai, dans le port de Boston.

– Demain, nous embarquerons pour Soledad et nous aurons une belle traversée, glissa-t-il à Martha.

– Peut-être qu'on verra des baleines ! s'écria la fillette en battant des mains.

4.

La nouvelle unité de la flotte Cornfield ne pouvait rivaliser, en matière de luxe, avec les yachts des milliardaires américains, comme l'*Oneida*, du banquier Edward C. Benedict, le *Corsair II*, de John Pierpont. Morgan, ou le *Sayonara*, du philanthrope Anthony Drexel, dont le pont avait été aménagé en roseraie ! En revanche, le *Lady Ounca* les eût battus à la course, grâce à sa vitesse de pointe de dix-huit nœuds et à sa parfaite tenue à la mer.

Lord Pacal félicita John Maitland pour l'attention qu'il avait portée, pendant des mois, en Écosse, à la construction du vapeur, et pour la manière dont il en tirait, en fin manœuvrier, le meilleur parti. Bien que l'aménagement provisoire des cabines fût des plus fruste, salle à manger et salons encore dépourvus de décor, Susan n'émit aucune critique et se montra enjouée pendant la traversée.

Soledad fit fête au yacht, racé comme un clipper, dont l'unique cheminée, bleu azur, légèrement inclinée vers l'arrière et frappée du blason des Cornfield, répandait moins d'escarbilles qu'une locomotive. Ne s'étant, à aucun moment, plainte du mal de mer, Susan eût volontiers contresigné le certificat de navigabilité.

Le lendemain de l'accostage, dans le port occidental, tous les navires de la flotte Cornfield hissèrent le grand pavois, avant que lady Ottilia ne répande, en présence du pieux pasteur Russell, sur l'étrave du navire qui portait le nom de sa demi-sœur, le contenu pétillant d'une bouteille de vin de Champagne.

Comme Susan s'étonnait de ce baptême païen, John Maitland expliqua qu'un marin n'eût jamais accepté de naviguer sur un vaisseau qu'on eût omis de baptiser.

– On dit, chez nous, que ce geste est une survivance des sacrifices humains, tels qu'ils se pratiquaient chez les Vikings, au moment de la mise à l'eau d'un drakkar. La coque était alors rougie par le sang des victimes, attachées aux rouleaux de lancement[1], expliqua l'officier.

– Quelle horreur ! dit Susan.

– Mieux vaut sacrifier une bonne bouteille, reconnut Joseph Balmer, promu second du *Lady Ounca*.

Dès le lendemain, le bateau fut livré à Tom O'Graney et à ses charpentiers. Les hommes transbordèrent sur le yacht le mobilier ancien du *Centaur* et entreprirent la finition des aménagements intérieurs, tandis que les stewards mettaient en place vaisselle, cristaux, argenterie, fixaient aux cloisons les tableaux sélectionnés et répartis par l'armateur.

En avril, quand lord Pacal fut désigné par le gouverneur comme membre de la délégation des Bahamas à l'Exposition universelle du quatre centième anniversaire de la découverte de l'Amérique, organisée à Chicago, la décoration du *Lady Ounca* était achevée et le maître coq pouvait inaugurer des locaux qu'eût enviés un chef de cuisine londonien. Lord Pacal décida bientôt de prendre la mer, l'inauguration officielle de l'Exposition par le président des États-Unis, Grover Cleveland, étant fixée au 1er mai.

Susan accepta d'autant plus aisément d'accompagner son

---

1. *Petit Dictionnaire de marine*, Robert Gruss, Éditions Maritimes et d'Outre-Mer, Paris, 1945.

mari que le nouveau yacht, qui les conduirait à New York, d'où ils gagneraient Chicago par le Pennsylvania Railroad, viendrait, plus tard, les reprendre à Boston où elle comptait séjourner.

Lord Pacal invita son père et Otti à se joindre à leur couple. Charles serait heureux de revoir ses vieux amis Ann et Mark Tilloy. À soixante ans, l'ancien officier de la flotte Cornfield, devenu premier armateur des Illinois, siégeait au sénat de l'État. Il était père d'un fils, étudiant à Harvard, et d'une fille, pensionnaire à Vassar, le collège pour jeunes filles le plus réputé de l'Union[1].

– Sur ce yacht, vous serez comme dans votre hôtel de Belgravia, assura le commandant Maitland, faisant les honneurs des salons et salle à manger, lambrissés de citronnier, à la marraine du bateau et à l'épouse du jeune lord.

Thomas Artcliff résidant, depuis plusieurs semaines, à Chicago, où il avait participé, comme architecte, aux travaux de l'Exposition, les Bahamiens ne s'attardèrent pas à New York. Ils se rendirent, du port à Grand Central Station, d'où partait, chaque matin à dix heures, le train de luxe composé de *Pullman vestibule cars*. Le lendemain, à la même heure, ils en descendirent au bord du lac Michigan. Wagons-lits, bains, restaurant, fumoir, bibliothèque, salon de coiffure et voiture dite d'observation, d'où l'on admira le paysage, particulièrement beau entre Philadelphie et Pittsburg, avaient fait du voyage une agréable détente. La compagnie avait même prévu une domestique pour les dames et un sténographe pour les hommes d'affaires, afin qu'ils puissent expédier du courrier lors des haltes.

Deuxième ville de l'Union, avec plus d'un million d'habitants, Chicago se posait en principale rivale de New York. Elle devait au tragique incendie de 1871, qui avait détruit dix-sept mille cinq cents maisons, la plupart de bois, tué

---

1. Fondé en 1861 dans l'État de New York.

deux cent soixante personnes, fait quatre-vingt-dix mille sans abris et occasionné cent quatre-vingt-seize millions de dollars de dégâts, d'être devenue la capitale de l'architecture moderne. Car, pour reconstruire la cité incendiée, suivant les plans des urbanistes, les bâtisseurs, dont le célèbre architecte Lewis Sullivan, avaient résolument opté pour de grands immeubles à ossature métallique. Technique de construction prônée depuis longtemps par Alistair Gregory Artcliff, le père de Thomas. Déjà connu sous le nom d'École de Chicago, un groupe de jeunes architectes rivalisait d'audace pour bâtir des immeubles de plus en plus hauts, qu'un journaliste avait nommés, avec quelque emphase, *skyscrappers*[1].

Lord Pacal et Susan eurent, dès leur arrivée à l'Auditorium, le sentiment d'entrer dans le monde de l'avenir américain. Un palace de dix étages et cinq cents chambres était coiffé d'une tour de dix-sept étages, dont la terrasse offrait une vue incomparable sur la ville et le lac. Construit entre 1887 et 1889, par les architectes Dankmar Adler et Louis Sullivan, le caravansérail abritait aussi un théâtre de quatre mille places, une salle de concert et un grand nombre de magasins.

– On pourrait vivre ici sans jamais sortir. On trouve tout ce qui est nécessaire à la vie et à la distraction, s'émerveilla Susan.

– En effet, ma chère, que vous n'en sortiez pas est le but recherché par les propriétaires. Ils ont dépensé trois millions cinq cent mille dollars pour construire cet ensemble. Que vous dormiez, dîniez, dansiez, alliez au théâtre ou au concert, achetiez des chaussures, un bijou, un chapeau ou un sandwich, tout tombe dans la même escarcelle. L'Auditorium est un vaste tiroir-caisse. Qui entre ici devient captif volontaire, ironisa Pacal.

Cette captivité mercantile fut épargnée à Charles

---

1. Gratte-ciel.

Desteyrac et à Ottilia. Les Tilloy les hébergèrent dans leur vaste résidence de Michigan Avenue, ce qui permit, dès le premier soir, aux deux amis, tête à tête à l'heure du cigare, d'évoquer leur rencontre et leur destinée.

— Vous rappelez-vous ? C'était le 5 janvier 1853, à Liverpool. Le major Carver nous a présentés l'un à l'autre dans la taverne du Red Eagle, sur le port. Vous étiez fringant lieutenant et moi, fraîchement sorti de l'École des ponts et chaussées, je fuyais la France de Napoléon III, avec, en poche, un contrat pour construire un pont aux Bahamas, rappela l'ingénieur.

— Diable, il y a tout juste quarante ans de cela !

— Le lendemain, j'ai embarqué sur le *Phoenix*, beau voilier dont vous étiez le second, précisa Charles.

— Oui. Et, que d'événements ont agité nos vies, depuis ce jour ! N'avez-vous jamais regretté votre choix de vivre à Soledad ? C'est un peu étroit, non ?

— Ma vie a été bien remplie, grâce à lord Simon, le Vieux, comme vous l'appeliez. J'ai pu, en toute liberté, exercer mon métier d'ingénieur, construire des équipements utiles, du pont de Buena Vista au phare du Cabo del Diablo. J'ai tracé des routes, établi un chemin de fer, créé un réseau de distribution d'eau potable. Et vécu l'amour de deux femmes exceptionnelles, précisa Charles.

— Il y a eu Ounca Lou, et ce fils superbe, qu'elle vous a laissé, Pacal le nouveau lord des Bahamas. Et aujourd'hui, lady Ottilia, acheva Mark, étonné que l'arrogante aristocrate d'autrefois se fût muée en épouse attentive.

— Vous avez vous-même fort bien réussi en amour et dans les affaires. On dit que votre compagnie de navigation concurrence la puissante Goodrich Line. On voit partout votre pavillon bleu à étoiles d'or sur le Michigan, l'Erie, l'Ontario, le Mississippi, jusqu'au Saint-Laurent m'a-t-on dit, développa Charles.

— Vous savez mieux que personne que je dois tout à Ann.
J'ai simplement fait fructifier son héritage. Rappelez-vous
nos fiançailles ratées, son mariage avec Pickermann, le
naufrage, son veuvage, sa longue paralysie et comment ce
cher vieux sorcier de Maoti-Mata sut la guérir avant que je
ne l'épouse en 69. Ah ! Charles, nous devons nous considérer comme des privilégiés, même si nous avons vécu, l'un
et l'autre, des heures difficiles, des déceptions, des deuils. Je
pense d'abord à la mort tragique d'Ounca Lou, bien sûr.

— Le nouveau yacht de mon fils porte son nom.

— Comme vous, j'ai un fils de vingt et un ans, qui prendra
ma suite. Le Vieux, que nous aimions bien, serait assez fier
de nous voir ici, ce soir, tels que nous sommes. Sûr qu'il
penserait nous avoir formés et guidés jusque-là, dit Mark
en riant.

— N'est-ce pas un peu le cas ?

Dans l'intimité, Charles et Otti, échangeant leurs impressions, convinrent que Mark Tilloy, Anglais de bonne souche,
était devenu un parfait *Chicagoan*[1], type d'homme d'affaires
fort différent de son *alter ego* bostonien, bien qu'il en eût,
dans le vent de la prospérité, acquis la ronde bedaine,
festonnée d'une chaîne de montre en or. En revanche, jamais
Arnold Buchanan n'eût endossé, comme lui, des vestons
droits à revers étroits et poches plaquées, porté des chemises
bleu pâle à col blanc rabattu, ni arboré des cravates à rayures
colorées. Ann était dans le ton et bien qu'une très légère
claudication rappelât sa paralysie d'autrefois, la fille de
Jeffrey Cornfield conservait, dans la sérénité d'une cinquantaine épanouie, la grâce mélancolique de celles que la
souffrance physique a éprouvées.

---

1. Habitant de Chicago.

Mark Tilloy paraissait très fier de sa ville d'adoption, où le mouvement des affaires traitées avait atteint, l'année précédente, le chiffre record de mille cinq cent quarante millions de dollars. L'armateur avait trouvé en Thomas Artcliff un supporter enthousiaste. L'architecte tint à montrer aux Bahamiens les buildings qui impressionnaient les visiteurs de l'Exposition. La chambre de Commerce, avec ses quatorze étages, la tour de la Bourse, le Women's Temperance Club qui, du haut de ses treize étages, menaçait de la fureur des militantes anti-alcooliques les buveurs de whisky et de bière, le temple maçonnique, dont les lanternes électriques, suspendues au vingt-deuxième étage, dardaient, la nuit venue, leurs faisceaux lumineux, tels des phares.

Tilloy n'épargna pas à ses amis ce qui faisait la singularité et une partie de la fortune de Chicago : les parcs à bestiaux et les abattoirs de l'Union Stock Yard, où vingt-cinq mille ouvriers tuaient, découpaient, emballaient et expédiaient, chaque année, la viande fournie par quatre millions de bovins, huit millions de porcs, deux millions et demi de moutons.

Quand il ne vantait pas les charmes de Chicago, Mark Tilloy parlait automobile, ainsi qu'on nommait, depuis trois ans, les véhicules pourvus d'un moteur à pétrole. Il s'intéressait particulièrement, et sans doute les soutenait-il de ses dollars, aux frères Charles Edgar et James Frank Duryea, qui venaient de faire rouler à Springfield, Massachusetts, une voiture mue par un moteur à un cylindre, avec allumage électrique.

— Le *Chicago Herald* propose d'organiser, l'an prochain, une course entre les différents modèles d'automobiles, car les frères Duryea ne sont pas les seuls à construire des engins qui se déplacent par leurs propres moyens. Si les Duryea acceptent de me confier une de leurs machines, je compte bien être de la partie, annonça Mark.

Lord Pacal devait, lui, s'intéresser au quatre centième anniversaire de la découverte de l'Amérique. Le 8 mai, le président Grover Cleveland, dans son bureau de la Maison-Blanche à Washington, pressa un commutateur électrique qui libéra à Chicago la puissance des dynamos, conçues et construites par George Westinghouse, pour fournir énergie et lumière à l'ensemble de l'Exposition. Celle-ci occupait deux cent soixante dix-huit hectares sur Jackson Park et Washington Park, espaces verts situés en bordure du lac, de part et d'autre du large boulevard Midway Pleasance.

Lord Pacal en fit le tour avec Susan, avant de se rendre au stand des West Indies, où l'on présentait écaille de tortue, chapeaux et sacs de sisal tressé, éponges, ananas en boîte, colliers de coquillages, pendentifs à dents de requin, camées gravés dans les conches et quelques perles, semblables à celle offerte à Sa Très Gracieuse Majesté la reine Victoria. Les architectes Burnham et Artwood avaient conçu des bâtiments de style classique, tous d'une blancheur lumineuse et ceints d'une même corniche. Bien que provisoire, cette cité blanche valut aussitôt à Chicago le surnom de White City, ce qui, étant donné la crasse fort visible de certains quartiers, parut à lord Pacal vaniteuse surestimation de polygraphes enthousiastes.

Si Charles, Otti et Pacal, entraînés par Ann et Mark Tilloy se grisèrent, le 21 juin, d'un tour sur la grande roue de l'ingénieur Ferris, principale attraction de l'Exposition, Susan refusa de monter dans une des trente-six nacelles de quarante places de ce manège vertical. Mue par une machine à vapeur de mille chevaux, la roue offrait, pendant trente minutes et pour un demi-dollar, une vue aérienne de l'Exposition.

En revanche, Susan suivit avec enthousiasme les célébrations patriotiques, organisées à la mémoire de Christophe

Colomb, jusqu'au soir où, se trouvant seule avec Ann, elle entendit cette dernière lui demander naïvement si elle comptait donner à Martha des frères et des sœurs.

– Étant donné que j'ai perdu un second bébé l'an dernier, les médecins déconseillent une nouvelle grossesse, confia-t-elle.

– Ah ! Les médecins, ma chère ! Ils m'avaient aussi déconseillé d'avoir des enfants, à cause de la paralysie de mes jambes, à la suite d'un choc à la colonne vertébrale, lors du naufrage qui fut fatal à mon premier mari ! J'avais été immobilisée pendant des mois et les médecins disaient qu'ils ne savaient rien des dégâts internes que cette paralysie avait pu causer ailleurs. Ils jugeaient donc prudent que je renonce à la maternité. Heureusement, je ne les ai pas écoutés. Ma fille et mon fils son nés tout à fait normalement et, si j'avais été plus jeune, nous aurions, Mark et moi, agrandi la famille, rapporta Ann.

Susan, sans être d'une sensualité ardente, se souvenait des nuits floridiennes ou bahamiennes, au cours desquelles elle avait connu les étreintes les plus voluptueuses. Elle se remémorait aussi l'avertissement donné par Fanny, en plus de suggestions qu'une honnête femme ne pouvait retenir. « Si tu ne fais pas ce qu'il faut pour contenter ton mari, il ira voir ailleurs et tu porteras des cornes », avait dit la gaillarde épouse d'Andrew Cunnings. Susan n'avait pas manqué de constater, à Chicago comme à Boston, au cours de dîners, de réunions mondaines ou au foyer des théâtres, lors des entr'actes, que les femmes entouraient son beau mari. Minaudantes, presque enamourées, certaines eussent été prêtes, s'il l'eût souhaité, à offrir ce qu'elle-même ne pouvait accorder.

Troublée par ses propres réflexions et peut-être enhardie par le vin de Champagne, servi ce soir-là à la table des Tilloy, Susan, rentrée à l'hôtel, refusa de se séparer de Pacal après un baiser distrait.

– Restez avec moi cette nuit, s'il vous plaît, demanda-t-elle timidement, presque rougissante.

Il la suivit dans sa chambre et s'assit dans un fauteuil en commentant les événements de la journée, pendant que sa femme procédait à sa toilette du soir. Quand elle revint dans une chemise de batiste aux transparences coquines, Pacal se leva et fit mine de s'en aller.

– Ah non ! Je veux que... que vous restiez. Ne faites pas celui qui ne comprend pas, murmura-t-elle.

– Mais Susan. Les médecins ont dit...

– Nous verrons bien. Et puis, peut-être ne puis-je plus avoir d'enfants. Une amie m'a dit qu'une fausse couche pouvait rendre stérile. Eh puis... eh puis... je vous aime, moi ! J'en ai assez de vivre avec vous comme frère et sœur.

Il y eut dans le réflexe de Pacal autant d'émotion que de désir. La nuit fut celle d'amants réunis après une trop longue séparation. Durant le reste du séjour, valets et femmes de chambre constatèrent en riant que le lit du gentleman des îles, n'était plus jamais défait !

Mi-juillet, les Bahamiens gagnèrent Boston où le *Lady Ounca* les attendait. C'est là qu'ils apprirent, de la bouche d'Arnold Buchanan, que, le premier jour du mois, le président des États-Unis, Grover Cleveland, avait été discrètement opéré d'une tumeur cancéreuse à la mâchoire.

– Pour prévenir toute publicité, l'opération a été pratiquée à bord du yacht *Oneida*, propriété du banquier Elias C. Benedict, membre influent du trust du gaz, un ami de Cleveland. Je sais que l'*Oneida* avait déjà abrité les négociations du Trésor américain avec un syndicat de banquiers, dont la Morgan. Une bonne affaire, pour les banquiers.

– Comment cela ? demanda Pacal.

– Naturellement, sur votre île, vous ignorez tout de nos affaires.

– Instruisez-moi, insista Pacal.

– Quand la sous-trésorerie de New York se vit menacée d'avoir à suspendre les paiements en or des obligations d'État, le président Cleveland décida, malgré une forte opposition des représentants républicains, des populistes et de la moitié des démocrates, de céder des titres aux banquiers, pour la somme de soixante-deux millions de dollars. Dès que la transaction fut conclue, les banquiers remirent leurs acquisitions sur le marché. Les Morgan et consorts ont ainsi gagné sept millions de dollars[1]. J'ai, moi-même, fait une assez bonne opération, car j'ai vendu, au plus haut, ce que j'avais acheté autrefois au plus bas, détailla avec fierté le père de Susan.

– En somme, le Trésor public américain est soumis aux appétits de quelques banquiers, risqua lord Pacal.

– Dans le monde moderne, mon cher fils, la banque est le moteur de toutes les activités industrielles et commerciales. Et ça ne fonctionne pas trop mal. Il n'y a que les populistes et les rouges, qui rêvent de changer ça ! conclut Arnold.

Après une quinzaine de jours passée dans leur maison de Beacon Hill et de nombreuses visites, courses en ville et spectacles, lord Pacal donna le signal du retour à Soledad.

– D'après les marins qui arrivent d'Europe ou de Cuba, le temps est beau sur l'Atlantique, mais nous ne devons pas attendre pour rentrer, si nous voulons éviter le risque des tempêtes tropicales, dit Pacal à Susan, au cours d'une promenade sous les grands ormes du jardin public.

La jeune femme demeura un instant silencieuse, puis serra plus fort le bras de son mari.

---

1. Harry Thurston Peck, *Vingt années de vie publique aux États-Unis 1885-1905*, librairie Plon, Paris 1921.

– Je crois, mon ami, bien qu'il m'en coûte, comme toujours, de me séparer de vous, que je devrais rester ici, dit-elle à voix basse.

– Parce que vous êtes enceinte, n'est-ce pas ? dit Pacal.

Trouvant sa femme disponible sans interruption depuis plusieurs semaines, il avait subodoré l'événement.

– Oui et j'en suis heureuse. Je vais être sage pour que tout se passe bien.

Alors qu'ils arrivaient devant la statue équestre de George Washington, sans se soucier des promeneurs, il s'arrêta, prit Susan dans ses bras et l'embrassa avec la fougue de l'amoureux comblé.

– Nous sommes mariés ! lança Susan en riant à l'adresse d'un passant, offusqué par le spectacle d'une effusion publique indécente, jamais vue en un tel lieu et, circonstance aggravante, sous le regard de bronze du père de la patrie !

Ainsi qu'il s'y attendait, lord Pacal eut droit, en privé, à des remontrances hargneuses de tante Maguy.

– Le professeur Collins avait demandé à Susan de ne pas céder à ces... rapprochements conjugaux. Les hommes ne peuvent donc maîtriser leurs instincts ! s'emporta avec aigreur la vieille fille.

– Ne parlez pas de ce que vous ignorez et qui vous a toujours fait défaut, chère tante, répliqua Pacal, ironique.

Résigné à laisser sa femme à Boston, avec sa fille Martha, maintenant pourvue d'une institutrice anglaise, lord Pacal s'embarqua, avec son père et Ottilia, pour Soledad, où le *Lady Ounca* les porta en quatre jours. Le risque qu'avait décidé de prendre Susan était une preuve d'amour et méritait respect et fidélité.

En retrouvant ses habitudes de hobereau insulaire, lord

Pacal se persuada que son union avec Susan venait de gagner en sincérité, même si les élans sensuels de ces dernières semaines relevaient plus, chez lui, « de ces instincts que les hommes ne savent pas maîtriser », comme avait dit la virago bostonienne, que d'une indomptable passion. Si Susan lui donnait le fils espéré, il s'estimerait comblé, et ce mariage de raison deviendrait raisonnable.

Cette année-là, l'ouragan ne fit qu'effleurer les Bahamas en ébréchant quelques toitures fragiles mais, entre le 23 et le 29 août, il dévasta la côte est des États-Unis, de Charleston, Caroline du Sud, à Savannah, Georgie. On dénombra deux mille morts et des centaines de maisons furent détruites.

Pour rassurer sa femme, lord Pacal s'empressa de confier au bateau-poste un télégramme, qui serait expédié de Nassau et livré en quelques heures à Boston. Informée du désastre de Charleston par les journaux américains, peu attentifs à ce qui se passait aux Bahamas, Susan devait craindre que Soledad n'eût souffert.

L'île avait retrouvé sa quiétude et les cantonniers ramassaient les pennes, arrachées aux palmiers par le vent, quand le patron d'un bateau de pêche, qui avait trouvé refuge au port occidental, pendant un épisode orageux, rapporta que le *Santiago*, paquebot en provenance de la Jamaïque, avait été drossé sur des récifs, à quelques encâblures de Spanish Wells, sur la côte nord de l'île d'Eleuthera. D'après le marin, on déplorait la disparition de plusieurs passagers. Lord Pacal se souvint d'avoir vu, en 1887, le *Santiago* illuminé dans le port de Nassau, lors du jubilé de la reine Victoria.

Début septembre, il dut se rendre à Nassau, où le gouvernement et les assemblées se préparaient à accueillir Joseph Chamberlain, leader du parti libéral unioniste, que l'on donnait comme futur secrétaire d'État aux Colonies. Accompagné de son fils aîné, Austen, membre de la Chambre des communes, le politicien se rendait à Andros Island pour visiter sa plantation de sisal, dirigée par Neville, son plus jeune fils.

En arrivant au Royal Victoria Hotel, Pacal apprit, par son fondé de pouvoir, que Michael Ferguson, haut fonctionnaire du Colonial Office, et son secrétaire, James Kevin, figuraient parmi les victimes du naufrage du *Santiago*.

– Connaît-on le sort de l'épouse de Michael Ferguson ? s'empressa de demander Pacal.

Lizzie lui ayant annoncé son retour de la Jamaïque pour août 93, elle devait se trouver, elle aussi, à bord du paquebot.

– Liz Ferguson est saine et sauve, *my lord*, simplement un peu endolorie. Elle est actuellement au nouvel hôpital Victoria Jubilee. Son frère, Frederik Horney, l'agent de change, s'occupe de faire venir à Nassau les corps de Michael Ferguson et de son secrétaire, précisa l'homme.

Ce fut de la bouche de Liz, hébergée par sa cousine Ellen Horney que, deux jours plus tard, lord Pacal connut les détails du drame.

– Pris dans la tempête, le commandant du *Santiago* décida de mettre son navire à l'abri, dans le port de Spanish Wells. Mais un vent violent compromit la manœuvre et, tout près de la côte, nous jeta sur un rocher. Je ne sais comment je me suis vue dans l'eau, au milieu de gens qui se débattaient en criant. Michael, lui, n'avait pas perdu son sang-froid : il me saisit et, en nageant, me porta jusqu'aux barques des gens de Spanish Wells, venus à notre secours. Dès que je fus en sûreté, il repartit à la nage vers le navire échoué. James Kevin, son secrétaire, et vous savez ce qu'il représentait pour lui depuis des années, était encore à bord. Mais le navire a soudain basculé, dans un grand remous, et c'est alors que beaucoup de gens furent noyés, rapporta Lizzie, encore hébétée.

– Les corps ont été retrouvés, dit Pacal.

– C'est ce que m'a dit le directeur du Colonial Office. Michael et James ont été mis en bière et portés à la plantation que mon père exploite à Eleuthera. Mon frère n'a pu décider aucun propriétaire de bateau à Nassau à aller chercher les cercueils. « Nous promenons les touristes, pas les morts », ont répondu ces marins sans cœur.

– Si vous acceptez, je donne des ordres au commandant du *Lady Ounca*. Il ira à Spanish Wells chercher votre mari et son ami.

– Oh ! oui, merci, Pacal. Faites cela pour moi et pour lui, car vous êtes le seul à qui il m'aurait confiée. Voyez-vous, Pacal, si Michael ne fut jamais un véritable mari, puisqu'il donnait son amour aux garçons et, depuis longtemps, au gentil James, il était mon meilleur ami. Celui sur qui j'ai toujours compté. Il a su m'éviter, par la discrétion de ses mœurs, réputées contre nature, la moindre humiliation. Et il m'a sauvé la vie, confessa Lizzie, en larmes.

– Tous les rescapés conviennent qu'il s'est montré très courageux, lors du naufrage, renchérit Pacal.

– Dès que les cercueils seront ici, nous nous embarquerons, mon frère et moi, avec eux pour l'Europe. Michael a souvent dit qu'il voulait reposer en Angleterre, dans un cimetière de Londres, dont j'ai le nom quelque part. Sa mère, très âgée, vit encore. Elle n'a jamais soupçonné bien sûr, non plus que son défunt mari, le mode de vie d'un fils dont ils étaient très fiers. Ils m'ont parfois gentiment reproché de ne pas leur donner de petits-enfants. J'ai pris sur moi de dire que Michael avait eu la malchance d'épouser une femme stérile. Revoir la mère de mon mari et organiser ses funérailles sera une épreuve et je devrai aussi remettre le corps de leur fils aux parents de James Kevin, que je ne connais pas. Mais je ferai ce qui doit être fait.

Paçal, ému par la détermination de Liz, lui prit la main.

– À quel hôtel me conseillez-vous de descendre à Londres ? demanda-t-elle.

– Vous pourrez loger, avec votre frère, à Cornfield House, mon hôtel particulier de Belgravia Square. La maison est tenue par lady Mary Ann Gordon, la sœur de lord Simon. C'est une très vieille dame de quatre-vingt-six ans, mais solide au poste. Vous serez bien accueillie et traitée. Il suffit que je donne des ordres par télégramme.

Liz Ferguson, qui dominait tant bien que mal son désarroi, accepta la proposition de son ancien amant.

Une semaine plus tard, John Maitland ayant rempli sa mission à Eleuthera, la veuve de Michael Ferguson put embarquer pour New York, avec son frère et les cercueils, sur un paquebot de la Musson Line, d'où un navire de la Cunard les porterait en Angleterre.

Lord Paçal accompagna Liz Ferguson, plus frêle encore dans ses vêtements de deuil, jusqu'au bateau. Au moment de la séparation, il ne se déroba pas aux effusions de la jeune femme.

– J'ai toujours su que vous aviez un grand cœur, que vous méritiez d'être aimé, lui glissa-t-elle, avant d'effleurer ses lèvres d'un baiser fugace.

L'expression de la juste reconnaissance de Liz enrobait de plus tendres sentiments. Lord Paçal, qui n'en doutait pas, rentra pensif à son hôtel.

Tout au long de l'automne, les lettres hebdomadaires de Susan ne rapportèrent que des considérations rassurantes. Le professeur Collins estimait satisfaisante l'évolution de la grossesse et confirmait que l'enfant était attendu pour la mi-avril 94.

Dans une lettre de novembre, la future mère se montrait sans inquiétude.

« Je n'ai jamais été aussi dorlotée par tante Maguy et mes amies. Je ne commets pas d'imprudence, je me lève tard, je ne sors qu'en calèche accompagnée et l'on empêche Martha, vive comme la foudre, de sauter dans mon giron. Interdiction que j'ai du mal à justifier », écrivait Susan. Elle ajoutait en *post-scriptum*, avec une pointe d'acidité : « Vous vous êtes montré bien généreux, mon ami, avec cette malheureuse Liz Ferguson, que je ne connais pas, en la logeant dans notre hôtel de Belgravia. » Le « notre », fit sourire Pacal. Susan, comme tous les Buchanan, possédait un sens aigu de la propriété.

En novembre, le maître de Soledad dut faire un nouveau séjour à Nassau, pour accueillir deux officiers de la Royal Navy, recrutés par John Maitland, lors de son dernier séjour en Grande-Bretagne. Ces deux lieutenants, Edward Carrington et Anthony MacLay, avaient navigué sur toutes les mers du globe, d'une colonie britannique à l'autre. Ayant accompli le temps de service imposé aux boursiers formés au Royal Navy College, à Dartmouth, ils avaient répondu, avec d'autres, à l'annonce publiée par Maitland dans une revue lue par les marins. Après sélection des célibataires et au vu de leurs états de service, ils avaient été incorporés, à leur grande satisfaction, dans ce qu'on nommait, de Dartmouth à Liverpool, « *the Cornfield Fleet* ». Car la flotte créée par lord Simon au début du siècle avait acquis, dans le milieu maritime, assez de réputation – soldes élevées, conditions de vie à terre inégalées, croisières fréquentes entre l'archipel et les États-Unis –, pour séduire des marins sérieux, prêts à s'exiler sous les tropiques.

Lord Pacal apprécia la tenue des deux Anglais, âgés de trente-trois et trente-cinq ans. Sobrement vêtus et apparemment peu à l'aise dans des vêtements civils, ils conservaient la rigidité de ceux qui ont longtemps servi dans la marine de guerre. Ayant remarqué, sur la pommette de Carrington, une profonde balafre, il voulut en connaître l'origine.

— Vous avez étudié à Heidelberg, où les jeunes gens échangent des coups de sabre ?demanda-t-il.

— Non, *my lord*. Un nègre m'a porté un coup de machette, lors des émeutes de La Plaine, à la Dominique, en avril de cette année. Le Colonial Office avait demandé l'envoi du *Mohawk*, dont j'étais le second lieutenant. Les nègres révoltés mettaient le feu aux plantations de cannes à sucre. Comme la loi leur interdisait le tambour, pour ameuter leurs congénères, ils soufflaient dans des coquilles de conches. Le son portait sur l'île de colline en colline. Nous les avons fait taire. Nous avons tué quatre hommes et blessé quatre femmes, Des vraies furies qui attaquaient nos marines à la machette, expliqua l'officier.

Avant de convier les nouvelles recrues, pour dîner au Royal Victoria Hotel, lord Pacal, dans son allocution de bienvenue, rappela ce qu'il attendait des hommes enrôlés sous son pavillon.

— La discipline, sur nos bateaux, est d'ordre militaire. Les uniformes, grades et emplois sont calqués sur ceux de la marine britannique. Seules les punitions corporelles, que vous avez peut-être subies comme midships, ont été supprimées. Vous aurez à commander des équipages qui connaissent leur métier et sont fiers de servir dans une flotte qui, pour être privée et indépendante, n'en est pas moins au service de Sa Très Gracieuse Majesté. Tous sont très attachés à leur île, ce qui explique que la plupart des retraités nous restent, dit Pacal, se tournant, avec un sourire, à l'adresse de Lewis.

» Mon grand-père, lord Simon, reprit-il, a toujours voulu que les marins jouissent, à terre, d'une vie agréable. Je me suis fait un devoir de l'imiter. Vous disposerez chacun d'un bungalow et d'un domestique dans ce que l'on nomme, à Soledad, le Cornfieldshire. Vous serez membres de droit du

Loyalists Club où l'on trouve, en plus du *pink gin* et du whisky, les journaux et magazines anglais, américains, parfois espagnols, et aussi *The Nassau Guardian*, quotidien de l'archipel qui, du fait de la rotation du bateau-poste, prend, à Soledad, une périodicité irrégulière, conclut lord Pacal.

Le lendemain, au cours d'une brève cérémonie au port occidental, Philip Rodney, à la veille de la retraite, reçut officiellement le commandement du luxueux *Phoenix II*, dont il connaissait les qualités et les susceptibilités. Il accepta, comme second et probable successeur, le lieutenant Anthony MacLay, qui avait commandé une goélette de l'escadre des West Indies. John Maitland, commandant de la flotte, conserva le *Lady Ounca*, nouveau navire amiral, auquel fut affecté le lieutenant Edward Carrington, dit le Balafré, et l'officier mécanicien Gilles Artwood. Joseph Balmer, ancien écrivain de marine, prit la barre du *Centaur*, radoubé, remis en état, remeublé. Ce brick rapide transporterait vers Nassau, la Floride et parfois New York, les productions de la Cornfield Company.

Le même jour, lord Pacal promut le maître charpentier Tom O'Graney capitaine. À soixante-dix ans, le robuste Irlandais devenait responsable de l'entretien des navires et de l'aménagement des ports.

– Libre à vous, cher Tom, de naviguer sur l'un ou l'autre de mes bateaux, quand l'envie vous en prendra, dit Pacal en lui passant à l'épaulette un troisième galon doré.

En décembre, lord Pacal, en route pour Boston, où il était attendu pour les fêtes de fin d'année, fit escale à Nassau, afin d'assister à la mise en service de la première pompe à incendie de la colonie. Livrée par le vapeur anglais *Atlantis*, elle avait été fabriquée à Northampton par Appliances

Manufacturing Company, comme toutes celles que le gouvernement britannique offrait à ses colonies des West Indies, mal équipées pour lutter contre les incendies.

Les autorités de Nassau avaient immédiatement recruté une équipe de pompiers et, comme aux Bahamas tout événement devient prétexte à fête, la population, au son des tambours et des sifflets, accompagna la pompe à vapeur, montée sur quatre grandes roues et tirée par un attelage empanaché, du port jusqu'à Town Parade, lieu habituel des rassemblements. Là eut lieu une démonstration convaincante, au grand plaisir des badauds. La pompe projeta par sa lance un puissant jet d'eau, à plus de cent pieds de hauteur. Les cinq pompiers affectés à la lutte contre les incendies posèrent en uniforme neuf et casque de cuir bouilli, devant le photographe du *Nassau Guardian* près de leur machine peinte en rouge, aux flancs de laquelle on lisait en lettres d'or « *Nassau Volonteer Fire Brigade* ».

— Ils sont tellement fiers de leur machine, que je les crois capables d'allumer des incendies pour avoir l'occasion de s'en servir ! observa John Maitland.

Tandis que l'*Atlantis* poursuivait sa route, pour distribuer d'autres pompes, à la Jamaïque, à la Barbade et à Sainte-Lucie, le *Lady Ounca* appareilla pour les États-Unis.

À Boston, *Christmas* était d'abord, comme il se doit, une fête religieuse, dédiée à la naissance du Christ. Les ministres épiscopaliens la célébrait en ornements blancs et tous les Buchanan assistèrent à l'office de Noël, à Trinity Church, avant de s'adonner aux réjouissances profanes, à la distribution de cadeaux aux enfants et de partager la dinde rôtie et les friandises arrosées de vin de Champagne. Susan, dont le tour de taille commençait à révéler l'état, confia, ce soir-là, à son mari le pronostic d'une épouse de pasteur, mère de cinq enfants.

— À certains signes qu'elle connaît, elle assure que mon

bébé sera un garçon, dit la jeune femme, radieuse, car elle ne souhaitait qu'offrir à Pacal le fils qu'il espérait.

Comme à chacun de ses séjours en Nouvelle-Angleterre, lord Pacal s'amusa des manières, des tics et tabous d'une société où, sans le vouloir, ni même le percevoir, il se conduisait en visiteur, en invité, en étranger. Au Bahamien, la ville, de la rue au théâtre, des dîners aux promenades dominicales, sous les vieux ormes de Beacon Street ou de Tremont Street, offrait un spectacle ininterrompu, opéra bouffe aux mille tableaux. Calèches attelées de beaux chevaux, cochers en livrée et chapeaux à cocarde, visages de femmes que l'on voulait croire beaux, sous l'anonymat des voilettes, processions d'adolescentes en sortie de pensionnat, mains cachées dans des manchons de petit-gris, posant sur les hommes des regards effrontés, guettant l'œillade, s'esclaffant, moqueuses, après l'avoir obtenue, et se retournant pour jouir encore d'un pouvoir de séduction en friche. Combien eût donné Pacal pour entendre les conversations de dortoir de ces vierges, tourmentées par d'inavouables désirs !

Au Puritan Club ou à l'Algonquin, il observait à la dérobée des parvenus somnolents dans leur fauteuil, *The Globe* ouvert sur leurs genoux, à la page de la Bourse. Faciès rubicond, cendreux ou apathique, ces bourgeois américains n'avaient, fortune faite, plus rien à prouver ni à conquérir. Usés par les affaires comme de vieux gants, ils avaient marié leurs filles, épongé les dettes de leurs fils, fait établir des arbres généalogiques plus édifiants qu'exacts et se plaisaient à imaginer leur nécrologie dans *Atlantic Monthly*, hommage dû aux philanthropes ayant fait un legs à Harvard University.

Après les chutes de neige, les cantonniers noirs, repoussant la blancheur fondante dans les caniveaux, les petits livreurs de lait, trottant d'un perron l'autre, mordus par la bise du petit matin, les vendeuses de pralines, aux mitaines poisseuses de sucre, les marchands de marrons, tisonnant leur brasero, les cochers de fiacres, engoncés dans leur houppelande, restituaient la vraie vie, dans un monde où tout paraissait convenu et figé.

Pacal rentrait, une fin d'après-midi, avec un cornet de papier-journal contenant des marrons encore brûlants, quand Susan l'accueillit, la mine défaite. Elle attendit qu'il eût ôté son manteau pour lui prendre la main.

— Mon chéri, il va vous falloir être courageux et confiant en Notre Seigneur. On vient d'apporter ce télégramme, expédié de Nassau. Je l'ai lu. C'est une affreuse nouvelle, acheva-t-elle, d'une voix blanche, avant de remettre la dépêche.

Pacal s'en saisit et lut : « Charles Desteyrac décédé accidentellement. Attendons pour funérailles. Lewis Colson. »

Le laconisme même du message ajoutait à la tragédie et Pacal, abasourdi, ferma les yeux, les maxillaires serrés. Il eût voulu douter de l'irruption de la mort et n'entendit pas les paroles de consolation prodiguées par Susan. Que Dieu eût voulu qu'il en fût ainsi, comme elle le répéta, ne l'incitait pas à la soumission. La supposée volonté du Tout-Puissant n'était qu'échappatoire puritaine, pour convaincre que Dieu, bon par définition, ne pouvait être injuste, et que chacun devait accepter son sort, sans en contester les vicissitudes.

Tandis que Susan, désemparée par l'attitude de celui qui refusait tout apitoiement, se laissait aller dans un fauteuil en pleurant, Pacal envoya un valet au port, demander à John Maitland de mettre les chaudières du *Lady Ounca* sous pression.

— Je pars sur-le-champ pour Soledad, annonça-t-il.

— Je devrais vous accompagner, risqua timidement Susan.

— Vous devriez en effet, mais étant donné votre état, vous êtes dispensée de ce devoir. Vous portez la vie, Susan ; je dois obéir à la mort.

C'est en toilette de deuil que Susan accompagna son mari

jusqu'au *Lady Ounca*, dont la cheminée exhalait déjà un panache gris.

— Je ferai dire l'office des morts, à Trinity Church, par notre évêque. Et votre père sera désormais dans toutes mes prières, dit-elle.

À bord, durant la traversée, lord Pacal s'efforça d'imaginer ce que serait l'avenir sans son père, dont il avait si souvent sollicité et suivi les conseils. L'ingénieur français avait fait, d'une parcelle de terre anglaise, posée sur l'Océan, l'île la plus agréable à vivre et la mieux équipée de l'archipel des Bahamas. Son œuvre devait lui survivre et Pacal, au courant des projets de Charles, s'engagea à les réaliser, meilleure façon d'honorer la mémoire du bâtisseur.

Deux jours plus tard, comme le vapeur approchait du port occidental de Soledad, il vit, sur les autres bateaux de sa flotte, ainsi qu'au sémaphore de la commanderie, l'Union Jack en berne et, sur la colline, un drapeau français, flottant à mi-mât, devant le Loyalists Club.

Accueilli par Lewis Colson, fort éprouvé, il reçut les condoléances de ceux qui s'étaient déplacés et se fit aussitôt conduire, par Timbo, avec le marin, à Malcolm House, près d'Ottilia. Un mois plus tôt, il avait quitté une sexagénaire de belle allure, au charme intact. Il retrouva une vieille femme, soudain flétrie par l'âge, traits émaciés, cheveux ternes, mains tremblantes, mais dominant son chagrin avec une force d'âme sans doute héritée de son père. Pacal la tint longuement enlacée et sentit sur sa joue les larmes tièdes qu'elle ne put retenir.

— Pardonnez-moi, Pacal, cet abandon, s'excusa-t-elle.

— Qu'est-il arrivé à mon père, quel accident ?

— Lewis va vous raconter. Je n'en ai pas la force, dit-elle en s'asseyant.

— Votre père est tombé de la coupole du phare du Cabo del Diablo, commença Colson.

— De la coupole du phare !

– Le gardien, Peter Guest, avait signalé une gouttière, au-dessus de la lanterne. Charles a voulu voir, par lui-même, ce qu'il en était. Il est sorti, par le vasistas, sur l'étroite corniche qui ceinture le dôme de tôles rivetées. Il a crié au gardien, qui l'observait, qu'il suffirait de mettre un peu de mastic pour faire joint et colmater une fissure, là où le rivetage avait cédé. Ce furent ses dernières paroles. Il allait regagner l'intérieur du phare quand son pied a glissé sur la corniche. Il a perdu l'équilibre et Guest l'a vu tomber. D'après le gardien, qui entendit comme une explosion quand le corps toucha le terre-plein rocheux, la mort fut instantanée. Lorsqu'il descendit pour se précipiter près du gisant, le cœur de Charles avait cessé de battre. On a su très vite que votre père avait succombé à un éclatement des poumons et à une fracture du crâne, diagnostic du docteur Ramírez, appelé par le gardien, confirmé plus tard, à l'hôpital, par Weston Clarke.

– Où est le corps de mon père ? demanda Pacal.

– Il est ici, au salon. Nous vous attendions, dit Ottilia.

– Nous avons dû le mettre en bière, compléta Lewis Colson.

Pacal réprima un frisson. En fonction de ce qu'il avait retenu des cours de physique au MIT, il estima que la chute de son père, de la coupole du phare au sol avait duré, au moins, deux secondes. Avait-il eu le temps de réaliser qu'il allait mourir ?

Le maître de Soledad savait aussi qu'allait se poser le choix d'un lieu pour la sépulture de l'ingénieur. Charles Desteyrac ne pouvait être inhumé dans le caveau des Cornfield où lui-même, sixième baronet Cornfield, aurait sa place, comme lady Ottilia.

Ce fut cette dernière, avant même que la question ne fût évoquée, qui donna la réponse.

– Mon père, avec le souci qu'il avait de tout prévoir et pour ne pas nous laisser, vous et moi, dans l'incertitude, si la mort frappait Charles, car ses chantiers étaient parfois dangereux, a stipulé dans une lettre ce qu'il m'avait dit : « Votre mari doit reposer, avant ou après vous, les Parques en décideront, dans le mausolée Cornfield. » « Sauf si Pacal préfère donner une autre sépulture à son père, ce qui me priverait de la compagnie *post mortem* de celui que j'aime comme un fils », avait-il ajouté.

Pacal décida que les obsèques, ainsi réglées, seraient célébrées le lendemain et se rendit devant le cercueil. Ottilia, qui avait passé, jour et nuit, des heures près de celui-ci, prit le bras de son beau-fils et l'accompagna au grand salon où, derrière persiennes closes, brûlait une seule lampe à huile parfumée. À la demande de la veuve, le couvercle de la bière n'avait pas été vissé, afin que le fils pût voir une dernière fois le visage du père.

– Ses amis, les Arawak, l'ont embaumé, comme s'il s'agissait d'un des leurs, dit-elle en faisant signe à Lewis Colson et à Timbo de découvrir le corps.

Pacal vit son père tel qu'il l'avait admiré enfant, les jours de fête, dans son costume de lin blanc, cravaté d'un nœud de velours châtaigne. Sur le visage, aucune trace de souffrance ou d'angoisse, mais ce haussement de sourcils qui, chez le Français, avait toujours traduit de façon silencieuse la stupéfaction. « C'est avec étonnement que mon père a quitté la vie », se dit Pacal. Il remarqua, posée sur la poitrine du mort, une branche de yucca, l'arbre sacré des Arawak.

– Palako-Mata l'a mise là, murmura Ottilia, avant que Pacal ne fasse signe à Colson et à Timbo de clore la bière.

Laissant Lewis près de la veuve, le lord se fit conduire chez lui, à Cornfield Manor. En chemin, Timbo, dont le chagrin rendait l'élocution difficile, essuya ses yeux d'un revers de manche.

– J'ai pas quitté mossu Dest'ac – l'Arawak n'avait jamais pu énoncer correctement le nom de l'ingénieur –, depuis qu'il est venu, en 1853. Y m'a appris beaucoup que je sais.

Les manières françaises, les mots français. J'ai jamais connu un qui travaille tant. Y savait tout, mossu Cha'les ! C'était un v'ai gentleman, vot' papa, *my lord*, comme c'était une bonne lady, vot' maman, m'ame Ounca Lou. Et Mossu l'In-génieu', il a fait un bon mari pour lady Ottilia, quand il a été tout seul, après l'accident du pont et que sir Malcolm est mort aussi. Lady Ottilia, elle aime vot' papa à la folie, *my lord*. Faudra voi' qu'elle se laisse pas mouri'. M'ame Gladys dit qu'elle a pas mangé, que du thé et des cookies, depuis que vot' papa est pâ'ti, acheva l'Arawak en arrêtant la calèche devant le manoir.

Après avoir reçu de Violet et de son mari, Matthieu Ramírez, les condoléances d'usage, lord Pacal s'enferma dans son cabinet de travail. Il ressentait l'urgent besoin d'être seul, pour penser à son père et agiter le vague remords de ne pas l'avoir assez aimé, quand il en était temps. Même si, ces dernières années, leur complicité avait été sans faille, il avait parfois, à travers une allusion, une réflexion, un commen-taire, deviné que Charles Desteyrac s'était, certains jours, senti dépossédé de son fils, accaparé très jeune par lord Simon, alors soucieux de former à son image l'héritier tard venu. Même si, pour son éducation, père et grand-père s'étaient admirablement complétés, Pacal avait entendu dire, ici et là, qu'il tenait plus de son aïeul que de son père. Et, remords supplémentaire, depuis son accession aux responsa-bilités insulaires et aux affaires, il avait, nouveau lord, cultivé avec agrément une ressemblance qui faisait de lui un Cornfield plus qu'un Desteyrac.

Avant d'aller dormir, cette nuit-là, lord Pacal se rendit au mausolée, dont il était seul à détenir la clef. La grille de fer forgé, dessinée autour des armes des Cornfield, eut, quand il la poussa, un grincement sarcastique, qui fit s'envoler dans un froissement velouté les chauve-souris, gardiennes du sanctuaire. Il ne s'attarda pas dans la salle de prière, dont une grande croix de bois noir constituait l'unique symbole religieux et descendit dans l'hypogée, où reposaient, depuis la fin du XVIIe siècle, les Cornfield de Soledad. Le faisceau jaune de la lampe éclaira la niche, creusée dans le calcaire corallien, où serait placé et muré le cercueil de son père. La tradition exigeait qu'il y eût toujours, dans la crypte, une niche vide, prête à accueillir le prochain mort. C'est pourquoi, la veille d'une mise au tombeau, un autre alvéole était creusé. La mort ne prenait jamais les Cornfield au dépourvu !

Avant de remonter, Pacal parcourut les inscriptions gravées sur les murs. Depuis George, le deuxième baronet jusqu'à son grand-père, Simon Leonard, le cinquième, le registre généalogique était sobrement tenu par les épitaphes. Le trépas prenait ainsi un aspect ordonné, rassurant, défi olympien à l'oubli et à l'usure du temps.

Aucun prêtre catholique n'ayant encore accepté de succéder au père Taval, pour desservir la chapelle du mont de la Chèvre, Charles Desteyrac eut des funérailles anglicanes. Il s'en fût accommodé avec indifférence, ses croyances ne relevant d'aucune religion. Palako-Mata, en costume de cérémonie, demanda la permission, qui lui fut accordée, de faire accompagner le convoi, de Malcolm House au mausolée du parc de Cornfield Manor, par ses tambourinaires. Ceux-ci battirent, sur leurs peaux de chèvre, des roulements funèbres, délicatement modulés, aussi émouvants dans leur lugubre rusticité qu'un requiem pompeux. Comme la tradition l'exigeait, après les psaumes, lus par le pasteur Russell, dans la salle de prière du sanctuaire, en présence de lady Ottilia – amis intimes ou indigènes de couleurs compatissants, restant groupés sous les arbres, à l'extérieur du sanctuaire –, lord Pacal descendit seul dans la crypte, avec les porteurs de la bière. Il assista au murage de la niche dévolue à son père et renvoya les marins. En l'absence de tout témoin, il put laisser enfin libre cours à son chagrin. « Larmes verticales, les seules permises à un homme » avait souvent dit lord Simon.

Puis, rasséréné, il relut l'inscription, gravée le matin même : « Charles Ambroise Desteyrac. Paris 1829- Soledad 1894. Polytechnicien français. Ingénieur des Ponts et Chaussées. Bâtisseur du pont de Buena Vista et du phare Ounca Lou, au Cabo del Diablo ».

Pendant la courte cérémonie, Ottilia s'était comportée vaillamment. Elle avait retenu ses pleurs et, droite dans sa robe de deuil, une mantille couvrant ses cheveux, elle avait, sous les pins caraïbes, écrin du mausolée, reçu, au côté de Pacal, les condoléances des insulaires : ouvriers des chantiers ouverts par Charles Desteyrac au cours des années, marins, artisans, pêcheurs d'éponge et fermiers.

La veuve accepta ensuite de recevoir, à Cornfield Manor, les intimes, qui avaient vu vivre et travailler le père de Pacal. Dorothy Weston Clarke révéla, lors de cette réception formelle, un aspect méconnu de sa personnalité tant brocardée dans le Cornfieldshire.

– La mort recrute chaque saison. Charles Desteyrac a été, pour toute notre communauté blanche, un exemple de tolérance, de droiture et de courtoisie. Alors que tant de gens critiquent mon intransigeance, mes propos corrosifs, mes récriminations, votre père, qui connaissait l'origine secrète de mon amertume, a toujours pris ma défense. Il m'a dit un jour : « Vous devez, ma chère Dorothy, oublier les humiliations que le monde médical anglais a, autrefois, infligées à votre mari pour une simple erreur de posologie. Dans cette condamnation, entrait sans doute beaucoup de jalousie, suscitée par sa réussite auprès d'une clientèle riche et titrée.

Albert est un grand médecin. Lord Simon le savait et nous tous le savons. Comme vos amis savent que votre acrimonie est toute de surface, alors que votre cœur est bon et vos pensées généreuses. » Vous n'imaginez pas le bien que ces phrases ont fait à la vieille paralytique que je suis devenue, acheva Dorothy dans un sanglot.

Le lendemain, lord Pacal rédigeait, à l'intention de Susan, le récit de la mort et des funérailles de son père, quand Violet annonça que le chef jardinier demandait à être reçu.

– Qu'il entre, dit-il.

Le vieux mulâtre, maître des parcs et jardins, était un homme calme et réfléchi. Il ôta son chapeau de sisal, ne sachant commencer.

– Eh bien, que se passe-t-il ? dit lord Pacal.

– Je viens vous dire, *my lord*, que j'étais à ratisser les allées piétinées, hier, par les gens, quand j'ai vu la porte du tombeau entr'ouverte. Je l'ai tirée, mais elle est pas fermée à clef. Vous avez dû oublier, après l'office, *my lord*. Voilà.

Pacal fronça le sourcil. Certes l'inhumation de son père l'avait bouleversé, mais il était certain d'avoir donné un tour de clef à la serrure de la grille en quittant le mausolée.

– Merci de m'avoir prévenu. Je vais réparer cet oubli, dit-il en congédiant le jardinier.

Il ouvrit le tiroir de son bureau et constata que la clef de la grille ne se trouvait pas à sa place habituelle. « J'ai dû la laisser dans la poche de l'habit que je portais hier », pensa-t-il. Il sonna Timbo et l'envoya vérifier.

L'Arawak revint, les mains vides. Or, la clef de fer à tête ouvragée ne pouvait être ailleurs. Poussé par un réflexe inconscient, Pacal décida de se rendre au mausolée.

– Prends une lanterne et suis-moi, ordonna-t-il au majordome.

Le jardinier ne s'était pas trompé : la grille s'ouvrit quand il manœuvra le loquet.

– Donne-moi ta lanterne et attends ici, ordonna Pacal.

En traversant la salle de prière, il vit posée en évidence sur le lutrin de pierre, la clef qu'il avait vainement cherchée. Cette restitution le troubla et une étrange crainte le saisit. Il descendit rapidement l'escalier de l'hypogée. Avant d'atteindre la dernière marche, il fut édifié. Lady Ottilia, assise sur les dalles, adossée au mur, sous la niche où reposait, muré, le cercueil de Charles, semblait dormir. Vêtue d'une robe du soir bleu nattier, de celles qu'elle portait lors des fêtes, pour valser avec Charles, elle se tenait, figée, les yeux clos, les mains jointes, hiératique et confiante.

— Otti, que faites-vous là ? lança Pacal d'une voix forte.

Seule la voûte de calcaire corallien fit écho son appel. Pacal s'abusait en escomptant une réponse. L'immobilité d'Ottilia était celle de la mort. Il s'approcha d'elle, caressa sa joue froide, posa un index tremblant sur la veine jugulaire et sut qu'Otti avait quitté la vie. La morte retenait un billet, sous ses mains croisées. Il dénoua les doigts déjà rigides, prit le message, posa sa lanterne et lut.

« Ne m'en veuillez pas, bien cher Pacal, de ce départ soudain. Charles absent à jamais, je n'ai plus aucune raison de vivre. Ici je resterai près de lui. Ne blâmez pas Palako-Mata qui m'a donné de quoi rejoindre mon aimé. Dieu sauve la reine et vous garde. »

Timbo, apeuré par ce long silence, remarqua la pâleur du lord, quand il reparut.

— Va chercher le commandant Colson, le docteur Ramírez et miss Gladys, la gouvernante de Malcolm House. Reviens avec la grande calèche capotée. Lady Ottilia est morte. Nous l'installerons à Cornfield Manor. Jusque-là, tais-toi, ordonna lord Pacal.

Le même jour, dans l'après-midi, après qu'Ottilia eut été déposée dans une chambre, il se rendit au village des Arawak.

— J'attendais votre visite, dit le cacique.

— Vous avez donné du poison à lady Ottilia, n'est-ce pas ?

C'est complicité de suicide. Or, la loi anglaise condamne le suicide et punit ceux qui le facilitent, dit le lord.

– C'est une mauvaise loi, *my lord*. Chacun peut s'en aller de ce monde quand il le décide. Lady Ottilia ne voulait pas être séparée de Monsieur l'Ingénieur, mon ami Charles Desteyrac. Elle m'a demandé de quoi faire le voyage. Je lui en ai donné le moyen. Si vous le permettez, mes femmes iront l'embaumer pour qu'elle soit belle, en arrivant...

– ... de l'autre côté du soleil, compléta Pacal, qui savait où les Arawak situent leur paradis.

La fille de lord Simon Leonard Cornfield eut les mêmes obsèques que son mari. Elle fut inhumée, comme elle l'avait souhaité, dans la niche proche de celle où reposaient les restes de Charles.

Resté seul dans la crypte, après que les marins eurent muré le tombeau, lord Pacal relut l'épitaphe qu'il avait dictée : « Lady Ottilia Cornfield. 1831-1893. Épouse de Charles Desteyrac. »

Il n'avait pas cru utile de rappeler à la postérité qu'elle avait été, pour le seul état civil, l'épouse postiche de Malcolm Murray.

En mars 1894, Nassau se préparait à recevoir le nouveau gouverneur, sir W.H. Haynes-Smith, quand lord Pacal, en route pour Boston où Susan devait accoucher en avril, y fit escale pour affaire. Dans un salon du Royal Victoria Hotel, il eut le temps d'assister à la démonstration d'une invention de Thomas Edison, déjà répandue aux États-Unis, le phonographe. Cet appareil reproduisait les sons et la voix humaine. Mû par un mouvement d'horlogerie, il comportait

un cylindre de métal, couvert de cire et animé d'un mouvement de rotation. Devant ce manchon, se déplaçait un
chariot, muni d'un stylet, associé à un pavillon propre à
concentrer les sons sur une membrane. Les paroles ou bruits
se traduisaient en vibrations et le stylet gaufrait, plus ou
moins, suivant l'intensité de celles-ci, la feuille de cire. Pour
restituer les sons enregistrés, il suffisait de faire repasser le
stylet dans les sillons qu'il avait creusés, le pavillon à
membrane devenant porte-voix.

Bien qu'on s'extasiât beaucoup devant cet appareil, les
invités mélomanes doutèrent qu'il serait jamais capable
d'enregistrer et de faire entendre de la musique.

La presse américaine, qui ne tarissait pas d'éloges sur l'inventeur le plus considéré de l'Union, rapportait que, depuis
son voyage à Londres et la présentation de son appareil au
Crystal Palace, en 1888, Edison collectionnait, dans la cire,
les voix des célébrités. William Ewart Gladstone, qui venait,
en 1894, d'être nommé Premier ministre pour la quatrième
fois, et le grand poète, lord Alfred Tennyson, mort en 1892,
avaient été les premiers élus.

– Invention diabolique, qui peut faire parler les morts,
s'émut une dame.

Lord Pacal avait appris, par son défunt père, que, lors de
son séjour en France, Thomas Edison avait été décoré de la
Légion d'honneur, par le président de la République Sadi
Carnot, et que le quotidien *Le Figaro* lui avait offert un
banquet, au premier étage la tour Eiffel, repas au cours
duquel Charles Gounod avait joué une pièce écrite pour la
circonstance. Pacal se souvint aussi que cette admiration
frénétique avait un peu agacé Charles Desteyrac. L'ingénieur
estimait, avec d'autres, que le véritable inventeur du phonographe était le Français Charles Cros qui, dès 1877, avait
communiqué, à l'Académie des Sciences de Paris, son
procédé de paléophone, fondé sur les principes qu'allait si
bien exploiter Edison. L'Américain n'aurait fait que perfec-

tionner l'invention de Charles Cros, charmant bohème, à qui l'on devait des recueils de vers mais aussi un procédé de photographie en couleurs[1].

En mars, lord Pacal trouva la Nouvelle-Angleterre en pleine effervescence. La situation économique ne s'était pas améliorée, depuis les grèves de l'année précédente, et de nouveaux conflits éclataient chaque semaine. Le nombre de chômeurs ne cessait de grandir et les pessimistes y voyaient les prémices d'une révolution. Les défilés de sans-emploi se succédaient et les institutions charitables organisaient des soupes populaires, pour que les plus démunis ne meurent pas de faim.

Fin mars, on apprit qu'un certain Jacob S. Coxey, de Massilion, Ohio, soutenu par le parti populiste, avait rassemblé une armée de cinq cents chômeurs. Un autre leader, Frye avait fait de même à Los Angeles, et un troisième, Kelly, se préparait, avec les sans-travail, à marcher, comme les deux premiers, sur Washington. L'expédition prenait un tour révolutionnaire et inquiétant.

– On compte, certes, parmi ces malheureux, des citoyens bien intentionnés mais, aussi, beaucoup de malfaiteurs et de pillards. La garde nationale et, s'il le faut, l'armée les

---

1. Maurice Druon, Secrétaire perpétuel de l'Académie française, révèle, dans le premier volume de ses *Mémoires*, éditions Plon-de Fallois, Paris, 2006, que Charles Cros figure dans son ascendance maternelle. Il écrit : « Une légende familiale, que j'ai entendue dans mon enfance, voulait qu'Edison, ayant eu vent des recherches de Cros, soit venu à Paris pour le rencontrer, l'ait fait boire, ce qui n'était pas difficile, parler, ce qui était aussi facile, et lui ait dérobé son invention. Légende vraiment ? » Très honnêtement, l'académicien ajoute, rendant à Edison ce qui est censé lui revenir : « [...] les traces de son passage à Londres, la même année, portent témoignage qu'il était parvenu, lui aussi, à la solution ».

empêcheront d'entrer dans la capitale, dit un soir Arnold Buchanan, fort alarmé.

Depuis des semaines, ses entreprises commerciales souffraient du fait de la diminution de la consommation de produits manufacturés.

Le 20 avril, tandis que les chômeurs cheminaient à travers les États, dont les gouverneurs mobilisaient police, milice et garde nationale, par crainte des débordements, Susan souffrit des premières douleurs de l'enfantement.

Le professeur Collins, assisté d'une sage-femme, arriva à point nommé, pour aider la parturiente à mettre au monde un garçon, avec une facilité dont tout le monde se réjouit. La même angoisse avait étreint tante Maguy et Pacal, confinés dans le salon pendant l'accouchement.

– En me donnant un fils, vous avez, sans tenir compte des risques redoutés, fait de moi le mari et le père le plus heureux, dit Pacal, admis dans la chambre de Susan.

– Beau garçon, qui promet d'être grand, si l'on en juge par la taille de ses pieds, commenta le docteur Collins, après avoir reconnu que la saine nature de Susan Desteyrac-Cornfield avait annihilé ses craintes.

Susan avoua, cependant, qu'elle avait vécu les dernières semaines dans une telle anxiété qu'elle en avait perdu le sommeil. Des maux de tête, des nausées, des frissons irrépressibles l'avaient angoissée. La naissance, sans aléas, du fils que Pacal attendait effaçait toutes les appréhensions qui l'avaient tourmentée.

– Maintenant, je puis être pleinement heureuse, s'écria-t-elle, quand la sage-femme rendit à sa mère le bébé, toiletté et langé.

– Cet enfant sera blond, comme Susan, décréta tante Maguy.

Elle ignorait que la couleur des yeux d'un nouveau-né n'est pas fixée avant trois semaines et que celle des cheveux change au fil des ans.

On se réjouissait encore, le lendemain, quand la jeune mère fut soudain prise de vomissements. On ne s'inquiéta qu'au cours de la nuit suivante, quand elle commença à ressentir des douleurs épigastriques et des troubles de la vision.

— Je vois par moments des étincelles bleues, dit-elle à Angelina, sa femme de chambre.

Au petit matin, Pacal envoya quérir le professeur Collins. Le praticien constata que la jeune mère avait les paupières boursouflées, de l'œdème aux jambes, les traits épaissis, l'élocution un peu confuse et qu'elle était agitée, par moments, de secousses convulsives.

Il prit Pacal à part et lui confia son inquiétude.

— J'ai bien peur d'une crise d'éclampsie, dit-il.

— Mais, hier, elle allait bien, et l'accouchement s'est passé au mieux, s'étonna Pacal.

— L'éclampsie est une affection nerveuse. Elle atteint le plus souvent les primipares, qui redoutent les douleurs de l'enfantement. Mais une émotion, une crainte, un effroi, peuvent aussi déclencher une crise chez la parturiente. Susan a donné à tous le sentiment qu'elle ne redoutait pas l'arrivée de cet enfant, alors que, chaque fois qu'elle me consultait, elle me confiait ses peurs, dit le praticien.

— C'est vous qui l'aviez mise en garde contre les risques d'une nouvelle grossesse, Monsieur le Professeur, rappela lord Pacal, un peu sec.

— Mon devoir de médecin me le commandait. Mais je sais, mon ami, que c'est elle qui a décidé de rompre la continence que vous vous imposiez ; elle me l'a dit. Elle a même ajouté : « S'il devait m'arriver quelque chose, j'aurais ma part de responsabilité. »

— Ces considérations appartiennent au passé. Seul compte le présent. Ma femme est-elle en danger ?

— Espérerons que la crise va se calmer, car nous ne disposons pas de remède efficace. J'ai ordonné des compresses sur le front et je vous envoie une nurse, qui lui fera respirer un peu de chloroforme si d'autres convulsions menacent, dit le médecin.

Martha ignorait encore qu'elle avait un petit frère. La veille de l'accouchement, elle avait été envoyée chez une cousine de Susan, dont les enfants étaient ses camarades de jeu. Dès lors que sa mère fut souffrante, Pacal décida qu'il fallait tenir Martha éloignée.

L'amélioration escomptée ne vint pas et, quand les convulsions cloniques s'accélérèrent, que Pacal, tante Maguy et la nurse virent Susan, poings crispés, s'agiter en tous sens, pâlir, perdre la respiration, et le chloroforme devenir sans effet, le docteur Collins fut à nouveau appelé.

— C'est là tout ce que je redoutais. Éclampsie profonde, diagnostiqua le professeur.

— Que va-t-il arriver ? Que va devenir ma petite Susan ? gémit tante Maguy.

— Soyez franc. Ma femme peut-elle surmonter cette crise ? insista Pacal.

— Il faut redouter le pire. L'éclampsie tue une malade sur deux, lâcha le médecin, dont tout Boston connaissait la brutale franchise.

— Elle ne va pas mourir, tout de même ! Empêchez-la de mourir ! s'écria tante Maguy, cédant à la colère.

Au cours de la nuit suivante, la nurse vint prévenir Pacal que Susan venait de sombrer dans le coma. Elle avait envoyé un domestique réveiller le professeur Collins, comme ce dernier avait demandé qu'on le fît en cas d'aggravation de l'état de sa patiente.

Le praticien ne put que confirmer que la maladie entrait dans une nouvelle phase.

— Le coma lui évite les convulsions et la souffrance, dit-il, simplement.

Il s'était retiré dans le salon voisin, avec Pacal, quand, un peu avant l'aube, un cri, puis une longue et insupportable plainte de tante Maguy les alertèrent. La nurse les attendait au seuil de la chambre.

– C'est fini, dit-elle d'un ton professionnel.

– Occupez-vous de miss Maguy. Donnez-lui ce calmant et emmenez-la, ordonna le médecin en voyant la vieille fille, affalée en travers du corps de la morte.

Pendant toute la journée du lendemain, la maison fut envahie par les parents et amis de Susan. La mort lui avait restitué toute sa beauté et, comme l'exigeait la coutume en Nouvelle-Angleterre, tous les visiteurs voulurent la voir. Certains lui baisèrent la main, d'autres lui touchèrent le front. La plupart s'entretinrent un instant avec tante Maguy, qui s'était aussitôt arrogé le droit de conduire le deuil. Pacal entendit certaines douairières, dont il avait écourté les condoléances, dire à mi-voix, en lui jetant un regard de biais : « Les médecins n'avaient-il pas conseillé à Susan de ne plus avoir d'enfant ? »

Tout événement heureux ou tragique suscitait, chez les Buchanan, un conseil de famille. C'est ainsi qu'on débattit de la sépulture à donner à Susan.

– Vous n'allez pas l'emmener, pour la mettre dans votre caveau, où elle n'aura jamais aucune visite, avança Maguy, qui, lors d'un séjour à Soledad, avait vu le mausolée des Cornfield.

– Susan Desteyrac-Cornfield, en tant que mon épouse, y a sa place, observa Pacal.

– Ah non ! Vous n'allez pas nous l'enlever ! s'indigna tante Maguy.

– Le caveau des Metaz O'Brien Buchanan, à l'Old Granary Burial Ground, doit la recevoir. Sa mère y repose, non loin de Samuel Adams et de Paul Revere, dit Arnold.

À Boston, seuls les morts de qualité étaient admis au

cimetière historique, dévolu depuis un siècle aux célébrités locales.

Las, exaspéré par ce débat, lord Pacal consentit à laisser inhumer son épouse avec les siens.

– Peu importe, pour moi, où se trouvent les restes humains de ceux et celles que nous avons aimés. Notre mémoire est la demeure du souvenir, leur vrai cimetière. Celui où l'on peut se rendre, à tout instant, par la pensée. Grands chrétiens, vous devez savoir que le corps n'est que poussière. Que l'âme est ailleurs, rappela-t-il d'un ton méprisant.

Deux jours plus tard, l'office solennel, célébré à Trinity Church, par l'évêque pommadé qui avait uni Susan et Pacal cinq ans plus tôt, se mua en réunion mondaine. Le Tout-Boston, prévenu par une annonce, encadrée de noir, dans *The Globe* ou honoré par l'envoi d'un faire-part gravé, défila, du porche au transept, s'inclina, avec compassion, devant le cercueil de chêne clair à poignée d'argent, puis, les psaumes récités, exprima, en termes choisis, tristesse et regrets, avant de s'attarder en papotant dans le cloître annexe de l'église.

Avant de se disperser, les fidèles observèrent que le veuf avait le chagrin sec, alors que la vieille miss Maguy, soutenue par deux jeunes fils d'Arnold Buchanan, demi-frères de la morte, montrait une désolation exemplaire.

Thomas Artcliff avait fait le voyage, de New York, pour être au côté Pacal. Quand, au soir de cette sombre journée, les deux amis se retrouvèrent seuls, le Bahamien lui proposa d'être le parrain de son fils, ce qu'il accepta. Depuis quelques jours, on avait un peu oublié l'existence du nouveau-né, déjà pourvu d'une nourrice et d'une nurse par les soins du professeur Collins. Bien que cela ne plût guère aux Buchanan, le veuf exigea un baptême discret. Sur les fonts baptismaux, l'enfant reçut, au baptême, le prénom de George, celui de Washington, de longue date choisi par Susan, auquel Pacal ajouta ceux de Thomas et Charles.

En ce 26 avril, Arnold Buchanan, qui, malgré son deuil, continuait à s'intéresser aux affaires, reconnut devant son gendre qu'il avait mal évalué la détermination des chômeurs. La petite armée de Coxey était entrée à Washington. Les désoccupés – il se plaisait à les nommer ainsi – avaient défilé sur Pennsylvania Avenue, s'étaient aventurés jusqu'au Capitole, pour remettre une pétition aux sénateurs. Ce que souhaitait l'homme l'affaires bostonien était enfin arrivé. Sur les marches du Capitole, la police avait arrêté Coxey et deux autres meneurs qui, depuis, méditaient en prison. La troupe des faméliques, dispersée à coups de bâtons, regagnait les taudis, « dont elle n'aurait pas dû sortir ». La révolution, déjà annoncée, non sans exagération et malveillance, par les journaux britanniques et français, avait échoué.

Même si le père restait affligé, l'homme d'affaires Buchanan avait toutes les raisons d'être rassuré.

– L'ordre démocratique règne dans l'Union, conclut Arnold au soir de cette journée.

5.

La mort, conduisant une rafle barbare, avait fait le vide autour de lord Pacal Desteyrac, sixième baronet Cornfield. Charles, lady Ottilia et Uncle Dave avaient, avant Susan, été exclus à jamais du cercle familier.

Désemparé, le seigneur de Soledad espérait trouver une amère consolation dans le fils que lui avait légué son épouse. Il ne savait encore rien de cet enfant, confié à une nourrice irlandaise par le professeur Collins. Car la vie exige qu'on l'abreuve de lait, dès le premier jour.

« La mort d'un proche ou d'un ami est, déjà, un peu la nôtre », avait dit Thomas Artcliff, avant de regagner New York. Ce matin-là, Pacal ressentit physiquement la véracité de ces mots quand, à l'heure du rasage, le miroir lui montra, aux tempes, ses premiers cheveux blancs. À trente-sept ans, Pacal prit conscience de l'accélération de la marche du temps et connut l'étrange sensation d'avoir déjà vécu plusieurs vies.

L'attitude des Buchanan ajoutait au désarroi d'un homme auquel son grand-père et son père avaient transmis assez de force morale pour dominer, avec détermination, toutes les situations, bonheurs, déceptions ou deuils. Les Cornfield et les Desteyrac ne sacrifiaient pas longtemps à l'apitoiement sur soi.

Dès la mise au tombeau de sa femme, il avait subodoré que tante Maguy et ceux dont elle influençait, depuis toujours, la conduite, lui imputaient la mort de Susan. Sans le formuler autrement que par des soupirs, suivis de silences, et des regards délateurs, tous exprimaient le même reproche muet. Ils étendaient même cette culpabilité à l'innocent nouveau-né en affichant une indifférence mesquine à son sort. Pour eux, l'enfant avait tué la mère. Bien que le professeur Collins, interrogé par Arnold, eût exclu tout rapport direct entre l'accouchement et la fatale crise d'éclampsie, les Buchanan ne changeraient pas d'opinion : Pacal, le Bahamien dont le sang indien n'avait pas supporté l'abstinence, restait l'instigateur lubrique du meurtre de Susan, et son fils George, le butin de ce crime.

Devinant qu'un jour ou l'autre cette accusation serait jetée au visage du lord, Collins, prenant Pacal à part, avait été clair. «Aussi étrange que cela paraisse, votre femme est morte de peur. Ce sont ses craintes, son angoisse, entretenues par ce dragon de Maguy Metaz O'Brien après ma banale mise en garde, qui ont déclenché la crise d'éclampsie. J'ai connu plusieurs cas semblables. L'accouchement se passe bien et, soudain, les frayeurs et les appréhensions, bien que devenues vaines, ressurgissent, s'imposent et provoquent ce qui avait été redouté. Nous commençons seulement à percevoir combien la pensée peut influencer les réactions du corps. Un médecin français, Jean Martin Charcot, mort l'an dernier, a démontré que des paralysies peuvent, chez certains patients, être provoquées par simple suggestion», avait conclu le praticien.

Errant seul, d'une pièce à l'autre, dans la maison de Beacon Street, qu'il avait offerte à Susan et dont il allait hériter, Pacal s'interrogeait sur le proche avenir, quand le majordome sentencieux, un flot de rubans noirs épinglé à l'épaule, annonça d'un ton glacial qu'une dame demandait à être reçue. Dévoué au clan Buchanan, l'imbécile avait feint de ne pas reconnaître Fanny Cunnings, qui, prévenue par télégramme, arrivait de Floride. En silence, la tante Fanny étreignit Pacal, avec fougue et tendresse.

– Mon pauvre ami ! Que de deuils accumulés en si peu de mois ! dit-elle enfin.

– C'est beaucoup, en effet.

Pacal sut aussitôt qu'il avait, enfin, près de lui, une amie compréhensive et sûre.

On savait à Boston, dans le quartier des affaires, l'insolente prospérité des entreprises floridiennes de Fanny. Si les Buchanan n'avaient tout mis en œuvre pour faire oublier l'existence de la dissidente fortunée, son retour eût fait sensation.

Lord Pacal invita la visiteuse à résider sous son toit, plutôt qu'à l'hôtel.

– Où est votre fils ? Je veux le voir. Est-ce un Buchanan Metaz O' Brien ou un Desteyrac-Cornfield ? demanda-t-elle.

Pacal avoua son ignorance. Le bébé se trouvait chez la nourrice engagée par le professeur Collins.

– Qu'on aille le chercher. Que le grand dadais qui n'a pas voulu me reconnaître aille s'informer et somme, de notre part, la nourrice de se présenter ici, avec le nourrisson, décida Fanny, déterminée à prendre les choses en main.

Le majordome expédié, Pacal décrivit le comportement humiliant de sa belle-famille.

– Je ne comprends pas que mon beau-père Arnold laisse tante Maguy régenter ainsi la vie familiale.

– Arnold est un lourdaud prétentieux. Et, pour l'heure, assez ennuyé par la mort de Susan.

– Ennuyé ! N'est-ce pas un mot faible, pour qualifier le sentiment d'un père qui vient de perdre sa fille ? s'étonna Pacal.

– Il a, certes, de la peine, mais sachez que la mort de Susan bouscule ses projets matrimoniaux. J'ai appris en Floride, par notre banquier, que le vieux libidineux devait, au mois de mai, épouser une jeune veuve, de quarante ans sa cadette. Il se propose sans doute de lui faire une demi-douzaine d'enfants. Une troisième manufacture, en quelque sorte ! ironisa Fanny.

Bien qu'il n'eût pas goût à l'amusement, lord Pacal sourit.

Ils attendaient, en devisant, le retour du majordome et l'arrivée de la nourrice qui apporterait le petit George Thomas Charles, quand tante Maguy, sans être annoncée, fit, d'un pas lourd et majestueux, irruption dans le salon. Elle eut un mouvement de recul, vite réprimé, en voyant sa nièce Fanny, assise près de Pacal.

– Quitte à revenir à Boston, tu aurais pu être présente aux obsèques de notre Susan ! lança-t-elle aigrement.

Fanny eut un haussement d'épaules.

– Le chemin de fer le plus rapide de l'Union met deux jours et demi pour relier Saint Augustine à New York. Et le mécanicien n'a pas voulu se dérouter jusqu'à Beacon Hill ! lança Fanny.

– Bon, c'est ton affaire. Moi, je suis venue dire à Pacal, qui a envoyé le majordome chez la nourrice, ce que nous avons décidé, Arnold et moi.

– Voyons cet ukase, dit Pacal, avec une gravité feinte.

– Ni Arnold Buchanan ni moi, Maguy Metaz O' Brien, ne souhaitons nous charger de l'enfant que vous avez obtenu, au prix de la vie de Susan. Emportez-le sur votre île, et faites-en ce que vous voudrez. Mais, ne perdez pas de vue qu'il est né américain, comme sa sœur Martha, et qu'ils sont, l'un et l'autre, de religion épiscopalienne. Notre notaire l'a inscrit dans votre contrat de mariage. Nous le ferons respecter.

– Je n'ai pas l'intention de contester la nationalité de George, même si elle le prive des titres et privilèges de son père, commenta lord Pacal, d'un ton sec.

– C'est très bien ainsi. Vous pourrez en faire un colon, dans une île perdue, mais pas un Anglais, insista la vieille fille.

– On naît anglais, on ne le devient pas, précisa Pacal, répétant un axiome de son grand-père, lord Simon.

– Si, un jour, l'Amérique a besoin de ses enfants pour la défendre, votre fils devra répondre à son appel et prendre les armes, même contre l'Angleterre et la France, compléta Maguy, rageuse.

Excédé, lord Pacal décida de clore l'entretien.

– Cessons cette discussion. Je vous prie de faire conduire ici mon fils et sa nourrice, ainsi que ma fille Martha.

– Votre fils, certes, mais pas Martha. La petite a décidé de rester avec nous. Elle ne veut même pas voir son petit frère. Elle dit : « Ce bébé a tué maman », osa Maguy.

– J'aimerais qu'elle vienne me dire cela elle-même, jeta Pacal, blême de colère.

Fanny, s'adressant à Pacal, intervint, avant que sa tante ne réplique.

– Vous ne pouvez imposer une telle démarche à une enfant de quatre ans. Elle ne ferait d'ailleurs que répéter ce que cette fielleuse lui a mis dans la tête. Laissez Martha en paix. Plus tard, elle fera la part des choses, comprendra qu'on a voulu la séparer de son père. Elle vous reviendra, repentante, conseilla Fanny, avant de se tourner vers sa tante, le regard flamboyant.

– Ce jour-là, Maguy, tu connaîtras le prix de tes méchancetés et de ton orgueil pervers. Si Dieu est aussi juste que tu te plais à le répéter, tu mourras de honte et l'enfer t'ouvrira ses portes.

La doyenne des Buchanan, dont le visage virait au vermillon, chercha un siège du regard, mais Pacal ne l'invita pas à s'asseoir.

– Fanny a raison. Ne mêlons pas Martha à vos odieuses manœuvres. Ma fille découvrira, un jour, la cruauté et la bêtise de votre attitude. Maintenant, je vous prie de quitter cette maison, pour n'y plus revenir, ordonna Pacal.

– Cette maison est celle de Susan. Que comptez-vous en faire ?

– Elle est, d'abord, ma propriété, comme tout ce qu'elle contient. Dois-je vous le rappeler ? Je vais donc la mettre en vente, ainsi que mobilier et bibelots. Je ne suis pas amateur de dépouilles.

– Pff, pff, pff ! Nos lois sont bien mal conçues, qui vous font l'héritier de tous les autres biens de Susan. C'est scandaleux. Dire que vous allez aussi détenir un paquet d'actions de nos entreprises ! pesta tante Maguy.

– Et, croyez-moi, j'en ferai bon usage, répliqua Pacal, goguenard.

Mastodonte offensé, Maguy Metaz O'Brien, le souffle court, quitta la pièce dans le froufrou de son ample robe de faille noire, s'efforçant à une dignité singulièrement mise à mal.

Une semaine plus tard, grâce à la détermination du lord, alliée au savoir-faire efficace de Fanny Cunnings, l'avenir de George Thomas Charles Desteyrac-Cornfield fut fixé pour un temps. Fanny, qui n'avait pas eu d'enfant, se faisait un plaisir, autant qu'un devoir, d'élever le garçon jusqu'à ce qu'il fût en âge de vivre commodément à Soledad avec son père.

La nourrice irlandaise, Daisy O'Casey, rousse plantureuse, mère de deux garçons, âgés de deux ans et trois mois, venait d'être abandonnée par un mari ivrogne et volage, parti chercher de l'or au Klondyke. Elle accepta, sans façon, d'aller vivre en Floride, avec sa progéniture, pour allaiter le petit George. D'un appétit rassurant, le regard déjà éveillé, le bébé qui, longtemps ignorerait le drame postérieur à sa naissance, promettait d'être robuste et de caractère facile.

On ne s'attendait pas à ce qu'Angelina, la femme de chambre de Susan, dont le jugement sur le décès de sa maîtresse se révéla plus juste et plus sain que celui de tous les Buchanan et Metaz O'Brien réunis, demandât à Fanny Cunnings de la prendre à son service, pour s'occuper du bébé. Fanny, qui appréciait l'intelligence et la vivacité de la jeune Noire, accepta aussitôt.

Régler les préparatifs du voyage, fixer les gages des deux femmes, réunir les bagages ne prit que vingt-quatre heures. Le 8 mai 1894, lord Pacal, accompagné de Fanny Cunnings, Daisy, Angelina et trois enfants, prit place à bord du *White Train*, convoi de luxe, qui les porta à New York en six heures. Fanny et sa petite troupe firent alors leurs adieux à Pacal, sur un quai de Grand Central Station, et s'installèrent dans un wagon-salon de l'Atlantic Coast Line. Le voyage jusqu'à Saint Augustine, où Andrew Cunnings, prévenu par télégrame, accueillerait les voyageuses, durerait quarante heures.

Après une journée passée avec Thomas Artcliff, Pacal embarqua pour les Bahamas, sur un paquebot de la Ward Line. Convoqué par une dépêche, John Maitland et le *Lady Ounca* l'attendaient à Nassau. L'officier, au nom de l'équipage, présenta au veuf les condoléances d'usage, mais Pacal refusa tout cérémonial de deuil. Il fit même déployer l'Union Jack, que le commandant avait fait mettre en berne au mât d'artimon. De la même façon, lors du débarquement à Soledad, le maître de l'île écourta les manifestations de sympathie. Conduit avec une discrète compassion par Timbo, à travers un Cornfieldshire resplendissant des floraisons printanières, lord Pacal gravit l'escalier de Cornfield Manor le 23 mai 1894, veille du soixante-quinzième anniversaire de Sa Très Gracieuse Majesté la reine Victoria.

En dépit de son deuil, il tint à marquer, comme chaque année, la naissance de la souveraine, d'abord par une brève apparition au Loyalists Club, où se réunissaient tous les Britanniques pour une série de toasts, puis le soir, par un dîner avec les intimes, à Cornfield Manor. Seul le bal traditionnel et les tirs de feux d'artifice, si prisés des insulaires, furent supprimés.

Tous ceux et celles qui, ce soir-là côtoyèrent lord Pacal virent qu'il dominait son chagrin, avec la maîtrise acquise par l'exemple de lord Simon. Plusieurs reconnurent, chez leur hôte, les manières et les attitudes de l'aïeul, et aussi, une ressemblance physique que le temps semblait accuser. Même taille haute et droite, même port de tête, même regard, auquel rien n'échappe, même autorité seigneuriale. Le timbre de voix, la finesse des traits et l'œil amandin rappelaient heureusement l'ascendance du père, Charles Desteyrac, et le sang arawak de la mère, Ounca Lou. Grave, mais toujours d'une parfaite courtoisie, le maître de l'île résuma, en quelques mots, les derniers jours de Susan Desteyrac-Cornfield.

– Elle fut une parfaite épouse et une mère admirable, dit-il.

Et, pour prévenir toutes les curiosités, il ajouta :

» Elle repose près de sa mère, dans le cimetière historique de Boston, ainsi qu'elle l'avait souhaité.

Rendu à ses habitudes, lord Pacal prit d'abord connaissance du courrier, amoncelé pendant son absence. De nombreuses lettres de condoléances lui étaient adressées, en réponse au faire-part envoyé après la mort de son père. Albert Fouquet écrivait de Nice, où il s'était installé avec Madge, dans l'attente du procès de la Compagnie universelle du canal transocéanique. Il ne reviendrait pas aux Bahamas et disait regretter le différend stupide, et à lui seul imputable, qui l'avait opposé au plus estimé de ses condisciples des Ponts et Chaussées. « Charles est parti avant que nous ne nous soyons réconciliés », concluait-il. Comme Pacal ignorait tout de l'étrange situation conjugale du mari des jumelles

Russell, à l'origine de la mésentente des deux amis, il classa la lettre sans se poser de question.

Un message plus sensible émanait de Liz Ferguson. Elle usait de mots justes, pour apaiser le chagrin de son ami, et le remerciait de l'avoir hébergée à Cornfield House. « Mary Ann Gordon, votre grand-tante, m'a entourée de prévenances comme une mère. Elle m'a beaucoup aidée de ses conseils, pour l'organisation des funérailles de mon mari et de son secrétaire. Mon retour aux Bahamas sera retardé par le décès de la mère de Michael. En bru attentive, j'ai accompagné les derniers jours de cette délicieuse vieille dame. Déjà très malade, elle n'a pas supporté la disparition de son fils unique. En la voyant dépérir, j'ai compris qu'on peut mourir de chagrin. Dieu merci, ma belle-mère a quitté ce monde avant qu'une indiscrétion des amis de Michael, un ramassis de méchantes langues, ne révélât à la malheureuse les mœurs de mon défunt mari. » La jeune veuve concluait en précisant qu'elle allait recevoir l'héritage de son époux, auquel s'ajouterait une forte indemnité du Colonial Office, Michael ayant péri en service. « Le notaire m'a aussi annoncé que je suis la seule héritière de ma belle-mère. Me voilà nantie d'une jolie petite maison, dans le quartier de Mayfair, d'actions d'entreprises industrielles, auxquelles je ne comprends goutte, dont celles de De Beers Consolidated, une mine de diamant située en Afrique du Sud. Je vais être honteusement riche. J'aurai besoin de vos conseils pour gérer ou liquider tout ça, car les affaires d'argent m'ont toujours parues fastidieuses. Je ne veux pas prendre avis de mon père qui, couvert de dettes, me ruinerait. »

Quand elle avait écrit ces lignes, début avril, Liz ignorait encore la mort de Susan. Depuis, elle avait dû l'apprendre, *The Times* de Londres ayant consacré quelques lignes à l'événement, dans sa rubrique *Obituaries*.

Rassuré par Fanny quant au sort de son fils, lord Pacal se mit au travail. Réaliser, pour de meilleures conditions de vie des insulaires, les travaux prévus par son père, s'imposait comme un devoir filial.

L'asphaltage des voies principales de l'île fut immédiatement entrepris et il confirma la commande, passée par Charles Desteyrac, aux ateliers de chemins de fer de Pittsburgh, d'une nouvelle locomotive à vapeur, pour le petit train, caprice de son grand-père. La machine, dont la chaudière brûlait du charbon après avoir longtemps brûlé du bois, serait remplacée par une locomotive à moteur thermique, fonctionnant à l'huile lourde, invention récente d'un ingénieur allemand, Rudolf Diesel. Lady Lamia eût apprécié ce changement, qui supprimerait fumée et escarbilles.

Ces projets étaient lancés quand on apprit, fin juin, trois événements, deux tragiques, l'autre heureux. Le 24 juin, le président de la République française, Sadi Carnot, en visite à Lyon, avait été poignardé, dans son landau, par un anarchiste italien de vingt ans, Santo Cesario[1]. Le lendemain du meurtre, des Lyonnais en colère avaient saccagé et pillé des cafés, restaurants et magasins appartenant à des Italiens.

Le 27 juin, Jean Casimir-Perier, petit-fils du Premier ministre du roi Louis-Philippe, avait été élu à la présidence de la République.

Cet assassinat toucha moins les Bahamiens que la naissance, pendant la semaine des courses d'Ascot, le 23 juin, à Richmond Park, dans le Surrey, près de Londres, d'un enfant mâle au foyer du duc d'York[2], fils d'Albert Édouard, prince de Galles[3], héritier du trône.

L'enfant, empaqueté dans une robe de dentelle d'Haniton, était à la première page de tous les journaux anglais, photo-

---

1. Arrêté sur les lieux de son crime, Cesario fut condamné à mort et guillotiné la même année.
2. Futur roi George V (1865-1936).
3. Futur roi Édouard VII (1841-1910).

graphié dans les bras de son arrière-grand-mère, Sa Très Gracieuse Majesté la reine Victoria, assise entre le prince de Galles et le duc d'York, debout à ses côtés. Troisième en ligne de succession, l'enfant avait reçu une kyrielle de prénoms : Albert, Christian, George, Andrew, Patrick, David[1].

– Si Dieu le veut, notre reine est assurée de la continuité de sa lignée royale, pour les trois générations à venir, se réjouit le pasteur Russell, au commencement de l'office célébré en l'honneur de l'illustre nouveau-né.

Ce matin-là, lord Pacal doucha un peu l'enthousiasme monarchique des Britanniques présents au temple, en leur rappelant un autre événement, commenté par la presse anglaise. Tandis que la famille royale célébrait le baptême d'un héritier, deux cent soixante mineurs, dont des enfants, avaient été ensevelis suite à une explosion dans la mine d'Albion à Cilfynydd, pays de Galles. Le lord demanda au pasteur de dire une prière à la mémoire de ces victimes du travail. Le bon Russell s'exécuta et, plus tard, au Loyalists Club, les sujets de Sa Très Gracieuse Majesté observèrent une minute de recueillement pour les mineurs, avant de boire – *pink gin*, bière ou whisky – en l'honneur de l'arrière-petit-fils de la reine.

En 1894, la saison des ouragans se résuma à quelques orages tropicaux et, à l'automne, ce fut dans un climat serein

---

1. 1894-1972. Il devait régner sous le nom d'Édouard VIII, pendant onze mois, de janvier à décembre 1936, avant d'abdiquer, le 10 décembre 1936, en faveur de son frère Albert, duc de Clarence, le roi George VI, pour épouser une Américaine, deux fois divorcée, Mrs. Wallis Simpson (1896-1986). Devenu duc de Windsor en 1937, il accepta, sans enthousiasme, d'être nommé gouverneur des Bahamas, où il résida de 1940 à 1945.

que le Tout-Nassau accueillit un nouveau gouverneur, W.H. Haynes-Smith, que l'on disait imbu de modernité.

Présent aux cérémonies, lord Pacal fut invité, par les membres du club de polo, à participer au tournoi de 1896, le calendrier de la saison 95 étant déjà bouclé. Il promit sa présence, avec une nouvelle équipe. Les jeunes officiers de la flotte Cornfield, MacLay et Carrington, ayant pratiqué ce sport lors de leurs escales en Inde, feraient de bons coéquipiers et Andrew Cunnings serait enchanté de reprendre le maillet. De Nassau, Pacal commanda six poneys irlandais, qui seraient soignés et entraînés à Soledad et non confiés au haras de New Providence, comme les précédents.

En décembre, cette année-là, lord Pacal choisit de passer les fêtes de fin d'année en Floride, chez les Cunnings, auprès de son fils. Il découvrit la belle demeure des exilés et fut ravi, autant que surpris, de voir Andrew et Fanny jouer les grands-parents gâteaux auprès du petit George. À huit mois, ce gros bébé blond, teint clair, yeux marron, gazouillait et cramponnait fermement le doigt qu'on lui tendait.

– Il ressemble à sa mère. Les yeux, la peau rosée, les cheveux tire-bouchonnants. Ce garçon sera plus Buchanan Metaz O'Brien que Desteyrac-Cornfield soupira Fanny.

– L'important, c'est que nous puissions en faire un homme, dit Pacal, avant de confier à Fanny le souhait de passer désormais Noël à Palm Beach.

En janvier 1895, de retour à Soledad, il trouva une courte lettre de sa fille Martha. Elle exprimait, avec une écriture appliquée, des vœux formels et les remerciements obligés

pour les cadeaux de Noël qu'il avait envoyés. Aucun sentiment ni abandon ne ressortait d'un message de pure politesse, sans doute dicté par tante Maguy. Pacal refusa de tenir
compte de cette attitude et expédia à sa fille une photographie de son petit frère, gesticulant comme un nageur, à
plat ventre sur un coussin. Les Buchanan ne le décourage-
raient pas. Quelle que fût la façon dont on le traiterait, il
tiendrait et ferait respecter son rôle de père.

Le même courrier lui avait apporté une nouvelle lettre de
Liz Ferguson. Elle annonçait son retour à Nassau à la fin de
l'année et disait avoir appris la mort de Susan. Lizzie dosait
avec tact des condoléances, dont la sincérité ne faisait pas de
doute, mais dont l'expression nuancée prouvait qu'elle avait
toujours considéré le mariage de Pacal comme union de
convenance. Elle concluait en espérant une rencontre en
1896. « Le veuvage nous a tous deux réduits au célibat ! Le
passé augure-t-il l'avenir ? » avait-elle écrit.

Cette phrase raviva chez Pacal l'envie de renouer avec les
menus plaisirs de la vie. Il avait, certes, retrouvé sur son île
la sérénité qu'apporte l'alternance de l'action et de la
contemplation, mais une sensualité bridée depuis des mois
rappelait parfois sa très humaine exigence.

Le cirque vallonné du Cornfieldshire, vaste paume
ouverte, abritant le manoir et ses dépendances, était patrie
des souvenirs, terroir où il se sentait le plus à l'aise, le plus
proche de son père et de son grand-père. Les palmiers
royaux, alignés au long des allées, tels des factionnaires des
Life Guards, les massifs fleuris en toutes saisons, gardénias,
orchidées, bromélies, roses porcelaine, les bosquets de
flamboyants, de frangipaniers, de brésillets, les prairies où
folâtraient les poneys, récemment arrivés d'Irlande, la route
sinuant entre les buissons d'azalées et d'hibiscus, jusqu'au
port occidental, le sentier grimpant vers Pirates Tower et,
dans son écrin de pins caraïbes, le mausolée Cornfield : toute
sa vie tenait dans ce décor, que lord Simon avait voulu

édenique. Depuis qu'un jeune prêtre français s'était installé dans l'ermitage du mont de la Chèvre, et que le vent du sud portait, jusqu'au manoir, les tintements de la cloche, à l'heure de l'angélus, il n'espérait, chaque été, que la mansuétude d'Éole et de Neptune pour détourner les ouragans.

Au fil des saisons, les journées se déroulaient sur un rythme immuable. Matinées réservées aux chevauchées, à la visite des chantiers, que conduisaient avec zèle les fils de Sima, le pêcheur d'éponges, formés par Charles Desteyrac ; tournée des ports où officiait Tom O'Graney ; chaque semaine, réunion des commandants de navire, pour l'affectation des transports et croisières, incursions impromptues au bourg des marins, emplettes au village des artisans. Souvent, lord Pacal franchissait le pont de Buena Vista, saluant au passage, comme tous, la plaque qui rappelait comment sa mère, Ounca Lou, Eliza Colson et le major Carver avaient trouvé la mort sur cette arche de fer, régulièrement repeinte en bleu. Ces jours-là, il trottait jusqu'au phare du Cabo del Diablo, se représentant toujours avec la même émotion la chute mortelle de son père. Ces pèlerinages fréquents attisaient toujours en lui la même révolte. Pourquoi les deux ouvrages construits par Charles Desteyrac avaient-ils causé la mort de leur bâtisseur et celle de la première femme qu'il eût aimée ?

Chaque semaine apportait son lot de nouvelles, trop souvent tristes. Ce fut, d'abord, le naufrage du *Cienfuego*, paquebot de la Ward Line, qui coula devant Harbour Island, une petite île située à un mille et demi à l'est de la côte nord d'Eleuthera. C'est devant ce port naturel, assuraient les habitants, qu'en 1648 le *William*, commandé par le capitaine William Sayle, arrivant avec soixante-dix colons de la Compagnie des Aventuriers, avait déjà fait naufrage.

Puis, on apprit qu'une nouvelle révolution venait d'éclater à Cuba, et qu'une querelle frontalière, entre le Venezuela et la Guyane britannique, opposait la Grande-Bretagne et les États-Unis. Se référant à la doctrine Monroe, propre à contrecarrer la colonisation de l'Amérique latine par des puissances européennes, le président Cleveland soutenait le dictateur vénézuélien, Joaquín Crespo, et l'affaire menaçait de dégénérer en conflit.

À l'automne, un différend d'un tout autre ordre fit le fond des conversations, chez les yachtmen de Nassau comme au Boston Boat Club et au New York Yacht Club. Quand un navigateur canadien, du nom de Rose, émit l'intention de disputer l'*America's* Cup, lord Windham Dunraven, ancien sous-secrétaire aux Colonies, pilier du Royal Yacht Squadron et plusieurs fois mauvais perdant de la Coupe, s'y opposa : « Un Canadien n'est pas un Anglais et n'a donc pas droit aux privilèges d'un Anglais ! » Lord Simon n'eût pas dit mieux !

En décembre, alors qu'il se préparait à partir pour la Floride, à bord du *Lady Ounca*, Pacal apprit, par une lettre d'Ann Tilloy, postée à Chicago, que Mark, son mari, le vieil ami de Charles Desteyrac, avait été amputé d'une jambe, à la suite d'un accident survenu alors qu'il participait à la première course d'automobiles organisée aux États-Unis, entre Chicago et Evanston, Illinois[1].

« Il supporte vaillamment son amputation et attend l'arrivée de France d'un membre artificiel, pour reprendre ses activités. Lui qui m'a si bien entourée, lors de ma paralysie des jambes, mérite aujourd'hui tous mes soins », écrivait la fille de feu Jeffrey Cornfield.

À Palm Beach, chez les Cunnings, Pacal vit son fils

---

1. La compétition se déroula le 28 novembre 1895, sur 54,36 miles. Frank Duryea, remporta l'épreuve en 7 heures et 53 minutes sur un véhicule de sa fabrication. Il battit la voiture de l'ingénieur allemand Karl Benz.

George faire ses premiers pas avec hardiesse et rentra à Soledad satisfait. Ce garçon promettait robustesse et virilité, même si, d'après Fanny, il ressemblait un peu trop à ce bébé américain grassouillet, muni de gants de boxe et l'œil ardent, qui, sur les encarts publicitaires de Hood and Co, conseillait l'usage de la salsepareille, aux vertus dépuratives !

Souvent, la nuit, après le départ de ses invités, lord Pacal s'asseyait devant le grand Steinway et jouait les sonates de Mozart ou de Beethoven qu'il avait autrefois travaillées avec Ottilia. C'est alors qu'il ressentait, avec une acuité agaçante, que lui manquait la présence, la voix, le rire, le parfum, l'étreinte d'une femme. À ces moments-là, le souvenir de Lizzie, sur la plage d'Hog Island, s'immisçait dans ses pensées. Aussi, quand, en juin 1896, il embarqua pour Nassau, sur le vieux *Phoenix II*, avec Andrew Cunnings, venu de Floride, les lieutenants Anthony MacLay et Edward Carrington, dit le Balafré, et ses poneys, il allait, certes, participer au tournoi de polo, mais aussi, il n'osait le penser, d'abord, à la rencontre de Liz. Les lettres de la jeune femme, toujours franches et gaies dans leur expression, entretenaient, depuis des mois, l'espoir d'un rendez-vous.

Dès son arrivée au Royal Victoria Hotel, lord Pacal découvrit, avec le sourire, que, veuf, il devenait, à trente-neuf ans, un parti intéressant. Plusieurs notables, en quête de mari pour leurs filles, envoyaient des invitations à cocktails ou dîners d'après match, comme cela se pratiquait pendant la saison de polo. Les invitations concernant toute son équipe, il conseilla à MacLay et Garrington de s'y rendre, certains que ces beaux Anglais célibataires feraient d'excellents cavaliers pour des demoiselles en mal de soupirant. Peut-être auraient-ils des rivaux sérieux, parmi les officiers du *HMS Buzzard*, un destroyer de la Royal Navy, qui, en patrouille dans les West Indies, faisait escale à Nassau.

Sans les nouvelles recrues, MacLay et Carrington, le team Cornfield n'eût pas remporté le premier match contre l'équipe du club hippique de Nassau. Pacal et Andrew convinrent que l'âge, s'il laissait intactes leur audace et leur adresse, diminuait leur résistance à la fatigue.

Comme il l'espérait, c'est en marchant, harassé, son casque à la main, vers les vestiaires, que le Bahamien vit venir à lui Liz Ferguson. Il ralentit le pas, pour observer, avec un plaisir tout sensuel, cette petite beauté, amusante comme une poupée neuve. Il prit le temps de détailler sa silhouette de Tanagra et eut l'impression, dans le soleil déclinant, malicieux complice des transparences, qu'elle ne portait rien sous sa robe d'ennemie du corset. La soie animait ses formes d'une mobilité excitante. À plus de trente ans, celle qu'il avait connue à peine sortie de l'adolescence et qui, plus tard, avait été une maîtresse sans autre exigence que l'amour, lui inspira à nouveau une saine convoitise. En venant à sa rencontre, elle semblait effleurer le sol, démarche d'une danseuse entrant en scène. Le temps qui, au cours du match, avait rendu plus lourd son maillet et ôté de la précision à sa frappe, semblait, en revanche, ne pas avoir eu de prise sur Lizzie.

– On peut dire qu'elle a de la suite dans les idées, cette lady. Et le veuvage lui réussit diablement, souffla Cunnings, avant de s'éloigner pour laisser sans témoin les retrouvailles des amants d'autrefois.

Comme au jour de leur première rencontre, avec le même naturel primesautier, elle tendit une serviette à son chiffre, pour que Pacal épongeât la sueur de son front. Il retira ses gants moites et lui baisa la main.

– Heureux de vous voir, Lizzie, belle et fraîche, comme toujours.

– Heureuse, aussi, de vous revoir, meilleur cavalier que jamais. Et quel drive ! Vous avez écœuré les jeunots du Colonial Office.

– Il n'eût pas fallu que le match durât dix minutes de plus. L'âge est là, confessa Pacal.

– Il vous apporte aussi de quoi plaire aux très jeunes filles, dit-elle, rieuse, en posant l'index sur la tempe argentée de Pacal.

– Je crois me souvenir que, sur cette même pelouse, il y a dix-huit ans, j'ai plu sans cela à une demoiselle de quinze ans, n'est-ce pas ? rappela-t-il.

– C'était en 78. Quelle effrontée j'étais déjà ! Mais je n'ai retenu votre attention que cinq ans plus tard, toujours sur ce terrain. En somme, nous devons tout au polo ! s'exclama Lizzie, avec le rire perlé des jours heureux.

– Je dois assister au dîner d'ouverture du tournoi au Victoria. Acceptez-vous de m'accompagner ? demanda aussitôt Pacal.

– Si je vous accompagne, les bonnes langues des *Ten Families* diront : « La veuve et le veuf mêlent-ils leurs larmes ou se consolent-ils mutuellement ? » persifla Liz.

– Dans les deux cas, ils se tromperont. Ni larmes ni consolation. Le plaisir d'être ensemble ne suffit-il pas ? Et les commères penseront ce qu'elles voudront. Ne sommes-nous pas libres ?

Le soir, au Royal Victoria Hotel, on ne fut pas sans remarquer combien Liz Ferguson, moulée dans un fourreau mauve, le rose des veuves, discrètement maquillée, et lord Pacal, en habit et cravate noire, formaient un couple réservé et peu loquace. Celui de deux amis, éprouvés par le destin, dans leurs plus intimes affections.

– C'est très aimable de la part de la petite Ferguson de servir d'*escort*, à ce pauvre lord, déclara la plus écoutée des papoteuses de Nassau.

Elle donna ainsi, publiquement, le ton des commentaires, à reprendre dans les salons.

Si Pacal et son *escort* s'abstinrent de participer au bal, ce que tout le monde approuva, ce ne fut pas pour éviter les critiques phillistines. Ils avaient décidé de finir la nuit ailleurs, de manière plus intime et plus voluptueuse.

Au petit matin, dans la maison des hauts de Nassau, que sa cousine, Ellen Horney, avait cédée à Lizzie, les amants se réveillèrent avec le sentiment que leur duo amoureux, interrompu pendant plusieurs années, n'avait perdu ni en harmonie ni en brio.

– Nous venons d'ouvrir une ère nouvelle, dit Lizzie, dans un soupir d'aise.

– Ou de clore une parenthèse, rectifia Pacal en l'attirant sur son épaule.

Dès lors, leur relation retrouva les anciens rites, et lord Pacal conçut une justification à de plus fréquents séjours à Nassau.

Depuis longtemps, les importateurs américains et européens se plaignaient de la dispersion administrative et comptable des entreprises insulaires Cornfield. Pacal, prenant prétexte d'une gestion plus rationnelle de ses affaires bahamiennes, décida de réunir, sous la raison sociale Soledad Export Corporation, ses exploitations maraîchères et la conserverie d'ananas d'Eleuthera, les anciennes salines de Great Inagua, les plantations de sisal et de cascarille de Crooked Island, les pêcheries d'éponges des Bimini Islands et de Floride, ainsi que les ateliers, où l'on conditionnait écaille de tortue, coquillages, dents de requins et coraux – destinés à la bimbeloterie pour touristes et à l'exportation –, coquilles de conches, toutes acquises par les Italiens, qui en tiraient de beaux camées. Pour bâtir, à New Providence, l'île capitale, le siège de Soledad Export Corporation, lord Pacal fit appel à son ami Artcliff, dont le bureau d'étude subissait le contrecoup de la crise économique américaine, ce qui laissait quelques loisirs à l'architecte.

Thomas, comme beaucoup de ses compatriotes, de plus en plus nombreux, chaque année, à venir goûter le climat et les charmes naturels de l'archipel, tomba amoureux des Bahamas et il promit un plus long séjour à Soledad.

Tenant compte des restes d'une architecture coloniale britannique, il dressa les plans d'un petit immeuble coquet, sur East Bay Street, près de l'antique fort Montagu. Au-dessus d'un rez-de-chaussée réservé aux bureaux, Artcliff conçut, pour Pacal, un appartement avec loggia, donnant par-delà le bras de mer, port naturel de Nassau, sur Hog Island, ses jardins et ses plages. Les travaux en train, il regagna New York, promettant de revenir pour l'inauguration de son ouvrage et afin de glaner, peut-être, quelques commandes dans une ville où tourisme et commerce activaient la construction.

À la fin de l'année, le gouverneur et tout le gratin de Nassau assistèrent à l'ouverture du siège de la Soledad Export Corporation. C'est au cours de ce cocktail que Pacal présenta Liz Ferguson à Thomas. Comme il ne lui avait pas caché la nature de sa relation avec la jeune femme, Artcliff se dit envieux du sort de son ami.

– J'ai rarement vu un être aussi largement doté de charme et de grâce. Sa fragilité de petit Saxe vous fait instinctivement protecteur, dit Thomas.

– Sa fragilité n'est qu'apparence. Liz est intrépide, courageuse, volontaire, même obstinée. Une créature pleine de fantaisie, sans préjugés, intelligente, instruite, passionnée, mais douée d'une étonnante maîtrise de soi dans les situations délicates, confia Pacal.

– Vas-tu l'épouser ?

– Les illusions, qui font naître l'amour, se dissolvent dans le mariage, comme le sucre dans le thé, plaisanta Pacal.

– Essaie, au moins, de ne pas la rendre malheureuse. Elle t'aime comme tout homme rêve d'être aimé. Elle m'a dit, sachant notre vieille amitié : « Mon amour pour lui est ma vie entière. »

Le lendemain, après un bain matinal, sur la plage de Hog Island, celle qui jamais ne parlait de son défunt mari, confia à Pacal ses angoisses passées.

– Quand Michael se rendait en Angleterre, avec son ami, James Kevin, j'avais raison de trembler pour eux. Vous avez su ce qui est arrivé à un écrivain et dramaturge, Oscar Wilde, que Michael tenait en forte estime, de qui il appréciait les talents variés.

– Comme tout le monde, j'ai appris par les journaux que Wilde avait été condamné, le 26 mai 1895, à deux ans de prison et aux travaux forcés pour attentat aux mœurs.

– Parce qu'il avait, disons, la même faiblesse que Michael pour les garçons. On a retiré ses pièces des théâtres et ses livres des librairies[1]. Or, j'ai su, à Londres, par des gens sensés, que cette façon de concevoir l'amour était assez répandue dans les milieux artistes. Ceux qui ont condamné Wilde n'eussent sans doute pas été fiers, si l'on avait examiné d'un peu près leurs mœurs et leur vie.

– Cette condamnation d'Oscar Wilde signe l'hypocrisie de la société actuelle. Sa Très Gracieuse Majesté la reine Victoria n'accepte pas que paraissent à la cour les femmes divorcées et désapprouve le remariage des veuves – attention, ma chère ! –, mais elle offrait au prince Albert, comme

---

1. Les pièces d'Oscar Wilde furent à nouveau jouées à Londres, dès 1901. Dès 1908, ses œuvres complètes furent publiées avec un succès qui se poursuit de nos jours. Le 11 avril 1946, le roi George VI et la reine Élisabeth confirmèrent cette réhabilitation en assistant, au Haymarket Theater, à une représentation de gala de la pièce de Wilde, *De l'importance d'être constant*.

cadeau d'anniversaire, des tableaux ou des statuettes de femmes nues, dont la célèbre lady Godiva[1]. Elle proposait même cette beauté juteuse, comme modèle de chasteté !

À chaque séjour à Nassau, Pacal était accueilli par Liz, tendre et radieuse, toujours pimpante et prête à leur escapade favorite, sur l'îlot inhabité de North Cay, où ils se rendaient à bord d'un petit voilier bahamien, que Pacal barrait lui-même. Il arrivait aussi que les amants se retrouvassent à Eleuthera, où Liz rendait visite à son père, qu'une sénilité avérée laissait indifférent aux événements. Le maître de Soledad y venait régulièrement, visiter ses exploitations maraîchères, ses vergers et la conserverie d'ananas, fondée par son père. Le couple occupait alors la petite maison que Pacal avait héritée de sa mère. Sans qu'il s'en doutât, il dormait avec Liz dans la chambre où, bien des années plus tôt, Charles Desteyrac et Ounca Lou avaient vécu leur première nuit d'amour. Le matin, ils allaient tous deux au cimetière, poser une fleur sur la tombe de la mère de Pacal. Lizzie appréciait avec émotion ce pèlerinage romantique, qui l'associait intimement au passé de l'homme qu'elle aimait.

Quand, en 1897, *The Nassau Guardian* publia le programme de la célébration du jubilée de diamant de la reine Victoria, le maître de Soledad, que le Tout-Nassau tenait maintenant pour célibataire résolu, sinon pour veuf inconsolable, demanda à Liz d'être sa cavalière, lors des cérémonies officielles. Les employés de la Soledad Export Corporation avaient constaté que le *boss* n'occupait pas souvent son appartement du premier étage. Quand il y

---

1. Ces tableaux ont été présentés au public, à Londres, aux Tate Britain's Linbury Galleries, en janvier 2001.

passait la nuit, la femme de chambre mulâtre, narine subtile, disait avoir perçu un parfum féminin dans la salle de bains. Malgré ces indices, personne ne risquait la moindre allusion à la façon dont lord Pacal meublait la solitude de ses nuits.

Le 22 juin, Nassau célébra, avec faste et ferveur, les soixante années de règne de Victoria, reine de Grande-Bretagne et d'Irlande, impératrice des Indes. Bien loin des Bahamas, la souveraine, âgée de soixante-dix-huit ans, ouvrit la journée, au palais de Buckingham, en pressant un bouton électrique. Ce geste, anodin mais symbolique, provoqua l'envoi simultané, dans toutes les colonies et protectorats de la Couronne, du télégramme que Victoria avait rédigé et que le gouverneur des Bahamas lut, plus tard, à Nassau, devant les assemblées et une foule d'invités, dont lord Pacal et Liz Ferguson.

« Du fond du cœur, je remercie mon peuple bien-aimé. Que Dieu le bénisse. » Tel était le message. Ces mots simples, applaudis et répétés, causèrent une vive impression et ceux qui les entendirent, Britanniques ou indigènes, ressentirent soudain la fierté d'appartenir à la première puissance mondiale. Comme pour conforter l'unité supposée des peuples de l'Empire, répartis sous toutes les latitudes, les ordonnateurs avaient voulu, tenant compte des fuseaux horaires, qu'au même moment, tous les sujets de Sa Très Gracieuse Majesté puissent communier dans la même ferveur religieuse et impérialiste. De l'Inde au Transvaal, de l'Irlande à l'Égypte, de la Sierra Leone au Canada, du Tanganyika à Singapour, des îles Salomon aux Bahamas, tout avait été calculé pour qu'en un vaste chœur planétaire fût chanté le même *Te Deum*. Afin de respecter le souhait royal, les habitants de Nassau durent se lever tôt. Ils se réunirent, à la cathédrale anglicane et dans d'autres églises, à sept heures du matin, tandis qu'à Londres, au douzième coup de midi, Victoria descendait de carrosse devant la cathédrale Saint-Paul, où l'accueillait l'archevêque de Canterbury et de nombreux prélats. À Nassau, comme à Londres, on assista au *Te Deum*, puis on récita le Notre-Père avant d'entonner le psaume *Jubilate Deo*, un peu arrangé pour la circonstance et qui se terminait par un vœu unanime, adressé au Tout-Puissant en faveur de la reine :

Garde-la, défends-la et guide-la toujours,
Accorde-lui Ta paix, qu'elle règne longtemps,
Et quand enfin Ton appel viendra,
Libre de toute douleur, si Tu le veux,
Emporte-la vers Ta demeure éternelle[1].

Le *God Save The Queen* mit fin à l'office et toute la population se rassembla, sur les trottoirs de Bay Street, pour assister au défilé d'un détachement du *First West Indies Regiment*, auquel s'étaient joints les équipages de plusieurs navires de l'escadre de la Jamaïque, en escale à Nassau.

Dans l'après-midi, le gouvernement bahamien envoya un télégramme à Londres, pour souhaiter longue vie à la reine. Le message arriva au palais de Buckingham, où la souveraine, exténuée mais ravie, s'était retirée en répétant : « Jamais personne n'a reçu une ovation comparable à celle qui m'a saluée. » La nuit venue, après le dîner officiel, un feu d'artifice, tiré de Hog Island, illumina le ciel de New Providence, où l'on chanta et dansa jusqu'à l'aube.

---

1. Stanley Weintraub, *Victoria, une biographie intime*, Robert Laffont, Paris, 1988.

Au lendemain de ces festivités patriotiques, Pacal fut informé, par son notaire, d'une affaire qui risquait de faire mauvais effet à Londres. La plantation de Twin Lake Farm, à Andros Island, propriété des Chamberlain, était au bord de la faillite. Lord Pacal voudrait-il la racheter ? Après étude du cas, le maître de Soledad déclina l'offre. Le fait que le propriétaire de Twin Lake Farm fût Joseph Chamberlain, maintenant secrétaire d'État aux Colonies, dans le cabinet du conservateur Robert Cecil, et que son fils Neville, gestionnaire de la plantation, se fût montré, après sept ans d'exploitation, dans l'incapacité de produire du sisal en quantité suffisante, avait de quoi faire jaser au palais de Westminster.

L'enquête, conduite à la demande de Pacal, par son fondé de pouvoir, révéla que les Chamberlain avaient été victimes de leur méconnaissance des insectes prédateurs et, peut-être des superstitions insulaires. Palako-Mata, le cacique des Arawak, assura que l'échec de l'entreprise était due au *chickcharnie*, animal mythique des Bahamas, sorte d'elfe à trois doigts de pied, aux grands yeux phosphorescents, couvert de plumes vertes, pourvu d'une barbichette, dont le cri discordant effrayait les enfants. Ce volatile, annonciateur de malheur, d'après les descendants des Seminole, se rencontrait en nombre sur Andros Island. Dérangés dans leurs habitudes, par le défrichage des terres, destinées à recevoir les six mille plants d'agave des Chamberlain, et l'abattage des pins, où ils nichaient, les *chickcharnies* s'étaient vengés en laissant le taon, appelé localement docteur-mouche, pomper avec son dard, telle une seringue, la sève des goyaves. Au fil des saisons, victimes de l'invasion périodique de ces insectes, les plantes avaient dépéri et la première récolte de sisal, attendue après quatre années, avait été décevante, plus mauvaises encore les suivantes.

Neville Chamberlain venait de rentrer en Angleterre, abandonnant maison, terres et arbustes squelettiques.

L'aventure coloniale avait coûté cinquante mille livres sterling à son père[1] !

L'année fut plus heureuse pour l'hôtellerie bahamienne. Des membres de la *General Assembly* et des personnalités insulaires, dont lord Pacal, furent invités à visiter les stations balnéaires de Floride. Ils y rencontrèrent Henry Morrison Flagler, surnommé le tsar de Miami, grand bâtisseur de chemins de fer et d'hôtels. Transportés de Saint Augustine à Miami, d'un palace à l'autre, par *The Rambler*, le wagon-salon privé, jaune canari, de leur hôte, les élus bahamiens, éblouis, ne purent qu'accueillir favorablement les propositions du millionnaire, ami de Rockefeller. Étant donné l'afflux des touristes américains aux Bahamas, Flagler offrit d'acquérir, pour soixante-quinze mille dollars, le Royal Victoria Hotel de Nassau. Ouvert trente-six ans plus tôt, l'hôtel, magnifiquement situé, à flanc de colline, mais déjà vétuste, devait être rénové et modernisé. Flagler proposa aussi de construire un nouvel établissement de luxe, le Colonial Hotel, sur l'emplacement d'anciennes casernes. Les tractations aboutirent à la signature d'un contrat de dix ans, dit *Hotel and Steamship Act*, entre le gouvernement bahamien et la Florida East Coast, société de Flagler, qui s'engageait à assurer, en toutes saisons, un service régulier entre la Floride et New Providence.

Les Bahamiens se rendirent aussi à Tampa, sur le golfe du Mexique, où un autre entrepreneur millionnaire, spéculateur avisé, Morton F. Plant, propriétaire du Tampa Bay Hotel, mais aussi du Seminole, à Winter Park, de l'Ocala House, à Ocala, et des hôtels de Kissimmee et de Punta Gorda, entendait développer au mieux ce qu'on nommait maintenant l'industrie touristique. Celle-ci ne constituait pas la

---

1. La plantation Twin Lake, qui tire son nom de deux trous bleus, proches de l'ancien domaine Chamberlain, est aujourd'hui en ruine. On peut encore y accéder par un sentier difficile.

seule ressource de cette petite ville de vingt mille habitants, devenue capitale du cigare.

En quelques années, une centaine de nouvelles fabriques de cigares s'étaient installées à Tampa. Elles employaient, exclusivement, des émigrés cubains. Depuis l'arrivée à la Maison-Blanche, en mars 1897, du vingt-cinquième président des États-Unis, le républicain William McKinley, résolument protectionniste, les droits de douane atteignaient quatre dollars par livre plus vingt-cinq pour cent *ad valorem* sur cigares et cigarettes. Pour échapper à ce *Tariff* exorbitant, les cigariers cubains avaient transporté leurs fabriques sur le territoire américain et n'importaient plus, de Cuba, que du tabac en feuilles. Celui-ci ne coûtait, en frais de douane, suivant l'affinage, que de cinquante cents à deux dollars la livre.

Tandis que lord Pacal abandonnait la délégation, pour un séjour chez les Cunnings, à Palm Beach, les élus bahamiens apprenaient que l'homme le plus célèbre de Tampa était un écrivain français, Jules Verne. Car c'est à Tampa que le romancier avait placé le canon du Gun-Club de Baltimore, destiné à propulser dans l'espace le gigantesque obus de neuf cents pieds, décrit dans son fameux ouvrage *De la terre à la lune*, publié en 1870[1]. Les Bahamiens reçurent le souvenir, partout vendu à Tampa : une cuillère, sur laquelle était gravé le canon de M. Verne, visant une lune hilare[2].

---

1. En établissant la base de lancement de son obus lunaire sur la côte ouest de la Floride, Jules Verne n'avait fait qu'anticiper le choix de la Nasa, qui lance ses fusées et navettes de Cap Canaveral, non loin de Tampa, sur la côte est de la presqu'île.
2. F. E. Johanet, *Autour du monde millionnaire américain*, Calmann Lévy, Paris, 1898.

Grâce à Liz Ferguson, Pacal avait retrouvé goût à ce qu'il nommait les petits plaisirs humains, alors que l'amour que lui portait la jeune femme était, depuis toujours, d'une autre essence. Quand, évaluant avec crainte et scrupule, l'intensité de la passion de Lizzie, il lui avait dit : « Je crois que vous m'aimez trop », cette grande lectrice des romantiques avait cité Mlle de Lespinasse : « Mon ami, je vous aime, comme il faut aimer, avec excès, avec folie, transport et désespoir. » Ému par tant d'abandon, il avait voulu réfréner cette exaltation pathétique. « Les Cornfield n'ont pas besoin d'être aimés », avait-il dit. « Qu'en savez-vous ? » avait murmuré Liz.

Avançant en âge, lord Pacal calquait, de plus en plus, son comportement social sur celui dont son défunt grand-père avait donné l'exemple : un égoïsme d'autocrate, tempéré par le sens du devoir et l'intérêt distant qu'il portait aux autres. Lord Simon répétait souvent : « La vie est un état transitoire, entre deux néants », ce qui scandalisait le bon pasteur Russell. Pacal avait adopté ce point de vue.

Pendant l'année 1898, la tranquillité un peu routinière de Soledad allait être troublée par les événements qui agitaient Cuba. De 1868 à 1878, les rébellions des paysans, des créoles et des Noirs, à peine sortis de l'esclavage en 1886, avaient fait, de la colonie espagnole, un foyer révolutionnaire. Le traité de Zanní avait, un moment, calmé les esprits, l'Espagne se disant prête à reconnaître à Cuba une autonomie semblable à celle accordée à Porto Rico. La promesse n'avait pas été tenue et les révoltes, plus violentes et mieux organisées, avaient repris, dès le 24 février 1895, quand José Martí, fondateur du parti révolutionnaire en 1892, et Máximo Gómez, chef des partisans, avaient proclamé l'urgence d'une guerre d'indépendance « saine et vigoureuse, juste et nécessaire ». Les indigènes, poussés au désespoir par les mauvais traitements infligés par leurs maîtres espagnols, étaient aussitôt passés à l'action. Destruction de voies ferrées, de ponts, de fils télégraphiques, incendies de plantations, attaques de convois s'étaient multipliés jusqu'au jour où les rebelles, s'étant emparés de la province d'Oriente, avaient cru l'indépendance possible. Malgré la mort au combat de José Martí, major général de l'armée de Libération, ils s'étaient dotés d'une constitution, avaient fondé une république démocratique et fait de Baire, foyer du soulèvement, la capitale de Cuba Libre. Dès lors, le gouvernement espagnol avait déclaré qu'il combattrait les rebelles, « jusqu'au dernier homme et la dernière peseta ». Entraînés par Máximo Gómez et Antonio Maceo, les républicains avaient résisté, jusqu'à la fin de l'année 1896. Une armée espagnole, forte de deux cent mille hommes, avait été dépêchée, pour mettre fin à l'anarchie dont souffraient l'agriculture, le commerce et les affaires. Le gouverneur général, Martínez Campos, « soldat chevaleresque », qui, pour les autorités de Madrid, manquait de nerfs, avait été remplacé par le général Valeriano Weyler, militaire rude et sans états d'âme. Pour restaurer l'ordre, le nouveau gouverneur conduisait, depuis son arrivée, une véritable guerre d'extermination des indépendantistes. Les paysans qui soutenaient les insurgés avaient été chassés de leur terre, de leur maison et regroupés dans des camps. À la fin de 1897, on comptait, à Cuba, plus de quatre cent mille *reconcentrados*. Maceo, nouveau chef militaire, avait été abattu, mais les Espagnols comptaient plus de deux mille soldats tués au combat, dix mille blessés et, disait-on, plus de quarante mille morts de maladie, dont la fièvre jaune.

À Soledad, comme ailleurs dans l'archipel, on suivait avec attention ce conflit, qui envoyait, dans les îles anglaises, des Cubains, désireux de fuir la répression coloniale, et des Espagnols, dont les entreprises avaient été ruinées ou les plantations incendiées par les rebelles. Lord Pacal et ses amis croyaient possible la victoire des insurgés, depuis que le général Weyler avait été remplacé par le général Blanco, chargé de pacifier l'île. La formation, à La Havane, d'un gouvernement cubain, constitué d'autonomistes et de réformistes, agréés par les Espagnols, n'avait pas ramené la paix civile. Les indépendantistes, depuis longtemps soutenus par la presse américaine, et les envois d'armes, collectées par la Junte cubaine de New York, exigeaient la fin de la colonisation espagnole et la liberté, pour tous les Cubains, de choisir leurs institutions et leur destin.

Au cours des fêtes de fin d'année, que lord Pacal passa chez les Cunnings, à Palm Beach, près de son fils, gaillard de trois ans et demi, intrépide, bavard et rieur, on évoqua la situation cubaine. La Floride regorgeait de Cubains qui, entre deux échauffourées contre les Espagnols, venaient soigner leurs blessures et refaire leurs forces chez les cigariers de Key West ou de Tampa, à moins de trente heures de bateau de leur île. Andrew Cunnings et Fanny, qui employaient des émigrés cubains dans leurs entreprises et entretenaient des contacts avec les hommes d'affaires et banquiers de Boston et de New York, évaluaient justement la situation.

– Nul doute que les États-Unis soient prêts à voler au secours des révolutionnaires cubains. Depuis des mois, les sympathies de la presse vont aux insurgés, non pas seulement par amour de la démocratie, mais parce que l'intérêt le commande. On estime à quarante millions de dollars, les capitaux américains investis à Cuba, dans les plantations, les chemins de fer, les sociétés civiles et financières. Les échanges commerciaux, entre Cuba et les États-Unis, dépassent, chaque année, cent millions de dollars. Grover Cleveland s'en était déjà inquiété, dans son dernier message annuel, le 7 décembre 1896 : « Cuba est si près de nous qu'elle est à peine séparée de notre territoire. Les intérêts pécuniaires que nous y avons ne le cèdent qu'à ceux du peuple et de l'État espagnol. Outre ce grand enjeu pécuniaire, les États-Unis se trouvent impliqués dans le conflit cubain, d'une autre façon, à la fois vexatoire et coûteuse. » Et il avait prévenu : « Les États-Unis ne conserveront pas longtemps une attitude passive. » Si les intérêts américains sont menacés, nous devons nous attendre à une intervention à Cuba, compléta Andrew.

En regagnant Soledad, en janvier 1898, Pacal eut confirmation des craintes exprimées par son ami Cunnings. Il trouva, dans son courrier, une lettre qui lui rappela sa prime enfance. Varina, la Sudiste, devenue l'épouse du señor Elíseo García Padilla, planteur à Cuba et propriétaire de deux sucreries, demandait asile pour elle et son mari.

« Cher lord Pacal, la dernière fois que nous nous sommes vus, vous étiez un enfant de six ou sept ans. Votre grand-père, lord Simon, cousin de mon premier mari, Bertie III Cornfield, planteur à Charleston, qui fut tué par les Yankees pendant la guerre civile, m'avait accueillie à Soledad, pour m'éloigner des combats.

» Depuis, peut-être le savez-vous, j'ai épousé un noble espagnol, Elíseo García Padilla, qui s'est compromis, aux yeux de ses compatriotes et des autorités coloniales, en soutenant de ses deniers le mouvement révolutionnaire Cuba Libre. Votre feu père et son ami, sir Malcolm Murray, lui aussi décédé, savaient tout cela.

» Aujourd'hui, alors que ceux qui luttent, depuis des années, pour l'indépendance de Cuba, sont en passe de réussir, mon mari s'est séparé d'eux. Don Elíseo est déçu. Les paysans mulâtres, les journaliers noirs et les créoles, pleins de bons sentiments, qu'il a aidés à ses risques et périls, par amour de la justice et de la liberté, commettent des crimes inutiles, où la vengeance et le pillage ont plus de part que le patriotisme. La façon dont leurs chefs conduisent la guérilla, pour accéder au pouvoir, lui déplaît.

» Mon mari ignore ce qu'il adviendra de nos propriétés, quand la plèbe cubaine gouvernera l'île. Don Elíseo pourrait aussi être arrêté par les Espagnols, si bien que le voilà placé, et moi avec lui, dans une alternative dangereuse. Aussi, je vous demande si, comme autrefois lord Simon, vous accepteriez de nous accueillir, pour un séjour provisoire à Soledad. Mon mari a transféré tous ses avoirs au Canada, où nous nous installerons sans doute un jour.

» De votre bienveillance, nous n'attendons que la sécurité et un toit, au prix que vous fixerez. Je suis une vieille dame, encore alerte, et je veux tout faire pour aider le seul homme qui m'ait rendu la vie heureuse. Varina García Padilla. »

De cette Varina, divorcée, puis veuve de Bertie III Cornfield, l'esclavagiste, Pacal conservait un souvenir flou : celui d'une femme tendre, un peu trop caressante et parfumée. Ses baisers lui laissaient, sur la joue, de déplaisantes empreintes rouges. Elle devait avoir dépassé la soixantaine et méritait qu'on s'intéressât à son sort et à celui de son mari, honnête et libéral. Pacal, persuadé que son grand-père n'eût pas hésité à offrir un refuge à ce couple, dicta aussitôt une lettre à Violet, pour inviter Elíseo García Padilla et son épouse à séjourner à Soledad, le temps qu'il leur plairait.

Avant que ses hôtes ne touchent Soledad, les événements se précipitèrent, de façon tragique, à Cuba. Craignant pour la sécurité des ressortissants américains en résidence sur l'île, maltraités et parfois arrêtés par les fonctionnaires espagnols, qui les accusaient d'aider les rebelles, le consul général des États-Unis, Fitshugh Lee, avait, plusieurs fois, réclamé à Washington l'envoi d'une force navale. Le gouvernement de McKinley finit par accéder à cette demande. Les premiers jours de janvier 1898, l'escadre de l'Atlantique Nord, sous le commandement du capitaine William T. Sampson, avait été envoyée à Dry Tortugas, petite île à l'ouest de Key West, à six heures de navigation des côtes cubaines. Le 25, le

cuirassé de seconde classe *Maine* s'était présenté pour une
« visite de courtoisie », devant le port de La Havane. Les
Espagnols avaient aussitôt dépêché le croiseur *Vizcaya*, pour
une visite de réciprocité à New York.

Si le *Maine* avait été accueilli avec une politesse guindée,
et son commandant Charles D. Sigsbee reçu comme hôte
officiel du gouvernement espagnol, le peuple et la presse
cubaine se montrèrent moins accueillants. Irrités par l'attitude du Sénat américain, qui avait reconnu aux rebelles le
statut de belligérants, avant de proposer une médiation, que
le gouvernement espagnol avait rejetée avec hauteur, les
Havanais, surtout les Havanaises, savaient signifier aux
marins américains qu'ils n'étaient pas les bienvenus à Cuba.

« Ces cochons de Yankees, en se mêlant de nos affaires,
nous humilient au suprême degré. Pour nous provoquer
davantage, après nous avoir insultés dans leurs journaux, par
des articles écrits chez nous, ils nous envoient un navire de
guerre de leur escadre vermoulue », lisait-on dans un
placard, publié en ville et remis aux officiers du *Maine*.

Dans le même temps, les nouvelles, envoyées de New
York, n'étaient pas de nature à modérer l'indignation des
Hispano-Cubains. Lors de leurs sorties en ville, le commandant du *Vizcaya* et ses officiers étaient souvent conspués
par les militants de la junte révolutionnaire cubaine, protégée
du gouvernement de McKinley, et par des citoyens qui, se
souvenant de l'affaire du *Virginius*[1], ne rêvaient que d'en
découdre avec les Espagnols. À en croire une photographie
du *New York Journal*, qui, à Soledad, amusa beaucoup les
membres du Loyalists Club, ils n'étaient pas les seuls. Le
cliché montrait des élèves de Harvard University, en élégant

---

1. En octobre 1873, le cargo *Virginius*, battant pavillon américain et transportant des armes et des volontaires, pour aider les rebelles cubains, avait été arrai-
sonné par le croiseur espagnol *Tornado*. Voir dans ce même volume, époque I,
chapitre 2, page 63.

costume de ville et coiffés de chapeaux melon, qui apprenaient le maniement d'armes, pour aller soutenir la guérilla cubaine. Ce *Millionaire Regiment*, ainsi que le journal nommait cette unité, formée de rejetons des affairistes les plus fortunés, dont le jeune William K. Vanderbilt, n'attendait que l'occasion de s'embarquer pour Cuba.

Même si la plupart de ces rodomonts ne la saisirent pas, l'occasion fut offerte aux belliqueux le mardi 15 février, à vingt et une heure quarante, quand une violente explosion, qui fracassa les vitres de nombreux immeubles, proches du port de La Havane, se produisit à bord du *Maine*, à l'ancre dans la rade. La plupart des trois cents membres de l'équipage dormaient, quand le feu se propagea à bord du bâtiment. Le commandant du navire dînait en ville. Les pompiers et les secours, dépêchés par l'amiral espagnol Mantarola, recueillirent quelques marins hébétés mais, quand, peu avant minuit, le cuirassé s'inclina sur le flanc, le capitaine Charles D. Sigsbee comprit que son navire était perdu. À l'aube, après l'appel, les sauveteurs durent se rendre à une triste évidence : deux cent soixante-six marins avaient péri, dont deux officiers. Trente-trois hommes, souvent blessés et brûlés, avaient échappé à la mort.

Les premières constatations permirent d'établir que l'explosion s'était produite à proximité des magasins de poudre et de munitions du navire. L'hypothèse d'un échauffement du charbon, dans la soute voisine, fut évoquée comme origine interne de la catastrophe, mais d'autres s'empressèrent de dénoncer un sabotage, une atteinte par l'extérieur du vaisseau, attentat par torpille ou engin explosif. Le capitaine Sigsbee, dans son télégramme au secrétaire à la Marine, à Washington, concluait cependant son court rapport par ces mots : « L'opinion publique, pour se prononcer, fera bien d'attendre jusqu'à plus ample information. »

Dans une lettre à Pacal, Thomas Artcliff donna, quelques jours plus tard, le ton de l'opinion populaire américaine.

« Depuis l'affaire de Fort Sumter, qui, en 1861, alluma la guerre entre les États du Sud et du Nord, jamais nous n'avons connu un tel sentiment d'épouvante et d'indignation. Même si le président McKinley répond, à ceux qui crient « *Remember the Maine* » et veulent une entrée en guerre immédiate contre l'Espagne, que nous devons rester sobres et réservés dans nos jugements, jusqu'à l'arrivée des rapports circonstanciés des experts ; même si la reine-régente d'Espagne a adressé, à notre gouvernement, l'expression de ses sentiments personnels d'horreur et de regret, républicains et démocrates sont prêts à punir les Espagnols, pour une agression qu'ils n'ont peut-être pas commise. »

La commission d'enquête navale, nommée par le président McKinley et présidée par le capitaine William T. Sampson, ne rendit son rapport au ministre de la Marine que le 21 mars. Les experts américains concluaient que le *Maine* avait été détruit du dehors, apparemment par une mine flottante sous-marine. Ils apportaient pour preuve de leur assertion « que les plaques de la cuirasse du *Maine* avaient été repoussées vers l'intérieur du navire ». Et ils précisaient encore que « le contraire serait arrivé si l'explosion avait été interne ».

La commission d'enquête espagnole, s'appuyant, elle aussi, sur un examen de la coque et les déclarations de marins du *Maine* rescapés, soutint que l'explosion s'était produite à l'intérieur du navire[1]. De cette controverse allait inévitablement naître une guerre, réclamée par ceux qui

---

1. En 1911, une autre commission d'enquête américaine a confirmé que la destruction du *Maine* « avait été causée par la détonation d'une mine sous-marine et non par une explosion interne ». Malgré ce rapport, qui ne fit que reprendre celui de la commission Sampson, la véritable cause de la destruction du cuirassé n'a jamais été scientifiquement établie. Dans les années 1970, l'amiral américain Hyman G. Rickover, dont la thèse est controversée, a cru pouvoir innocenter les Espagnols en démontrant que l'explosion fatale s'était produite à l'intérieur du navire.

voyaient dans la destruction du cuirassé « la plus odieuse hécatombe de marins perpétrée par des barbares ».

C'est à bord de la malle de la Ward Line, assurant, chaque mois, la liaison New York-La Havane, avec escale à Nassau, qu'Elíseo García Padilla et son épouse arrivèrent, en avril, aux Bahamas. Lord Pacal, soucieux d'assurer aux réfugiés une fin de voyage rapide et confortable, se rendit à leur rencontre, à Nassau, à bord du *Lady Ounca*.

À soixante-quatre ans, la señora Varina García Padilla avait oublié son passé de Sudiste américaine. Elle n'avait, en revanche, rien perdu de sa pétulance et de son goût pour les toilettes colorées et voyantes. Dodue, vive, sans une ride, elle sauta au cou de Pacal en usant des superlatifs les plus emphatiques, pour le remercier de l'asile accordé. « Cette femme est toujours *overdressed* et impétueuse », disait autrefois lord Simon. Ce fut aussi le sentiment de lord Pacal en baisant la main de Varina, dont la chevelure, d'un blond immuable, devait tout à la teinture. Don Elíseo, long et mince, visage osseux, regard d'azur, nez fin et busqué, au contraire de sa femme, ne cachait pas ses cheveux blancs. Le Bahamien reconnut, chez cet aristocrate d'origine madrilène, la distinction et l'élégance sans apprêt du grand d'Espagne. Don Elíseo s'exprimait volontiers en anglais et en français, avec un léger accent espagnol, qui ajoutait au charme d'une voix de baryton.

Le train des arrivants étonna John Maitland et l'équipage du *Lady Ounca*. Non seulement, le couple apportait un monceau de bagages, cantines, malles cabines, valises, portemanteaux, boîtes à chapeaux, mais il était accompagné de cinq domestiques mulâtres, gouvernés par un majordome espagnol. Cuisinier, valet, femme de chambre, lingère et cocher confièrent aux marins qu'ils étaient, eux aussi, bien aises de quitter leur île, où les honnêtes gens n'avaient plus leur place, entre la soldatesque et les révolutionnaires.

– On peut se faire tuer, sans savoir pourquoi, sans savoir

par qui, sans savoir comment, confia le majordome au quartier-maître de service.

Une semaine plus tard, les Padilla étaient installés à Malcolm House, que Pacal avait vidée des meubles, objets, œuvres d'art et tableaux, héritage de son père et d'Ottilia. Dès lors, les réceptions et dîners à Cornfield Manor furent plus fréquents, lord Pacal estimant devoir aux réfugiés quelques distractions mondaines, pour adoucir la mélancolie de l'exil. Il fut satisfait de trouver en don Elíseo un compagnon pour ses chevauchées matinales. Excellent cavalier, l'Espagnol s'émerveilla de l'organisation de la vie sur l'île. La qualité des routes asphaltées, le système de distribution d'eau, la bonne tenue des fermes, le bel agencement de l'hôpital, le fonctionnement des écoles, le petit train côtier, l'activité des pêcheurs d'éponges et des artisans, l'animation des ports, l'ambiance très victorienne du Loyalists Club, où il fut tout de suite admis, lui parurent exemplaires.

Dans cette ambiance sereine, on apprit fin avril que, le 21 du mois, le Congrès des États-Unis, estimant juste pour Cuba le droit à l'indépendance, avait autorisé le président à déclarer la guerre à l'Espagne. McKinley réclama deux cent mille volontaires, pour guerroyer à Cuba, pendant que des régiments de l'armée régulière se rassembleraient à Tampa. Faute de préparation, les opérations navales et militaires commencèrent lentement et, pendant des semaines, les nouvelles affluèrent, parfois étonnantes, le plus souvent désastreuses pour les forces espagnoles. À Madrid, la reine-régente Marie-Christine, accompagnée de son fils de douze ans, le futur Alphonse XIII, dans un discours pathétique aux Cortes, avait crânement relevé le défi de « l'ogre *yankee* », sans imaginer que des troupes américaines se préparaient à débarquer à Cuba, près de Santiago, tandis que le commodore George Dewey et son escadre faisaient route vers les Philippines, où se trouvait le gros de la flotte espagnole.

Aux États-Unis, la guerre avait tout de suite pris un goût

de vengeance, et l'on assistait à un élan patriotique populacier. Partout, on brûlait les drapeaux espagnols et des gens insultaient tout ce qui parlait la langue de Cervantes. Le sous-secrétaire à la Marine, Theodore Roosevelt, démissionna pour recruter, parmi les robustes cow-boys qui l'accompagnaient d'ordinaire, au cours de ses chasses dans les plaines de l'Ouest, un régiment de cavalerie, les *Rough Riders*, les Rudes Cavaliers, dont il se fit colonel.

Sachant sa marine déficiente et démodée, le gouvernement américain acheta, en Angleterre, des navires marchands rapides, pour les transformer en canonnières ou transports de troupes, réquisitionna vingt et un yachts du New York Yacht Club, dont le *Corsair* du banquier J. P. Morgan, armé et rebaptisé *USS Gloucester*[1]. Tandis qu'à New York on jugeait sept émigrés espagnols, qui, le 29 avril, avait déboulonné les rails du chemin de fer, pour empêcher un train militaire d'artillerie de rejoindre le port, le capitaine Cody, plus connu sous le nom de Buffalo Bill, grand tueur d'Indiens et de buffles, reconverti dans le cirque, interrompait les spectacles pour reprendre du service dans la cavalerie. Randolph Hearst, magnat de la *Yellow Press*[2] et propriétaire du *New York Telegraph*, ne restait pas inactif. Il avait télégraphié à son agent, à Londres, pour qu'il achetât un grand navire marchand, le fît emplir de charbon et l'envoyât se saborder dans le canal de Suez, afin de fermer le passage à l'escadre espagnole de l'amiral de La Cámara, à qui l'on prêtait l'intention d'attaquer la côte américaine !

Fidèle à sa politique hypocrite, le gouvernement britannique proclamait une neutralité officielle, tandis que sa sympathie agissante allait aux États-Unis, et qu'il tirait profit des ventes d'armes et de matériel à qui pouvait les payer.

---

1. Ce vapeur de luxe prit part à la bataille de Santiago et coula un torpilleur espagnol.
2. La presse jaune. On dirait aujourd'hui : la presse *people*.

À Londres, les pro-Américains manifestaient, exhibaient la bannière étoilée, se rassemblaient devant l'ambassade des États-Unis. Le 13 mai, Joseph Chamberlain, secrétaire aux Colonies, exprima clairement son choix en disant, lors d'un discours à Birmingham : « Quoique la guerre soit une chose terrible, elle sera payée bon marché si, dans une grande et noble cause, le pavillon étoilé et le drapeau du Royaume-Uni flottent ensemble, au-dessus d'une alliance anglo-saxonne. »

Cette guerre hispano-américaine devait être brève et meurtrière. Le 1er mai, le commodore Dewey annonça, à Washington, qu'il avait détruit la flotte espagnole, à Cavite, dans la baie de Manille. Au cours de la bataille, le croiseur amiral *Reina Cristina* avait été coulé, comme une douzaine d'autres navires. Quelques jours plus tard, Manille était occupée par deux mille cinq cents soldats américains et, fin juin, seize mille hommes, commandés par le général Shafter, débarquèrent à Cuba, près de Santiago, dont la reddition, le 17 juillet, mit pratiquement fin à la guerre. Le 26 juillet, Paul Cambon, ambassadeur de France à Washington, conduisit les négociations de paix. Un protocole, signé le 12 août à Washington, confirma la fin des hostilités entre l'Espagne et les États-Unis[1].

À Soledad, don Elíseo mit un crêpe à son chapeau. Cet aristocrate voyait plus loin que l'achèvement d'un conflit, qui n'avait duré que quatre mois, au cours desquels les États-Unis venaient de s'assurer une influence politique et économique décisive sur Cuba après avoir, sous couvert de la mise

---

1. Entre 1887 et 1898, l'Espagne avait envoyé à Cuba 345 698 soldats et marins. 146 683 rentrèrent au pays, en 1899, mais près de 200 000 hommes, morts, disparus ou déserteurs ne furent pas recensés. Les États-Unis engagèrent 307 000 soldats et marins. 398 périrent au combat, 4 002 furent blessés mais 2 061 moururent de maladie, le plus souvent empoisonnés par le bœuf en conserve, acheté par l'armée au Beef-Trust de Philip D. Armour. Ce qui motiva une commission d'enquête.

en place d'un gouvernement civil indépendant, occupé les Philippines et Porto Rico.

– Cette défaite est un désastre, pour l'Espagne. C'est, non seulement, une catastrophe militaire et maritime humiliante, mais elle sonne le glas de nos ambitions coloniales. Sans nul doute, cette débâcle influencera, en Espagne, autant les intellectuels que les politiques de notre génération[1], qui ne manquera pas de réfléchir aux origines diverses de cette déroute et de se poser, avec angoisse, la question du destin de sa patrie, dit-il.

– L'Espagne tiendra toujours une autre place que les États-Unis dans notre civilisation. Son grand passé, don Elíseo, répond de la grandeur de son avenir. Les colonies perdues sont des branches mortes. Elles sont tombées. Oubliez-les, observa Pacal, pour consoler l'homme d'honneur qui, au fil des mois et des épreuves, chaque jour commentées à Cornfield Manor, était devenu son ami.

---

1. La fameuse *Generación del 98*, qui compta de nombreux écrivains, parmi lesquels Miguel de Unamuno, Ángel Ganivet, Pío Baroja, Antonio Machado, José Martínez Ruíz, dit Antonio Azorín, etc.

6.

– Les millénaristes en sont pour leurs frais ! lança le pasteur Michael Russell, en guise de toast.

Les convives, réunis par lord Pacal à Cornfield Manor, pour le dîner du 1er janvier 1900, applaudirent, car ne les avait point troublés la perspective du jugement dernier, annoncé à cette date par une secte anabaptiste américaine.

– Luther voyait déjà la fin du monde imminente ! risqua Dorothy Weston Clarke.

– Mais, après le chaos, il voyait aussi la terre régénérée, comme une sorte de paradis, compléta Lewis Colson.

– Quelques évêques anglicans, moins pressés, annoncent la destruction de la plupart des institutions et des dominations existantes pour l'an deux mille, compléta don Elíseo Padilla, ce qui déclencha l'hilarité générale.

Les réfugiés cubains avaient été chaleureusement accueillis par la communauté du Cornfieldshire. Myra Maitland n'avait montré aucune réticence pour renouer des relations avec la quatrième et dernière épouse, divorcée puis veuve, de Bertie III Cornfield, son père. En retrouvant sa marâtre à Cornfield Manor, elle lui dit : « Nous autres, gens du Sud, nous aurons toujours des égards pour les vaincus. Nous savons ce qu'est perdre, non seulement ses biens, mais, parfois, la liberté et l'espérance. » Les deux Américaines de Charleston, celle qui avait tôt condamné et fui l'esclavage et celle qui s'en était confortablement accommodée, s'étaient étreintes et embrassées.

Lors de l'ouragan dévastateur de l'année précédente, qui avait détruit une flottille de pêcheurs d'éponges et fait de nombreuses victimes à Andros Island, Myra et Varina avaient embarqué, avec médicaments et viatiques, sur le *Phoenix II* que lord Pacal avait envoyé, avec Tom O'Graney et ses marins, au secours des victimes. Les deux femmes, instaurées infirmières, s'étaient dévouées pour soigner les blessés, apporter aide et consolation aux familles des morts.

Depuis cet événement, Pacal portait sur l'épouse de don Elíseo un regard différent. L'insouciante belle de plantation, esprit follet, égoïste et jouisseuse, avait cédé la place à une femme mûre, active, pratique, dévouée aux malheureux, dont les maux et les plaies ne la rebutaient pas. Elle n'avait pas, pour autant, perdu l'optimisme enjoué et l'alacrité constante, fondement de sa riche nature. Elle parvint même, au bout de quelques mois, à apprivoiser la redoutée Dorothy Weston Clarke. Chaque jour, à l'heure du thé, Varina, en toilette d'après-midi, rendait visite à l'infirme qui, toujours avide de potins qu'elle ne pouvait plus cueillir elle-même dans les salons, comptait sur sa nouvelle et patiente amie pour tenir la chronique mondaine du Cornfieldshire. La paralysée pimentait ensuite de commentaires, drôles mais acides, ces comptes rendus, pendant que Varina promenait l'épouse du médecin dans une chaise roulante.

Après un voyage au Canada, où il avait compris que les anciens hobereaux hispano-cubains ne seraient pas bien accueillis dans une colonie anglaise, Elíseo Padilla s'était laissé convaincre par Pacal de s'installer aux Bahamas.

C'est ainsi qu'au cours de l'année 1900 il acquit des terres à Cat Island, située à vingt-cinq milles seulement de Soledad, pour cultiver l'ananas et les agrumes, dont la demande, tant américaine qu'européenne, ne cessait d'augmenter. Les

Bahamas exportèrent, cette année-là, sept millions de douzaines d'ananas, un record.

Don Elíseo s'était résigné à l'exil définitif car le traité signé à Paris, le 10 décembre 1898, avait ôté tout espoir aux grands propriétaires espagnols de retrouver une position à Cuba. L'indépendance de l'île, sur laquelle l'Espagne renonçait à toute prétention, était reconnue par les nations, Guam et Porto Rico avaient été cédés aux États-Unis, qui s'étaient octroyé la souveraineté sur les Philippines pour la somme de vingt millions de dollars avant d'annexer, dans le Pacifique, les îles Hawaii, autrefois appelées Sandwich[1]. D'après le président McKinley, il s'agissait « d'élever le niveau de vie des indigènes, de les civiliser, de les christianiser ». Avec bonne conscience, il avait ajouté : « En nous souvenant que le Christ est mort pour l'humanité tout entière. »

L'empire colonial espagnol avait vécu, l'impérialisme américain prenait son essor.

Depuis peu, à Boston et à New York, des intellectuels dénonçaient cette volonté de domination des États-Unis sur l'Amérique tropicale. William James, professeur de philosophie à Harvard, de tous les étudiants respecté, s'était dit bouleversé par les conditions de paix imposées à l'Espagne. Il criait désespérément « qu'il avait perdu son pays » et répétait : « L'intervention à Cuba pouvait se défendre, vu le perpétuel mauvais gouvernement et les souffrances subies par les indigènes, mais l'annexion des Philippines, qui peut l'excuser ? » Le philosophe voyait là « une trahison honteuse des principes américains, un des plus parfaits symptômes de cupidité, d'ambition, de corruption et d'impérialisme[2] ».

Lors de sa première visite à Soledad, Thomas Artcliff

---

1. Qui devinrent, le 12 mars 1959, le cinquantième État américain.
2. Propos recueillis à l'époque et cités par George Santayana (1863-1953), ami de William James (1842-1910), frère du romancier Henry James, et, comme lui, professeur de philosophie à Harvard, *Gens et Lieux*, Gallimard, Paris, 1948.

s'étonna du peu d'enthousiasme que son ami Pacal manifestait pour la victoire des États-Unis sur l'Espagne et les avantages territoriaux qui en découlaient.

— Je crains que l'exaltation patriotique de Walt Whitman – que tu admires tant –, prise au pied de la lettre, par des gens simples et des politiciens ambitieux, ne conduise ton pays à de regrettables abus de puissance.

— Nous allons faire de l'Amérique un modèle spirituel, moral et matériel, pour le monde entier, mon cher.

— En somme, une sainte domination du monde, la Maison-Blanche remplaçant, à la fois, le Vatican, La Mecque, et Lhassa ! ironisa lord Pacal.

— Ne te moque pas. Nous savons maintenant ce qui est juste et bon pour l'homme. Une mission nous a été donnée par les pères pèlerins du *Mayflower* : faire un monde prospère, neuf, pragmatique, libre, fort, mais moral. En somme, augmenter le bonheur des hommes et diminuer leur souffrance, rétorqua Thomas, avec fougue.

— Tu es un pur produit de l'idéalisme américain, adepte de ce que George Santayana appelle « l'instrumentalisme », une sorte de matérialisme expérimental, déclara Pacal.

— J'en suis conscient... et fier à la fois ! assura Thomas.

Artcliff, comme bon nombre de bâtisseurs, d'industriels, d'hommes d'affaires américains, était engagé avec frénésie dans un dépassement continu de réussite. Devenu architecte renommé, après avoir participé à la construction, à New York du « palais » Vanderbilt, de l'hôtel Waldorf, achevé le chemin de fer aérien commencé par son père, collaboré à Chicago à l'édification de l'Atheneum, il se devait de faire mieux, plus grand, plus haut, plus coûteux. Cette recherche permanente de l'exploit, du record, cette compétition aux règles floues, souvent brutales, parfois perverses, inquiétait lord Pacal. Il craignait qu'à ce jeu son ami ne perdît son âme et ne devînt un de ces affairistes boulimiques, comme Rockefeller, Vanderbilt, Du Pont de Nemours, J.P. Morgan,

Andrew Mellon ou William Randolph Hearst, le magnat de la *Yellow Press*. Ces gens comptaient faire de l'américanisme une nouvelle religion.

L'amitié entre Pacal et Thomas, anciens condisciples du Massachusetts Institute of Technology, restait assez forte pour que les divergences d'opinion fussent sans effet sur leur relation.

Pour les Bahamas, comme pour toutes les colonies britanniques, l'année 1901 commença par un deuil. Le 22 janvier, à la fin de l'après-midi, Sa Très Gracieuse Majesté la reine Victoria avait rendu l'âme à Osborne, sa résidence de l'île de Wight, après une brève agonie. Elle était dans sa quatre-vingt-troisième année, la soixante-cinquième de son règne, le plus long de l'histoire d'Angleterre. La nouvelle parvint, le jour même, par télégramme, au gouverneur des Bahamas, qui fit aussitôt mettre les drapeaux en berne, décréta un deuil de trois jours et annonça l'accession au trône, sous le nom d'Édouard VII, du prince de Galles. Âgé de soixante ans, marié à la princesse Alexandra, fille du roi Christian IX de Danemark, le fils aîné de Victoria passait pour un joyeux fêtard, parieur invétéré, grand amateur de femmes et de chevaux.

Lord Pacal se trouvait à Nassau quand l'événement survint et il ordonna à John Maitland d'amener, à mi-mât, le pavillon du *Lady Ounca*. Lizzie Ferguson assura qu'on ne trouvait plus dix centimètres de crêpe noir à Nassau, tous les sujets de la défunte souveraine souhaitant porter le deuil. Il en était de même à Londres, ce que l'on ne sut que plus tard dans l'archipel, en même temps que l'on apprit que Victoria avait exprimé la volonté formelle d'être enterrée dans une robe blanche et de voir les tentures noires des cérémonies remplacées par des tentures rouges ! Si l'on parvint *in extremis*, à Londres, où des foules denses et recueillies assistèrent aux funérailles, à respecter les volontés de la reine morte, il n'en fut pas de même à Nassau, où les exigences de Victoria furent connues une semaine trop tard.

On vit lord Pacal aux offices célébrés à la cathédrale anglicane et, dès son retour à Soledad, il constata que le portrait de la reine avait été, partout, des bureaux du port au Loyalists Club, voilé de crêpe. Le pasteur Michael Russell avait attendu l'arrivée du maître de l'île pour célébrer l'office des morts.

Dans son homélie, le vieux ministre de la Haute-Église rappela ce qu'avait écrit la jeune Victoria, âgée de dix-huit ans, au jour de son avènement, texte rendu public avec l'autorisation de Sa Très Gracieuse Majesté le roi Édouard VII.

– « Puisqu'il a plu à la Providence de me mettre à cette place, je ferai tout mon possible pour accomplir mon devoir envers mon pays ; je suis très jeune, et, en bien des choses, sinon en toutes, très inexpérimentée ; mais je suis sûre que peu de personnes ont plus de bonne volonté et un plus réel désir de faire ce qu'il faut et ce que l'on doit[1]. » À l'âge de douze ans, elle avait promis d'être sage et l'a été. Reine, elle a toujours fait ce qu'il fallait pour notre Empire. Elle nous laisse, à tous, le plus bel exemple du sens du devoir, de la moralité, de la fidélité conjugale, conclut le pasteur.

En février, lord Pacal dut se rendre en Angleterre, où sa grand-tante, Mary Ann, veuve de sir William Gordon, dit Willy Main-Leste et gardienne de Cornfield House, à Belgravia, était morte, à l'âge exceptionnellement avancé de quatre-vingt-quatorze ans. Avec la sœur de lord Simon,

---

1. Journal de la reine Victoria, mardi 20 juin 1837, *la Reine Victoria, pages choisies de sa correspondance*, Hachette, 1909.

jusqu'à son dernier jour très lucide, disparaissait la dernière représentante d'une génération Cornfield. À Londres, Pacal fit célébrer, à Saint Paul, une messe des morts à sa mémoire. Un orchestre et les choristes de la cathédrale interprétèrent un *requiem* pompeux. Répondant au faire-part, les derniers amis survivants de lord Simon se déplacèrent, ce qui donna l'occasion à Pacal de revoir lady Jane Kelscott, dont le père avait quitté ce monde et dont la mère, impotente, l'esprit égaré, ne sortait plus de chez elle. À l'issue de la cérémonie, le Bahamien s'entretint avec son amie.

— Vous avez l'air d'un militaire, s'étonna-t-il.

Et il détailla la curieuse toilette de la jeune femme : jupe longue et vareuse bleu foncé, avec col officier frappé de deux S brodés au fil d'or, chapeau de paille bleu marine, genre cabriolet, retenu sous le menton par un ruban rouge.

— Militaire, je le suis : major de l'Armée du Salut, pour vous servir, vous aider à vaincre vos turpitudes et sauver votre âme ! répondit-elle gaiement.

Lord Pacal ignorait tout de cette œuvre, fondée à Londres en 1865, par William Booth, protestant méthodiste, sous le nom de Mission chrétienne, devenue depuis Armée du Salut.

— Notre mission consiste à relever les âmes déchues, à les convertir, pour les ramener à Dieu. Notre mouvement a été persécuté, jusque dans les années 90, mais maintenant, il est partout admis et respecté, parce que fort utile pour lutter contre la misère, l'alcoolisme, l'incroyance. Nous avons des adhérents dans la plupart des pays protestants. Seule, la Suisse nous a interdit son territoire pendant quelques années.

— Une organisation militante et militaire, si je comprends bien, ironisa Pacal.

— Seule la discipline permet l'efficacité. Nos écoles forment des officiers et des soldats de la charité et de la foi. Notre devise est : « Sang et feu », et nos mots d'ordre sont :

« Soupe, savon, salut ». Nous sommes plus de cent mille soldats et officiers dans le monde. Nous publions, en douze langues, vingt-sept journaux hebdomadaires. Notre seule référence est la Bible[1], précisa Jane.

– Et, d'où cette armée tire-t-elle sa subsistance ?

– Des dons. Et je compte bien, étant donné notre amitié passée, que lord Pacal Desteyrac-Cornfield, qui n'a jamais eu faim, a toujours possédé plusieurs toits et n'a jamais manqué de savonnettes parfumées, va aider notre armée, dit Jane en tirant du sac qu'elle portait, suspendu à l'épaule, un bon de souscription.

Pacal prit le papier et promit son aide, ému par l'engagement de lady Jane.

– Vos supérieurs vous autorisent-ils à dîner avec un mécréant ?

– Sauf dans les restaurants, où nous n'entrons que pour vendre notre journal et faire la quête, dit Jane.

– Disons vingt heures, chez moi, à Belgravia Square... mais venez sans armes, major !

Lord Pacal devait se souvenir longtemps de cette soirée. Autrefois, sans trop le dissimuler, Jane Kelscott avait été amoureuse de lui et avait vainement attendu qu'il se déclarât. Aujourd'hui, portée par sa foi et son instinct de charité, elle avait trouvé sa voie et la justification à sa solitude affective. Émanaient d'elle force morale, sagesse, clarté, sérénité souriante des justes.

Ils évoquèrent la mort de Susan, que Jane avait connue à Londres, lors de son voyage de noces, et quand Pacal lui avoua combien il souffrait de l'attitude de sa fille Martha, qui l'avait rejeté, Jane lui prit la main.

---

1. En 2006 l'Armée du Salut, dont les buts n'ont pas varié et dont l'action s'est adaptée aux nouvelles misères, catastrophes et conflits, compte, dans cent onze pays, un million quarante et un mille soldats. Elle publie quarante-quatre journaux hebdomadaires.

– Avez-vous fait ce qu'il fallait, pour être aimé d'elle ?

– L'amour filial va de soi, non ?

– Il ne fait que répondre à l'amour paternel. Considérez mon cas. Enfant, je ne voyais mon père que deux fois quinze jours dans l'année. Il servait aux Indes, où ma mère n'a jamais voulu se rendre. Jusqu'à sa mort, il n'est resté pour moi qu'un passant, un visiteur distrayant, fumeur de cigare, raconteur d'histoires, clubman, chasseur de tigres au Pendjab, chasseur de renards et de femmes en Angleterre. Vous, Pacal, vous étiez sur votre île, et votre épouse et votre fille à Boston. Combien de jours, dans l'année, passiez-vous ensemble ? Pendant vos absences, d'autres ont pris dans le cœur de votre enfant la place laissée vide, celle qu'elle vous réservait. Lord Pacal n'est pas plus innocent que lord James Kelscott, acheva Jane.

– Les Cornfield, comme les Desteyrac, sont atteints d'une maladie de l'âme. Et, quand un peu de sang des Arawak se mêle aux deux autres, l'ambiguïté est complète. Une sorte d'orgueil, mêlé de méfiance, nous retient d'exprimer l'amour. En résulte une mélancolie vague, peu discernable, parce que productive, car nous la combattons, inconsciemment, par une activité physique et une propension à entreprendre. C'est ainsi que nous meublons un monde et des vies, qui nous paraissent parfois vides de sens. Il y a en nous du René de Chateaubriand, de l'Obermann de Senancour, de votre William Beckford, qui fut un ami de mon grand-père.

– Vous êtes d'égoïstes romantiques. Mais vous n'avez pas d'écharpe, pour porter votre cœur, concéda Jane en riant.

– Au contraire des désolés romantiques, nous refusons la délectation de nos chimères. Nous avons honte des velléités stériles, nous voulons accomplir, en nous forçant à croire à l'utilité de nos vies et de nos travaux. Nous ne sommes pas faits pour être aimés, même de nos enfants, semble-t-il, développa Pacal qui, pour la première fois, se confiait ainsi.

– Alors, je vous plains. C'est un mal incurable, dit Jane.

Au dessert, la salutiste rappela à Pacal sa promesse d'un don pour l'Armée du Salut.

– Après la mort de ma grand-tante, j'ai pensé vendre cet hôtel, mais j'ai décidé de vous l'offrir. Vous pourrez en faire une caserne, dit Pacal.

Béate d'étonnement, Jane Kelscott manifesta sa reconnaissance en quittant son siège, pour venir embrasser le Bahamien.

– Nous n'en ferons pas une caserne, mais nous en tirerons un bon loyer. Tous les enrichis de la guerre hispano-américaine rêvent d'habiter l'aristocratique Belgravia, dit-elle en esquissant un pas de danse.

Un peu plus tard, dans le hall, il la regarda coiffer son étrange chapeau, fermer son col, serrer sa ceinture, tel un soldat répondant à l'appel. Il l'accompagna, dans la nuit claire, jusqu'au fiacre convoqué par le majordome.

Quand il lui baisa la main et l'aida à monter en voiture, lady Jane, oubliant le major Kelscott, se pencha vers Pacal.

– Moi, j'aurais su vous aimer, jeta-t-elle dans un souffle, avant de tirer la portière.

Quelques semaines plus tard, les notaires ayant réglé, en présence d'un général salutiste, le transfert de propriété de Cornfield House à l'Armée du Salut, lord Pacal fit emballer les portraits des ancêtres Cornfield, la table-bureau et le mobilier du cabinet de travail, les bibelots les plus précieux, auxquels il joignit le tigre royal naturalisé, tué par lord Simon au cours d'une chasse avec le vice-roi des Indes. Quand le commissionnaire demanda où devait être expédié ce déménagement, il donna, sans plus de réflexion, l'adresse du village d'Esteyrac, en France. Depuis quelques jours, mû par la curiosité de voir le résultat de la restauration conduite par son père et Ottilia, mais aussi par un soudain désir de dépaysement et de paix, il avait décidé de se rendre en Auvergne. Invité, comme tous les lords, au couronnement du roi Édouard VII, prévu le 26 juin, à Londres, il différa son départ pour la France. Il se ravisa bientôt, quand il apprit, le 24 juin, comme tous les Britanniques, que les cérémonies étaient reportées au 9 août. Le nouveau souverain devait être, d'urgence, opéré de l'appendicite.

Tandis que lord Pacal traversait la Manche, le report des festivités royales déclencha un des plus étonnants conflits juridiques qu'eût connus l'Angleterre. Sur le parcours, que devaient emprunter le roi et son imposante suite, au jour du couronnement, fenêtres, balcons, bateaux sur la Tamise avaient été loués, à prix d'or, aux curieux qui souhaitaient voir le cortège. S'estimant victimes d'une « frustration de contrat » par l'annulation du défilé, les spectateurs déçus demandaient le remboursement des loyers de circonstance, tandis que les loueurs exigeaient d'être payés, en dépit du manque de spectacle. Déjà, des procès étaient intentés par les uns et les autres[1].

Fin juin, lord Pacal, renonçant à la célébration du sacre, arriva, sans s'être annoncé, à Esteyrac. Dès le premier regard, il se sentit admis. Comme une femme parée d'une toilette neuve, la vieille gentilhommière de pierre grise semblait l'attendre. À travers la grille lanciforme du parc, Pacal vit les nymphes du bassin, rendues à leur vénusté première. De leurs amphores coulait l'eau limpide d'une source, réputée salutaire aux hépatiques. Il actionna la poignée de bronze, reliée à un fil de fer, et le tintement lointain d'une clochette fit apparaître Auguste Trévol, gardien des lieux, « le père Trévol » pour les villageois. « Ah !

---

1. Ces procès, dont la chambre des Lords eut parfois à connaître, figurent, encore aujourd'hui, en Grande-Bretagne, au programme des études de droit, sous le nom de *Coronation cases*.

il ne s'en croit pas qu'un peu, depuis qu'il est intendant du château, l'ancien maire ! » disaient les lavandières.

Pacal, depuis la mort de son père, avait entretenu une correspondance régulière avec cet homme de confiance. On eût vainement cherché des fautes de syntaxe ou d'orthographe dans les rapports, clairs et concis, que ce paysan calligraphiait, à l'intention de son lointain employeur.

– Morbleu, j'ai cru que c'étaient encore des touristes, qui voulaient photographier nos belles ! Vous auriez dû prévenir, Monsieur. Avec le nouveau maire – car j'ai passé la main au notaire –, on se demandait encore, pas plus tard que dimanche, à la sortie de la messe, si l'on vous reverrait jamais !

– Eh bien, me voici. J'ai l'intention de passer quelque temps à Esteyrac. Du mobilier va venir d'Angleterre.

– Vous verrez que tout est en ordre et propre, au château. Ma femme est bonne cuisinière. Elle vous fera servir vos repas par Ninette, une fille du pays. En 91 – boun Diou, ça fait déjà dix ans ! –, elle servait vos parents pendant les travaux. Aujourd'hui, elle est mariée, et son mari, le maréchal-ferrant, vous sera utile. Il a une voiture neuve, à roues caoutchoutées, et vous transportera où vous voudrez, à la demande, Monsieur.

Lord Pacal, après le tour du propriétaire, s'installa commodément. Les planchers, bien qu'encaustiqués, sentaient encore le chêne neuf et, dans l'antique lit à baldaquin, où l'on se hissait à l'aide d'un marchepied, les draps et oreillers, de toile fine, fleuraient bon l'herbe des champs sur laquelle ils avaient blanchi.

Promu châtelain par le voisinage, Pacal reçut la visite du nouveau maire, qui lui donna du « Monsieur le Baron », parce qu'il croyait savoir qu'un lord était toujours baron. Ils se rendirent ensemble au cimetière, devant le caveau des Esteyrac, où Pacal eût préféré que son père reposât. Le même jour, il fit sensation à l'épicerie générale-bureau de poste et du télégraphe, tenus par la mère de Ninette, en envoyant une dépêche à Soledad, via New York et Nassau. Avec un sentiment de liberté rarement éprouvé, il annonça aux insulaires une prolongation indéterminée de son absence. Don Elíseo, assisté de Matthieu et Violet Ramírez pouvaient, avec l'appui de Lewis Colson, gérer la vie quotidienne de l'île, comme Andrew et Fanny Cunnings assuraient le train de ses affaires en Floride. Une dépêche télégraphique, envoyée de Nassau ou des États-Unis, était délivrée, sous trente-six-heures, à Esteyrac, tandis qu'une lettre mettait près de trois semaines pour passer de l'archipel en Grande-Bretagne et, de là, en Auvergne.

La gentilhommière admit sans dérogeance de style le mobilier de l'hôtel citadin de Belgravia et, sur les murs, les ancêtres Cornfield, calés dans leurs cadres tarabiscotés, prirent place près des hobereaux d'Esteyrac, exhumés, en 1891 par Charles, de l'oubli poussiéreux des combles. Pacal se plut à imaginer que ces gentlemen s'étaient peut-être affrontés sur les champs de bataille, au cours des guerres, d'Azincourt à Waterloo. Ayant fait plus ample connaissance, peut-être en viendraient-ils à échanger des souvenirs héroïques, quand la nuit réduit les humains au sommeil et au silence ?

Assis devant la grande table Sheraton à tiroirs, dont avaient usé trois générations de Cornfield, Pacal connut un nouveau bien-être. Le palissandre, lustré par un vigoureux encaustiquage de Ninette, le nécessaire de bureau en bronze doré et le sous-main, pourvu d'un buvard vierge, invitaient à l'initiative épistolaire. La première lettre qu'il écrivit fut pour Liz Ferguson dont, la nuit venue, il lui arrivait de regretter l'absence.

La grande pièce du premier étage, promue cabinet de travail, recevait la lumière par deux fenêtres ouvrant, au nord, sur les labours et les prairies, où paissaient les salers, à robe acajou. Le regard portait jusqu'aux monts Dore et, par temps clair, Pacal apercevait le puy de Sancy, point culminant, à 1 886 mètres, du centre de la France.

Dans cette paisible campagne, tous les événements arrivaient affadis par le temps et l'espace. Aux Bahamas, ils eussent alimenté des conversations animées, à Cornfield Manor et au Loyalists Club, mais à Esteyrac, ils ne prenaient réalité qu'à l'arrivée du journal d'Issoire à l'épicerie générale. En septembre, on découvrit le nom de McKinley, quand le président des États-Unis fut blessé à mort par un anarchiste. Cet assassinat suscita une moindre émotion que celle, provoquée trois ans plus tôt, par le meurtre, à Genève, de Sissi, impératrice d'Autriche. Seul le notaire, abonné à *L'Illustration*, connaissait l'existence de Theodore Roosevelt, successeur, en tant que vice-président, de McKinley. Le magazine avait, en 98, consacré plusieurs articles aux Rough Riders et à leur colonel, ces Rudes Cavaliers qui s'étaient vaillamment battu à Santiago de Cuba.

Pour lord Pacal, Esteyrac se révéla encore plus isolé du monde que son île. Tout ici devenait relatif, sans influence, sans conséquence sur le quotidien. Le matin, les troupeaux voraces allaient aux champs ; au crépuscule, ils rentraient aux étables, à pas lents, clarines tintinnabulantes, poussés par les bergers. À l'aboiement des chiens répondaient les meuglements offensés des grosses laitières dandinantes, qui jalonnaient de bouses énormes les chemins.

Devant la fontaine aux nymphes, lord Pacal vidait parfois, en compagnie du père Trévol, une bouteille de rosé de Corent, vin aigrelet, qui appelait la tranche de saucisson et le pain bis. Il dînait tôt, fumait un cigare près de l'âtre – où, dès fin août, Ninette alluma un feu de bois –, lisait les livres apportés d'Angleterre, *la Mère mystérieuse*, d'Horace Walpole, les *Contes arabes*, de William Beckford, mais plus souvent *l'Anneau et le Livre*, ouvrage étrange de Robert Browning, dans une belle édition de 1869, cadeau de lady Jane.

Fin octobre 1901, rassasié d'air vif, de méditations vespérales, de cochonnailles, de potée roborative, de promenades dans les champs, d'excursions en montagne, lord Pacal décida de regagner les Bahamas. Les premières neiges couronnaient les monts Dore, prémices du rude hiver auvergnat, quand il se mit en route, après avoir promis son retour l'année suivante.

Après une brève étape à Paris, où la fermeture des écoles libres, après celle des couvents et congrégations, suscitait des manifestations de rue, alors que se préparaient au départ les automobiles engagées dans une course de mille deux cents kilomètres entre Paris et Berlin, il embarqua au Havre, sur *La Savoie*, dernier-né de la Compagnie Générale Transatlantique. Ce luxueux paquebot assurait, en six jours, la liaison sur l'Atlantique nord, à la vitesse de vingt nœuds.

Le Bahamien ne se fit, cette fois, aucune relation parmi les passagers. Il apprécia, en solitaire, les menus raffinés du bord, se rendit souvent aux concerts, donnés dans le grand salon, passa des après-midi sur le pont, dans une chaise longue, lut beaucoup et, au bal du soir, fit alternativement danser deux Allemandes. Amies célibataires, bâties comme des grenadiers et gaies luronnes, elles formaient un couple dont il se fit, par amusement, sans risques ni profit, chevalier servant.

Ce fut au cours de la traversée que le voyageur prit conscience d'un phénomène qui affectait sa notion des durées. Il avait, depuis son séjour en Europe, la bizarre sensation d'une accélération de la marche du temps. Si les journées conservaient leur plein d'heures et d'activité, les semaines, les mois, semblaient s'être succédé à un rythme plus rapide que par le passé. Il venait de vivre, sans qu'il y prît garde, près d'un an hors de chez lui. Quand New York fut en vue, il crut l'avoir quittée la veille. Thomas Artcliff, chez qui il séjourna en attendant un passage pour Nassau, écouta les considérations de son ami sur la marche du temps et les compléta.

— Plus qu'une accélération, ce que nous ressentons est une contraction du temps. J'y suis, comme toi, sensible. Cela vient avec l'âge, dit-il en montrant son crâne dégarni.

— Les heures ont toujours soixante minutes !

— Certes, mais comme nos obligations et nos travaux se sont multipliés, et que tout va plus vite qu'autrefois, les trains, les bateaux, les automobiles et même les communications — la *radio telegraphic transmission* permet, depuis peu, de converser par ondes radioélectriques avec un correspondant à Londres —, nous sommes soumis à des rythmes nouveaux. Or, en prenant de l'âge, il nous faut, aussi, plus de temps qu'autrefois pour accomplir la même tâche. D'où cette impression déroutante que les heures, les semaines, les mois, et même les ans, raccourcissent, et que les aiguilles de nos montres tournent plus vite, développa Thomas.

— Et tout regard sur le passé augmente la sensation de fuite accélérée du temps. Réalises-tu que nous nous connaissons depuis un quart de siècle ? ajouta Pacal.

— Et que nous aurons, tous deux, quarante-cinq ans l'an prochain, compléta Thomas.

— Désormais, tout est pente !

— Assez parlé du temps qui passe et de nos cheveux blancs ou fugueurs, Pacal ! Allons dîner. Après, en fumant un havane, nous tâterons d'un vieux bourbon du Tennessee — vingt ans d'âge —, que je viens de recevoir !

— Heureuse proposition. Pour bourbon et porto, le temps qui passe est meilleure affaire que pour l'*Homo sapiens*, conclut Pacal, ponctuant son propos d'une chaleureuse bourrade dans les côtes de Thomas.

Après un repas arrosé de vin français, ils trouvèrent si bon arôme au bourbon qu'ils asséchèrent le flacon. Entre « le passé qui n'est plus » et « le futur qui n'est pas encore », les deux amis avaient savouré le « maintenant », dont Aristote avait eu tort de dire « qu'il est insaisissable ».

Lord Pacal éprouva plus de contentement qu'il ne l'avait imaginé en retrouvant Lizzie Ferguson, à Nassau. Fidèle, d'humeur égale, attentive avec discrétion, cette blonde, d'aspect fragile, conservait, au seuil de la quarantaine, un charme singulier. Loin d'elle, Pacal, lors de ses rêveries aurorales, avait tenté de le définir : fraîcheur, aisance, netteté inaltérable. Il ne connaissait aucune femme plus aimable, au sens premier du terme. Elle vint à lui sur le quai, à petits pas, dans le soleil du matin. Une robe légère enveloppait d'un fluide coloré ce tanagra, dont les petits seins fermes pointaient sous la soie. Son regard bleu n'était que sourire.

— Le télégraphe sans fil est une belle invention. C'est gentil de m'avoir annoncé votre retour, dit-elle, contrainte de retenir en public une démonstration plus chaleureuse.

Celle-ci vint quand, le même soir, ils se réunirent chez elle et qu'elle put donner libre cours à la tendresse thésaurisée. Quand, après l'étreinte longtemps désirée, Pacal eut fait le bilan des mois passés en Angleterre et en France, Lizzie avoua n'avoir rien à rapporter.

— Ici, il ne s'est rien passé, sinon qu'on parle beaucoup de la guerre du Transvaal, qui ensanglante nos colonies d'Afrique du Sud depuis 1899. On dit que nous avons perdu huit mille morts, sur les cinq cent mille soldats britanniques envoyés là-bas.

— En France, j'ai constaté que les gens avaient plus de sympathie pour les Boers que pour les Anglais. Ils disent que les sociétés de chercheurs d'or et de diamants, soutenues par le gouvernement britannique, ont spolié les républiques boers, dont l'indépendance avait été, deux fois, reconnue par la Couronne, en 1881 et 1890, compléta Pacal.

Une semaine plus tard, avant qu'il ne quittât Nassau pour Soledad, Liz tint à montrer à son amant le premier terrain de golf de l'archipel. Établis près de Fort Charlotte, par la Florida East Coast Hotel Company, de Flagler, bâtisseur du nouveau Colonial Hotel, les *links* attiraient beaucoup de curieux au pied de la forteresse la plus imposante et la mieux conservée des Bahamas. Construit à la fin du XVIIIe siècle, par les esclaves noirs, sur une colline dominant la côte ouest de New Providence, Fort Charlotte, ainsi nommé par lord Dunmore, en l'honneur de l'épouse du roi George III, avait abrité le *Forty-seventh West Indies Regiment* jusqu'à la dissolution de cette unité en 1891. Les touristes venaient maintenant s'y donner des frissons en découvrant le lieu d'écartèlement des condamnés et en arpentant des souterrains, peuplés de chauves-souris[1].

Le parcours de neuf trous, semblable à ceux dessinés en Angleterre, depuis que le golf avait été importé d'Écosse en 1869, couvrait un bel espace gazonné. Les joueurs, la plupart Britanniques, résidents ou de passage, appréciaient ce jeu, qu'ils qualifiaient volontiers de sport.

Lord Pacal trouva enfantine l'activité qui consistait à faire entrer, successivement, dans des trous éloignés d'une centaine de mètres les uns des autres, sur un itinéraire bucolique truffé d'obstacles, la même petite balle de caoutchouc en la frappant avec une crosse légère, appelée *club*.

— Le polo est un jeu viril, parfois brutal, le *lawn tennis* un sport qui demande vélocité, muscle et coup d'œil, mais le golf me paraît réservé aux vieux messieurs et aux dames en manque d'exercice, ironisa-t-il.

---

1. On visite encore aujourd'hui la forteresse. « Les guides accompagnateurs qui vous réservent une visite animée sont vêtus de costumes d'époque et racontent d'amusantes anecdotes... », indique le *Guide de voyage*, Ulysse, édition 1998, Montréal, Québec.

À Soledad, lord Pacal fut satisfait de constater qu'en son absence les affaires avaient été gérées au mieux par Elíseo García Padilla, assisté de Matthieu Ramírez et de Violet. Seule la santé, qui allait se dégradant rapidement, de Dorothy Weston Clarke inquiétait la communauté du Cornfieldshire. Avant de quitter l'île pour la Floride, où il passerait Noël avec son fils, chez les Cunnings, Pacal rendit visite à la vieille dame. Sans cacher sa lassitude, elle le reçut avec gratitude et émotion.

– Vous ne me reverrez pas, mon ami. Quand vous reviendrez, en 1902, je serai morte et enterrée. Aussi, je veux vous dire, pendant qu'il en est encore temps, qu'Albert et moi avons vécu heureux à Soledad. Si le paradis existe, il doit ressembler à cette île. Lord Simon a su nous faire oublier nos déceptions passées et vous êtes son digne successeur. Quand je serai partie, prenez soin de mon mari. Il n'a aucun sens pratique. Il faudra l'aider à vivre encore un temps.

– Je vous le promets, s'engagea Pacal.

– Maintenant, dites-moi adieu, mon ami. Non, ne soyez pas triste. J'ai fait mon temps sur cette terre et je n'ai dû qu'à mon mauvais caractère d'être peu aimée de mes semblables. Mes railleries acides m'ont souvent rendue plus malheureuse que les raillés, avoua-t-elle.

Lord Pacal l'embrassa, serra ses mains maigres et sèches, et quitta la maison. Plus tard, il donna des ordres afin que l'on mît tout en œuvre pour adoucir les derniers jours de celle qui avait été, pendant un demi-siècle, la plus mordante critique de la vie insulaire.

Le maître de Soledad était en mer à bord du *Lady Ounca*, voguant vers Palm Beach, quand Dorothy rendit à Dieu son âme tourmentée.

Un autre deuil devait apporter plus de changement dans la vie de lord Pacal. Après de joyeuses fêtes de fin d'année, au cours desquelles il apprit à son fils George, bientôt âgé de sept ans, à se tenir sur le poney qu'il lui avait offert, une dépêche transmise de Boston par American Telephone and Telegraph Company apporta, le 9 janvier 1902, la nouvelle du décès de Maguy O'Brien Metaz, dite tante Maguy. La septuagénaire avait succombé à une crise d'apoplexie après le dîner, sans doute trop copieux, de la fête de l'Épiphanie, toujours célébrée chez les Buchanan.

– C'est bien d'elle, d'avoir choisi le jour de l'Adoration des Mages, pour quitter ce monde ! dit Fanny, en guise d'oraison funèbre.

Si personne, à Palm Beach, ne versa de larmes sur la disparition de l'irascible douairière, lord Pacal, dans une lettre de condoléances adressée à Arnold Buchanan, se dit préoccupé par le destin et l'éducation de sa fille Martha. La disparition de tante Maguy, substitut imposé d'une mère défunte, laissait l'adolescente, qui aurait douze ans en août, sans foyer familial ni direction. Il redoutait que le négociant estimât de son devoir de grand-père chrétien d'ajouter Martha aux enfants qu'il faisait, avec une ponctualité déconcertante, à raison d'un par an, à sa troisième épouse, de trente-cinq ans sa cadette !

La réponse à ces questions, Pacal la trouva à son retour à Soledad, fin janvier. Arnold Buchanan écrivait ne pouvoir se charger de l'hébergement et de l'éducation de Martha. Il proposait de confier sa petite-fille à l'internat des religieuses protestantes qui préparaient les demoiselles de bonne famille à l'examen d'entrée au Bryn Mawr College, institution pour jeunes filles, la plus huppée de l'Union.

Lord Pacal fit aussitôt mettre les chaudières du *Lady Ounca* sous pression en annonçant à John Maitland un départ imminent pour Boston. Décidé à ramener sa fille à

Soledad, il obtint de Paulina, autrefois nourrice de Martha, maintenant mariée à un quartier-maître de la flotte Cornfield, qu'elle l'accompagnât pour s'occuper de la fillette. Pendant trois jours de navigation, il ne fit que spéculer, non sans perplexité, sur l'accueil que lui réserverait une enfant qui ne le connaissait pas et à qui les Buchanan avaient dû le dépeindre comme un rustre sans religion, vivant sur une île peuplée de Sauvages.

Trois jours plus tard, le vapeur ayant trouvé son ancrage dans l'avant-port de Boston, lord Pacal envoya, par le second du *Lady Ounca*, un message à Arnold Buchanan, pour annoncer sa visite. Dès que l'officier fut de retour à bord, mission accomplie, lord Pacal sauta dans le canot de service et se rendit 75 State Street, aux bureaux de son beau-père.

L'entrevue fut brève, courtoise, mais sans épanchements. Quand lord Pacal annonça son intention d'emmener sa fille à Soledad, Arnold parut plus que satisfait de cette décision. L'éducation de ses propres enfants représentait, déjà, une lourde tâche et de gros frais.

– Martha, à qui ont été inculqués, dès la prime enfance, les meilleurs principes par notre chère Maguy, saura partout se conduire en vraie chrétienne. Quand voulez-vous la voir ? demanda-t-il, d'un ton mielleux.

– Tout de suite. Nous lèverons l'ancre ce soir même, si possible, dit Pacal.

Buchanan boutonna sa redingote, coiffa son chapeau de castor et invita Pacal à le suivre jusqu'à son hôtel particulier de Commonwealth Avenue, où Martha vivait depuis la mort de tante Maguy.

Le négociant installa Pacal dans un salon chichement éclairé et demanda au majordome de trouver Martha et de la conduire à son père. Puis, il se retira sans plus attendre, prétextant un rendez-vous urgent.

Resté seul, Pacal vit que rien n'avait changé du décor qu'il avait connu, au temps de ses fiançailles avec Susan. Les mêmes doubles rideaux de velours grenat masquaient, en partie, les hautes fenêtres ; épinglées sur les accoudoirs des fauteuils, les mêmes garnitures et les mêmes têtières de dentelle au crochet cachaient le reps râpé. Identique aussi, assaillit ses narines l'odeur fade de renfermé. À croire que la pièce n'avait pas été aérée depuis treize ans.

Un coup discret et la porte s'ouvrit sur une apparition inattendue. Martha, d'une taille élevée pour son âge, toute vêtue de noir, de la robe aux bas, pâle, mince, joues creuses, avança d'un pas dans la pièce et s'immobilisa. Son regard bleu de chatte siamoise contenait plus d'interrogation que de curiosité.

– Nous ne nous connaissons que par lettres et photographies. Mais êtes-vous prête à suivre votre père ? dit Pacal.

– Je le suis, répondit-elle, sans marquer d'embarras.

– Pendant des années, vous ne l'avez pas souhaité, semble-t-il ?

– Tantine Maguy m'avait dit que vous viviez sur une île malsaine et que vous étiez trop occupé pour élever vos enfants. Mon frère habite en Floride chez tante Fanny, n'est-ce pas ?

Lord Pacal fut, à la fois, décontenancé et satisfait par l'assurance de sa fille. Il y avait, dans l'attitude de Martha Lucy, du Cornfield et du Desteyrac. Un peu d'Ounca Lou, aussi, à en juger par les yeux, fendus en amande et dont l'angle externe relevait vers la tempe. Chez George Charles, le sang américain de Susan, celui des Buchanan Metaz O'Brien, l'avait emporté : carnation pêche rosée, cheveux cuivrés, muscles ronds, alors que chez Martha le sang paternel, plus composite, dominait, dans les traits fins, le teint mat, le bleu lavé des yeux.

Il quitta son fauteuil et vint prendre la main de sa fille. Il la fit s'asseoir près de lui sur un canapé.

– Nous devrons faire connaissance, n'est-ce pas ? dit-il.

– Je vous connais un peu. Quand Thomas Artcliff vient à Boston pour ses affaires, il parle tout le temps de vous. Il m'a raconté plein de choses sur votre île. La dernière fois qu'il est venu, il y a trois semaines, pour les funérailles de tante Maguy, il m'a dit en français : « Ton père va certainement venir te chercher. » Donc, je vous attendais, dit-elle, avec un premier sourire.

Pacal fut reconnaissant à Thomas d'avoir préparé l'entrevue de ce jour.

– Eh bien. Quand serez-vous prête à partir ?

– Je suis prête. Je n'ai pas déballé mes affaires, depuis que j'ai quitté Beacon Hill pour venir ici. Tout à l'heure, quand on a annoncé votre arrivée, j'ai fait mes adieux à tout le monde, révéla Martha.

Lord Pacal admira cet esprit de décision et la façon dont sa fille avait, sans l'aide de quiconque, préparé son départ.

Le soir même, ils embarquèrent sur le *Lady Ounca* et, après que Martha eut été installée dans sa cabine par Paulina, tandis que le vapeur s'éloignait des côtes du Massachusetts, le père et la fille prirent, ensemble, leur premier dîner.

Si lord Pacal avait craint une cohabitation difficile avec sa fille, il fut, dès les premiers jours à Soledad, rassuré. Dotée d'une belle chambre, l'adolescente entra de plain-pied dans les habitudes, les rythmes et l'étiquette de Cornfield Manor. De la même façon, elle admit, avec naturel, de s'entendre appeler lady Martha par les domestiques et les intimes du Cornfieldshire, auxquels elle fut présentée au cours d'un dîner. Elle apparut, ce soir-là, très à l'aise dans une robe bleu azur, hâtivement confectionnée pour elle par la couturière de Myra Maitland.

« Quittez vos vêtements de deuil », avait ordonné Pacal. Elle s'était empressée d'obéir.

Au cours des premiers mois, Martha fit, avec son père pour guide, connaissance de l'île. Elle prit, à Pink Bay, son premier bain de mer, plaisir condamné par tante Maguy ; visita l'orphelinat de Buena Vista et le phare du Cabo del Diablo ; gravit le mont de la Chèvre où elle apprit, du successeur du père Taval, l'histoire du petit sanctuaire catholique, le premier où elle entra. Au village des Arawaks, où elle s'attendait à voir les Sauvages décrits par tante Maguy, elle trouva des gens affables et pittoresques. Quand Palako-Mata lui passa au cou un collier de graines de yucca, réputé protéger des esprits mauvais, elle s'étonna de l'entendre parler français avec son père. Les dimanches, Martha suivit les offices de l'église anglicane et trouva les sermons du vieux pasteur Russell beaucoup plus compréhensibles que ceux de l'évêque de Boston. Elle fut initiée au *lawn tennis* par Janet, la fille cadette des Maitland, son aînée d'un an, qui devint son amie. Le 25 août, jour de son anniversaire, un lad lui amena le poney et le sulky offerts par son père. À la demande de Pacal, Varina García Padilla organisa, au manoir, un goûter auquel furent conviées toutes les adolescentes du Cornfieldshire.

Au soir de ses douze ans, Martha embrassa tendrement son père, pour la première fois depuis leur réunion, et essuya une larme, en disant combien la vie à Soledad lui semblait différente de celle dont on lui avait, maintes fois à Boston, brossé un tableau repoussant.

Pacal, ravi, eut du mal à cacher son émotion. Il s'était appliqué, depuis l'arrivée de sa fille, à ne pas susciter, ni même encourager, de confidences sur son enfance bostonienne. Il l'avait traitée en visiteuse privilégiée, mais avec la distance de qui n'attend aucune démonstration de tendresse filiale. À Nassau, Lizzie, qui n'ignorait rien des soucis de son amant, lui avait dit : « Laissez-la faire le premier pas. Il faut qu'elle découvre seule qu'on lui a longtemps menti. Alors, elle verra en vous le père digne d'amour duquel on l'a injustement privé. »

Ce pas décisif étant franchi, les rapports entre père et fille devinrent affectueux et confiants. Le jour de juillet où le premier ouragan de la saison déferla sur l'archipel, quand les vents d'est, hurlant comme chiens enragés, déboulèrent dans la cuvette du Cornfieldshire, quand elle vit les palmiers royaux du parc de Cornfield Manor, ployer à se rompre en gesticulant de toutes leurs palmes, Martha, effrayée, fit irruption dans le bureau de Pacal.

— N'ayez pas peur, le manoir est solide, dit-il, abandonnant ses dossiers pour lui tendre les bras.

— Avec vous, je n'ai peur de rien, dit-elle en se lovant, telle une chatte frileuse, contre son père qu'elle était maintenant sûre d'aimer.

Martha avait entendu, chaque soir à Boston, la gouvernante faire la lecture des journaux à tante Maguy, malvoyante. Aussi, marquait-elle, avec sa précoce maturité, beaucoup de curiosité pour ce qui se passait dans le monde. Lord Pacal ne pouvait qu'encourager ce désir de savoir et, c'est avec l'adolescente, qu'il prit l'habitude de commenter les événements relatés par *The Nassau Guardian* et les publications que livrait le bateau-poste. La chute du campanile, sur la place Saint-Marc à Venise, le couronnement d'Édouard VII, à Londres, la fin de la guerre des Boers retinrent plus l'attention de Martha que l'installation, à Cuba, de Tomás Estrada Palma, président d'une république sous tutelle américaine. Le gouvernement des Bahamas annonçait que la colonie avait, en 1902, rapporté à la Grande-Bretagne plus de trois cent mille dollars.

Lors de son premier séjour à Nassau, pour découvrir le Queen's College, où elle préparerait, dès l'année suivante, l'examen d'entrée au Rutgers College, Martha fit, en novembre, la connaissance de Lizzie.

– Liz Ferguson est, depuis longtemps, une amie chère et ma cavalière habituelle – ici on dit *escort* –, lors des réunions mondaines où je dois parfois me rendre, précisa Pacal, afin de prévenir toute question.

L'adolescente et Lizzie se plurent instantanément et ce fut ensemble, avec lord Pacal, qu'elle virent la première automobile en circulation aux Bahamas. Ce véhicule, une Oldsmobile 1902, importée par Henry Mostyn, consul des États-Unis, faisait sensation en vllle. Construite par Ranson Elie Olds, fondateur, en 1896, à Detroit, Michigan, de la Olds Motor Vehicle Company, cette Curved Dash, propulsée par un moteur à pétrole raffiné, roulait à près de quatorze miles à l'heure. Le diplomate avait payé six cent cinquante dollars l'engin carrossé de tôle noire avec filets rouges. Deux personnes s'y tenaient à l'aise et le conducteur le dirigeait au moyen d'un levier à main, pivotant. Au long des trottoirs de Bay Street, les badauds s'arrêtaient pour voir passer le consul et son épouse dans leur char pétaradant. *The Nassau Guardian* publia une photographie du couple, à bord de l'automobile. Plus de trois mille véhicules de ce type circulaient déjà aux États-Unis et cinq cents constructeurs, dont Henry Ford, fondateur de la Ford Motor Company, produisaient des véhicules à pétrole, de plus en plus rapides et sûrs. Ford avait déjà vendu mille sept cents modèles de sa Ford A, révélaient les journaux américains.

– Le char fut la plus belle conquête des Égyptiens, l'automobile est la plus noble acquisition de l'Amérique industrielle, dit le consul à Pacal en descendant de sa machine.

Bon propagandiste d'une industrie américaine en expansion, mais en concurrence avec plus de six cents fabricants

français et quatre cents allemands, il espérait que les Bahamiens aisés ne tarderaient pas à préférer un *American car* à
tous les autres, même si les ornières rendaient peu roulantes
les routes de New Providence et les rues de Nassau.

L'automobile suscitait, dans le public, un engouement
croissant. Depuis 1901, elle avait son salon, à Paris, au
Grand Palais. Les journaux lui consacraient de nombreux
articles et, quand la première course transcontinentale, New
York-San Francisco, fut remportée, en soixante et un jours,
par une Packard Old Pacific, dotée d'un volant, et qui atteignit parfois la vitesse formidable de près de quarante miles
à l'heure, Mark Tilloy écrivit à lord Pacal qu'il venait d'acquérir une automobile suisse Martini, à quatre cylindres et
quatre places, qu'il ne pourrait pas conduire. « Beaucoup
plus évoluée et confortable que nos américaines, qui en sont
encore au cylindre unique et à la transmission par chaîne »,
reconnaissait-il.

Un autre émerveillement fut causé, le 17 décembre, par
le vol de Wilbur Wright, assisté de son frère Orville. À Kitty
Hawk, Caroline du Nord, il avait volé à près de dix pieds
du sol, couvrant un demi-mile en cinquante-neuf secondes,
à bord d'un planeur nanti d'un moteur de seize chevaux et
de deux hélices. Les Wright, abondamment célébrés comme
pionniers de l'aviation – mot nouveau tiré du latin *avis*,
oiseau –, par la presse américaine, se disaient prêts à faire
mieux.

Un journaliste informé rappela cependant qu'un Allemand, arrivé aux États-Unis en 1900, Gustav Weisskopf,
avait déjà volé, le 14 août 1901, à Fairfield, Connecticut, sur
plus d'un demi-mile, à cinquante pieds du sol, à bord d'un
aéronef de sa fabrication propulsé par un moteur à acétylène.
Ce jour-là, le *Bridgeport Herald* avait rapporté cet exploit.
Le 17 janvier 1902, Weisskopf, sur un autre appareil, équipé
d'un moteur de Rudolf Diesel, avait parcouru près de sept

miles à cent quatre-vingt-seize pieds au-dessus du sol, dans les environs de Bridgeport[1]. Les Wright arrivaient donc après le Français Clément Ader, auteur du premier vol mécanique « vérifié », en 1897, et de l'Allemand Weisskopf, qui venait de changer son nom en Whitehead, pour faire plus américain[2]. « Il semble que l'agent des frères Wright ait réécrit avec succès à leur profit l'histoire du premier vol mécanique », concluait ironiquement le rédacteur impartial.

À la fin de l'année 1903, Martha fut du voyage annuel de lord Pacal en Floride. Chez les Cunnings, elle fit la connaissance de son frère George, de quatre ans son cadet. L'adolescente manifesta aussitôt, pour ce gros garçon joufflu, intrépide et rieur, un instinct protecteur. Fanny fit observer que Martha ressemblait à son père, que ni ses traits ni son comportement ne faisaient penser à la mère défunte. George offrait, au contraire, de plus en plus de ressemblance avec Susan, de qui il avait l'heureux caractère.

Une triste révélation attendait lord Pacal, à son retour à Soledad. À Palm Beach, il avait appris, comme tous les Américains, par la presse, l'incendie de l'Iroquois Theater, à Chicago, qui avait causé la mort de six cent deux spectateurs. Mais il ignorait que Mark et Ann Tilloy figuraient au nombre des victimes. Une lettre du fils aîné de Mark, qu'il trouva dans son courrier, livrait les détails de cette catastrophe.

« Mon père, ma mère et ma sœur Livia avaient été invités à la soirée d'inauguration de l'Iroquois Theater. Quand le

---

1. Gustav Weisskopf, né à Leutershausen, Allemagne, en 1874, mort à Fairfield, Connecticut, en 1927. Un musée lui est aujourd'hui consacré à Bridgeport, Pennsylvanie.
2. Propos rapportés par Maureen E. Roth dans le magazine *Stars and Stripes*, 15 juin 1987.

feu prit, on ne sait encore où et comment, ce fut, d'après ma sœur, miraculeusement rescapée, une ruée sauvage vers les portes. Les habitants de Chicago ont une peur panique du feu, depuis le grand incendie de 1871, qui détruisit une partie de la ville. Mon père, qui portait une jambe artificielle après son amputation, ne put se protéger de la foule et, encore moins, se hâter vers une porte. Il conjura ma mère et ma sœur de fuir, mais ma mère ne voulut pas l'abandonner et tous deux périrent, tandis que Livia, plus alerte, réussissait à sortir du brasier. Parmi les morts, j'ai pu, le lendemain, identifier mes parents. Ils sont morts, comme ils ont vécu, main dans la main. Sachant combien mon père aimait le vôtre et aussi l'affection qu'il avait reportée sur vous, après le décès de M. Desteyrac, je me fais un devoir de vous faire part des circonstances qui ont causé la fin tragique de mes parents. Depuis ma sortie de Yale University, mon père m'avait initié à ses affaires. Je vais les continuer de mon mieux. Je suis avec respect, votre Terence W. Tilloy. »

Chaque année apportant son lot de catastrophes dans une société de plus en plus dépendante du progrès, mécanisée, remuante, 1904 fut marqué par le naufrage fluvial le plus meurtrier qui eût jamais endeuillé New York. Le 15 juin, un bateau d'excursion, *General Slocum*, prit feu au cours d'une croisière sur l'East River. Mille trente et une personnes périrent brûlées ou noyées. Cette fois encore, lord Pacal fut atteint par cette catastrophe, quand il apprit, par une lettre de Thomas Artcliff, que la mère de l'architecte se trouvait à bord du *steamboat* incendié. Elle avait trouvé la mort avec d'autres membres du Manhattan Social Club qu'elle avait fondé.

« Ces dames, que je connaissais presque toutes, avaient choisi de faire, ensemble, une croisière sur l'East River quand, devant New York, le feu se déclara à bord, provoquant une panique indescriptible parmi les passagers. Ceux et celles qui échappèrent aux flammes et à l'intoxication par les fumées se jetèrent à l'eau et, dans la plupart des cas, se noyèrent. Ma mère ne savait pas nager. Son corps fut retrouvé, huit jours plus tard. Tu imagines combien cette mort m'accable, car je n'avais pratiquement jamais quitté ma mère. Accepterais-tu de me recevoir quelques semaines à Soledad ? La seule vue de l'East River et des bateaux de croisière me donne des frissons. Après l'achèvement de la première ligne du *subway*, mes collaborateurs travaillent à l'électrification du chemin de fer aérien de Harlem. J'ai donc plusieurs semaines de liberté », écrivait Thomas. Par télégramme, lord Pacal répondit à son ami qu'il serait le bienvenu. Il irait l'attendre à Nassau avec le *Lady Ounca*.

Thomas Artcliff arriva le jour où l'on inaugurait une Victoria Avenue, jalonnée de palmiers royaux, offerts à la ville par les dames anglaises de l'Imperial Order of the Daughters of the Empire.

Le bref crépuscule bahamien étant propice aux conversations intimes, un soir de septembre, alors que les deux amis vidaient un flacon de vieux porto sur la galerie de Cornfield Manor, Thomas demanda à Pacal pourquoi il ne se remariait pas.

– Avec tes nobles ascendances françaises, ton titre de lord, ta belle allure de quadragénaire sérieux, tu peux prétendre à la main d'une héritière fortunée. Ces filles de barons des affaires, la plupart jolies et bien éduquées, ne rêvent, tu le sais, que devenir lady ou comtesse. Un Français, le marquis Boniface de Castellane a épousé, en 95, Anna Gould, la fille du roi des chemins de fer et quinze millions de dollars[1] ; le marquis de Breteuil s'est uni à Litta Garner, quatre millions de dollars ; le baron Raymond Seillières a

---

1. Ils divorcèrent le 11 avril 1906 et, fidèle à ses goûts nobiliaires, Anna Gould épousa Hélie de Talleyrand-Périgord, prince de Sagan et cousin de son premier mari.

consolé la veuve de Charles Livermore, un million de dollars ; le prince Charles Poniatowski a séduit Maud Elly Godard, deux cent mille dollars seulement. Quant à Vinnaretta Singer, l'héritière des machines à coudre, elle s'est offert, en 93, le prince Edmond de Polignac, pour deux millions de dollars[1]. Le prince, excellent musicien, préférant l'amour des garçons et miss Singer celui des femmes, ne comptons pas sur une abondante progéniture ! ironisa Thomas.

– Le jour où je déciderai de me remarier, ce sera avec Lizzie Ferguson, déclara Pacal, péremptoire.

Le séjour de Thomas Artcliff se prolongea jusqu'en décembre et il embarqua, avec Pacal et Martha, pour la Floride, où il passa les fêtes de fin d'année chez les Cunnings, avant de prendre le train pour New York.

– Maintenant, toi et les tiens, vous êtes ma famille, puisque je n'ai plus de parents, ni frère ni sœur, dit l'architecte au moment de la séparation.

– Peut-être te résoudras-tu au mariage ? risqua Pacal.

– J'aime trop les femmes pour en priver une seule de liberté ! répliqua Thomas en riant.

En 1905, plusieurs événements animèrent la vie quotidienne à Nassau. Le 24 mai, sir William Grey Wilson, nouveau gouverneur, dévoila, dans le square du Parlement, une statue de la reine Victoria en albâtre blanc. Généreusement traitée en jeune beauté, ce qu'elle n'avait jamais été,

---

1. La sœur de Vinnaretta, Isabella, avait épousé, en 1888, le duc Decaze. Elle lui avait apporté en dot deux millions de dollars.

roide et sévère sur son trône, portant un regard souverain sur les passants, feu la reine fut acclamée par une foule admirative. Après le *God Save the Queen*, le photographe du *Nassau Guardian* fit poser, devant la statue, les dames de l'Imperial Order of the Daughters of Empire, toutes vêtues de longues robes blanches et chapeautées de canotiers, garnis de mousseline.

Cette cérémonie fournit à lord Pacal l'occasion de présenter sa fille à tout ce qui comptait dans la bonne société bahamienne. À quinze ans, Martha offrait tous les charmes prometteurs d'une jolie femme. Une année au Queen's College avait suffi pour la préparer à l'examen d'entrée au Rutgers College d'où Ounca Lou, sa grand-mère, était sortie autrefois, première Bahamienne diplômée d'ichtyologie. Au cours de l'année, Martha avait reçu de fréquentes visites de son père, à qui elle écrivait, chaque semaine, des lettres en français. Liz Ferguson, correspondante désignée, l'avait souvent conduite aux bains de Hog Island, à des concerts, à des vernissages d'exposition. À l'issue des matches de polo, renonçant à son privilège, Liz avait envoyé la jeune fille porter à son père la serviette brodée, comme elle avait osé le faire, une première fois, quand elle avait son âge.

En plein été, se tint, à Nassau, la première réunion annuelle de la National Audubon Society[1], ainsi nommée en hommage à l'illustre ornithologue Jean-Jacques Audubon. Ce Français, Louisianais d'adoption, avait parcouru l'Amérique du Nord pour dessiner tous les oiseaux rencontrés. Venus assister à cette réunion constitutive, les ornithologues les plus éminents d'Europe et d'Amérique débarquèrent à New Providence. Lord Pacal, propriétaire d'une île où la chasse aux oiseaux exotiques était prohibée, avait accompagné John MacTrotter, l'ancien comptable de lord Simon,

---

1. Aujourd'hui la National Audubon Society, qui comptait, en 2004, cinq cent cinquante mille membres, a son siège à New York, 700 Broadway.

qui, depuis sa retraite, étudiait et protégeait les oiseaux de Soledad. Dans le parc de Cornfield Manor, ses volières, où s'ébattaient des douzaines d'oiseaux, émerveillaient les visiteurs. Lors de la présentation des délégués étrangers, Pacal fit la connaissance de celle de New Orleans, Estelle Miller. Cette ornithologue d'une trentaine d'années, professeur de sciences, lui fit une forte impression. Non seulement parce qu'elle passait pour tout connaître de la vie et des œuvres de l'illustre Jean-Jacques Audubon, mais parce qu'émanait d'elle une force tranquille, reflet d'une nature vaillante et équilibrée. Plus jeune, elle eût pu prétendre à la beauté de type nordique. Haute taille, cheveux blond cendré, yeux verts, teint frais, muscles longs, hanches rondes, buste ferme lui conféraient un charme viril, tempéré par la douceur d'une voix de contralto.

Pacal jaugeait aisément les femmes. Il vit tout de suite qu'Estelle Miller ne cherchait pas à plaire, attitude propre à éveiller le désir de conquête, pour qui tout est challenge. Ornithologue réputée, elle oubliait son sexe et traitait, d'égal à égal, avec ses confrères masculins. Tandis qu'elle rappelait à l'assemblée la vie aventureuse de Jean-Jacques Audubon, le lord se prit à imaginer que la Louisianaise avait fait le tour des jeux anodins de l'amour et ne portait plus intérêt qu'aux oiseaux exotiques.

Au cours de leurs entretiens, les protecteurs de la gent ailée rappelèrent aux Bahamiens que leur archipel comptait plus de deux cent trente espèces d'oiseaux, du perroquet à l'oiseau-mouche, de la buse au vautour, du héron bleu au colibri, du cormoran au flamant rose. Ce fut ce dernier, emblème de l'archipel qui retint, le plus, l'attention d'Estelle Miller, car le flamant des West Indies, plus grand et d'un plus beau plumage rose que les flamants d'Europe et d'Amérique, était menacé d'extinction. Depuis toujours, les insulaires le chassaient, pour ses plumes et sa chair au goût de poisson. Déjà, Charles B. Corey, le premier ornithologue à visiter les Bahamas, en 1880, avait donné l'alerte en écrivant, dans son ouvrage *The Birds of the Bahama Islands*[1], « à l'arrivée du prochain siècle, le flamant aura disparu des Bahamas ». C'est pourquoi, à l'issue de leurs travaux, les ornithologues demandèrent aux autorités coloniales de protéger les flamants bahamiens[2]. En Grande-Bretagne, les militants de la protection des oiseaux ayant protesté contre l'emploi de plumes de geai sur les chapeaux, celles-ci avaient été remplacées par des plumes de poulets !

Un dîner et un bal mirent fin au congrès. Lord Pacal, qui, après la perte de Lizzie, n'avait pas le cœur à ces mondanités, quittait le Royal Victoria Hotel pour rentrer chez lui, quand Estelle Miller le rejoignit dans le hall de l'hôtel.

– Mon collègue, John MacTrotter, m'a décrit les espèces qui vivent, en toute tranquillité, sur votre île, mais quand je lui ai fait part de mon souhait de voir les oiseaux qu'elle héberge, il m'a dit : « Soledad est une propriété privée. Pour y débarquer, il faut y être autorisé par lord Pacal Desteyrac-Cornfield. »

– Eh bien, soyez mon invitée quand il vous plaira. Plutôt après la période des ouragans, dit Pacal.

Estelle Miller remercia, promit sa visite et regarda Pacal s'éloigner.

– Le beau lord des Bahamas – c'est ainsi qu'on l'appelle en Angleterre – est un des derniers hobereaux des îles. Il ne doit pas trouver notre assemblée assez distinguée pour dîner

---

1. Estes and Lauriat publishers, Boston, 1886.

2. Ils furent entendus en 1951, quand fut créée la Society for the Protection of Flamingos. Un sanctuaire fut dévolu aux oiseaux sur Great Inagua Island. On compte aujourd'hui, dans cette réserve, plus de vingt-cinq mille flamants, cinquante mille dans l'archipel, où leur chasse est rigoureusement interdite. Le *Wild Birds Protection Act* prévoyait, dès 1971, une amende de 285, 71 dollars ou un mois de prison, parfois les deux, pour qui serait trouvé en possession d'un œuf ou d'une plume de flamant rose !

avec nous, persifla un délégué américain, qui s'était indiscrètement rapproché.

– C'est, en tout cas, un homme d'excellente éducation, répliqua la Louisianaise, avant de tourner les talons.

De retour à Soledad, lord Pacal se félicita d'avoir conseillé à l'ornithologue Estelle Miller d'attendre le printemps suivant pour répondre à son invitation. Une succession d'ouragans, d'une rare violence, ravagea Grand Bahama et les Bimini Islands. En dépit des risques encourus, il décida d'aller se rendre compte des dégâts occasionnés dans sa pêcherie d'éponges de South Bimini. C'est là que résidaient ses pêcheurs, placés sous l'autorité du petit-fils du regretté Sima.

Au printemps 1906, avant de se rendre, comme chaque année, en Auvergne, lord Pacal Desteyrac-Cornfield dut faire un séjour à Londres, pour représenter les Bahamas à l'exposition coloniale organisée dans la capitale de l'Empire. Il sut si bien, au cours de quelques conférences, devant des importateurs, et parfois des membres de la famille royale, vanter les produits coloniaux, qu'il fut nommé chevalier commandeur du Royal Victorian Order. Il put désormais ajouter à la suite de son nom, sur ses cartes de visite, les initiales KCVO[1], ce qui eût réjoui lord Simon.

Une fois de plus, il trouva Paris en pleine effervescence, à cause de l'inventaire des biens d'église, décidé par le

---

1. Knight Commander of the Victorian Order. Cette **ordre**, créé par la reine Victoria en 1896, récompensait les services rendus à la monarchie, notamment dans les colonies de la Couronne.

gouvernement, après la loi de séparation de l'Église et de l'État. Depuis le 6 mars, les prêtres et les paroissiens tentaient de s'opposer aux agents du fisc, chargés d'inventorier le contenu des sanctuaires. La police intervenait pour protéger les percepteurs, et des bagarres avaient éclaté devant les églises Saint-Pierre-du-Gros-Caillou et Sainte-Clotilde. En Alsace, dans l'arrondissement d'Hazebrouck, un paroissien, un boucher nommé Ghyseel, avait été tué d'une balle de revolver par le fils du percepteur, fort malmené, malgré la présence de la troupe et des gendarmes. Moins tragique et plus drôle : le curé et les fidèles de Montjoie, une petite commune de l'Ariège, faisaient interdire l'entrée de l'église du village aux agents du fisc et au commissaire de police par deux gros ours pyrénéens, peu respectueux d'une laïcité imposée. Ces incidents venaient de provoquer la chute du gouvernement, présidé par Maurice Rouvier. L'ancien avocat, ami de Gambetta, avait fait voter la loi de séparation et ordonné les inventaires. La crise politique passa au second plan quand mille deux cents mineurs de charbon trouvèrent la mort, au cours d'une catastrophe, à Courrières, dans le Pas-de-Calais. Le deuil national fit taire les querelles politico-religieuses.

Au fil des années, Esteyrac, où lord Pacal évoluait comme un enfant du pays, était devenu, pour le Bahamien, maître de Soledad et gérant de l'empire Cornfield, un lieu de repos et de méditation. Dans la vieille gentilhommière, il coulait des jours sereins. Solitude, silence, lecture, étude des dossiers que lui envoyait Violet, décisions réfléchies, lettres à Liz Ferguson dans lesquelles il s'étendait sur les charmes rustiques de l'Auvergne, promettant de les lui faire connaître un jour, meublaient ses journées. Les gens du cru, d'un naturel serviable mais peu liants, respectaient sa tranquillité. Ses interlocuteurs restaient le notaire, maire du village, les époux Trévol, gardiens des lieux, et Ninette, habile à tous les travaux ménagers. Vive comme une gazelle, primesautière, chantonnante, la jeune femme assurait un service plus familier que protocolaire. Au jour de la Saint-Austremoine, fête patronale du village, Pacal se souvint que son père lui avait dit : « Autrefois les seigneurs d'Esteyrac invitaient les villageois à faire, après la messe, ripaille au château. » Décidé à restaurer la tradition, il fit dresser un buffet, devant la fontaine aux nymphes, et régala les cent douze esteyraquois de charcutailles, de pâtisserie boulangère et de rosé de Corent. L'initiative fut appréciée et, le même soir, le châtelain dut ouvrir le bal champêtre, avec la femme du maire, sous les flonflons d'une harmonie venue d'Issoire.

À l'automne, lord Pacal regagna Soledad via le Havre et les États-Unis, à bord d'un paquebot de la Compagnie Générale Transatlantique.

En arrivant à New York, où il avait pris l'habitude de passer quelques jours chez Thomas Artcliff, en attendant un passage pour Nassau, le Bahamien apprit, de la bouche de son ami, à la fois la mort et la ruine d'Arnold Buchanan.

— Non, il ne s'est pas suicidé, comme d'autres, qui ont fait faillite. Il est mort dans son lit, jaune comme un citron, d'un ictère au foie, précisa Thomas.

— Mais sa ruine ? insista Pacal.

— Le pays traverse une crise financière. Aussi étrange que cela puisse paraître, elle est due à un excès de prospérité. Depuis la découverte de gisements d'or, dans le ruisseau Klondyke, l'encaisse or du Trésor n'a jamais été aussi bonne : deux cent cinquante-huit millions de dollars. Le fer a augmenté de cent pour cent, le coton de trente pour cent et, partout, les salaires ont suivi. Mais de nombreuses sociétés sont surcapitalisées. Le Steel Trust, par exemple, a un excédent de huit cents millions de dollars, d'où l'attrait de la spéculation risquée. À Wall Street, on vend et achète n'importe quoi. Et puis, il y a eu, en avril, le tremblement de terre de San Francisco. Sept cents morts et quatre cents millions de dollars de dégâts. Les compagnies d'assurances souffrent. Les banques aussi, treize ont fait faillite à New York. À Boston, la situation n'est pas meilleure, car le manque de confiance incite les gens à réduire leurs dépenses et à retirer des banques leurs dépôts. De surcroît, le livre d'un jeune écrivain socialiste, Upton Sinclair[1], récemment publié sous le titre *the Jungle*, où il est démontré que les abattoirs de Chicago livrent des viandes avariées et que les trusts font de scandaleux profits, n'est pas fait pour rassurer les citoyens.

– Mais Buchanan avait des entreprises prospères, des comptoirs, de la côte est à la côte ouest, observa Pacal, incrédule.

– Ses affaires furent prospères, tant que la vieille Maguy vécut et qu'il n'eut pas de rivaux commerciaux. Il continuait à commercer, comme au lendemain de la *Civil War*. Il ne croyait pas à la réclame, de plus en plus nécessaire. Ennemi du crédit, il a dû emprunter, pour assurer ses échéances, et aujourd'hui, ses entreprises sont à la merci des créanciers.

– Ne peut-on les renflouer ?

– Certes, mais en mettant un bon million de dollars sur la table, mon vieux.

– J'imagine que Fanny Cunnings a été prévenue de la mort d'Arnold, dit Pacal.

– Elle est à Boston, chez sa veuve. Quand il s'est vu

---

1. 1978-1968. Il poursuivit sa croisade contre le capitalisme dans une série de pamphlets.

mourant, Buchanan l'a appelée au secours. Il savait que sa famille − il laisse une demi-douzaine d'enfants − aurait besoin d'aide. Tu peux, d'ici, téléphoner à Fanny, dit Thomas en désignant l'appareil, posé sur un guéridon.

La conversation fut brève et, deux heures plus tard, Artcliff accompagna son ami à Grand Central Station, où il prit le train pour Boston. Il se devait d'aider Fanny et de participer au sauvetage des entreprises Buchanan, pour protéger, au mieux, les intérêts de ses propres enfants. Pour ne pas être taxé de profiteur, il avait tenu à ce que l'héritage de leur mère fût investi dans les sociétés Buchanan Metaz O'Brien.

Chaleureuse et déterminée, Fanny accueillit Pacal avec satisfaction. Elle avait déjà liquidé, avec un gros bénéfice, ses affaires immobilières de Floride. Disposant d'un demi-million de dollars, elle se préparait à désintéresser les créanciers les plus agressifs, avant de prendre en main, avec son mari, la gestion des affaires du mort.

− Il faudrait un demi-million, pour éponger les emprunts et repartir sur des bases saines, dit-elle, avec un regard de biais à Pacal.

Celui-ci comprit instantanément l'appel.

− Un groupe puissant de filateurs anglais me propose, périodiquement, depuis la mort de mon grand-père, d'acquérir la filature de Hyde, la lainière de Chipping Campden, mon élevage de moutons des Costwolds et, même, le château de Sansbury, dont le loyer ne couvre pas l'impôt. Voici le demi-million de dollars trouvé, chère Fanny.

− Et nous voilà associés, pour le meilleur et pour le pire ! lança-t-elle, tout émoustillée par le challenge.

− À vous de conduire les opérations, Fanny.

− N'ayant pas d'enfants, je ferai cela pour les vôtres. George et Martha seront aussi mes héritiers et ceux d'Andrew, déclara Fanny Cunnings.

Il fut décidé que les Cunnings viendraient s'installer à

Boston, pour diriger les entreprises sauvées de la faillite, tandis qu'Elíseo García Padilla et Varina, consultés, prendraient leur place dans une Floride de plus en plus hispanique.

George, qui allait sur ses douze ans, serait envoyé à la Latin School, qui, depuis un siècle, préparait les fils de bonne famille à Harvard University.

7.

Les Bahamiens présentaient souvent leur archipel comme un quartier de l'Éden, épargné par la colère du Créateur après l'éviction d'Adam et Ève. Aussi, quand, au printemps 1907, fut publiquement révélée la teneur d'un rapport scientifique américain sur l'état sanitaire et démographique des Bahamas, les insulaires furent saisis d'une sainte colère. Du plus aisé négociant de Nassau au plus pauvre pêcheur des Out Islands, des membres influents de la *General Assembly* aux modestes fonctionnaires coloniaux, tous virent dans ce constat un injuste dénigrement.

Le contenu du rapport, longtemps réservé aux universitaires du Maryland, risquait de créer un incident diplomatique.

L'expédition scientifique, financée en juin et juillet 1903 par la Geographical Society, de Baltimore – « à qui personne ne demandait rien », fit remarquer lord Pacal – avait été conduite par George Burbank Shattuck[1], professeur de physiologie à Johns Hopkins University, le géologue Benjamin Miller, du Bryan Mawr College, un médecin, le docteur Clement A. Penrose et un ornithologue, J. H. Riley. Ils avaient visité certaines Out Islands, élisant pour sites de référence Spanish Wells, sur Eleuthera, et Hope Town, sur

---

1. Auteur de *the Bahamas Islands*, Geographical Society of Baltimore, Johns Hopkins Press-MacMillan, New York,1905.

Elbow Cay, à Great Abaco, la deuxième île de l'archipel, par la taille. Comme par hasard, ces îles étaient celles où résidaient en plus grand nombre les descendants des loyalistes, ces colons anglais qui, en 1776, avaient préféré l'exil à la citoyenneté américaine.

Les savants visiteurs, après des considérations sur l'origine corallienne des îles, la capture d'oiseaux, de reptiles, et la cueillette de plantes, rapportaient qu'ils avaient rencontré « un peuple pauvre et sans espoir » et que les loyalistes, fiers de leur origine, s'appliquaient « à maintenir l'intégrité de leur sang par des mariages consanguins, dont les résultats étaient pathétiques ».

Dans ces familles, les enquêteurs signalaient de nombreux cas d'ataraxie locomotrice. Ils avaient examiné des aveugles de naissance, des nains, des gens pourvus d'un ou deux doigts de plus que la normale, aux mains ou aux pieds – anomalie congénitale qu'ils nommaient polydactylie –, et le docteur Clement A. Penrose écrivait : « Le niveau mental est plus que bas. » Et de citer une famille qui comptait cinq membres atteints d'idiotie, l'arriération mentale la plus profonde. La conclusion des Américains ne pouvait réjouir quiconque dans l'archipel. « Les générations futures tomberont dans le même bas état de dégénérescence. Il est clair que la communauté blanche isolée, qui se voit elle-même comme supérieure aux gens de couleur, est en danger d'extinction. » Pour les enquêteurs, le seul remède consistait, non seulement à faire cesser les mariages consanguins en introduisant du sang neuf dans les familles, mais aussi « à revivifier les îles avec de nouvelles idées, de nouveaux équipements et un meilleur état sanitaire[1] ».

À Cornfield Manor, bien que la communauté blanche du Cornfieldshire connût les conséquences des mariages

---

1. Rapport cité par Michael Craton, *A History of the Bahamas*, Collins, London, 1962.

consanguins, on émit un soir, autour de lord Pacal, de vigou-
reuses protestations contre l'enquête conduite dans le milieu
loyaliste. Pendant la guerre de Sécession, cette communauté
avait fourni les meilleurs soutiens aux fournisseurs en armes
du Sud, ce qui, un demi-siècle plus tard, déplaisait encore
aux Yankees.

Soledad, où les mariages consanguins étaient rares, même
chez les Arawak et les Noirs, du fait de l'apport fréquent de
sang étranger par les marins de la flotte Cornfield, les
nouveaux résidents et les familles des émigrés, de retour au
pays, on ne s'estimait pas visé par les conclusions du rapport
de la Geographical Society. On craignait, en revanche, qu'il
ne fût un nouvel argument, fourni au gouvernement américain, soucieux de la santé de ses touristes, pour annexer
l'archipel.

— Ils se sont bien approprié les Philippines, Porto Rico,
Guam, Hawaii, et ont colonisé Cuba ! Pourquoi hésite-
raient-ils à s'emparer des Bahamas, si ça leur chante ? dit
Lewis Colson.

— Ce serait la guerre avec l'Angleterre. Le roi
Édouard VII ne permettrait pas une telle amputation de
l'Empire, répliqua John Maitland.

— Vous savez tous que nous coûtons à la mère patrie beaucoup plus que nous ne lui rapportons. Les Américains pourraient donc s'épargner les affres d'une guerre en achetant
l'archipel, comme ils ont acheté la Louisiane à la France, en
1803, et l'Alaska aux Russes, en 1867, fit observer lord
Pacal.

— Cinquante-huit mille Bahamiens, sujets de Sa Très
Gracieuse Majesté, ne sont pas à vendre ! s'indigna Albert
Weston Clarke.

— Je crains que le mainmise américaine ne soit plus insi-
dieuse. Ce pourrait être par l'industrie, le commerce et le
tourisme que les États-Unis s'empareraient de nos îles.

Henry Morrison Flagler est déjà propriétaire des deux meilleurs hôtels de Nassau, du golf et d'une compagnie de navigation, qui n'a de bahamien que le nom. La Timber Company, qui exploite les forêts de pins caraïbes des Abaco Islands, d'Andros et de Grand Bahama, est une société américaine, rappela Pacal.

– Les Américains peuvent aussi affaiblir notre économie. Des agronomes ont prélevé des plants de nos ananas et les ont repiqués à Hawaii, où ils donnent déjà de belles récoltes. C'est pourquoi Washington, qui a déjà ruiné nos salines, va augmenter les droits de douane pour protéger les ananas d'Hawaii et le sisal des Philippines ! compléta Maitland.

– Et puis, n'oubliez pas les missionnaires évangélistes, qui nous arrivent de New York et de Boston, ardents propagandistes de l'*American Way of Life*, ajouta le pasteur Russell.

– Rappelez-vous aussi qu'en novembre dernier le président Theodore Roosevelt, qui venait de recevoir le prix Nobel de la Paix, s'est rendu à Panama, à bord du cuirassé *Louisiana*, pour visiter le chantier d'un canal d'importance stratégique pour les États-Unis et qui pourrait bien, lui aussi, devenir, un jour, propriété de l'oncle Sam, renchérit John Maitland, informé par ses amis de la Royal Navy.

Lewis Colson, souvent silencieux, prit la parole pour évoquer un souvenir.

– En décembre 1899, Theodore Roosevelt, valeureux colonel des *Roughs Riders*, victorieux à Santiago de Cuba, en 98, et qui n'était pas encore président des États-Unis[1], écrivait, dans un journal, une phrase inquiétante, que j'ai retenue : « Toute expansion d'une grande puissance civilisée signifie une victoire pour la loi, l'ordre, la justice. » Et il ajoutait, après avoir cité en exemple la France et l'Angleterre, nations colonisatrices : « Dans tous les cas, l'expansion

---

1. Élu président le 8 novembre 1904.

a été un profit, non pas tant pour la puissance qui en bénéficiait nominalement, que pour le monde entier[1]. » Il y a là
de quoi justifier, aux yeux des gens simples, toutes les
annexions futures, conclut le vieux marin.

    – Et cependant, les récentes emprises américaines ne se
révèlent pas aussi heureuses que le souhaitait autrefois Theodore Roosevelt. Aux Philippines, il a dû autoriser l'élection
d'une Assemblée nationale législative, qui entend préparer
l'indépendance. À Cuba, il a dû envoyer des troupes, pour
protéger les entreprises américaines et son homme lige, le
président conservateur Tomás Estrada Palma, menacé par
une révolte armée des libéraux de José Miguel Gómez. Pour
dénouer la crise et remplacer Estrada, William Howard Taft,
secrétaire à la Guerre[2], a nommé Charles Edward Magoon,
gouverneur de la République de Cuba, devenue, de fait,
protectorat américain. Les États-Unis disposant dans l'île,
depuis 1903, de bases navales permanentes, à Guantanamo
et à Bahía Honda, paient un loyer de deux mille dollars
par an. Une aumône, aux yeux des Cubains, commenta le
commandant Maitland.

    – J'ai entendu des Bostoniens dire : « Nous sommes les
plus sages, les plus forts ; à nous de gérer le monde, pour le
bien de l'humanité », ironisa lord Pacal.

    Après le dernier whisky fut rédigée, ce soir-là, une lettre
commune à destination de la Geographical Society. Il était
bon que l'on sût, à Baltimore, que les insulaires n'étaient pas
tous des dégénérés, comme osaient l'écrire des professeurs
américains, après moins d'un mois passé dans l'archipel[3].

---

1. Ce texte, comme d'autres, a été repris dans *la Vie intense*, ouvrage signé
par Theodore Roosevelt, président des États-Unis, publié en France par Ernest
Flammarion, Paris, 1904.
    2. Il devint le vingt-septième président des États-Unis, de 1909 à 1913.
    3. Du 17 juin au 21 juillet 1903.

Bahamas

Lord Pacal avait oublié l'incident quand, comme chaque année, il se rendit en France pour un séjour à Esteyrac, dont il souhaitait améliorer le confort. Le fait que la livre sterling valût vingt-cinq francs et le dollar cinq francs rendait profitables les investissements. Après avoir fait capter une source, pour distribuer l'eau courante dans la gentilhommière, il décida d'étendre cet avantage aux villageois qui, depuis des lustres, allaient quérir l'eau, avec des cruches, aux deux fontaines ou au lavoir municipal. Les travaux d'adduction, qu'il suivit avec attention, occupèrent l'été. À la Saint-Austremoine, fête patronale, on put, dans chaque maison, tourner un robinet pour obtenir l'eau sur l'évier. L'événement, rapporté par le journal régional, marqua l'entrée dans la modernité d'un fief auvergnat oublié du progrès. Ce jour-là, des jeunes filles, vêtues de courtes tuniques blanches, largement échancrées et dévoilant des cuisses fermes, offrirent au bienfaiteur une lampe de terre cuite gallo-romaine, qu'un paysan avait mise au jour en labourant son champ. Autour du bassin des nymphes de pierre, dont elles mimèrent les postures, elles dansèrent ensuite, au son des tambourins et des flûtes de Pan, une ronde mythologique d'une naïve lascivité. Pacal apprit, plus tard, lors du dîner chez le maire, que cette chorégraphie était l'œuvre du curé. Il était loin, dans cette campagne française, des pudibonderies bostoniennes.

La saveur de ces plaisirs bucoliques fut brutalement dissipée quand Ninette remit, quelques jours plus tard, au châtelain, un télégramme reçu à l'épicerie-bureau de poste de sa mère.

— Ça vient d'arriver, monsieur, dit Ninette, d'un ton contrit, avant de s'esquiver sans attendre.

Intrigué, Pacal prit le billet et lut :

« Lizzie décédée. Lettre suit. Ellen Horney. »

Il prit une inspiration nerveuse de nageur au bord de la

noyade et se laissa aller dans son fauteuil. La vue troublée, il parcourut à nouveau le message laconique, comme s'il espérait avoir mal lu. Aussi inconcevable que cela pût paraître, Liz était morte et, jamais, il ne la reverrait. La dernière lettre de son amie, ouverte une semaine plus tôt, était encore sur son sous-main, attendant réponse. Quand il déplia les feuillets, un parfum familier lui arracha une plainte. Il relut ce qui appartenait déjà à une vie passée. Lizzie lui apprenait qu'elle possédait maintenant le téléphone et qu'un nouvel évêque anglican, Mgr Wilfrid Bird Hornvy, venait d'arriver à Nassau pour succéder au prélat Henry Churton, qui s'était noyé au cours d'une baignade à Long Island. Elle révélait aussi qu'on avait diagnostiqué quelques cas de fièvre jaune, à Nassau, maladie « sans doute apportée par des marins de New Orleans », commentait-elle.

« Futilité que tout cela, face à la mort, seul événement irrévocable », se prit à murmurer Pacal, envahi par un profond sentiment de solitude, teinté d'un vague remords. Il ne pourrait jamais offrir à Lizzie l'amour qu'elle espérait, en écho à sa passion.

Deux semaines plus tard, dès que la lettre annoncée par Ellen fut arrivée, lord Pacal décida son retour aux Bahamas. La parente de Lizzie, qui n'avait jamais eu grande sympathie pour l'amant de sa cousine, écrivait :

« Cher ami, nous avons eu, à Nassau, une épidémie de fièvre jaune, et le frère de Liz ayant été atteint, ma cousine a tenu à le soigner elle-même, malgré la mise en garde du médecin. Tandis que Frederick se remettait, Lizzie a dû s'aliter. En quelques jours, le mal fit des progrès effrayants. La mort l'a surprise, alors qu'elle disait se sentir mieux et sûre de recouvrer la santé avant votre retour. Nous l'avons mise en terre, avec votre photographie, qu'elle n'a pas lâchée jusqu'au trépas. C'est par respect pour sa mémoire que je partage, avec vous, la peine que nous cause la mort de Lizzie. Elle vous aimait au-delà de toute mesure. Ellen Horney. »

– Quelle froideur ! maugréa Pacal.

Ses bagages étant prêts, il se fit conduire à Issoire, d'où le train le porta à Paris, puis au Havre et, de là, en Angleterre.

Il devait faire une halte à Londres, pour assister à la réunion du West Indies Comittee, dont le roi Édouard VII venait de confirmer la charte. Fuyant toute mondanité, le Bahamien embarqua, le 6 octobre, pour les États-Unis, à Liverpool, sur le *Lusitania*. Le plus grand paquebot du monde, dernier né de la Cunard, établit en quatre jours, dix-neuf heures et cinquante-deux minutes, le record de la traversée de l'Atlantique, à la vitesse moyenne, jamais atteinte, de vingt-quatre nœuds. Cet exploit valut au vapeur à quatre cheminées le Ruban bleu, trophée remporté pour la première fois par les Britanniques en 1838.

Lord Pacal trouva un peu clinquants et prétentieux les décors, de style Louis XV, George II ou Renaissance italienne, du navire géant. Même s'il apprécia, en plus du confort de sa suite de première classe, les ascenseurs, salons, fumoirs, véranda, bibliothèque, concerts, bals, piscine, bains turcs, gymnase et court de squash, il regretta le luxe moins insolent, plus raffiné et surtout la table et le service de *La Provence*, vapeur de la Compagnie Générale Transatlantique, sur lequel il avait effectué, quelques mois plus tôt, la traversée New York-Le Havre.

À Manhattan, le Bahamien fut accueilli par sa fille, que Thomas Artcliff avait extraite du Rutgers College pour la circonstance. Il dut apprendre à Martha la mort de Liz Ferguson, à qui l'ancienne élève du Queen's College, à Nassau, était fort attachée. Elle avait même espéré, sans le dire, que Liz deviendrait, un jour, l'épouse de son père.

À dix-sept ans, l'étudiante affichait une réserve guindée. Grande et mince, taille souple, elle nattait ses cheveux bruns en coquilles, ce qui lui donnait l'air sévère. Traits fins, joues creuses, nez busqué, son visage révélait, à qui connaissait le faciès des Arawak, un soupçon de sang indien, héritage paternel confirmé par des yeux de gazelle, qui pointaient vers les tempes, et un regard bleu myosotis, plus attentif qu'aimable. Un tailleur de tweed, ouvert sur un chemisier crème, et un chapeau de feutre ajoutaient à son allure masculine. Peu encline à la sentimentalité vague des étudiantes de son âge, consciente de sa maturité précoce, Martha se voulait, déjà, femme responsable. Elle sut trouver des mots pour apaiser le chagrin causé à Pacal par la mort de Lizzie, dont elle n'ignorait pas qu'elle avait été plus qu'une escorte mondaine. Au cours de ces journées, lord Pacal se reconnut en sa fille, et les échanges qu'ils eurent soudèrent un accord de pensées et de goûts qui le combla.

C'est pourquoi il accéda à la demande de Martha, quand elle fit part de son désir de devenir médecin.

– Je puis être admise au cours du Women's Medical College. En trois ans, on peut obtenir le diplôme de médecin, puis opter ensuite pour une spécialité, dit-elle.

– C'est une vocation ? s'enquit Pacal.

– Une manière d'être utile aux autres, répondit-elle.

Elle confessa que son modèle était Elizabeth Blackwell, la première Américaine médecin, en 1849. Âgée de quatre-vingt-six ans, cette femme vivait maintenant à Londres, où elle avait été professeur de gynécologie. À New York, sa sœur, Emily Blackwell, poursuivait son œuvre. Le Women's Medical College avait déjà formé plus de cinq cents femmes médecins.

– Un jour, tu pourras exercer dans l'archipel, où nos rares médecins itinérants arrivent le plus souvent trop tard, dans une île écartée, pour sauver un malade ou une accouchée en proie à une fièvre puerpérale, dit Pacal, enchanté par le choix de sa fille.

D'un cœur léger, il confia l'étudiante à Thomas Artcliff et se rendit à Boston, pour voir un fils qui ne montrait pas autant d'assiduité à l'étude que sa sœur. Le meilleur titre de gloire de George à la Latin School était sa force au base-ball, sport encouragé par l'institution. Fort heureusement, Andrew et Fanny Cunnings veillaient à ce que le garçon qu'ils avaient élevé s'intéressât à d'autres matières. Ne devait-il pas entrer à Harvard University pour être en mesure, plus tard, de gérer les entreprises qu'il hériterait, tant aux États-Unis qu'aux Bahamas ?

Rassuré quant au sort de ses enfants, lord Pacal manda, par télégramme, à John Maitland de venir l'attendre à Nassau, avec le *Lady Ounca* et, après un nouveau séjour à New York, prit passage à bord d'un vapeur de la Munson Steamship Line qui, en trois jours, le porta à New Provi-dence. Dans la capitale de l'archipel, il rencontra Frederick, le frère de Liz, et Ellen Horney, mais se rendit seul au cime-tière où, sous un simple tertre, reposait son amie. Il donna aussitôt des ordres pour la construction d'une plus digne sépulture. Un marbre rose aurore fut commandé en Italie et lord Pacal rédigea le texte, à graver sur la stèle qu'il dessina : « Ici repose Liz Horney-Ferguson. 1863-1907. Elle sut aimer, pardonner et sourire ».

Ce devoir rempli, il embarqua sur le *Lady Ounca*, qui mit aussitôt le cap sur Soledad.

Après avoir expédié les affaires en attente avec Violet et Matthieu Ramírez, lord Pacal interrogea Lewis Colson sur ce qu'avait été la vie de l'île pendant son absence. Le vieux marin lui fit part du seul incident notable.

– Nous avons eu affaire à des réfugiés cubains, qui voulaient à tout prix débarquer sur Soledad. J'ai accepté de recevoir une délégation de ces malheureux. Je dois reconnaître que leur sort m'a ému. Pour avoir combattu, en 1898, avec les Espagnols, contre ceux qu'ils nomment « les envahisseurs américains » et, depuis la paix, s'être opposés, les armes à la main, au gouvernement de l'Américain Charles Edward Magoon, mis en place par le secrétaire des États-Unis à la Guerre, ces hommes se disent persécutés, menacés de prison, parfois de mort. Accompagnés de femmes et enfants sur un mauvais rafiot, ils étaient dans un tel état de dénuement que j'ai pris l'initiative de les faire transporter jusqu'à vos plantations d'Eleuthera par Philip Rodney. Nous manquons de main-d'œuvre, depuis que nos insulaires s'en vont travailler à Nassau ou en Floride.

– Vous avez bien agi. Mais il est à craindre que notre hospitalité n'encourage d'autres Cubains à venir chercher refuge sur nos îles, observa Pacal.

– Ce sera au gouverneur des Bahamas de fixer les règles, car le consul des États-Unis à Nassau a déjà émis une protestation officieuse contre l'accueil des opposants cubains dans l'archipel. D'après le dire d'officiers de la Royal Navy, en escale chez nous, le gouvernement de Sa Très Gracieuse Majesté ne serait pas disposé à héberger dans la colonie les Cubains qui s'opposent à ce qu'il faut bien appeler la colonisation américaine des Caraïbes, acheva Lewis.

– Diplomatie oblige, mon ami, car de nouveaux investissements britanniques sont en cours, à Cuba. Une cinquantaine de millions de dollars, au moins, compléta lord Pacal.

À la veille des fêtes de fin d'année, lord Pacal, suivi de ses chiens, trottait sur la côte est, entre le port oriental et le Mermaid Hole, ce trou bleu, antre de la sirène aux cheveux d'or, selon les Arawak, quand il aperçut Albert Weston Clarke sur la plage, marchant d'un pas mal assuré vers l'Océan. Le médecin, très éprouvé par la mort de Dorothy, arguait de son deuil pour décliner, depuis des mois, les invitations à Cornfield Manor. Arrêtant son cheval, Pacal vit avec stupéfaction le médecin entrer dans l'eau, sans se dévêtir. Il mit sa monture au grand trot, pour le rejoindre, tandis que les chiens couraient. Leurs aboiements firent se retourner Weston Clarke qui, sans adresser un signe de reconnaissance, hâta le pas, entra dans la vague et se mit à nager maladroitement vers le large.

– Revenez Albert, revenez ! lança Pacal en accélérant l'allure.

Quand le cheval eut de l'eau au poitrail, il vida les étriers, quitta sa tunique et se mit à nager à la suite de l'étrange baigneur, bientôt englouti par la houle, forte ce jour-là. « Cet imbécile va se noyer » pensa Pacal en accélérant. Il dut s'immerger pour remonter le mari de Dorothy à la surface. Il le trouva plus pesant qu'il ne s'y attendait, le traîna hors de l'eau et l'étendit sur le sable. S'étant assuré des battements du cœur, lord Pacal tira d'une fonte de sa selle une flasque d'argent et fit couler du whisky entre les lèvres du médecin. L'alcool ne provoqua aucune réaction et c'est en jetant le corps inerte en travers de sa selle qu'il comprit pourquoi Albert était si lourd. Attachée sous sa jaquette, le médecin portait une ceinture de sacs emplis de gros galets. Le veuf avait, manifestement, voulu se noyer.

Au grand galop, suivi des chiens, très excités par la course, il arriva au village des pêcheurs où le docteur Ramírez consultait chaque matin. Le diagnostic fut rapide et clair.

– Mon distingué confrère a voulu en finir avec la vie. Il avait mis toutes les chances de son côté. Une dose de barbiturique, scientifiquement calculée pour faire effet au moment choisi, et des cailloux, attachés à la taille, pour lester le corps immergé après l'endormissement et la noyade. Sans vous, lord Pacal, il réussissait sa sortie, commenta Luc.

Reconduit chez lui dans le boghei du jeune médecin, Albert Weston Clarke reprit bientôt conscience. Il demanda à lord Pacal, qui attendait son réveil en compagnie du pasteur Russell, de bien vouloir excuser cette sortie ratée.

– Depuis la mort de Dorothy, la vie n'a pour moi aucun

sens et aucun intérêt. J'ai donc décidé de la quitter, sans vous causer de désagrément. Les requins sont des fossoyeurs consciencieux et j'avais préparé une lettre pour vous demander de faire ajouter mon nom et mes dates, sur la tombe de Dorothy. Nous ne croyions ni l'un ni l'autre à la résurrection des corps. Seules, les âmes ont peut-être une chance de s'unir dans l'éternité.

– En attendant de satisfaire vos volontés dernières, je compte sur vous pour le dîner du Nouvel An. Dites-vous que, médecin, vous avez encore une tâche à accomplir sur notre île. Votre contrat, cher Albert, n'est pas venu à terme, dit Pacal, sans plus d'apitoiement.

Le 1er janvier 1908, alors qu'avant de passer à table les invités de lord Pacal étaient réunis pour le cocktail, servi dans le grand salon, l'entrée d'Albert Weston Clarke suscita une telle gêne que les conversations s'interrompirent. Le médecin en *dinner-jacket*, comme tous les hommes, portait une étole de soie à paillettes, que tous avaient souvent vue sur Dorothy, les soirs de réception.

– Vous voilà bien élégant, docteur, dit Myra Maitland, pour rompre le silence.

– Je suis devenu frileux... et puis, cette soie garde encore le parfum de ma Dorothy. Ne le reconnaissez-vous pas ? demanda-t-il en mettant sous le nez de Myra un pan de l'étole.

– En effet, je reconnais ce parfum, dit Myra, de plus en plus confuse.

Pacal fit signe à Timbo d'annoncer le protocolaire « Sa Seigneurie est servie », pour entraîner ses invités vers la salle à manger.

Avant de s'asseoir devant son couvert, Albert Weston Clarke s'inclina vers le maître de maison.

– Mon cher lord Pacal, vous voudrez bien excuser l'absence de ma femme. Depuis plus de trente ans, elle n'a jamais manqué le dîner de Nouvel An, à Cornfield Manor, mais, aujourd'hui, elle n'a pu m'accompagner, acheva-t-il.

– Nous pensons tous à elle, cher ami, lança le pasteur Russell.

L'appétit du médecin et ses propos, d'une parfaite lucidité, rassurèrent les convives et, à l'heure des cigares et du porto, Weston Clarke disserta avec assurance sur la situation des réfugiés cubains.

– La conduite de notre ami Weston Clarke a paru assez insolite, observa Lewis Colson, quand le médecin se fut retiré.

– Il a tenté de se noyer, la semaine dernière, rappela Pacal.

– Les intermittences du chagrin sont déroutantes, commenta Michael Russell en prenant congé.

Le lendemain, lord Pacal se mettait en selle pour sa chevauchée matinale quand le vieux Timbo, très ému, le rejoignit en claudicant.

– *My lord! my lord!* le do'teu' Weston Clarke s'est pendu dans son hangar à voitures. C'est le jardinier qui l'a trouvé.

– Prends le boghei, va chercher le docteur Ramírez et amène-le chez Weston Clarke, ordonna lord Pacal, avant de s'élancer, au galop, vers la demeure du médecin.

Autour du corps suspendu à une poutre, la cuisinière, le valet du mort et des voisins se lamentaient, ne sachant que faire. Pacal remarqua, aussitôt, que le médecin s'était pendu avec l'étole de Dorothy, torsadée comme une corde. Il se hissa sur un tabouret, tira son couteau de chasse, trancha le lien de soie. Le valet et le jardinier reçurent dans leurs bras le mort, au visage déjà bleu.

– Portez-le sur son lit, ordonna Pacal, sachant qu'aucun soin ne rappellerait Albert Weston Clarke à la vie.

Le médecin avait laissé un billet laconique, à l'intention du maître de Soledad.

« Lord Pacal, mettez-moi près de Dorothy. Brûlez ce qui

nous a appartenu, et que tous, ici et ailleurs, nous oublient. Adieu. »

– Amertume *post mortem* ! commenta Pacal.

Luc Ramírez ne put que constater le décès et Albert Weston Clarke rejoignit, dans la tombe creusée à même le calcaire corallien, la compagne de toute une vie. On ajouta son nom sur la stèle de Dorothy et lord Pacal y fit graver deux vers antiques :

> *Ô étranger, va-t'en dire à Lacédémone*
> *Qu'ici nous sommes morts fidèles à ses lois[1].*

Ceux et celles qui connaissaient le douloureux passé du médecin n'hésitèrent pas à remplacer Lacédémone par Angleterre.

Depuis la réunion de la National Audubon Society à Nassau, lord Pacal entretenait une correspondance avec Estelle Miller, l'ornithologue de New Orleans. Au fil du temps, leurs lettres avaient largement débordé les thèmes naturalistes pour des considérations plus personnelles. Lord Pacal, ayant deviné qu'Estelle dissimulait, sous sa passion des oiseaux, une solitude affective semblable à la sienne, s'était montré de plus en plus familier. Épistolière douée, la Louisianaise semblait apprécier une connivence d'où le badinage était exclu mais qui promettait, peut-être, une plus grande intimité. Après avoir, plusieurs fois, annoncé sa visite à Soledad, pour le printemps 1908, Estelle Miller dut l'annuler.

« Ma mère, dont je suis le seul soutien, souffre depuis

---

1. *Épitaphes pour les morts des Termopyles*, Simonide de Keos, poète grec du VIᵉ siècle avant Jésus-Christ.

longtemps d'une maladie dont les médecins ne cachent pas l'issue. Ces temps-ci, son état s'est aggravé et je ne puis la quitter. Je me faisais une joie de découvrir les pensionnaires des volières de Soledad, de converser avec John MacTrotter et, surtout, de vous revoir pour philosopher un brin. Je n'ose vous demander une nouvelle date, pour un séjour dont tout me laissait espérer qu'il serait plaisant. Avec mes regrets, acceptez, *my lord* – est-ce bien ainsi qu'on doit dire et écrire ? – mon meilleur souvenir. Estelle Miller. » « P. S. Cessez, je vous prie, de me donner du Mademoiselle. J'aurais plaisir à ce que vous écriviez tout simplement Estelle. »

Lord Pacal répondit aussitôt qu'Estelle serait toujours la bienvenue à Soledad.

« Je fais des vœux sincères, bien qu'un peu égoïstes, je dois l'avouer, pour le rétablissement de votre mère, car je m'étais habitué à l'heureuse perspective de vous recevoir à Cornfield Manor. Je me prépare à passer l'été en France, comme chaque année, avec deux séjours, à New York et à Boston, à l'aller et au retour. Accueillez, je vous prie, chère Estelle, mes pensées fidèles. » Il ajouta après sa signature, les adresses où sa correspondante pourrait lui écrire en Auvergne, à Londres et aux États-Unis.

À chacune de ses étapes européennes, lord Pacal trouva des messages d'Estelle, et c'est à Esteyrac qu'il apprit la mort de la mère de l'ornithologue.

« Elle s'est éteinte sans douleur, affrontant la mort avec la même dignité qu'elle a montrée au cours de son existence, qui ne fut pas exempte de malheurs et de déceptions. De cela, je vous parlerai peut-être un jour, car son passé fut, pour moi, lourd de conséquences. » Lord Pacal avait subodoré, sans raisons précises, que la vie d'Estelle Miller, célibataire qui n'avait rien d'une vieille fille, recélait un ou des mystères. Pour un esprit curieux des destinées humaines, cette interrogation ajoutait au charme de la Louisianaise.

Cette nouvelle relation ne détournait pas la pensée de

Pacal du souvenir des femmes qu'il avait connues. Celui de Lizzie surtout. Il la revoyait, dans une posture familière, assise sur le canapé de son salon, enlaçant ses genoux relevés, les serrant contre elle, sans se soucier de ce que dévoilait le retroussis de sa robe et le couvant d'un regard intense, appel muet à l'étreinte. Car Liz, dénuée de préjugés, avait toujours eu le courage de ses envies. Aussi inconvenant que cela eût paru à des esprits conformistes, le souvenir de Susan, mère de ses enfants, ne subsistait pas avec la même netteté que celui de la défunte maîtresse. Quant à l'évocation du tragique destin de Viola, il s'efforçait de n'en retenir que l'image d'une brève initiation au plaisir charnel. D'autres femmes, qu'il appelait, comme Thomas Artcliff, intérimaires, avaient sombré dans le flou de sa mémoire.

Toutes ces pensées se teintaient, dans la solitude bucolique d'Esteyrac, d'une apaisante absolution. Les paysans auvergnats, d'un naturel circonspect, parmi lesquels il passait plusieurs mois d'été, ne manifestaient nulle curiosité à l'égard de son passé ou de sa vie privée. Seule Ninette, primesautière et innocemment impertinente, avait un jour émit l'idée, en vaquant aux soins du ménage, qu'une femme serait la bienvenue au château, où elle aurait fort à faire.

La réflexion avait amusé Pacal.

« Vous faites très bien tout ce qu'il faut faire, Ninette. » « Eh ! Eh ! Y'a bien une chose qu'une épouse fait et que je peux pas faire ! Pas vrai, Monsieur », s'était-elle esclaffée, avec un clin d'œil coquin.

En septembre, lors de son séjour à Londres, lord Pacal trouva politiciens et amateurs de mondanités enfiévrés par la perspective du mariage d'un ministre en exercice. Le 12 septembre, Winston Churchill, ministre du Commerce, aristocrate conservateur devenu libéral, épousa, à Saint

Margaret de Westminster, Clémentine Hozier, fille de sir Henry Montague Hozier et de lady Henriette Blanche Ogilvy. Appelé renégat par les lords, cet opportuniste de trente-quatre ans, petit-fils du célèbre duc de Marlborough, avait été un foudre de guerre, avant d'entrer en politique. Il avait combattu en Inde, en Égypte, en Afghanistan, au Soudan, en Afrique du Sud, tout en rédigeant des reportages pour les journaux. Bien que sa mère, Jennie Jerome, fille de l'éditeur du *New York Times* fût américaine, certains Américains reprochaient encore au ministre de Sa Très Gracieuse Majesté d'avoir fait, en 1895, le coup de feu avec les Espagnols, contre les révolutionnaires cubains que soutenait le gouvernement des États-Unis. Winston Churchill, qui venait de recevoir du roi Édouard VII, une canne incrustée d'ivoire, se riait de ceux qui le traitaient d'aventurier angloaméricain !

En France, où Pacal se rendit ensuite, on se souciait plus des escarmouches militaires au Maroc et des suites judiciaires de l'assassinat, dans la nuit du 30 au 31 mai, à Paris, impasse Ronsin, du peintre Adolphe Steinheil[1] et de sa belle-mère, que du transfert des cendres d'Émile Zola au Panthéon. Le Bahamien, toujours curieux, s'intéressa à la photographie en couleurs, récemment apparue dans *L'Illustration*, qu'il connaissait depuis l'enfance, son père y étant abonné. Il découvrit aussi, au cinématographe, une pièce de théâtre, *le Retour d'Ulysse*, saisie sur le vif par l'appareil des frères Auguste et Louis Lumière et restituée, sur une toile blanche, par un projecteur. Une industrie nouvelle était née de cette invention, dont on escomptait de gros profits.

Découvertes et rencontres faisaient régulièrement l'objet

---

1. Adolphe Charles Édouard Steinheil – fils du peintre Louis Charles Auguste Steinheil – avait débuté au Salon de 1870, obtenu une médaille de bronze en 1889, à l'Exposition universelle, et reçu la Légion d'honneur suite à son tableau qui représentait Félix Faure aux manœuvres alpines en 1895.

de lettres adressées à Estelle Miller, qui ne manquait jamais d'y répondre, posant des questions ou commentant des situations.

Alors qu'il s'embarquait au Havre pour les États-Unis, l'ornithologue lui annonça, par courrier rapide, qu'elle pourrait se rendre, au printemps 1909, à Soledad. « Si vous étiez toujours disposé à me recevoir, j'userais avec enthousiasme de votre invitation », écrivait-elle. Il répondit aussitôt, sans cacher l'impatience qu'il avait de la revoir. Depuis quelques mois, les oiseaux exotiques étaient passés au second plan dans les lettres d'Estelle. Pacal se plut à imaginer que les volières de John MacTrotter ne seraient que prétexte à une relation qui prenait de plus en plus tournure d'inclination réciproque.

À New York, Thomas Artcliff, ayant reçu les confidences de son ami, vit dans ce commerce avec une femme de quarante ans un flirt sans conséquence.

– Est-elle encore capable d'éveiller le désir... et de le satisfaire ? demanda Thomas.

– Elle l'est, je suppose, de corps et d'esprit, dit Pacal.

– Si cela peut te distraire, c'est une bonne chose. Mais méfie-toi, à cet âge, certaines femmes sont dans l'urgence de trouver un mari, si possible riche. En attendant, j'espère que ça ne t'empêche pas de célébrer, ce soir, notre petite fête habituelle. J'ai retenu une table au Delmonico's et deux demoiselles de bonne compagnie pour le dîner... et la nuit.

– Je suis, comme toi, célibataire et quinquagénaire à qui pèse parfois l'abstinence, concéda Pacal.

– Alors, allons au sabbat ! lança Artcliff.

Après une nuit voluptueuse, avec des jeunes femmes qui conjuguaient plaisir et profit, lord Pacal et l'architecte eurent une conversation sérieuse sur l'avenir de George, dont Artcliff était le parrain attentif.

– Il vient ici le plus souvent possible, pour les courtes vacances, quand Fanny accepte de le lâcher. Je l'initie à l'architecture et il y prend goût. Il étudie sérieusement et pourra entrer à Harvard sans difficulté, dans trois ans. Il faudra l'envoyer directement à notre bon vieux MIT, dont la School of Architecture fait autorité. Nous l'inciterons à suivre aussi le cours d'ingénieur, car l'acier prend une importance considérable, dans la construction des immeubles.

– Vos gratte-ciel poussent comme des champignons, observa Pacal.

– J'ai montré à ton fils les fondations de la Metropolitan Life Tower, siège d'une compagnie d'assurances sur la vie, pour qui nous allons construire, près de Madison Square, sur les plans de deux architectes français, Pierre et Michel Le Brun, le plus haut building jamais édifié. Il aura sept cents pieds de haut, comptera cinquante étages, surmontés d'une tourelle et d'un dôme. Au vingt-huitième étage, une horloge lumineuse à quatre cadrans, un sur chaque façade, donnera l'heure, jour et nuit, aux New-Yorkais. N'est-ce pas formidable ? développa Artcliff, enthousiaste.

– Que tu fasses de George un architecte me plaît assez. Plus tard, il aura à s'employer dans nos îles, où il va falloir construire hôtels et villas, pour accueillir les touristes américains de plus en plus nombreux, dit Pacal.

Après une rencontre affectueuse avec Martha, qui, diplômée du Rutgers College, allait entreprendre des études médicales, lord Pacal décida l'achat d'une automobile. Artcliff était déjà propriétaire d'une luxueuse Studebaker capotée, pouvant transporter quatre passagers, à la vitesse de cinquante miles à l'heure. Elle avait coûté trois mille dollars. Plus modeste, le Bahamien commanda l'automobile la plus vendue, cette année-là, aux États-Unis et réputée la plus robuste, une Ford modèle T. Elle ne lui coûta que huit cent cinquante dollars. On disait que ce cabriolet à deux places avait les faveurs des médecins de campagne, souvent contraints de circuler sur de mauvais chemins. Nulle doute que l'automobile ne s'accommode des routes, parfois asphaltées, de Soledad.

Quand les ateliers de Detroit eurent livré la Ford, par chemin de fer, Pacal prit quelques cours de conduite en attendant l'arrivée à New York du *Phoenix II*, commandé par Philip Rodney. Il avait jugé le vieux vapeur plus sûr que le *Lady Ounca*, pour transporter le véhicule et un stock de carburant nécessaire à son fonctionnement.

Après une dernière promenade en automobile, avec sa fille, dans les rues de New York, lord Pacal et son bruyant jouet embarquèrent pour les Bahamas. Tom O'Graney, chargé d'amarrer solidement la Ford sur la plage arrière du vapeur, dit espérer l'absence de gros temps.

Ce souhait ne fut pas exaucé. Durant la navigation, entre la côte américaine et Soledad, on craignit, sous des grains violents, de perdre l'automobile, qui tressautait sur ses ressorts, quand le vapeur plongeait dans un creux, avant de se dresser sur la crête des vagues.

– Si, d'aventure, la Ford rompt ses amarres, nous risquons le déséquilibre du navire ; il pourra prendre de la gîte, se coucher sur un bord, avertit Rodney.

– Si la sécurité du navire est en cause, n'hésitez pas, commandant, à pousser l'automobile à la mer. Je ne veux faire courir aucun risque à l'équipage, décida Pacal.

– Ça me ferait mal au cœur, *my lord*, d'envoyer cette belle machine par le fond. Le capitaine O'Graney a encore de bons biceps, il va doubler les amarres de votre engin, qui sera, comme nous, secoué par la tempête, mais nous le livrerons en état, répondit le marin.

Aux grains du grand large succéda un temps de demoiselle, quand le vapeur entra dans les eaux de l'archipel, et la Ford retrouva la terre ferme, à Soledad, devant des douzaines d'insulaires curieux. Ceux qui n'avaient jamais quitté l'île voyaient une automobile pour la première fois. Le cocher de lord Pacal parut dépité de n'avoir à transporter

que des bagages à Cornfield Manor, tout en suivant un char
à moteur, dont les pétarades effrayaient ses chevaux.

Au cours des jours suivants, Pacal parcourut l'île au volant
de sa Ford, ce qui fit sensation, dans les villages et les fermes.
Le vieux cacique des Arawak, Palako-Mata, invité à une
promenade, décréta que cette concurrente malodorante du
cheval faisait figure d'intruse dans le paysage insulaire.

– C'est une fleur en fer-blanc dans un bouquet de roses,
dit-il.

Pacal reconnut que cette machine, parfaitement incluse
dans les rues de New York, où de nombreuses automobiles
circulaient entre fiacres et tramways, paraissait, à Soledad,
tombée d'une lointaine planète. Une étrangère, dont on se
méfiait, qui faisait fuir les chèvres, aboyer les chiens, écrasait
les poules divagantes, et dont la trompe de cuivre émettait
des grognements insolents.

Bien conscient d'une nécessaire accoutumance des îliens,
lord Pacal apprit à son cocher à piloter la Ford, ce qui valut
à ce dernier le titre d'automédon et lui assura, dans la
domesticité insulaire, la suprématie des initiés. Réservant sa
voiture aux déplacements urgents, le maître de l'île resta,
pour de nombreux usages, fidèle au cheval. On fut rassuré
de le voir, chaque matin, en tenue d'équitation – semblable
à celle arborée autrefois par lord Simon –, visiter les exploitations agricoles, galoper d'un village à l'autre, grimper au
pas l'étroit chemin qui s'élevait, en spirale, autour du mont
de la Chèvre, jusqu'à l'ermitage du père Dominique Gervais,
successeur de Paul Taval. Le lord avait offert au religieux
de nouveaux instruments – anémomètre, pluviomètre,
girouette, enregistreur de vent – pour assurer, sinon des
prévisions fiables, du moins une veille météorologique, utile
pendant la période des ouragans. Pour cette surveillance, le
prêtre recevait une mensualité. Plus pieux que son prédécesseur, bien que tout aussi discret que lui sur les raisons qui
l'avaient conduit à Soledad, le jésuite disait, chaque jour, la

messe devant les derniers catholiques de l'île. Des orphelins doués, envoyés de Buena Vista par Manuela, assuraient le service divin en échange de cours de latin.

On devait se souvenir des fêtes qui marquèrent le passage à l'année 1909, car ce furent les plus animées que Cornfield Manor eût connues depuis longtemps. Le fils et la fille de lord Pacal arrivèrent l'un de Boston, l'autre de New York, avec les Cunnings et Thomas Artcliff. Les García Padilla vinrent, de Floride, se joindre aux invités. Lady Martha, l'étudiante en médecine, fut promue maîtresse de maison et tint son rôle, au côté de son père, avec toute l'affabilité requise. À bientôt dix-neuf ans, la jeune fille, dont tous remarquèrent la distinction et la sobre élégance, apparut au dîner du jour de l'An avec les colliers et bracelets hérités de lady Ottilia. Lord Pacal avait dû insister pour qu'elle acceptât de porter ces bijoux, car Martha trouvait ces ornements ostentatoires.

– Ici, tu dois, à mon côté, tenir ton rang de lady, être vêtue et parée comme telle. Tu comprendras un jour que, dans notre société coloniale, tout est formalisme et tradition. Comme à Londres, même seul, chaque soir, je m'habille pour dîner. Mon maître d'hôtel est en habit et cravate blanche, les valets en veste blanche et cravate noire. Ils se sentiraient humiliés s'ils devaient servir un maître qui ne portât pas le *dinner-jacket*. Une société telle que la nôtre tient par ses conventions, son étiquette et ses convenances. C'est valable pour toutes les sociétés, mais chacune a ses propres rites. Souviens-t'en, Martha.

L'élégance de George, qui, à bientôt quinze ans, en paraissait dix-huit, tant il était grand et fort, parut plus américaine que britannique. Un *tuxedo* bleu de nuit, avec col-châle en soie, porté sur une chemise à plastron, avec

nœud papillon indénouable, retinrent le regard des jeunes
filles, dont les frères n'avaient d'yeux que pour la belle et
altière fille du lord. Quand Pacal eut ouvert le bal, avec la
doyenne du Cornfieldshire, Martha voulut danser une valse
avec son père.

— Cela me rappelle le temps où, enfant, j'ai vu mon père
valser avec ma mère, Ounca Lou, et plus tard, adolescent,
avec lady Ottilia. Comme toi, ce soir, elles étaient jeunes,
belles, heureuses, se souvint Pacal avec émotion.

En fin de soirée, alors que l'orchestre marquait une pause,
Thomas Artcliff se mit au piano. Il proposa à l'assistance
d'entendre l'air qui faisait fureur à New York, aussi bien dans
les tavernes de Harlem que dans les *music halls* — comme
on disait alors depuis peu — de Broadway. Sans l'aide d'une
partition, car il connaissait le morceau par cœur, il tira du
grand Steinway des rythmes syncopés et fougueux, que les
oreilles insulaires n'avaient jamais perçus et qui furent diver-
sement appréciés.

— On appelle cette musique, *ragtime*, et ce morceau a
pour titre *Maple Leaf Rag*. Il été composé par un certain
Scott Joplin, un pianiste noir de Saint Louis. Il joue au
Maple Leaf Club[1], à Sedalia, une petite ville du Missouri,
où je l'ai entendu au cours d'un voyage. Scott Joplin est en
train de faire fortune, car son éditeur, John Stark, a déjà
vendu des centaines de milliers de partitions de cet air,
précisa Thomas.

— Jouez-le encore une fois, s'il vous plaît, supplia une
jeune exaltée.

— Oh ! oui, reprenez cet air ! demandèrent en chœur les
garçons.

Thomas s'exécuta et fut applaudi. Il venait, le temps d'un
ragtime, de mettre Soledad au goût de New York.

— Avouez que cette musique nous change des polkas,

---

1. Club de la Feuille d'érable.

mazurkas et autres valses, que dansaient nos grands-parents, commenta l'architecte en voyant les mines réjouies des uns, contrites des autres.

– Ces rythmes nouveaux sont très entraînants. Il y a comme une clarté joyeuse, dans cette musique, dit une jeune fille romanesque.

– Je vais commander la partition, déclara un garçon.

– Il existe d'autres musiques, du même genre, sur lesquelles on peut danser. On appelle ça le *cake walk*, assura George, déjà entreprenant auprès des demoiselles.

– Musique de nègres, jouée par des nègres, pour des nègres ! décréta, péremptoire, une mère de famille.

Elle eût préféré que le fils de lord Pacal, parti enviable entre tous, fût moins enthousiaste pour ce qu'elle qualifia de « tintamarre qui eût fait pleurer Chopin ».

Lord Pacal avait déjà effectué quelques incursions, avec son ami Thomas, dans les cabarets à spectacle de New York, où ces airs, inspirés des mélopées des Noirs du Vieux Sud et de la musique populaire américaine, commençaient à séduire les noctambules de la bonne société. Il félicita Artcliff pour avoir su animer, avec art et audace, cette première soirée de l'année 1909, avec un intermède qui allait être commenté dans les salons du Cornfieldshire.

Deux jours après la fête, et avant de regagner New York via Nassau, Thomas Artcliff fut invité à se produire au Loyalists Club, devant les officiers de la flotte Cornfield. Tous remercièrent le pianiste en l'élisant, par acclamations, membre du Club le plus privé et le plus select de l'archipel.

– Il nous manque, ici, un endroit où l'on puisse boire, dîner, entendre de la musique et danser, comme à Nassau, observa Gilles Artwood, l'officier mécanicien de *Phoenix II*.

– Ça viendra, ça viendra, lieutenant. Dans la distraction aussi, le progrès finira bien par atteindre Soledad, assura Thomas en riant, avec un regard complice à Pacal.

Le printemps fleurissait l'île de mille bouquets colorés quand Estelle Miller confirma son arrivée. Le Florida Central Railroad l'ayant portée, en quinze heures, de New Orleans à Jacksonville, capitale de la Floride, elle prit passage à bord du vapeur qui, chaque semaine, reliait les États-Unis à New Providence. Afin de lui éviter l'attente du bateau-poste et pour assurer à son invitée une dernière étape plus rapide et plus confortable, lord Pacal envoya John Maitand l'accueillir à Nassau, avec le *Lady Ounca*.

Les retrouvailles avec l'ornithologue furent à la fois cérémonieuses et enthousiastes, celles d'un homme et d'une femme que les ajournements avaient rendus impatients de se revoir. Lord Pacal, veuf et célibataire, ne pouvait héberger Estelle à Cornfield Manor. Aussi, lui avait-on réservé Malcolm House, résidence des hôtes de passage.

Le Bahamien et la Louisianaise se sentirent tout de suite au diapason. Bonne cavalière, préférant le jodhpur de gabardine à l'ample jupe, et le chapeau de toile au petit melon crème des amazones de Hyde Park, Estelle voulut parcourir l'île à cheval. Pacal l'entraîna, chaque matin, dans sa chevauchée, la laissant ensuite aux soins de John MacTrotter pour étudier les oiseaux qu'on ne trouvait plus qu'à Soledad, où ils pouvaient nicher sans craindre les chasseurs.

Lord Pacal qui, toujours, déjeunait seul, retrouvait son invitée à l'heure du cocktail et pour dîner tête à tête. Estelle Miller apparaissait le plus souvent vêtue d'une blouse de soie à jabot et d'une longue jupe noire. Il devina qu'elle ne possédait pas une garde-robe très fournie. Elle ne portait qu'un collier d'ambre, toujours le même, et une gourmette d'or, en guise de bracelet. Le soir où il donna un dîner en son honneur, il lut dans les regards autant d'étonnement que de curiosité. Dans la société du Cornfieldshire, ce peu de souci de l'élégance ne manquait pas de dérouter.

– Cette belle plante, si savante, ne serait-elle pas quake-resse ? demanda une dame.

– Un peu hommasse, non ? observa une autre.

Ces réflexions, rapportées à Pacal, l'amusèrent, car il avait eu, au cours d'une baignade, tout loisir de constater que, dévêtue, son invitée livrait au regard des formes pleines et harmonieuses, que beaucoup lui eussent enviées.

Fin mai, lors de sa dernière soirée à Soledad, Estelle Miller devint soudain maussade. Elle avait compris, pendant son séjour, que ses modestes toilettes n'étaient pas dans le ton des mondanités anglaises du Cornfieldshire.

– Je sais qu'on ne me trouve pas très féminine ni très élégante. Il est vrai que je n'aime guère les fanfreluches et les bijoux. Il est vrai, aussi, que je n'appartiens pas, hélas, à l'heureuse caste des gens riches et sans soucis. J'enseigne les sciences naturelles dans un collège huppé de New Orleans, qui paie fort mal ses professeurs. Les oiseaux exotiques améliorent ma situation, car mes conférences ont du succès, et mes aquarelles, copies des planches d'Audubon, sont vendues à Jackson Square, dit-elle.

– Ce ne sont pas les toilettes coûteuses et les bijoux qui font le charme d'une femme. Vous n'avez pas besoin de fanfreluches et de diamants pour plaire, croyez-moi, dit Pacal, badin.

Elle sourit et lui tapota affectueusement l'avant-bras, quand il l'invita, comme chaque soir, à passer un moment sur la galerie, avant qu'elle ne regagne Malcolm House. Lord Pacal savourait alors un vieux whisky en fumant un cigare, tandis qu'Estelle buvait une tisane de sassafras, dont elle disait ne pouvoir se passer pour bien dormir.

– J'ai cru comprendre dans vos lettres, surtout depuis le décès de votre mère, que son existence et la vôtre n'ont pas été exemptes d'épreuves. Cela explique peut-être vos silences soudains, vos rêveries, j'allais dire vos absences, et une certaine mélancolie, que je devine en vous. Je ne voudrais pas être indiscret, mais avant de nous séparer, si des soucis vous accablent, peut-être pourrais-je vous aider, dit Pacal.

Elle fixa un instant les palmiers du parc, dont les pennes frémissaient sous l'alizé, hésitant à parler. Quand elle s'y résolut, ce fut avec une détermination presque brutale.

– Il ne s'agit pas de soucis. C'est ma dissimulation à votre égard qui me pèse. Je m'en vais demain et j'ai peur de ne pas avoir mérité votre confiance et toutes vos gentillesses. Peur qu'un jour vous me reprochiez un silence déloyal, peur que vous me méprisiez...

– Vous mépriser !

– Parce que je suis une bâtarde ! Une fille née hors mariage, de père inconnu et d'une femme admirable, mais fautive, dit Estelle d'une voix sourde.

Lord Pacal quitta son fauteuil, vint à elle, lui mit la main sur l'épaule.

– Voyons, calmez-vous. Il n'y a rien de méprisable dans cette situation. Seul, est méprisable l'homme qui séduisit votre mère et l'abandonna, dit Pacal.

– Cet homme n'a jamais eu vent de mon existence. On ne peut donc le condamner. C'est seulement la veille de sa mort que ma mère m'a révélé son nom, en me faisant promettre de ne jamais le prononcer, ajouta Estelle.

Lord Pacal regagna son siège, se servit du whisky, mira la couleur ambrée du breuvage dans la lumière rosée du couchant, but une gorgée et, respectant le silence d'Estelle, tira une bouffée de son cigare.

Après un silence délibéré, elle reprit avec effort ses confidences.

» Il faut que vous sachiez qui je suis. Je ne veux pas qu'un secret subsiste entre nous, sur mes origines. Si notre relation doit se poursuivre, ce que je souhaite, vous devez savoir, oui, vous devez savoir, qui est le père que je n'ai jamais vu, reprit-elle, rageuse.

– Soledad contient son lot de secrets. Le vôtre sera ici bien gardé, assura Pacal, l'esprit en éveil.

– Oh, je crains que vous ne trouviez mon cas banal. Ma mère, née Victorine Tranchet, dans une famille de Français émigrés en Louisiane, s'était fiancée, en 1860, au fils d'un planteur, Richard Miller, de qui je porte, de fait, le nom, alors qu'en droit, pour l'état civil, je suis née Tranchet. Quand, en avril 1861, éclata la guerre entre les États du Nord et ceux du Sud, Richard Miller s'engagea dans l'armée sudiste. Mais, avant qu'il ne rejoigne son unité, *the Fifth Cavalry Regiment*, les fiancés tinrent à se marier. Ils ne devaient jamais se revoir. Le capitaine Richard Miller fut tué, sur la James River, en Virginie, près de Richmond, le 8 avril 1865, la veille de la reddition de Robert Lee au général Ulysses Grant. Il avait été le septième officier à relever le drapeau du régiment. En mourant, il le passa au général William Tampleton, qui perdit un bras dans cette bataille. La paix revenue, ce général rendit visite à ma mère et lui raconta la mort héroïque de son mari. C'est lui aussi qui, pour mon malheur, revint la voir, des années plus tard, en juillet 1868.

– Pour votre malheur, dites-vous ?

– Oui, pour mon malheur, car il était accompagné d'un de ses amis, un Français, établi à False River, en Louisiane, Gustave de Castel-Brajac[1]... Oh ! Voilà que j'ai prononcé le nom imprononçable, dit-elle, confuse.

– Nous ne le prononcerons plus, dit Pacal.

– C'était un aristocrate gascon, jovial, séduisant, entreprenant. Il fit à ma mère, fort jolie veuve, une cour pressante et ils devinrent amants, sans que le général Tampleton en

---

1. Les aventures du général William Tampleton et de Gustave de Castel-Brajac – tous deux personnages de fiction – et de leurs familles ont été racontées, dans quatre des six volumes d'une autre série romanesque, *Louisiane, Fausse-Rivière, Bagatelle, les Trois-Chênes*, qui se déroule, de 1830 à 1944, en Louisiane, du même auteur, chez le même éditeur.

sût rien. Cette liaison dura le temps d'une aventure et je naquis en 1869, sans que ma mère eût jamais revu M. de Castel-Brajac. Elle refusa de le faire rechercher pour lui révéler ma naissance. En 1870, après une guerre qui opposa la France à la Prusse, elle apprit qu'il s'était marié. S'il avait épousé ma mère, j'aurais aujourd'hui un château dans le Gers !

– Il n'a donc jamais su votre existence.

– Par respect pour ce gentilhomme – et par orgueil, aussi – ma mère resta, toute sa vie, muette sur le père de sa fille. Malgré son peu de fortune, elle me fit donner une bonne éducation, chez les ursulines de Grand Coteau. Elle sut aussi se faire respecter, dans un milieu où une veuve de guerre, ayant mis un enfant au monde, quatre ans après la mort de son mari, passait pour femme légère.

– Votre mère n'a-t-elle jamais eu l'intention de se remarier ?

– À cause de moi, sans doute, aucun parti ne s'est présenté. D'une telle femme, les hommes n'attendaient que des faveurs de courtisane. Je voulais que vous sachiez mes origines. C'est fait, dit-elle en se levant, comme rassérénée par son aveu.

– Sachez que vos confidences n'entament en rien les sentiments que j'ai pour vous. Je souhaite avoir l'occasion de vous les prouver, dit Pacal.

Il offrit son bras à Estelle, pour l'entraîner jusqu'au boghei, qui les conduisit à Malcolm House. Sur le perron, il lui baisa longuement la main et se retira, après avoir précisé l'heure du départ du *Centaur*, pour Nassau, le lendemain matin.

Pacal dormit peu, tant l'intriguait la personnalité d'Estelle Miller. Non seulement, cette femme de quarante ans paraissait dix ans de moins que son âge, mais elle possédait un charme très personnel, fait d'une absence d'afféterie, du refus de tous les artifices, dont usent d'ordinaire les femmes pour plaire aux hommes. Ignorant le maquillage, coiffée à la diable, refusant les tenues qui entravent les mouvements, sans brassière ni corset, les ongles carrés, elle se voulait à l'état de nature. Pacal avait cependant décelé chez elle une féminité fruste, imaginé une sensualité âpre, rustique, animale, qu'il eût été plaisant de provoquer.

Au matin, il accompagna la Louisianaise au port occidental, la confia au lieutenant Joseph Balmer, commandant du brick, en s'excusant de la faire naviguer avec les éponges, ananas et primeurs de la Cornfield Company.

Au moment de l'appareillage, il invita Estelle à un nouveau séjour. Elle promit de revenir, au printemps suivant, pour compléter sa documentation sur les oiseaux de Soledad, et s'empressa de gravir le chemin-planche sans se retourner pour dissimuler l'émotion qui l'étreignait.

Lors du retour du *Centaur*, lord Pacal voulut savoir comment s'était déroulé le voyage.

– La mer était calme et cette dame a passé beaucoup de temps, sur la plage arrière, à dessiner les mouettes et les cormorans, qui viennent toujours se poser sur les haubans, entre Cat Island et Eleuthera. Elle m'a d'ailleurs offert une belle aquarelle, dit Jos.

Deux semaines plus tard, Pacal reçut une lettre de château des plus formelle. Estelle Miller s'abstenait de toute allusion aux confidences qu'elle regrettait peut-être d'avoir faites. Elle concluait, avec plus d'abandon : « Je crois n'avoir jamais été aussi heureuse que pendant ces semaines, passées sur votre île aux oiseaux, près de vous. Acceptez mon affectueuse reconnaissance. »

En juin, avant d'embarquer à Nassau, comme chaque année, pour l'Europe via New York, lord Pacal assista à l'inauguration de la nouvelle imprimerie du quotidien *The Nassau Guardian*, où venaient d'entrer en service des appareils typographiques, dits linotypes, importés des États-Unis. Pourvus d'un clavier semblable à celui d'une machine à écrire, ces engins, contenant une réserve de plomb en fusion, se saisissaient, dans un cliquetis cuivré, des matrices des caractères d'imprimerie pour composer, sous la frappe d'un typographe, mots et lignes. Cette composition mécanique, plus rapide que celle à la main, n'était rendue possible que par l'énergie électrique, maintenant distribuée à New Providence.

Au lendemain de cette cérémonie, après s'être assuré que la sépulture de Liz Ferguson était entretenue, comme il l'avait recommandé, lord Pacal prit place à bord du vapeur de la Muson Line. Deux jours et demi plus tard, sous une pluie battante, il salua la statue de la Liberté dans la baie de New York.

Comme à chacune de ses escales, le Bahamien évalua le développement d'une ville où roulaient trente mille automobiles, dans des rues qui paraissaient de plus en plus étroites, à cause de la hauteur croissante des immeubles.

– Nous vivons le temps des bâtisseurs. New York compte, depuis peu, quatre millions d'habitants, qu'il faut loger, qui ont besoin d'ateliers, de bureaux, d'écoles, d'hôpitaux, de restaurants, de théâtres, dit Thomas Artcliff en accueillant Pacal dans son cabinet, au douzième étage d'un immeuble de Manhattan.

Cette activité débordante, nerveuse, impatiente, d'une ville où les gens couraient du matin au soir, pour faire du dollar, puis le placer ou le dépenser, comme s'ils étaient déjà poursuivis par la mort, rebuta lord Pacal.

Aussi fut-il bien aise, après avoir vu sa fille Martha et passé trois jours de dissipation, entre Broadway et Harlem, avec Artcliff, de s'embarquer pour la France, où l'on semblait encore prendre le temps de vivre.

Il arriva au Havre alors qu'on célébrait, comme partout dans le pays, un événement déjà qualifié d'historique par les journalistes. Le 25 juillet, Louis Blériot avait traversé la Manche à bord d'un aéroplane monoplan de sa fabrication. Volant à quatre-vingts mètres au-dessus de l'eau, l'aviateur avait parcouru les quarante kilomètres qui séparent Sangatte de Douvres, en trente-huit minutes, à une vitesse parfois supérieure à soixante-dix kilomètres à l'heure.

– Les Anglais vont comprendre que la Manche n'est plus une frontière, dit, tout faraud, le douanier français en visant le passeport britannique du lord.

Dans le train pour Paris, Pacal lut les journaux : les mots exploit et progrès revenaient à chaque ligne. L'homme qui, depuis le malheureux Icare, rêvait de se déplacer dans les airs comme l'oiseau, venait, après quelques volettements peu convaincants, de tenir la distance. L'exploit était d'autant plus remarquable qu'il s'était déroulé au-dessus de la mer.

Ingénieur formé au MIT, lord Pacal eût dû se montrer un adepte enthousiaste de l'invention, or il commençait à douter de la générosité et de l'altruisme du dieu Progrès. Né au temps de la machine à vapeur et de la lampe à pétrole, le Bahamien suivait, depuis un demi-siècle, la marche irrépressible du démiurge inspiré, censé vouloir le bonheur de l'homme, l'atténuation de ses peines, l'abolition des distances, la domestication de la nature. Dans le sillage orgueilleux des sciences et des techniques, émergeaient sans cesse des besoins nouveaux, des envies subites, des cupidités sournoises, des jalousies, des frustrations, des violences.

L'homme traversait l'Océan en cinq ou six jours, il s'entretenait par télégraphie sans fil avec les plus lointains correspondants, même si ceux-ci se trouvaient à bord des navires en mer. Le train et l'automobile le transportaient de plus en plus vite et, maintenant, l'avion, se riant des obstacles terrestres, lui permettait de passer sans contrôle les frontières. Partout, l'électricité triomphait de la nuit et animait, proprement, toutes sortes de machines. Parmi les dernières trouvailles, la téléphotographie permettait de transmettre des images à distance, la radiographie faisait apparaître, sur un écran, le squelette humain, le phonographe rendait la parole aux morts et le cinématographe restituait aux défunts les gestes de la vie. Dans le même temps, le dieu Progrès offrait aux belliqueux des armes de plus en plus meurtrières. Partout, dans les empires coloniaux, les colonisés, mieux informés, commençaient à prendre conscience de leur servitude. Du Maroc au Tonkin, de la Côte d'Ivoire à la Turquie, de la Perse au Mexique, de la Russie à la Chine, partout, des hommes s'entretuaient, au nom de la liberté ou du profit.

Dans les pays industrialisés, en Grande-Bretagne, en France, aux États-Unis, les travailleurs, exigeant de meilleurs salaires pour s'offrir les commodités étalées sous leurs yeux, fomentaient sans cesse des grèves. Malgré ses promesses, le dieu Progrès restait impuissant devant les tremblements de terre, les inondations, les éruptions volcaniques, la peste, le choléra, la famine. Dans les prisons anglaises, on fouettait encore les détenus récalcitrants, en Arabie, on lapidait les femmes adultères, au Yémen on coupait toujours la main des voleurs, en Corée les Japonais tranchaient la tête de ceux qui refusaient l'occupation nippone.

De tout cela, lord Pacal prit conscience pendant la traversée, au cours de laquelle il se tint à l'écart des mondanités, regrettant parfois qu'il ne se trouvât pas à bord, comme autrefois, une Domenica docile, pour distraire la solitude de ses nuits.

Lors de l'étape parisienne, il vit, au théâtre du Châtelet, danser Waslaw Nijinsky dans *Giselle*, sur une musique d'Adolphe Adam, d'après un argument de Théophile Gautier, et *le Pavillon d'Armide*, du compositeur Nicolas Tcherepnine. Défiant les lois de la pesanteur, le jeune Russe semblait voler, plutôt que bondir, avec une grâce sans égale, au-dessus des planches. Le perfectionnement, cette fois, n'était que celui de l'artiste en son art. La compagnie de ballets de Diaghilev fit que Pacal reprit confiance en l'homme.

L'été à Esteyrac eut le pouvoir de rendre au lord la sérénité, mise à mal par les audaces de la technique. Les Auvergnats, gens de bon sens, peu portés à l'emballement pour les nouveautés, ne retenaient des dons de la modernité que ceux qui facilitaient les travaux de la terre. Cette année-là, le village vit circuler le premier tracteur, propriété du maire.

– Cet engin a un grand appétit d'essence et d'huile. Son service est plus coûteux que celui d'un cheval, nourri à l'avoine des prés, et qui produit de quoi fumer nos potagers, fit observer le père Trévol à Pacal.

Le paysan reconnut, toutefois, que l'autocar qui, deux fois par semaine, desservait bourgs et hameaux – ce qui permettait d'aller chez le dentiste – avait du bon.

– Encore que, dépenser deux francs pour aller en ville, où l'on est tenté par les vitrines – les femmes surtout ! – d'acheter des choses dont on se passe depuis toujours, n'est pas une aubaine pour le porte-monnaie, ajouta-t-il.

Ayant refait son plein de sagesse élémentaire, lord Pacal regagna son île ensoleillée et fut enchanté, au commencement du printemps 1910, de revoir Estelle Miller, ponctuelle au rendez-vous. Ils reprirent les rites instaurés l'année précédente et, dès le premier dîner à Cornfield Manor, tous constatèrent que la Louisianaise avait fait un effort de toilette. Nouvelles robes à ramages, chignon construit, visage poudré, pommettes rosies, lèvres rouges, elle eût été agréable à

regarder si elle avait assumé avec aisance cette transformation. Mais ces apprêts ne lui allaient guère. Sa personnalité
ne supportait pas un tel travestissement, qui incita les dames
du Cornfieldshire à sourire et lord Pacal à lui dire, plus tard,
franchement, qu'il la préférait sans maquillage ni falbalas.
Estelle le remercia de cet aveu et leur intimité s'en trouva
renforcée.

Il estima que sa relation avec Estelle changeait de tonalité.
Sur la galerie, à l'heure de la tisane de sassafras et du whisky,
Estelle prit l'habitude de prolonger la conversation, pour
retarder le moment de la séparation. Un soir de mai, alors
que les chauves-souris, comme étonnées de ces présences
tardives, voletaient au-dessus de leurs têtes, Pacal, désignant
les mammifères ailés, prévint Estelle.

– Elles aiment s'agripper aux cheveux. Si elles reconnaissent en vous une amie de la gent volante, vous allez être
assaillie, plaisanta-t-il.

Estelle, mimant la frayeur, rapprocha son siège de celui
de Pacal.

– Vous me protégerez, minauda-t-elle.

Il lui prit la main et sentit qu'elle répondait à la pression
de ses doigts. Encouragé, il lui passa le bras autour des
épaules et l'attira contre lui. Comme elle ne marquait nulle
réticence, il s'enhardit, lui effleura la joue d'un baiser, qu'elle
rendit avec simplicité, avant de se dégager.

– Nous sommes vraiment de bons amis, n'est-ce pas ?
Mais il est tard, dit-elle.

Pacal se leva, offrit son bras pour la conduire au boghei.

– Si nous allions à pied ? La nuit est si claire et si douce,
proposa-t-elle.

Ils marchèrent d'un pas égal et, quand Pacal lui prit la
taille, Estelle se laissa aller doucement contre son compagnon. En arrivant à Malcolm House, il ne la quitta pas
sur le perron, comme d'habitude, mais entra dans le hall,

faiblement éclairé par une lampe à pétrole. Comme elle demeurait immobile et silencieuse, lui abandonnant ses mains, lord Pacal, interprétant cette apathie comme une attente, l'enlaça, distribua des baisers, trouva sa bouche. Elle se raidit un peu, accepta ce chaud contact, se laissant embrasser sans ouvrir les lèvres. Quand il risqua une main sur un sein, qu'il trouva ferme et campé, elle se libéra doucement, en poussant un soupir de lassitude.

– Vous pouvez rester ici cette nuit avec moi... si cela vous fait plaisir, dit-elle, docile.

Le ton indiquait une soumission plus qu'un accord, une sorte de résignation au prévisible, non l'écho sensuel – attendu – au désir de l'homme.

Lord Pacal recula d'un pas.

– Je n'en ferai rien, passez une bonne nuit, dit-il en descendant l'escalier.

Il s'éloigna à pas rapides, penaud, mécontent de s'être fourvoyé, de s'être ridiculisé en prodiguant des mignardises de vieillard à une femme qui n'avait nulle envie d'une étreinte amoureuse. Il eût été moins humilié si elle l'avait repoussé franchement, au lieu de consentir en pensant sans doute : « Allons-y, puisque ça lui fait plaisir, et que je ne peux me refuser à un hôte si généreux. C'est le prix à payer, pour ce séjour. »

Chez lord Pacal, la colère contre lui-même provoquait la même réaction qu'autrefois chez lord Simon. Rentré à Cornfield Manor, il se mit à l'orgue et, pendant une heure, les *Suites allemandes* de Bach résonnèrent dans le manoir endormi, comme le brame d'un vieux cerf évincé.

Au matin, quand Estelle Miller se présenta à Cornfield Manor, en tenue d'équitation, et demanda au lad d'avertir lord Pacal qu'elle était prête pour la promenade, Timbo vint à elle, plus majordome que jamais.

– Sa Seigneurie est partie ce matin pour l'Europe,

Madame. Des ordres ont été donnés, pour que le *Centaur* vous conduise à Nassau, quand il vous plaira, Madame.

Interloquée, l'ornithologue s'éloigna, le visage noyé de larmes. Elle pleurait encore en bouclant ses bagages. « Tous les hommes, aristocrates ou plébéiens, sont donc ainsi », se répéta-t-elle jusqu'à l'embarquement.

Lord Pacal se promit de ne plus jamais tenter de séduire une femme. À Estelle, il aurait pu offrir un nom et un château. Il retourna, sans les ouvrir, les lettres qu'elle persista à lui adresser au cours des mois suivants. Il ignora ainsi qu'elle s'était cru traiter comme une fille après l'aveu de sa bâtardise et qu'elle en avait été humiliée.

Comme Thomas Artcliff, célibataire jouisseur, Pacal décida de se satisfaire désormais des étreintes joyeuses et vénales des demoiselles de magasin, lors de ses séjours à New York.

Estelle Miller était oubliée quand le maître de Soledad se rendit à Nassau pour accueillir, avec la communauté européenne, sir James Bryce[1], ambassadeur de Grande-Bretagne à Washington. La visite du diplomate avait pour but, non avoué, de rappeler aux Américains, de plus en plus nombreux à s'intéresser aux affaires dans les Bahamas, que l'archipel était une possession de la Couronne, où s'appliquaient exclusivement les lois britanniques.

---

1. 1838-1922. Le vicomte James Bryce, juriste et diplomate, occupa, en 1866 et 1913, plusieurs postes ministériels. Ambassadeur aux États-Unis, de 1907 à 1913, il est resté célèbre pour l'enquête qu'il conduisit, en Amérique du Sud, sur les entorses aux principes démocratiques dans plusieurs États.

Quelques semaines après cette visite, Pacal fut de nouveau appelé à Nassau, pour participer à l'hommage que les autorités rendirent à la mémoire du roi Édouard VII, mort le 6 mai, et aux cérémonies qui, dès le lendemain, marquèrent l'avènement de George V.

Vinrent pour Pacal des années ternes, rythmées par la saison des ouragans, les rassemblements familiaux autour de Martha et George, les visites à ses entreprises de Floride, à ses plantations et usines de conserves d'Eleuthera, les étés à Esteyrac et aussi les deuils.

En 1911, Lewis Colson et le pasteur Russell disparurent, à un mois d'intervalle. Le premier mourut pendant son sommeil, quittant la vie aussi convenablement qu'il avait vécu. Michael Russell, victime d'un refroidissement contracté sous l'orage, pendant ses visites aux malades, eut le temps de regretter, dans les bras de sa fille, Violet Ramírez, l'absence d'Emphie, qu'il croyait, comme tous, la survivante des jumelles qui avaient causé tant de déceptions à leurs parents. Seul, Charles Desteyrac avait su qu'à la mort d'Emphie il y avait eu substitution d'identité entre Madge, la survivante, et la défunte. Il avait emporté ce secret dans la tombe. Ce fut donc en toute ignorance de cette situation triviale que le pasteur accepta la mort, avec la sérénité de qui croit à la vie éternelle des âmes.

Quand, en 1912, on apprit à Soledad la fondation, à Nassau, par quelques millionnaires américains, yachtmen habitués des Bahamas, du Porcupine Club, établissement privé, copie conforme du club le plus huppé de Philadelphie, lord Pacal vit là une nouvelle implantation américaine. Strictement réservé à des citoyens des États-Unis, capables de justifier une fortune d'au moins un million de dollars, le Porcupine[1] Club ne comptait que cent vingt-cinq membres, recrutés par cooptation. Ses installations seraient ouvertes pendant douze semaines, en hiver. On y servait le *luncheon* dans un patio et les membres avaient la jouissance de courts de tennis et d'une plage privée. La première manifestation mondaine du club fut le bal traditionnel, donné au jour anniversaire de la naissance de George Washington, le 22 février. À cette occasion, les clubmen firent venir de New York un orchestre réputé. Les invités bahamiens, dont le nouveau gouverneur sir George Haddon-Smith, furent éblouis par la luxueuse décoration et le confort de l'établissement. Lord Pacal n'y vit qu'un cadre prétentieux, pour qui aime faire étalage de sa fortune.

Quelques semaines plus tard, le 15 avril, ces Américains, comme les Britanniques, furent plongés dans la consternation. Lors de son voyage inaugural, le paquebot *Titanic*, de la White Star Line, véritable palace flottant, réputé insubmersible, avait fait naufrage, au large de Terre-Neuve, éventré par un iceberg. On comptait sept cent onze rescapés et mille quatre cent quatre-vingt-dix disparus. Parmi ces derniers, quelques milliardaires américains, amis des membres du Porcupine Club, comme John Jacob Astor et Benjamin Guggenheim. Le major Archibald Butt, aide de camp du président des États-Unis, William Howard Taft, et Washington Roebling, le bâtisseur du pont de Brooklyn, étaient au nombre des noyés.

La fin de l'année apporta à Pacal la satisfaction de voir son fils George admis au MIT, ce qui fit passer au second

---

1. De *porcupine* : porc-épic.

plan une nouvelle agitation à Cuba, et, en novembre, l'élection de Woodrow Wilson, vingt-huitième président des États-Unis.

En juin 1913, lord Pacal, en partance pour la France, voulut voir, au cours de son escale à New York, la première exposition de peinture contemporaine, organisée à l'Armory Show. Le tableau d'un peintre français, Marcel Duchamp, intitulé *Nu descendant un escalier*, faisait scandale. Cette œuvre, d'après les connaisseurs, était exemplaire « d'une décomposition des formes en volume qui dissout la réalité ». Un autre critique y avait vu « une explosion dans une fabrique de tuiles ». Lord Pacal, dont les préférences allaient aux maîtres anciens, aux préraphaélites et, depuis peu, aux impressionnistes, n'y vit, encouragé par Thomas Artcliff et en faisant un grand effort d'imagination, que rondins tronqués figurant des jambes amputées et, égarées dans une cascade de formes informes, deux petites mangues molles, qu'il consentit à prendre pour fesses roses !

– Tu crois qu'on peut appeler ça peinture ? demanda-t-il à son ami.

– Un art nouveau est en train de naître, une peinture futuriste, je t'assure, affirma Thomas Artcliff, qui prisait fort les œuvres des cubistes.

– Eh bien ! Je viens d'avoir confirmation que je suis étranger à la société qui prise cet art, dit lord Pacal.

8.

L'annonce, par *The Nassau Guardian*, de l'assassinat – à Sarajevo, en Bosnie, le 28 juin 1914 – de l'archiduc d'Autriche François-Ferdinand et de son épouse, la comtesse Chotek, ne suscita pas grande émotion aux Bahamas. Seuls les gens informés des malheurs passés de la dynastie autrichienne plaignirent le vieil empereur François-Joseph, une fois de plus accablé par le sort.

À quatre-vingt-quatre ans, ce Habsbourg autoritaire devait assumer le deuil de l'héritier du trône, après avoir eu le chagrin de voir son frère Maximilien, empereur du Mexique par la grâce de Napoléon III, exécuté en 1867, par les partisans de Juárez ; son fils Rodolphe se donner la mort, en 1889, à Mayerling, avec sa maîtresse, la baronne Marie Vetsera ; son épouse Élisabeth, dite Sissi, poignardée par un anarchiste, en 1898, à Genève. L'année précédente, la sœur de Sissi, duchesse d'Alençon, avait péri dans l'incendie du Bazar de la Charité, à Paris. La succession de ces morts, violentes et brutales, faisaient dire aux superstitieux que la race des Habsbourg s'était attiré la malédiction du ciel.

Cet été-là, tandis que les planteurs de sisal d'Andros Island et de San Salvador souffraient de la mévente de leur récolte, alors que les autorités discutaient un nouveau contrat de navigation avec la Florida East Coast Company, on se préoccupait plus, aussi bien au Porcupine Club, à Nassau, qu'au Loyalists Club, à Soledad, des chances que le yacht anglais *Shamrock IV*, propriété de sir Thomas Lipton – nommé sir Tea, car il devait sa fortune considérable à l'importation et à la vente de thé – avait de battre son adversaire américain le *Resolute*.

Les trois premiers *Shamrock*, de Thomas Lipton, engagés en 1899, 1901 et 1903, n'avaient pu rendre à l'Angleterre le trophée de l'*America*'s Cup qui trônait, depuis 1851, dans une vitrine du New York Yacht Club. Somptueusement abrités, depuis 1901, au cœur de Manhattan, dans l'immeuble de sept étages construit pour le club par le banquier J. Pierpont Morgan, les yachtmen américains n'envisageaient pas, cette fois encore, de céder aux Anglais l'aiguière d'argent de la reine Victoria où le graveur avait inscrit toutes leurs victoires.

Si les habitués du Porcupine Club penchaient pour le challenger américain, la plupart des membres étant, comme les riches fondateurs du club, des hommes d'affaires venus des États-Unis, les membres du Loyalists Club de Soledad trouvaient outrecuidantes les prétentions à l'invincibilité des équipages new-yorkais.

– On peut faire confiance à Lipton, qui a tiré la leçon de ses échecs contre le *Columbia* des Yankees. Sûr que, cette fois, il l'emportera, prédit, avec foi, John Maitland.

– D'après les journalistes américains, le *Shamrock IV*, déjà en route pour New York, ressemble « à un requin-marteau avec sa drôle d'étrave pareille à un fer à repasser », mais il peut porter quinze mille pieds carrés de toile, dit Philip Rodney.

Doyen du club, l'officier recueillait les paris des membres qui, tous, misaient sur le *Shamrock IV*.

– Je vous signale, gentlemen, que lord Pacal m'a fait porter sa mise : cinq livres sterling, précisa Rodney.

Un murmure admiratif ponctua cette indiscrétion.

Enthousiasme, pronostics et paris se révélèrent vains quand on apprit, le 5 août, par une dépêche officielle de Londres au gouverneur des Bahamas, sir George Haddon-Smith, que la Grande-Bretagne et, partant, son Empire étaient, depuis la veille, en guerre contre l'Allemagne.

Alors que s'annonçaient les premiers orages tropicaux, on sut par *The Nassau Guardian* que, le 28 juillet, l'Autriche, pour venger l'assassinat de François-Ferdinand, avait déclaré la guerre à la Serbie, avec l'accord de l'Allemagne ; que les nations européennes ayant réagi, l'Allemagne avait déclaré la guerre à la Russie, le 1er août, puis à la France, le 3 août, et que le gouvernement de Sa Très Gracieuse Majesté le roi George V, outré par l'irruption des troupes allemandes en Belgique, avait décidé d'entrer, à son tour, dans un conflit qui menaçait d'embraser toute l'Europe.

Les journaux américains rapportèrent bientôt que le *Shamrock IV*, surpris par la nouvelle en pleine traversée de l'Atlantique, avait dû, dans un premier temps, chercher refuge aux Bermudes, pour éviter les sous-marins allemands, déjà en chasse dans l'Océan. Le voilier de sir Lipton était maintenant à l'abri, à Brooklyn, mais le défi tant espéré était annulé[1].

Au cours des jours qui suivirent, *The Nassau Guardian* et son concurrent, *Nassau Daily Tribune*, publièrent des messages patriotiques invitant les Bahamiens à participer à l'effort de guerre. Devant la *General Assembly*, le gouverneur Haddon-Smith proclama l'état d'urgence et annonça la création d'un *War Relief Committee*. La législature vota, sur-le-champ, une contribution de dix mille livres sterling, pour aider le gouvernement impérial à faire face aux dépenses engendrées par le conflit.

---

1. Américains et Anglais durent attendre le 26 juillet 1920 pour disputer une nouvelle *America's* Cup. Une fois de plus, le *Shamrock IV* de sir Tea fut battu par le *Resolute*. Et l'aiguière d'argent de Victoria resta à Manhattan.

En septembre, deux cent vingt-cinq marins, pêcheurs d'éponges, se portèrent volontaires pour prendre du service dans la Royal Navy, tandis que le *British West Indies Regiment*, dissous en 1891, était reconstitué, pour entraîner deux mille cinq cents hommes.

À Soledad, on commençait à s'inquiéter du sort de lord Pacal. Celui-ci, qui passait comme chaque année l'été en France, avait annoncé son retour imminent, dès le début du conflit. Or, les sous-marins allemands, apparus dans les eaux de l'Atlantique Nord, constituaient un danger pour les navires de commerce sans défense. De Boston et de New York, George et Martha demandaient, plusieurs fois par semaine, des nouvelles de leur père. On ne fut rassuré que le jour de septembre où l'on sut, à Soledad, que lord Pacal était arrivé aux États-Unis.

– Il fait la fête à New York, avec sa fille, son fils et son ami Artcliff. Je vais, la semaine prochaine, l'accueillir à Nassau avec le *Lady Ounca*, dit John Maitland aux membres du Loyalists Club, à l'heure du *pink gin*.

Dès son arrivée à Cornfield Manor, Pacal fut pressé de questions par les intimes. Tous voulaient savoir comment la France et l'Angleterre étaient entrées en guerre.

– À Esteyrac, dès l'ordre de mobilisation affiché à la mairie, j'ai vu les garçons partir joyeux pour Issoire, disant qu'ils allaient donner une leçon aux Prussiens et reconquérir l'Alsace et la Lorraine, enlevées à la France après la guerre de 1870. « Nous serons rentrés pour Noël », assuraient-ils. Les mères et les épouses paraissaient moins confiantes, depuis que les journaux avaient publié la photographie du premier mort de la guerre, le caporal André Peugeot, tué par une patrouille allemande, entrée en territoire français le 2 août, alors que la guerre n'était pas encore officiellement déclarée. Je crains que les alliés ne se fassent des illusions sur la durée de ce conflit, qui intéresse toute l'Europe. Ces illusions ont, d'ailleurs, commencé à se dissiper quand les armées allemandes ont pénétré en France, envahi la Belgique et occupé Bruxelles. Nos croiseurs de la Royal Navy ont déjà souffert des attaques des sous-marins allemands. L'*Amphion* a été le premier coulé, dans la Manche, développa lord Pacal.

À Soledad, la guerre eut pour première conséquence de priver la flotte Cornfield de plusieurs de ses officiers et marins. Gilles Artwood, Anthony MacLay, Edward Carrington, Joseph Balmer rejoignirent la Royal Navy, ainsi que plusieurs quartiers-maîtres. Les autres officiers, comme Maitland et Rodney, trop âgés pour être mobilisés, se seraient portés volontaires si lord Pacal ne leur eût donné mission de veiller, avec les unités de l'escadre de la Jamaïque, à la sécurité des eaux bahamiennes. Après une réception au Loyalists Club, les mobilisés embarquèrent, confiants, pour Nassau, à bord du *Lady Ounca*. Sur le quai du port occidental, on vit de gentilles Arawak agiter des palmes en pleurant. Malgré les promesses de leurs amoureux elles craignaient d'être bien vite oubliées.

Dès l'automne, les nouvelles de France confirmèrent le pessimisme de lord Pacal. On se battait, de la Somme aux Vosges, et, le 6 septembre, les Allemands avaient occupé la ville de Meaux, à quarante-quatre kilomètres de Paris. Les Français les en avaient délogés le surlendemain, au cours d'une contre-offensive, décidée et conduite par le général Joffre, qui avait sauvé la capitale, avec l'aide des taxis parisiens. Cette victoire sur la Marne avait coûté des milliers de vies, dont celle de l'écrivain Charles Péguy.

En octobre, des pêcheurs alertèrent les navires de guerre britanniques, stationnés à Nassau. Ils avaient repéré un croiseur allemand, le *Karlsruhe*, qui évoluait entre Acklins et Mayaguana, au sud-est de l'archipel. D'autres avaient vu un navire charbonnier allemand à Grassy Creek Cay, à la pointe sud d'Andros Island. Nul doute que le croiseur eût rendezvous avec l'auxiliaire pour se ravitailler en charbon. Aussitôt, le *Suffolk*, le *Berwick* et le *Bristol* appareillèrent. Ils trouvèrent l'allemand et le poursuivirent, l'obligeant à abandonner une de ses chaloupes, laquelle fut déclarée prise de guerre et conduite à Hope Town, port de Great Abaco sur Elbow Cay[1].

Les Bahamiens qui suivaient l'action des troupes britanniques engagées sur le front français, ne cachèrent pas leur déception depuis qu'ils avaient appris que, dès le 4 août, Woodrow Wilson, président des États-Unis, avait proclamé la neutralité de l'Union, en demandant à ses concitoyens « d'être neutres en pensée et en acte ». Au Loyalists Club, où chaque soir, on commentait les événements, Philip Rodney se montra le plus critique.

– Il faut savoir que vingt pour cent des électeurs américains sont d'origine allemande, ce qui représente trois millions de voix. Alors, Wilson ne veut pas les mécontenter ! dit-il.

En mai 1915, ceux qui critiquaient l'attitude de Woodrow Wilson devant le conflit européen se prirent à espérer qu'il allait réviser sa position, après le torpillage du *Lusitania*, de la Cunard Line, par un sous-marin allemand, le 7 mai, à dix milles des côtes de l'Irlande. Le paquebot géant, sur lequel lord Pacal avait autrefois navigué, avait coulé en dix minutes. Mille deux cent cinquante passagers et hommes d'équipage avaient péri. Le fait que cent cinquante des cent quatre-vingt-huit passagers américains fussent au nombre des victimes, dont Alfred Gwyne Vanderbilt, descendant du commodore, et le producteur de films Charles Frohman,

---

1. Le *Karlsruhe*, plus rapide que les frégates anglaises, se rendit à San Juan de Porto Rico. En novembre 1914, il disparut à jamais, sans laisser de trace. Des marins assurèrent, plus tard, qu'il avait fait naufrage à la suite d'une explosion.

allait peut-être inciter le gouvernement à prendre en compte la véhémente indignation populaire.

De Boston, George décrivit à son père la réaction des étudiants d'Harvard.

« Nous avons été nombreux à scander *"Remember Lusitania"*, comme autrefois nos aînés avaient crié *"Remember Maine"*. Les étudiantes regrettent de ne pas être des garçons pour aller faire la guerre. »

Cette fois encore, l'atermoiement de Woodrow Wilson déçut ceux qui pensaient qu'on ne pouvait laisser, plus longtemps, les alliés se battre, sans appui, contre les armées de Guillaume II. Le gouvernement américain, influencé par William Jennings Bryan, le secrétaire d'État pacifiste, se contenta d'envoyer une série de notes. La dernière, le 21 juillet, était en forme d'ultimatum. Le président des États-Unis prévenait le gouvernement impérial que la répétition de tels actes, contraires aux règles de la guerre, serait considérée comme « délibérément inamicale ». Cette déclaration provoqua la démission de Bryan et son remplacement par Robert Lansing. Quelques semaines plus tard, le 19 août, en coulant le vapeur anglais *Arabic* à bord duquel se trouvaient deux citoyens américains, les Allemands perdirent tout crédit aux yeux de ceux qui prônaient une intervention militaire des États-Unis.

Au fil des mois, les étudiants de Harvard devinrent de plus en plus belliqueux.

« Pendant que nous jouons au tennis, nous baignons, dansons, des milliers de gens se font tuer pour défendre leur patrie. On nous répète que nous sommes la nation la plus puissante du monde et nous restons les bras croisés. Peut-être ne suffit-il pas, comme les banquiers rassemblés par John Pierpont Morgan l'ont fait, d'ouvrir un crédit de cinq cents millions de dollars à la France et à l'Angleterre », écrivait l'étudiant à son père. Dans le même temps, les pacifistes demandaient au gouvernement qu'on cessât les exportations d'armes, à destination de l'Europe, et aux banquiers de ne plus soutenir les entreprises qui fabriquaient ces armes.

Lord Pacal trouva Henry Ford bien naïf quand le fabricant d'automobiles arma l'*Oskar II*, un vapeur, qui le transporta en Écosse et en Norvège, avec un groupe de personnalités, chargées de promouvoir ce que Wilson appelait « une paix sans victoire ». Après six jours de palabres à Oslo, Ford regagna les États-Unis, dépité mais convaincu que l'Europe serait, plus tard, un marché fort intéressant pour l'automobile !

Une grande carte des opérations avait été fixée au mur, dans le bar du Loyalists Club. Chaque fois que des informations arrivaient de Nassau, les membres manifestaient comme au cricket et déplaçaient les petits drapeaux aux couleurs des alliés, pour suivre offensives ou retraites. Les actions britanniques, en France, étaient, de toutes, les plus exactement marquées. Lord Pacal, qui ne faisait que de rares apparitions au club, ne cacha pas qu'il désapprouvait « ce jeu malsain ».

– Savez-vous que, sous chacun de vos petits drapeaux, gisent des centaines, peut-être des milliers de morts et de blessés. Vos épingles, gentlemen, trempent dans le sang, dit-il, glacial.

Les plus anciens reconnurent le ton de lord Simon.

La carte disparut du bar et ce fut dans la réserve du club, où Sharko entreposait les provisions, que l'on continua à planter des drapeaux, sur des villes que personne, ici, n'avait visitées – Verdun, Nancy, Reims, Amiens –, et à inscrire, sur la Manche, les noms des bateaux torpillés, dont la liste s'allongeait chaque semaine : *Arabic, Agula, Falaba, Vosges*.

À la fin de l'année, tandis que les soldats du premier contingent du *British West Indies Regiment*, en partance pour l'Europe, posaient, en uniforme neuf, devant le photographe pour *The Nassau Guardian*, Pacal apprit, par une lettre de

Jane Kelscott, que l'Armée du Salut l'envoyait en France, avec un groupe d'infirmières. Elle ajoutait une nouvelle que les étudiants de Boston allaient bientôt répandre : l'écrivain américain Henry James, dont le frère William James, mort en 1912, avait enseigné la philosophie à Harvard, venait de demander et d'obtenir la nationalité britannique. Il renonçait à la citoyenneté américaine, pour « rectifier une situation devenue inconvenante et inconfortablement fausse ». *The Times* avait annoncé la nouvelle de « l'adoption de la nationalité britannique par Henry James ». Ami du Premier ministre, Herbert H. Asquith, l'écrivain, scandalisé par le pacifisme américain, avait voulu, rapportait le quotidien, « associer le poids de sa moralité et son allégeance personnelle, à toutes fins utiles, au destin actuel et futur de la nation en lutte[1] ». Cette décision valut à James d'être traité à Boston d'« anti-Américain », mais George Desteyrac-Cornfield et ses amis applaudirent le geste symbolique de l'auteur de *the Bostonians*, qui présidait le corps des ambulanciers américains volontaires en France.

Lord Pacal, fidèle lecteur de Henry James, rencontré lors d'un séjour à Londres, dans un dîner, considéra que la gravité du choix, certainement douloureux, de l'écrivain devrait éveiller les consciences, du nord au sud des États-Unis.

Henry James mourut, sans doute déçu, le 28 février 1916, mais quand, le 24 mars, le *Sussex*, un bateau français qui assurait le service des passagers sur la Manche et à bord duquel se trouvaient plusieurs citoyens américains, fut torpillé par un sous-marin allemand, la réaction de Woodrow Wilson prit la forme d'un ultimatum. Le président exigea l'arrêt immédiat des attaques de sous-marins

---

1. Henry James prêta le serment d'allégeance au roi George V et devint citoyen britannique le 26 juillet 1915. Ses parrains furent, notamment, le Premier ministre, Herbert H. Asquith, et l'écrivain Edmund Gosse.

contre les navires de commerce. Le Kaiser parut obtempérer et présenta des excuses pour une regrettable méprise, proposa une indemnité et promit de mettre fin à ces torpillages.

Le 15 avril, cinq cents intellectuels américains, qui n'ajoutaient plus foi à ce genre de promesses, signèrent une protestation contre les méthodes de guerre allemandes et affirmèrent « leur espoir dans le triomphe du droit et de la civilisation ». Cet éclat permit à Maurice Barrès d'écrire, le 30 avril, dans *l'Écho de Paris* : « Enfin, il est rompu le lourd silence américain. »

Les Bahamiens, pour qui cette guerre était une lointaine turbulence, qu'ils considéraient, avec leur nonchalance habituelle, comme circonscrite à l'Europe, commencèrent à craindre des incursions de la marine allemande dans les Caraïbes. Une autre nouvelle les inquiéta davantage. Les États-Unis venaient d'acquérir, pour vingt-cinq millions de dollars, dans l'archipel des Vierges, des îles, propriété de la couronne danoise. D'autres îles des Vierges, propriété de la couronne britannique, n'étaient pas à vendre. Mais pour combien de temps ? se demanda-t-on, à Nassau comme à Soledad. Qu'adviendrait-il des Bahamas, où des millionnaires américains se comportaient déjà comme en terrain conquis ?

Lors d'un voyage à Boston, pour assister au match de football qui opposait, chaque année, l'équipe de Yale à celle de Harvard[1], où jouait son fils, Pacal fut témoin des derniers jours de la campagne pour l'élection présidentielle. Woodrow Wilson, le démocrate, président sortant, était opposé au républicain Charles Evans Hughes, considéré comme belliciste et anglophile.

Les placards démocrates, publiés par le *New York Times*,

---

1. Il s'agit du football américain, né à Harvard en 1875 et qui reprenait les règles du rugby. Chaque équipe comptait onze joueurs.

proclamaient : « Si vous voulez la paix et la continuation de votre prospérité, votez Wilson. Si vous voulez la guerre, votez Hughes. »

– Qui, de gaieté de cœur, peut vouloir la guerre ? demanda Pacal, qui trouvait l'argumentation démocrate fallacieuse et bassement démagogique.

– Les bons bourgeois, qui ne voient pas plus loin que leur compte en banque, disent : « Il faut voter Wilson, il nous protège de la guerre », grommela George.

– On ne fait la guerre que contraint et forcé, car c'est bien le pire des moyens pour assurer le triomphe d'une cause, fût-elle la plus juste, observa lord Pacal.

– Au MIT, nous sommes prêts à suivre Theodore Roosevelt, l'ancien président. Il veut créer une division de volontaires, comme autrefois ses Rough Riders, qui firent merveille à Cuba. Il proteste contre la glorification naïve de la paix. Il a traité Wilson et ses amis d'agneaux bêlants, de couards, de pleutres. Il répète : « Le devoir d'abord, la sécurité ensuite. » Et, l'autre semaine, dans un discours à Lewiston, dans le Maine, il a donné un avertissement qui devrait être entendu : « Le jour où les vingt-cinq millions de combattants européens cesseront d'être des consommateurs, pour redevenir des producteurs, votre prospérité cessera. Votre peur de la guerre tourne à l'abjection. » Et il a dit que Wilson se comportait comme Ponce Pilate.

Thomas Artcliff, qui accompagnait Pacal, approuva.

– Il est vrai que l'actuelle prospérité tient à la guerre. En septembre, nos exportations ont atteint le chiffre record de cinq cents millions de dollars. Nous vendons, à la France et à la Grande-Bretagne, des céréales, du sucre, de la viande, de l'acier, du cuivre et même de la poudre à canon. La guerre en Europe est d'un bon rapport, pour tout le monde. Les salaires des ouvriers sont passés de cinq à quinze dollars la semaine. Les gens sont satisfaits et souhaitent que cela dure. Le succès de Wilson me paraît assuré, constata l'architecte.

Son pronostic se révéla exact. Woodrow Wilson fut réélu, le 7 novembre 1916. Il l'emporta, de près d'un million de voix, sur Hughes. Les démocrates conservèrent la majorité, dans les deux chambres du Congrès.

À vingt-trois ans, le fils de Pacal avait atteint une maturité exemplaire. Plus grand et plus fort que son père, stature d'athlète, démarche rythmée, cheveux blond roux, frisés, yeux clairs, teint hâlé par la pratique des sports de plein air, il offrait le type parfait du jeune Américain, viril et sûr de soi. Parmi les *seniors* qui quitteraient, comme lui, en 1917, la School of Architecture, où il avait suivi avec assiduité les cours de l'architecte français Despradelles, il passait pour le meilleur camarade, le plus rapide au base-ball et le plus actif séducteur de serveuses de cafétéria.

Sur le stade, au jour du match entre les équipes des universités rivales, que toute l'Amérique suivait avec passion, lord Pacal et Thomas Artcliff prirent place sur les gradins, au milieu des supporters de Harvard, vêtus de rouge, couleur de l'équipe. Ils faisaient face à ceux de Yale University, en bleu et violet. Abasourdi par les sons discordants des crécelles, trompes, tambours et par les cris, chants, hurlements, vociférations de quarante mille spectateurs, le Bahamien eut du mal à reconnaître son fils, parmi les joueurs, vindicatifs comme des gladiateurs. Casqué de cuir, les tibias protégés par des jambières, George, qui, dans son maillot rouge, jouait quart arrière, lui parut plus guerrier que sportif.

S'il fit l'admiration de son père, l'étudiant, par son audace, sa vélocité, sa façon d'agripper l'adversaire, de l'écraser au sol avec brutalité, enflamma la frénésie de ses admiratrices. Cou tendu, regard de feu, elles jetaient des cris âpres, exhortaient, poings serrés, leur héros à se battre, essuyaient avec leurs gants la sueur de leur front, bien qu'en cette fin novembre le froid fût vif.

Toute cette énergie dépensée, sur le stade, en suc musculaire, horions, crocs-en-jambe, étranglements, dans les gradins, en enrouements, bénéficia à Harvard, qui battit Yale, ce qui n'arrivait pas souvent. Ceux qui, quelques heures plus tôt, s'étaient disputé un ballon avec férocité, comme s'il se fût agi de la Toison d'or, oublièrent les coups échangés et firent, ensemble, la fête toute la nuit.

Le lendemain, dans l'après-midi, en accompagnant son père jusqu'au tombeau des Buchanan, où reposait sa mère, George annonça son intention de s'engager pour la guerre. Le bruit courait à Harvard, après la création d'une académie militaire, que les étudiants pourraient former un régiment de volontaires, dès que Wilson serait contraint de renoncer à une neutralité, perçue comme peu honorable.

– C'est l'arme nouvelle, l'aviation, qui m'intéresse. Les journalistes assurent que l'avion, qui a fait d'immenses progrès, sert à l'observation et aussi au bombardement des positions ennemies. Pense qu'un de nos pilotes a réussi à faire décoller son Curtiss du pont du *Birmingham*, ancré devant Hampton Road, en Virginie. On voit, en France, au-dessus des champs de bataille et des tranchées, des duels aériens, que se livrent aviateurs français et allemands. Comme les tournois des chevaliers d'autrefois, dit l'étudiant.

– J'aurais ton âge, je ferais de même, répondit Pacal, donnant ainsi un accord implicite.

Il fallut que l'on apprît à Washington, par les services secrets, que, le 31 janvier 1917, le Kaiser avait décidé de reprendre la guerre sous-marine, pour que le gouvernement américain s'émeuve. Dans le même temps, on découvrit que le gouvernement allemand avait proposé au gouvernement mexicain une alliance active, si les États-Unis entraient en guerre. En échange d'une aide militaire pour l'invasion des

États-Unis, les Mexicains récupéreraient, au Texas, en Arizona et au Nouveau-Mexique, les territoires dont les Américains les avaient dépouillés en 1848. Le moment d'une telle proposition semblait bien choisi. Quinze mille soldats américains, commandés par le général John Pershing, venaient de pénétrer de plus de cinq cents kilomètres au Mexique, pour tenter la capture du chef de bande Pancho Villa, assassin de dix-huit citoyens de l'Union.

La reprise de la guerre sous-marine était devenue effective, dès le 3 février, quand un submersible allemand avait envoyé par le fond le navire américain *Housatonic*. Le 1er avril, on déplorait le torpillage de sept autres navires américains, et plusieurs paquebots de la Compagnie Générale Transatlantique avaient été coulés. Quarante-huit citoyens des États-Unis avaient péri au cours de ces attaques.

Wilson, qui avait déjà rompu les relations diplomatiques avec l'Allemagne, convoqua le Congrès et lui demanda de voter la déclaration de guerre à l'Allemagne. Ce fut chose faite le 6 avril[1]. Aussitôt, George décrivit à son père la satisfaction des étudiants de Harvard University.

« Le maréchal Joffre, René Viviani, ancien président du Conseil français, et le marquis de Chambrun, descendant du marquis de La Fayette, sont attendus. Nous leur réservons un accueil patriotique. Nous apprenons tous *la Marseillaise*, l'hymne national français. Le président Wilson, qui souhaitait il n'y a pas si longtemps « une paix sans victoire », est aujourd'hui d'avis que, seule, une victoire peut apporter la paix. Après avoir obtenu du Congrès le financement de l'effort de guerre − on parle d'un milliard de dollars − Wilson a rappelé du Mexique le général John Pershing et l'a chargé, parce qu'il parle très bien le français, d'organiser un corps expéditionnaire. La conscription étant rétablie, vingt-quatre

---

1. 373 voix pour et 50 contre, à la chambre des Représentants ; 82 voix pour et 6 contre au Sénat.

millions d'Américains, entre vingt et un et trente ans, sont en cours de recensement.

» La formation d'un régiment de Harvard ayant été décidée, je me suis inscrit. Car, avant de pouvoir prétendre être admis dans l'aviation militaire, qui ne dispose que de soixante-dix avions d'école et trente pilotes, on doit apprendre le maniement d'armes et cette discipline qui, nous répète-t-on, « fait la force principale des armées ». Le Congrès a voté un crédit de six cent quarante millions de dollars, pour construire quatre mille cinq cents aéroplanes. J'ai donc une bonne chance de devenir un chasseur de plein ciel. En attendant, nous préparons le *Graduation Day*. Je compte sur votre présence et celle de parrain Thomas. »

Lord Pacal, ayant approuvé l'enrôlement de son fils, dut aussi, avec plus de craintes, souscrire à celui de sa fille. Martha, qui venait d'obtenir son diplôme de médecin, se préparait à partir pour la France, où elle rejoindrait le service d'aide aux blessés créé par Anne Morgan, la fille du banquier John Pierpont Morgan, de New York.

Le Bahamien tira quelque fierté de ces engagements où, se plut-il à penser, le sang français avait sa part et qui furent appréciés à Soledad, tel un geste de gratitude des petits-enfants de Charles Desteyrac pour l'ingénieur, dont le souvenir demeurait vivace, aussi bien dans le Cornfieldshire qu'au village des Arawak.

Le mardi 18 juin, le premier *Graduation Day* de la guerre, au cours duquel mille trois cents étudiants reçurent leur diplôme, prit une signification particulière. Pacal découvrit que son fils, comme un millier de ses condisciples du *Harvard Regiment*, portait, sous sa robe noire, l'uniforme kaki des engagés volontaires. Après les discours, au Saunders Theatre, dont ceux du général Leonard Wood, ancien de la Harvard Medical School, héros de la guerre hispano-américaine, et du président de l'université, Lawrence A. Lowell, on se rendit au stade. C'est là que les volontaires, constitués en deux bataillons, furent passés en revue par les *alumni*, les anciens de Harvard. Dans les tribunes, les pères bombèrent le torse, les mères essuyèrent une larme et les demoiselles applaudirent. Avant la dispersion, la chorale des *alumni* interpréta le *God Save the King* et *la Marseillaise*. Tous les étudiants engagés pour la guerre avaient suivi l'entraînement dirigé par le lieutenant Jean Giraudoux, diplomate dans la vie civile, membre de la mission d'instructeurs envoyés aux États-Unis à la demande du gouvernement américain.

Pour les étudiants amateurs de littérature française, Jean Giraudoux n'était pas un inconnu. Ils avaient lu plusieurs de ses ouvrages, dont *Provinciales* et *L'École des indifférents*. L'officier était arrivé à New York, le 26 avril, en compagnie d'autres instructeurs – dont le commandant Georges Méric, spécialiste des transmissions – et du philosophe Henri Bergson, venu donner des cours à Harvard University.

Blessé une première fois, le 16 septembre 1914, « à l'aine dans l'Aisne », comme il se plaisait à le dire, et une seconde fois, à l'épaule, aux Dardanelles, le 21 juin 1915, le lieutenant Giraudoux était, de tous les officiers français, le plus estimé par les recrues, le plus assiégé par leurs sœurs et cousines, le plus choyé par leurs mères. Son charme de héros blessé, sa distinction Quai d'Orsay, son humour caustique et sa connaissance de la vie américaine[1] lui valaient l'attention de tous, dès son apparition au Harvard Club, et de nombreuses invitations à dîner.

Ce jour-là, au cours du banquet traditionnel – le premier *Bone Dry*[2], c'est-à-dire sans alcool, par respect pour la loi de

---

1. Il avait donné des cours de français à Harvard University et des conférences à Boston, de septembre 1907 à mars 1908.
2. De *bone*, étudiant qui travaille beaucoup, bûcheur – notamment avant les examens –, en argot américain. Littéralement : étudiant sec.

prohibition, récemment votée –, George parla avec chaleur de Giraudoux.

– Il ne se conduit pas en professeur armé, ni en instructeur autoritaire, plutôt comme un frère aîné, qui veut nous faire comprendre les dangers et la grandeur des combats, expliqua-t-il à son père.

Quelques semaines après cette journée mémorable, George annonça son départ pour Kelly Field, au Texas. Il y passerait douze semaines d'instruction théorique au pilotage des avions, suivies d'une période de préparation en vol, à Roosevelt Field, Long Island, New York. De là, il serait sans doute envoyé à l'école de pilotage de sir Frederick Handley-Page, en Angleterre. Sir Frederick, ingénieur électricien, avait construit et fait voler le premier bombardier bi-moteur capable de porter une bombe de huit cents kilos. Son école assurait aussi le perfectionnement des pilotes de chasse. C'est après cette dernière probation que le jeune Américain pourrait être affecté à une escadrille.

Le général Pershing s'était embarqué pour la France, le 28 mai, à bord du *Baltic* et, le 12 juin, après accord avec le gouvernement français, les premiers soldats américains, mille hommes de l'infanterie de marine, avaient été accueillis au Havre, par une foule chaleureuse. Cette fois, l'Amérique entrait en guerre, comme on entre en croisade.

Par les lettres de Martha, lord Pacal put imaginer les destructions causées en France par trois années de combats. En se rendant d'un hôpital à l'autre, la jeune femme médecin disait avoir traversé des centaines de villages en ruine. Elle comptait, par dizaines de milliers, les blessés, par centaines de milliers, les morts. « Spectacle de désolation, misères physiques et morales d'une atroce brutalité. J'ai le sentiment que les Allemands ont été pris d'une rage de destruction inhumaine et souvent inutile. Je me demande aussi comment, après des rafales d'obus qui creusent tous les dix pas de profonds cratères, des hommes peuvent survivre. Dans les tranchées, des soldats français ou anglais dorment adossés à des murs de boue. Ils sont résignés, ne se plaignent pas ; c'est comme s'ils avaient déjà accepté leur sort. Les blessés de la dernière attaque sont portés par des camarades, dans les postes de secours, que les obus n'épargnent pas toujours. Après les premiers soins, les plus gravement atteints sont évacués vers l'arrière, par nos fourgons automobiles de la Croix-Rouge, ce qui ne va pas sans risques pour le personnel infirmier. Un de nos conducteurs d'ambulance, le sergent Osborne, a été tué en juin. Nous l'avons enterré au camp de Châlons-sur-Marne », écrivait Martha.

George ayant achevé sa formation au sol, puis goûté la griserie du premier vol, se préparait à partir pour la France. Lord Pacal voulut être présent, au jour du départ de son fils et, le 6 juillet, il vit des étudiants de Harvard University, devenus militaires, des fils et des filles des premières familles du Massachusetts, engagés par la Croix-Rouge, embarquer à Boston, sur le paquebot *Espagne*, à destination de Bordeaux. À partir de ce port, aménagé pour recevoir les gros contingents de l'armée des États-Unis allant au front et leur matériel, les élèves aviateurs se rendraient en Angleterre. Ce serait la partie la plus dangereuse du voyage, les sous-marins allemands patrouillant sans cesse dans la Manche.

Lord Pacal s'en fut attendre, à New York, le télégramme qui lui annoncerait l'arrivée de son fils. De Bordeaux, George lui écrivit une lettre euphorique.

« La traversée fut excellente, sans la moindre alerte. Nous avions à bord le compositeur Cole Porter, vedette du Glee Club, de Yale University. Il s'est engagé, pour la durée de la guerre, comme ambulancier. Il nous a fait danser, car nous ne manquions pas de cavalières et nous a, cent fois, joué la *Bobu Link Waltz*. Maintenant, je vous rassure, je ne traverserai pas la Manche en bateau, mais en avion, sur un Handley-Page, qu'un instructeur rapatrie en Angleterre, pour révision. Je serai à la place de la bombe, mais le pilote m'a promis de ne pas ouvrir la soute en vol ! »

Au long des mois qui suivirent, Pacal fut attentif aux nouvelles des combats qui se déroulaient en France. Si les premiers mois de 1918 avaient renforcé le moral des Allemands, débarrassés des Russes et des Roumains, après leur demande d'armistice, l'été leur fut défavorable sur le front occidental. Dès l'automne, ils ne purent plus soutenir les offensives alliées. Ce que confirmait Martha, d'après les confidences reçues d'officiers américains blessés. En revanche, George s'impatientait et pestait contre les journaux américains : on y lisait, trop souvent, que de nombreux aéroplanes, venus des États-Unis, étaient engagés dans les batailles. « C'est faux. Depuis que je suis en France, nous ne sommes que quelques-uns à voler sur les premiers Curtiss, arrivés en mai. Nous n'avons formé que quinze escadrilles, sur les soixante attendues par les Français. J'ai su que le général Pershing, fort mécontent de cette situation, avait câblé, dès le 28 février, à Washington, pour protester "contre un pareil bluff". On lui a promis l'envoi de six cents avions par mois, à partir d'octobre », précisait le jeune pilote.

Début novembre, par une nouvelle lettre, datée d'un hôpital dont la censure militaire interdisait qu'on divulguât le nom et la situation géographique, Pacal apprit que George était blessé.

« Une omoplate fendue, blessure sans gloire, car je me suis répandu dans un labour, après qu'un Fokker allemand m'eut envoyé une rafale de mitrailleuse dans le moteur. Il l'a payé cher, car j'ai réussi à l'abattre, avant de tenter l'atterrissage de fortune. J'ai, comme on dit ici, "cassé du bois", et me voilà dorloté comme un nouveau-né par des bonnes sœurs à cornette. Je ne comprends pas que des filles si jolies puissent prendre le voile au lieu de prendre un amant. »

Quelques jours plus tard, le 11 novembre, le monde entier vécut l'euphorie de la victoire. L'Allemagne, victime de son ambition insensée, avait capitulé sans conditions. La guerre, dévoreuse de millions de vies, était terrassée[1]. « À jamais en Europe », disaient les optimistes.

L'événement fut célébré, à Cornfield Manor comme à Nassau et dans toutes les colonies de la Couronne. Partout, parades, bals, feux d'artifice et inévitables discours attestèrent la joie des peuples meurtris, souvent obérée par le deuil.

Dès que la nouvelle parvint à Soledad, lord Pacal se rendit au Loyalists Club, pour participer aux réjouissances des marins de sa flotte. Sharko avait décoré le bar de guirlandes, de petits drapeaux alliés et de lampions, mais avant qu'on ne débouche les bouteilles offertes par le maître de l'île, ce dernier demanda une minute de recueillement à la mémoire de Gilles Artwood et d'Anthony MacLay dont les croiseurs avaient été coulés en mer du Nord.

Au cours de cette soirée, lord Pacal fut abordé par John MacTrotter.

— Je suis en correspondance régulière, *my lord*, avec l'ornithologue de New Orleans, Estelle Miller. Il y a déjà longtemps, elle s'était étonnée que vous n'ayez jamais répondu à ses lettres. Je m'étais alors permis de lui écrire que vous aviez bien d'autres soucis, que c'était sans doute négligence d'un homme très occupé et grand voyageur, dit MacTrotter.

— Vous avez eu raison, trop occupé, répondit Pacal.

---

1. Un million trois cent quatre-vingt-dix mille Français, sept cent soixante-quatre mille Britanniques, un million neuf cent mille Allemands avaient trouvé la mort. Cinquante-trois mille Américains – dont quatre-vingt-six pour la seule Harvard Law School – avaient été tués au combat, soixante-trois mille avaient succombé à des blessures ou à des maladies, plus de deux cent mille avaient été blessés.

– Je dois ajouter, *my lord*, que je suis invité à une convention organisée par une société ornithologique de Louisiane. J'ai l'intention, si vous n'y voyez pas d'inconvénient, de me rendre à cette invitation, ce qui me donnera l'occasion de revoir Estelle Miller, car je garde un très bon souvenir de nos échanges.

– Allez à New Orleans, je vous y encourage. La guerre est finie, nous pouvons reprendre de plus agréables occupations, confirma Pacal.

– Puis-je emporter, pour offrir à Estelle Miller, un couple de nos rares perroquets arc-en-ciel. Ils lui ont tellement plu, ajouta l'ornithologue.

– Ajoutez-y, de ma part, une perruche à moustache, compléta lord Pacal avec un sourire ambigu.

Sorti guéri de l'hôpital, George ne manifesta pas un désir pressant de rentrer aux États-Unis, où Thomas Artcliff était prêt à l'embaucher dans son cabinet d'architecte.

« Ayant vu en France assez de beaux bâtiments, ruinés ou abîmés, comme la cathédrale de Reims, j'ai envie de parcourir les régions qui n'ont pas directement souffert de la guerre. J'ai déjà visité les châteaux de la Loire, photographié la cathédrale d'Albi et le pont du Gard. Je voudrais, avant de rentrer, parcourir la cité de Carcassonne, ville médiévale bien conservée. Après, j'embarquerai sur un des navires qui rapatrient nos soldats. Comme vous devez le savoir, Martha ne rentrera pas tout de suite. Comme tous nos médecins, elle s'active auprès de nos soldats, touchés par une épidémie d'*influenza*, qu'on appelle ici "grippe espagnole" et qui tue beaucoup de gens. Plus de mille Parisiens par semaine, dit-on », concluait l'aviateur.

Ce n'est qu'en janvier 1919 que Pacal fut averti par télégramme de l'arrivée de son fils à New York, où il se rendit aussitôt, à bord du *Lady Ounca*.

En retrouvant l'aviateur chez Thomas Artcliff, il vit, au premier regard, combien George avait changé en deux ans. Une calvitie naissante, sans doute due au port quotidien du casque de cuir, et surtout, le regard vide de ceux qui ont tué pour ne pas l'être, impressionnèrent Pacal. Il s'attendait à voir George réjoui et, comme autrefois, exubérant et volubile. Face à son père, l'aviateur n'esquissa qu'un sourire douloureux. Après une accolade prolongée mais silencieuse, il recula d'un pas, demeura un instant figé, les yeux mi-clos.

– Ça ne va pas ? s'inquiéta Pacal.

– Père, j'apporte une affreuse nouvelle. Soyez courageux.

– Martha ! Tu veux parler de Martha ?

– Oui, Martha. Elle est morte en soignant ceux des nôtres victimes de cette grippe espagnole, qui fait des ravages dans toute l'Europe, révéla l'officier.

– Je suivais, par les journaux, le développement de cette nouvelle calamité. Je savais la santé de Martha menacée, mais de là à imaginer..., murmura Pacal les maxillaires noués par le chagrin.

Thomas vint à son ami, le prit affectueusement par l'épaule et le fit s'asseoir dans un fauteuil.

– Quand est-ce arrivé ? finit par demander Pacal.

– Avant de quitter Paris pour Saint-Nazaire, j'ai voulu revoir ma sœur, car nous nous étions souvent rencontrés pendant nos permissions. À l'hôpital de Joigny, où elle avait été affectée, on m'apprit qu'elle était morte la veille.

– Où est-elle, maintenant ?

– Ici, père. J'ai obtenu qu'on prît le cercueil à bord du *Kaiserin Augusta Victoria*, qui rapatrie les Américains, vivants ou morts, ajouta George.

– Tu as bien fait, approuva le père, accablé.

– Martha se trouve maintenant dans un *funeral home*, près d'ici. J'imagine que tu veux qu'elle repose à Boston, près de sa mère ? intervint Artcliff.

Lord Pacal acquiesça, d'un signe de tête.

– Je m'occuperai des formalités, compléta l'architecte.

Lord Pacal quitta son siège, fit effort pour se raidir, posa le doigt sur les décorations épinglées au dolman de son fils, la Croix de Guerre française et la *Field Service Medal* américaine.

– Tu t'es bien battu. Lord Simon et Charles Desteyrac, tes ancêtres, des alliés de toujours en quelque sorte, eussent été fiers de toi. Martha a payé à cette terrible guerre le tribut de notre famille. Cependant, tout doit continuer et, pour toi, une nouvelle vie commence, mon garçon, dit-il, avant de gagner la chambre qu'il occupait chez Thomas, à chacun de ses séjours.

Seul, la porte close, Pacal donna libre cours à son affliction. Martha, la plus Cornfield de ses deux enfants, était entrée dans la mort avant même de vraiment connaître le bonheur insulaire dont elle avait rêvé. Médecin et fille du maître de l'île, elle eût été appréciée à Soledad.

Une soudaine lassitude s'empara du père meurtri. Sans Martha, Soledad perdait toutes chances d'une pérennité Cornfield, George étant devenu le parfait Yankee souhaité par sa défunte mère.

Dominant sa peine, résolu à faire face à la cruelle injustice du sort, Pacal se raidit, noua sous son col une cravate noire et rejoignit Artcliff et George.

Lord Pacal ne s'attarda pas à Boston et, dès le lendemain des funérailles de sa fille, le *Lady Ounca* appareilla pour Soledad. George retournait à New York, avec son parrain, pour préparer son avenir d'architecte.

Entre la côte américaine et les Bahamas, Pacal, face à la solennelle indifférence de l'Océan, se vit soudain comme un vieil ours solitaire. À Boston, Fanny et Andrew Cunnings lui avaient dit qu'à soixante-deux ans il ne paraissait pas son âge. Même si son miroir, à l'heure du rasage, lui renvoyait l'image acceptable d'un homme aux traits nets, joues creuses, regard assuré, à qui le sang indien épargnait peut-être abondance de cheveux blancs, les années et les deuils répétés l'éloignaient d'un monde en gestation.

Cette guerre avait accéléré tous les progrès et l'on percevait, déjà, qu'elle avait changé les habitudes et les mœurs. Cela était patent dans le comportement des Noirs américains, revenus de France, où la ségrégation n'existait pas. Ils avaient pris goût, avec les Blancs, à une certaine familiarité. Les magazines français les avaient photographiés embrassant des femmes blanches.

Souvent, dans les journaux américains et les conversations, des Blancs, citoyens de l'Union, s'en indignaient maintenant. Déjà, pendant la guerre, le général Pershing s'était ému de ces façons auprès du gouvernement français. Rentrés aux États-Unis, ces Noirs, souvent les plus exposés au combat, créaient des troubles dans les villes du nord, à Chicago notamment, où ils entendaient se comporter comme en Europe. On déplorait des rixes, sur les plages du Michigan, où des vétérans noirs entendaient se baigner dans la zone réservée aux Blancs. À Washington, des citoyens blancs avaient, pendant treize jours, incendié des maisons, dans le quartier noir, et lynché leurs occupants. Dans les anciens États esclavagistes, renaissait le Ku Klux Klan, de sinistre mémoire. À Boston, lord Pacal avait entendu les puritains rappeler avec véhémence : « La nature n'a pas appelé les Noirs à l'égalité avec les Blancs. Il convient que chacun reste à sa place. »

Maître de l'île où, depuis plus d'un siècle, les Cornfield s'étaient appliqués à traiter tous les humains, quelles que fussent leur race et la couleur de leur peau, avec une égale rectitude, lord Pacal ne pouvait que condamner l'ostracisme racial voulu par les Américains de race blanche.

Lors de son escale habituelle à Nassau, le 30 janvier, Pacal trouva la ville en fête. La veille, deux hydravions venus de Miami avaient amerri, entre Hog Island et New Providence, après avoir survolé l'archipel. Les pilotes, le lieutenant Sidney Farrington, de la British Royal Air Force, et le lieutenant J. H. Cummings, de l'US Naval Air Service, avaient parcouru les cent cinquante-neuf miles qui séparent Miami de Nassau en deux heures et quarante-trois minutes. Reçus par le gouverneur, les aviateurs invitèrent ce dernier à faire un vol, ce qui permit au représentant de Sa Très Gracieuse Majesté le roi George V de voir New Providence et d'autres îles du haut du ciel, comme les voient les oiseaux !

Si les hôteliers se réjouissaient en imaginant une prochaine liaison aérienne pour touristes fortunés, entre la Floride et Nassau, les fonctionnaires du Colonial Office avaient en tête une autre préoccupation. À la Jamaïque, un certain Marcus Garvey venait de fonder The Universal Negro Improvement Association, l'UNIA, qui se proposait de créer un empire noir dans les Caraïbes. Les Noirs entendaient assumer les responsabilités politiques et économiques jusque-là dévolues aux Blancs. Les théories de Garvey commençaient à se répandre dans les West Indies et, notamment, aux Bahamas, où les travailleurs de race noire formulaient des revendications.

Ces craintes paraissaient oubliées quand les Bahamiens du *First West Indies Regiment*, incorporés à l'armée britannique au cours de la guerre en Europe, furent accueillis, à Nassau, par le gouverneur et les membres de la *General Assembly*. Sur les six cent soixante-dix mobilisés, cinquante avaient été tués en opération. Les survivants reçurent, en plus de cadeaux, une prime de cinq livres sterling.

Si les anciens combattants furent heureux de retrouver

leurs îles, ce ne fut qu'une petite partie des deux mille cinq cents Bahamiens recrutés, sur contrat, en juillet 1918, pour travailler à Charleston, Caroline du Sud, qui, les hostilités terminées, revinrent aux Bahamas. Engagés pour remplacer les ouvriers agricoles incorporés dans l'armée américaine, nombreux furent ceux qui, à la fin de leur engagement, préférèrent rester aux États-Unis, où ils trouvèrent des emplois bien rémunérés. On ne les revit qu'au temps des vacances ou quand ils vinrent chercher femmes et enfants, pour un exil définitif.

Une surprise attendait lord Pacal à Soledad. Par une lettre au style alambiqué, John MacTrotter annonçait son mariage avec Estelle Miller. « J'ai vingt-deux ans de plus qu'elle, mais Estelle me fait la grâce de ne pas en tenir compte. Je vais m'installer définitivement à New Orleans. Nous viendrons, cet été, chercher mon petit déménagement. Mais la guerre étant finie, peut-être irez-vous, comme autrefois, en Europe à cette époque ? S'il en était ainsi, nous regretterions, ma femme et moi, de ne point vous voir », concluait MacTrotter.

Lord Pacal, qui n'était pas dupe de cette précaution épistolaire, dicta, à Violet, des félicitations et des vœux de bonheur pour les époux et dit son regret d'être absent lors de leur voyage d'été.

– Faites envoyer le traditionnel bol à punch aux époux. Mais, sans le blason Cornfield, naturellement, ordonna Pacal, amusé.

Le courrier délivré pendant son récent séjour à Nassau contenait une autre nouvelle, triste celle-là. Le père Trévol lui adressait, comme chaque mois, une courte chronique d'Esteyrac. « La guerre a durement éprouvé notre village. Sur les dix-sept mobilisés, cinq ne sont pas revenus, dont le fils du maire et le mari de Ninette, tué aux Éparges. La voilà bien seulette car sans enfants. Et nous voilà tous sans maréchal-ferrant. J'ai dit à Ninette qu'elle pourrait peut-être, quand vous serez chez nous, vous servir à plein temps. Ça lui changerait les idées et ça lui ferait un peu plus de sous, vu que la voilà sans mari. »

Lord Pacal répondit aussitôt qu'il engageait – dès réception de sa lettre – Ninette à son service, à l'année. « Installez-la, dès maintenant, au château. J'y viendrai, l'année prochaine sans doute, pour un long séjour », répondit-il à Trévol.

Au cours de l'année, lord Pacal, fidèle à son mode de vie bien réglé, prit conscience sans plaisir qu'il avait vieilli avec son île. Il vivait avec elle depuis le temps de l'éclairage à la bougie, quand toutes les maisons étaient de bois, les chemins de terre battue, quand le petit train de lord Simon était une curiosité, avant que son père n'érige le phare du Cabo del Diablo. En ce temps-là, les insulaires, derniers Arawak ou Noirs, descendants d'esclaves, ne quittaient pas Soledad pour devenir valets de chambre, portiers ou serveurs dans les hôtels de Nassau, ou s'exiler en Floride, pour construire les chemins de fer de Flagler. Soledad, sous le règne des Cornfield, était un exemple du bon ton colonial à la mode britannique. Cette originalité d'un territoire minuscule qui, au cours des siècles, avait réussi le très séduisant amalgame du passé indien, de l'épisode espagnol, de la possession anglaise et de l'apport français dû à l'ingénieur Charles Desteyrac, était peut-être à la veille de disparaître. Devant le risque d'américanisation, que George ne manquerait pas d'encourager, lord Pacal se demandait si ce passé, aimablement composite, n'était pas vue de l'esprit. Henry James avait écrit, au cours d'une visite à sa chère ville de Boston : « Tout ce qui a réussi à vivre assez longtemps pour être conscient de sa note est à l'occasion capable de faire sonner cette note. » Or la note Soledad, sur le clavier du Temps, ne sonnait plus qu'au crépuscule qui, estompant tout le neuf, ne laissait percevoir que l'île primitive. Mais bientôt, pour entendre ce que James nommait la note particulière, personnelle, l'identité unique, il faudrait **ten**dre l'oreille et ne plus faire confiance qu'aux souvenirs.

S'il avait pris conscience d'une évolution déroutante, lord Pacal n'avait pas soupçonné que les choses pussent aller si vite.

George, devenu architecte au cabinet de son parrain, à New York, avait tout de suite assumé de telles responsabilités qu'il n'avait fait que travailler au rythme imposé par Thomas, entrepreneur boulimique. Ce dernier ayant octroyé quelques vacances à son filleul, le jeune homme rendit visite à son père, au printemps 1920.

Le maître de l'île fut satisfait de voir que l'ancien combattant avait retrouvé assurance, ton jovial et foi en l'avenir. Pour son premier dîner à Cornfield Manor, George se présenta dans un complet de ville, ce qui déplut à Pacal, désappointa le majordome, étonna les valets.

– Pardonnez ma tenue. Je n'ai pas apporté de *tuxedo*, s'excusa-t-il, devant l'air réprobateur de son père.

– Un officier peut dîner en uniforme. Mais rendu à la vie civile, tu trouveras certainement dans ma garde-robe un *dinner-jacket* à ta taille, dit Pacal pour clore l'incident.

Il était conscient que son fils jugeait surannée l'obligation de s'habiller pour le dîner.

Comme s'il avait deviné la pensée de son père, George livra son état d'esprit, celui des jeunes Américains de sa génération, retour de guerre.

– Du ciel, j'ai vu la mort en pleine activité. C'était, à la fois, horrible et fascinant. La vie a, pour moi, maintenant, d'autres règles et une autre saveur. Parrain m'a confié des projets, je dessine des immeubles, je conduis des chantiers, nous travaillons ensemble et je compte bien vous être utile à Soledad, dit-il.

– Tu en seras un jour propriétaire, libre à toi, alors, d'y exercer ton talent, répondit Pacal.

– Savez-vous, père, que vous pourriez gagner beaucoup d'argent en acceptant de recevoir, ici, les contrebandiers d'alcool, les bootleggers, et leur ouvrir un entrepôt, pour leurs cargaisons à destination de l'Union. Les cargos, venus d'Europe ou du Canada, livrent les alcools dans les îles, car l'archipel est sur le boulevard du rhum. Les contrebandiers, qui disposent de rapides bateaux à moteur, les réceptionnent et les portent en Floride ou dans les ports des Carolines. Nassau, Grand Bahama et les Bimini Islands sont les entrepôts les plus prisés, parce qu'à cinquante-cinq milles de la côte américaine. Les contrebandiers paient bien les entreposeurs, car la demande d'alcool est forte, expliqua George.

– Crois-tu ? dit lord Pacal, amusé.

– Depuis que le 18e amendement à la Constitution[1], a été ratifié par le Congrès, aucun Américain ne peut plus boire légalement ni whisky, ni vin, ni bière. Naturellement, on n'a jamais autant bu de whisky, dans les bars clandestins de New York. Tourner la loi est devenu un jeu, un sport. Des hommes et des femmes, qui ne buvaient pas d'alcool, se sont mis à en boire, par défi et parce que cette loi, rapportée par le sénateur Andrew J. Volstead, est considérée comme une atteinte à la liberté.

– Je suis très bien renseigné, mon garçon. Je sais ce qui

---

1. Cet amendement, proposé par le Congrès le 18 décembre 1917, sous la pression des ligues anti-alcooliques, avait été soumis, le 29 janvier 1919, aux États, qui l'avaient accepté, sauf le Connecticut et Rhode Island. La loi d'application, votée le 28 octobre 1919, interdisait « la fabrication, la vente et le transport de produits spiritueux à usage de boisson, à l'intérieur des États-Unis et de tous les territoires soumis à la juridiction de ces États, ainsi que leur importation ou leur exportation ».

se passe à Nassau, à Grand Bahama, à Andros, et sur d'autres îles, devenues depuis peu des caves à whisky. Pour certains insulaires, la loi américaine sur la prohibition est, certes, une aubaine. On compte, à Nassau, une vingtaine de nouveaux négociants en spiritueux, qui sont en train de faire fortune. Le quartier général des contrebandiers est le Lucerne Hotel, sur Frederick Street. On y joue au poker, à cent dollars la mise, et on y donne des bals, où des gens de la pire espèce se mêlent aux touristes. Le Graycliff est le lieu préféré de la haute pègre. Il est tenu par un certain Polly Leach, un ami d'Al Capone, le plus redouté gangster de Chicago[1]. La police a fort à faire, car ces messieurs se volent entre eux et se battent. Sans la loi britannique, qui interdit les armes à feu à Nassau, il y aurait des morts, chaque nuit, révéla Pacal.

– Mais, père, les autorités se réjouissent aussi, car tout l'alcool en transit dans vos îles est taxé par la douane, dont les recettes auraient triplé en un an, d'après ce que l'on murmure, dit George.

– Nul doute que la contrebande d'alcool soit un nouveau pactole pour les Bahamas. On se croit revenu au temps de la guerre de Sécession, quand transitaient, chez nous, les armes et munitions des Sudistes. Seulement, les forceurs de blocus étaient le plus souvent des officiers de la Navy en congé, des patriotes, en tout cas, pour la plupart, des gentlemen. Vos bootleggers sont des bandits, que je refuse de recevoir à Soledad, asséna Pacal, catégorique.

---

1. Le Graycliff Hotel est aujourd'hui un établissement respectable, le plus raffiné, la meilleure table et la meilleure cave de Nassau, assurent les guides. C'est le seul hôtel des Bahamas affilié à la chaîne française Relais et Châteaux.

George regagna New York quand son père s'embarqua pour la France, à la fin du printemps.

Lord Pacal n'avait jamais autant senti le besoin de revoir sa gentilhommière d'Esteyrac. Les traversées transatlantiques étant rétablies, il débarqua au Havre et, sans même s'arrêter à Paris, encore tout aux émois de l'immédiat après-guerre, il loua une automobile et se fit conduire en Auvergne, région épargnée par les destructions, dont on découvrait le bilan : plus de trois cent mille maisons détruites, plus de cinquante mille kilomètres de routes à remettre en état, plus de deux millions d'hectares de terres cultivables à débarrasser de la ferraille, tombée du ciel pendant quatre années.

Au village d'Esteyrac, il ne vit, d'abord, que des femmes vêtues de noir, veuves ou mères des morts. Ninette n'avait plus rien de la jeune paysanne primesautière et ne put retenir ses larmes quand Pacal voulut connaître les circonstances de la mort de son mari, le forgeron.

– Tout ce qu'on m'a écrit, c'est qu'il a été tué avec des centaines d'autres, quand son régiment prit le village des Éparges, dans la Meuse. Tout ce qu'on sait, c'est qu'il est mort, dit-elle.

Quelques jours plus tard, Pacal ayant confié à la jeune veuve, maintenant gouvernante et cuisinière du château, que sa fille américaine, médecin aux armées, était morte de la grippe espagnole et que son fils aviateur avait été blessé, tout le village fut informé. L'attitude des villageois, longtemps circonspects à son égard, plus par discrétion que par défiance, se modifia aussitôt. Il fut désormais considéré comme un des leurs, un de ceux qui avaient souffert de la guerre, et non plus comme l'étranger, venu d'un pays qui n'avait connu ni chagrin ni destruction.

Pour la première fois, lord Pacal, censé pratiquer la religion anglicane, voulut assister, au milieu des villageois, à la messe de la Saint-Austremoine, cette année-là célébrée en hommage aux morts de la paroisse. À l'issue du service, il découvrit, dans les regards et les propos, la familiarité, nouvelle et de bon ton, des paroissiens, que le partage du malheur lie autant que le partage de l'amour.

La quiétude du séjour auvergnat, fondée sur les rythmes ancestraux qui règlent la vie des paysans, rendit à lord Pacal une nouvelle sérénité.

Quand il quitta la France à la fin de l'été, pour une traversée sans aléas, il savait qu'en son absence les tempêtes tropicales s'étaient acharnées sur les Bahamas.

Bien qu'il eût été préparé par les lettres de Violet à la gravité des dégâts, causés par les ouragans de juillet et août, plus encore par John Maitland, venu l'accueillir à Nassau avec le *Lady Ounca*, lord Pacal fut atterré en découvrant, dès son arrivée à Soledad, l'étendue des destructions. Le port occidental avait été, en partie, submergé par la vague de succion, séquelle des fortes tempêtes. Un entrepôt s'était effondré, des embarcations avaient été projetées en terre ferme, le *Centaur*, drossé contre un quai, montrait ses membrures brisées.

Le vieux Timbo ne voulut laisser à personne le soin d'accueillir son maître et c'est en compagnie de l'Arawak, silencieux et visage défait, que lord Pacal compta, chemin faisant à travers le Cornfieldshire, les palmiers déracinés, les haies d'hibiscus broyées, les bungalows sans toiture. L'arrivée à Cornfield Manor le laissa sans voix. Les deux cheminées des pignons latéraux n'existaient plus, des auvents manquaient aux fenêtres, dont les vitres n'avaient pu être remplacées. Le plus éprouvant fut la vue de la galerie, dont le plancher disjoint s'était incliné sur le grand escalier de pierre. Les minces colonnettes de bois, supports de l'avant-toit, avaient été brisées, comme des allumettes, et le vent, s'engouffrant sous les chiens-assis, les avait arrachés du toit. Les jardiniers trouvaient encore leurs débris, parmi d'autres, dans le parc aux massifs dévastés. Seul, le mausolée Cornfield semblait intact.

– Qu'est qu'on va deveni', *my lord* ? Pu de cheminée, pu de cuisine, les vit'es pâ'ties et la maison qui t'emble comme si elle avait encore peu'.

– Nous allons voir, Timbo, nous allons voir, dit Pacal, dominant sa consternation.

– Pouvez pas dormi' ni manger là, *my lord*. M'ame Maitland vous attend à Valmy, qui a pas beaucoup de mal, dit Timbo.

Le lendemain, Pacal, hébergé par les Maitland, parcourut l'île à cheval, car, vu la situation, il avait spontanément offert la Ford T au docteur Ramírez. Les fermiers insulaires, habitués aux fureurs des cyclones, réparaient toitures, granges et clôtures ; les Arawak relevaient, sans une plainte, leurs cases renversées ; au village des artisans, on nettoyait ateliers et boutiques.

Le pire attendait lord Pacal au sud de l'île. Le pont de Buena Vista, dont la structure de fer, rongée par les embruns et la rouille, avait ployé sous les coups de boutoir des tempêtes, gisait, tordu et démantibulé, dans la faille du Devil Channel. De l'autre côté de l'îlot, le phare, veilleur impavide et meurtrier, n'avait jamais cessé de fonctionner. Du haut de sa tour, le gardien adressa un signe à Pacal, qui se dit : « Mon père avait fait du solide. La tour a tenu. »

Depuis la destruction du pont, le gardien était ravitaillé par mer. C'est aussi par bateau que les orphelins, sous la conduite de Manuela et de sa fille Ana, avaient été évacués, au cours d'une accalmie. Buena Vista retrouvait ainsi l'isolement primitif, longtemps défendu par lady Lamia. Le Bahamien y vit un troublant symbole.

Face à la dévastation, une décision s'imposa au maître de Soledad. Il envoya Maitland porter un télégramme à Nassau, à destination de Thomas Artcliff et George, puis s'enferma dans son cabinet de travail, que Violet et son mari avaient, tant bien que mal, remis en ordre. À la fin de l'après-midi, les modulations empruntées des moqueurs lui parvinrent, tel un signe de constance, tandis que, sur sa sellette, la tête de cristal de roche irradiait la lumière lénitive du soleil frisant. L'ouragan tropical avait, certes, accablé l'île, mais que représentaient ses méfaits, comparés à ceux commis en France par la guerre ?

George et son parrain répondirent aussitôt à l'appel de Pacal. Ils trouvèrent, à Nassau, le commandant Maitland, qui les attendait depuis dix jours, et leur arrivée à Soledad fut saluée, comme un espoir de renouveau, par les habitants du Cornfieldshire.

Pacal leur laissa le temps de faire l'état des lieux et, après un dîner servi à Cornfield Manor, dans une salle à manger rendue utilisable par Tom O'Graney et ses charpentiers, il sollicita l'avis des architectes.

– Il serait vain, père, de vous faire croire que le manoir puisse jamais retrouver son aspect ancien. Ce n'est d'ailleurs pas souhaitable. Cornfield Manor a été si fortement ébranlé qu'au premier coup de vent violent la demeure va s'effondrer... peut-être sur votre tête, commença George.

– Il faut en profiter pour faire du neuf, Pacal. Nous disposons, aujourd'hui, de nouveaux matériaux. La pierre, taillée dans le calcaire corallien, c'est du passé. Tu as vu le nouvel hôtel de Nassau, le Rozalda. Lui, crois-moi, il résistera aux assauts des ouragans, précisa Thomas.

– Et puis, ne croyez-vous pas, père, qu'il serait temps que soient valorisées la beauté et la situation exceptionnelle de Soledad, avança George.

– Il a raison. Soledad est un riche domaine, inexploité, renchérit Thomas.

– Que voulez-vous faire de mon île ? s'inquiéta Pacal.

– La plus belle, la plus luxueuse, la plus *exclusive* des stations balnéaires et touristiques des West Indies, osa George.

– Pour cela, il faut usine électrique, hôtels, restaurants, boutiques, golf, piscines, tennis, clubs avec salle de jeux, hippodrome, routes lisses pour les automobiles, plages aménagées, quais pour les yachts, etc., compléta Artcliff, sans laisser à son ami le temps de revenir de sa stupéfaction.

– Que faites-vous des indigènes ?

– Tous les insulaires y trouveront leur compte. Les pêcheurs et les fermiers fourniront les restaurants ; vos ananas et vos primeurs d'Eleuthera seront les bienvenus ; les braves femmes qui tressent chapeaux et paniers de sisal que les commerçants de Nassau leur achètent, à des prix de misère, les vendront directement aux villégiateurs, s'enhardit à développer Georges.

– Vous respecterez, j'espère, le mausolée Cornfield, ironisa Pacal, amer.

– Ce sera, mon cher, une attraction émouvante pour les visiteurs. Nous autres, Américains, vénérons comme relique tout ce qui a plus de cent ans ! dit Thomas.

– Et les pêcheurs d'éponges, que j'ai vus à l'œuvre ce matin, feront le spectacle, compléta George.

– On pourra même, avec un bateau à fond de verre, comme il en existe en Floride, montrer le repas des requins, acheva Artcliff, guilleret.

Lord Pacal, jusque-là silencieux, but une gorgée de porto et tira de son cigare une bouffée gourmande.

– Ce que vous proposez n'est pas mon affaire. J'ai trop d'habitudes pour supporter pareils changements. Ce sera à toi, George, d'accomplir cette mutation à l'américaine, dit-il.

– Bien sûr, plus tard, plus tard, quand vous serez las de vivre comme un reclus, s'empressa de dire George.

– Pourquoi « plus tard » ? Pourquoi pas tout de suite. L'ouragan a fait une partie du travail, dit brusquement lord Pacal.

– Mais, nous ne voulons rien imposer qui puisse te déplaire, dit Thomas.

– Nous aurions l'air de vous chasser, s'indigna George, ému.

– Ne vous souciez plus de mes goûts. Ils sont dépassés, comme le calcaire corallien. Vos projets sont dans le vent de l'époque. Laissez-moi réfléchir à la meilleure façon de passer la main, conclut Pacal en levant la séance, devant les deux hommes, un peu confus.

Tandis que George et Thomas quittaient le manoir délabré pour Malcolm House, résidence épargnée par les éléments, lord Pacal passa dans son cabinet de travail.

Depuis la fin de la guerre, il avait acquis la conviction qu'une nouvelle ère était en gestation pour les Bahamas. Certains signes révélaient, déjà, un changement dans la mentalité des insulaires. Le splendide isolement des îles ensoleillées appartenait à un passé révolu, dont les nouvelles générations n'auraient connaissance que par les livres d'histoire.

Après que deux hydravions militaires s'étaient posés, en janvier 1919, devant Nassau, les liaisons aériennes commerciales étaient devenues régulières pendant la saison, de novembre à mai, entre la Floride et New Providence. Sur mer, en plus de la compagnie Cunard, la Royal Mail Line assurait une traversée mensuelle, entre Liverpool et Nassau, et des vapeurs reliaient, deux fois par semaine, la Floride, à partir de Jacksonville et de Key West, à la capitale des

Bahamas. Celle-ci était aussi accessible, chaque semaine, en deux jours et demi, à partir de New York, par la Musson Steamship Line. Il en coûtait soixante-quinze dollars en première classe et quarante-cinq en seconde.

Aux cent cinquante chambres du vieux Royal Victoria Hotel s'étaient ajoutées les six cents du Colonial Hotel, où l'on logeait très confortablement pour cinq dollars par jour. Les visiteurs pouvaient encore choisir les hôtels Nassau, Allan ou Rozalda voire l'une des nombreuses pensions de famille, dont le tarif variait de huit à vingt-cinq dollars la semaine.

Les riches Américains, membres du New York Yacht Club, dont les bateaux mouillaient entre Nassau et Hog Island, jouissaient du très select Porcupine Club, des courts du Nassau Lawn Tennis Club, de deux terrains de golf et, depuis peu, d'un golf miniature, introduit aux Bahamas par le docteur Casselberry. Le Colonial Office prévoyait que, dans le budget de la colonie, le tourisme supplanterait bientôt le commerce des éponges, jusque-là première source de revenus.

Le téléphone et, maintenant, la radiophonie mettaient le monde entier à portée de voix et d'oreille. Ne venait-on pas d'inaugurer, à Governor's Island, une nouvelle station radiophonique, qui couvrait de ses ondes les Out Islands. À Nassau, une centrale électrique, plus puissante et plus fiable, remplaçait celle construite sur les conseils d'Albert Fouquet, l'ami de Charles Desteyrac. La nouvelle usine distribuait, partout sur New Providence, la lumière et l'énergie. Des entrepôts frigorifiques, propres à la conservation des denrées périssables, en attente d'exportation, étaient en voie d'achèvement. On avait créé des docks, pour recevoir les fournisseurs des bootleggers.

Après l'échec de deux projets politiques, l'un, prôné par les anciens Sudistes, tendant à faire des Bahamas un nouvel État américain, qui enverrait des représentants à Washington, l'autre, consistant à transformer la colonie en province de la Confédération canadienne, les Bahamiens se rassuraient. L'archipel, qui comptait cinquante-trois mille habitants, dont un tiers résidait à New Providence, avait déjà échappé à une Confédération des West Indies. Des créoles instruits, des hommes d'affaires, des juristes et des politiciens libéraux, commençaient à penser, sans oser formuler leur idée, que les Bahamas pourraient, un jour, constituer un État indépendant, membre d'une communauté issue des anciennes possessions britanniques[1].

Les quotidiens, les magazines et la radiophonie favorisaient la diffusion des idées. De même, les lettres, échangées entre les milliers de Bahamiens exilés en Floride et leur famille, rapportaient les atouts de la vie américaine : confort, usage du téléphone, circulation automobile, boom immobilier, dynamisme commercial, rapidité des trains, droit de vote récemment accordé aux femmes. Tout cela démontrait les avantages d'une civilisation avancée, qui ne pénétrait les îles que lentement, et toujours avec retard.

L'approche, plus que la fréquentation des touristes américains, canadiens, parfois européens, et surtout des bootleggers à l'argent facile, créait chez les indigènes des deux sexes des envies soudaines. Les plus évolués souhaitaient se procurer un rasoir mécanique, un stylographe, des chaussures fines. Les jeunes femmes de chambre, accédant pour les besoins du service à l'intimité des New-Yorkaises ou des Bostoniennes, rêvaient d'un soutien-gorge de dentelle, d'un porte-jarretelles, de bas de soie et découvraient que les

---

1. Ce sera le *Commonwealth of Nations*, dont le nom apparaît, pour la première fois, dans le traité de Londres en 1922. Les Bahama Islands devront cependant attendre leur indépendance jusqu'au 10 juillet 1973. Membre du Commonwealth, l'archipel reste lié au Royaume-Uni par une solidarité plus morale que juridique. Les Bahamiens reconnaissent, aujourd'hui encore, de façon symbolique, la reine Élisabeth II comme chef d'État mais l'Union Jack a été remplacé par le drapeau bahamien, noir, turquoise et or.

médecins avaient condamné le port du corset, « nuisible à la santé ».

Il paraissait bien loin le temps où lady Lamia s'opposait à la construction d'un pont, entre son îlot et Soledad, pour protéger ses Arawak des méfaits et turpitudes de la vie coloniale à la mode britannique. Les petits-enfants des Indiens de Buena Vista, qui craignaient le baiser d'une sirène des trous bleus et voyaient les cornes de Belzébuth émerger d'un nuage, étaient devenus scaphandriers ou maçons et n'aspiraient qu'à voler dans un hydravion, pour rejoindre, en trois heures, le père, valet de chambre à Saint Augustine, ou l'oncle, chauffeur de taxi à Key West.

Ces constatations, de plus en plus fréquentes, et les projets grandioses de son fils, qui entendait faire de Soledad et Buena Vista, la station balnéaire la plus select des West Indies, conduisirent lord Pacal à remettre son mode de vie en question.

Les jeunes adultes insulaires, qui, tous maintenant, savaient lire, écrire et compter, garçons et filles dont il ne doutait, ni de la loyauté ni du dévouement, ne lui manifestaient plus, comme autrefois leurs aînés, la vénération des sujets pour leur prince. Il restait, certes, le maître de Soledad, mais comme propriétaire de l'île, non comme souverain héréditaire d'un minuscule État. Au temps de lord Simon, aucun indigène n'eût quitté l'île sans l'autorisation de son grand-père. Aujourd'hui, les gens allaient et venaient, par le bateau-poste, sans même songer à informer Cornfield Manor de leurs déplacements.

De surcroît, les jeunes hommes, peut-être plus assidus au travail que leur aînés, mais dans la limite d'horaires fixes, avaient décidé, quelques mois plus tôt, la création d'un club réservé aux seuls natifs indiens de l'île. Ne pouvant accéder au Loyalists Club – institution privée, gérée comme un club londonien de Pall Mall, dont les membres étaient cooptés parmi les Blancs d'origine européenne, de préférence britannique –, les fondateurs de l'Arawak Club matérialisaient une ségrégation jusque-là, volontairement, ignorée par les uns, admise par les autres.

Lord Pacal, comprenant le sens d'une telle démarche, avait offert aux nouveaux clubmen un terrain, près du village des artisans. Il leur avait attribué une subvention, pour la construction de leur local.

Sollicité de présider l'inauguration, en compagnie du cacique Palako-Mata, il s'y était rendu, après avoir fait livrer un portrait du roi George V, qui fut suspendu près de celui, partout présent, de Sa très Gracieuse Majesté la défunte reine Victoria.

Le président du nouveau club, un petit-fils de Sima, lui avait remis une carte de membre en souhaitant sa présence, quand bon lui semblerait. Leur journée de travail achevée, les descendants des premiers occupants de Soledad et de Buena Vista allaient, maintenant, vider quelques verres de bière entre amis, les jeunes préférant cette boisson au vin de palme et aux alcools distillés au village des Arawak. « Manque plus qu'un club pour les nèg'es », avait grommelé un jour le vieux Timbo. Il désapprouvait les jeunes Arawak, qui voulaient, en tout imiter, les Blancs. « Un club de Noirs, Timbo, Soledad en aura un, d'ici peu, à mon avis. Après tout, chaque communauté peut posséder un lieu de réunion, pour boire et échanger des idées », avait répondu Pacal. « Vous allez pas, *my lord*, leur donner de la te'e et des guinées, à eux aussi ! » « Si les Noirs décident d'avoir un club, je ne pourrai moins faire que pour nos amis les Arawak. » « *My lord*, faut que chacun 'este à sa place. Les clubs, c'est affai'e d'Anglais. Quand on commence à fai'e comme les aut'es, on devient aut'e que ce qu'on est, pas v'ai ? » avait sagement conclu Timbo.

Chassant le souvenir de cette conversation, alors que la nuit tombait, lord Pacal alla, dans son cabinet de travail, se camper, face au portrait de son grand-père, qu'il interrogea longuement du regard.

N'allait-il pas, en se préparant à livrer Soledad à son fils, trahir les Cornfield ? La mutation, déjà élaborée par George et Thomas, d'une principauté insulaire en station balnéaire, ouverte au tout-venant fortuné, eût été inimaginable sous le règne de lord Simon.

Dans son cadre tarabiscoté, le baronet, portraituré à l'âge mûr, en habit, parut froncer le sourcil. L'abandon qu'il eût condamné était imputable à son petit-fils, tant choyé.

Pacal admit que cette situation trouvait son origine dans son mariage avec l'Américaine Susan Buchanan, dont la lointaine ascendance européenne avait fait illusion et influencé son engagement, plus qu'il n'en avait, jusque-là, pris conscience. En acceptant que leur fils naquît aux États-Unis et fût citoyen américain, il avait interrompu la transmission du titre de lord et des privilèges afférents. George était son héritier, il n'était pas son successeur.

Dernier titulaire d'une seigneurie coloniale, Pacal prit soudain conscience que le génie de Soledad survivrait en lui et nulle part ailleurs. Il ne léguerait à son fils qu'une île comme une autre, une grande conque vidée de sa mémoire. Le regard de son grand-père lui parut aussitôt moins sévère, presque encourageant.

Il prit alors la décision la plus importante de sa vie : il allait remettre le destin du domaine à son fils. Puis il quitterait Soledad pour n'y plus revenir. Un vieux château l'attendait en Auvergne. Ce serait son refuge et sa tombe. Les Bahamas étaient à vendre. Soledad un paradis perdu.

Cette nuit-là, lord Pacal dormit sans rêves, du sommeil de qui a maîtrisé son destin.

Après le breakfast, qu'il prit copieux et avec appétit, il

envoya chercher George et Artcliff et leur fit part de sa décision, sans accepter qu'elle fût discutée.

– Mais, père, qu'allez-vous devenir ? s'enquit George.

– Tu as tort de te presser. Que vas-tu faire, en Auvergne, au milieu des paysans ? ajouta Thomas.

– Ne croyez surtout pas que je quitte Soledad malheureux ou amer. Pas du tout. Mon départ est une nouvelle naissance. À soixante-trois ans, je suis sain de corps et d'esprit. Uncle Dave disait que le mélange de sang, français, anglais, arawak garantit une belle longévité.

– Ce que nous te souhaitons de tout cœur, dit Thomas.

– Ce que j'ai à vous dire maintenant, Thomas, peut-être, va le comprendre, mais toi George, tu ne comprendras que plus tard. J'ai eu, longtemps, l'existence privilégiée d'un nabab des tropiques. Je suis né et j'ai vécu dans le plus bel écrin naturel qu'on pût rêver, posé au milieu de l'Océan. J'ai aussi connu la vie américaine, trépidante et puritaine, le charme de la vieille Angleterre, la saison mondaine de Londres, l'élégance des Parisiennes, la liberté sans entraves de l'esprit français. Ayant fait le tour de tout cela, je veux maintenant me lover dans les bras de la vieille Europe, mère des arts, des sciences et des plaisirs sans façons. Ulysse encore vert, je veux gravir l'Acropole, m'asseoir au Colisée, rêver dans les jardins de Grenade, voir, à Dresde, les collections d'Auguste le Fort, humer le printemps toscan, approcher le mont Blanc enneigé, chasser le renne en Finlande, descendre le Rhin, mais aussi m'amuser aux Folies Bergère, flâner sur les quais de la Seine, fouiller les casiers des bouquinistes, manger une omelette dans un bistrot, me perdre dans la foule. Esteyrac sera mon port d'attache. N'est-ce pas, aussi, la terre de mes ancêtres ? Alors, ne soyez pas inquiets. Je suis un homme libre et heureux, conclut lord Pacal.

Devant la mine effarée de ses interlocuteurs, il se mit à rire.

– George, ne regarde pas ton père comme s'il était devenu fou. Thomas, lui, a compris. Et peut-être m'envie-t-il, dit Pacal.

– Je t'ai toujours envié. Mais, aujourd'hui, tu me transportes, concéda Thomas.

– L'ouragan ayant eu la courtoisie d'épargner ma cave, j'ai fait mettre quelques bouteilles de champagne au frais, conclut Pacal.

– Une nouvelle naissance, ça s'arrose, convint Thomas en donnant à son ami une accolade fraternelle.

En quelques jours, les affaires furent réglées par les notaires, et George reçut les actes de pleine jouissance de Soledad, maintenant simple domaine privé. Le temps où les Cornfield faisaient, depuis 1640, la loi sans entrave sur leur île, était révolu. George eût préféré que son père restât propriétaire en titre et le laissât gérer à sa guise, tout en bénéficiant des privilèges ancestraux. Pacal, dernier rejeton des Cornfield du XVIIe siècle, avait refusé cet arrangement.

Un beau matin, le mobilier ancien, les porcelaines, l'argenterie, les portraits des ancêtres Cornfield, l'orgue de lord Simon, les centaines de livres de la bibliothèque du manoir, ainsi que les caisses contenant les archives des Cornfield – la mémoire de Soledad – conservées et classées depuis Charles II, furent chargés sur le *Phoenix II*. Le même soir, lord Pacal fit, à Cornfield Manor, ses adieux devant le cercle des intimes, clairsemé par la mort.

– Avec la génération de mon fils, George, commence une ère nouvelle pour Soledad. Une exploitation, mieux organisée et plus rentable, de nos ressources naturelles, éponges, primeurs, pêche, bimbeloterie sera sans doute bénéfique à tous. Le tourisme, surtout, donnera accès aux beautés de notre archipel à tous les étrangers, attirés par le doux climat de nos îles. Vous tous connaîtrez, j'en suis sûr, de nouveaux bonheurs. Le mien est désormais ailleurs, acheva-t-il, suscitant l'émotion sincère des invités.

Comme il se retirait pour passer, en dépit d'un inconfort manifeste, sa dernière nuit à Cornfield Manor, lord Pacal trouva Timbo au pied de l'escalier.

— Je voud'ais que Sa Seigneu'ie m'emmène avec elle. Je suis tout seul : plus de femme, pas des enfants, quoi je vais fai'e, avec cette jeunesse qu'ar''ive. Je suis si vieux, *my lord*, je vous demande : emmenez-moi.

— Quel âge as-tu ?

— On sait pas sû'. Je c'ois j'avais dix ou douze quand vot' papa est ar''vé, en 53.

— Ça te fait donc pas loin de quatre-vingts ans.

— Mais, suis enco'e solide, bon au t'avail.

— Je sais. Mais, Timbo, l'Auvergne est un pays froid. Tu n'as jamais vu de neige, mais l'hiver, là-bas, il en tombe des quantités, dit Pacal.

— J'ai vu la neige sur le jou'nal, Mais y a des g'andes cheminées, on m'a dit. Alo's on fait un bon feu, voilà.

— Il est tard, Timbo. Éteins les lampes et va te coucher, ordonna le lord, sans donner de réponse.

L'Arawak, déçu, se retira en soupirant.

Au matin, toute la population du Cornfieldshire, alliance, jusque-là harmonieuse, de Blancs, Noirs, métis, mulâtres accompagna Pacal au port occidental. Palako-Mata, vieillard à demi impotent, porté par ses petits-fils, dans son palanquin de cérémonie, vint offrir au lord un coffret, fait de branchettes de yucca tressées, qui contenait une pierre polie, gravée de signes étranges.

– C'est une pierre de vie, apportée, il y a cent mille lunes, à Soledad, par nos ancêtres, chassés d'Amérique par les Carib. Elle vous protégera, dit le cacique.

Lord Pacal donna l'accolade à son vieil ami et gravit le chemin-planche, d'un pas ferme, sans se retourner.

Le bosco, devant l'équipage aligné, siffla le protocolaire « Passe du monde sur le bord ». Pacal répondit à ce salut, se dirigea vers l'arrière et disparut dans son appartement. Pas plus que lord Simon, il ne supportait les adieux larmoyants.

Il reparut quand le vapeur se fut éloigné du rivage et s'accouda à la lisse. Sous l'incandescence du soleil de midi, l'Océan exhalait le fluide trompeur des mirages. Derrière ce linceul de tulle vaporeux, l'île ne fut plus bientôt qu'un plat jardin, dominé par le mont de la Chèvre.

John Maitland vint près du lord, devinant l'émotion qui l'étreignait. Ils échangèrent un regard, puis un sourire contraint.

Pacal cita Milton :

– « Ils jetèrent leurs regards en arrière, et virent toute la partie orientale du Paradis, naguère leur demeure fortunée, onduler sous le flamboyant brandon. »

Un long silence s'instaura. Maitland hésita à interrompre la méditation de lord Pacal, puis se résolut à parler.

– Je n'ai pas voulu vous le dire plus tôt, mais nous avons, à bord, un passager clandestin, *my lord*. Dois-je le débarquer sur-le-champ et le renvoyer à terre, avec un canot ? C'est Timbo, *my lord*.

Pacal ne parut pas surpris.

– Dites-lui plutôt de nous préparer un *pink gin* bien dosé, commandant. C'est le meilleur antidote au poison des vaines nostalgies, présentes et à venir, ordonna le dernier lord des Bahamas.

REMERCIEMENTS

Pour écrire ce roman, l'auteur a puisé une foule d'informations dans l'énorme documentation qu'il a accumulée depuis plus de trente ans pour d'autres ouvrages.

Que tous ceux – responsables de départements d'archives nationales, municipales, militaires ou universitaires, de collections historiques, publiques ou privées, propriétaires de documentation familiale, bibliothécaires de réseaux publics ou des universités – qui, en France, aux États-Unis, en Suisse, aux Bahamas, à des titres divers, lui ont permis en trois décennies, quelquefois au prix de longues recherches, parfois au cours d'un simple entretien, de mieux appréhender le XIXe siècle, son histoire, ses mœurs, son économie, son industrie, sa vie quotidienne, ou l'ont aidé à préciser un simple détail, soient chaleureusement remerciés. Avec une mention particulière pour Karin Mallet-Gautier, Senior Regional Manager, et sa collaboratrice, Aurélie Bagot, Office du tourisme des Bahamas, Paris.

Pour ce troisième volume, son amicale gratitude va aussi à Bernard Audit, professeur agrégé des facultés de droit, Paris ; à Bernard Sinsheimer, professeur honoraire d'histoire, University of Maryland in Europe ; à Bernard Vannier, ancien professeur associé, littérature française, Johns Hopkins University.

GLOSSAIRE DES MOTS DÉFINIS
DANS LES DEUX PREMIERS TOMES

Pour les noms indiens, il a été adopté l'orthographe sans aucun accent ni accord, selon les meilleurs spécialistes, dont les premiers traducteurs de George Catlin. En revanche, Peaux-Rouges est une traduction de Red Skin.

Pour tous les noms français d'origine, devenus réalité géographique ou administrative des États-Unis, il a été adopté l'orthographe américaine, sans accord ni accent.

Arawak = ensemble des peuples amérindiens qui durent se disperser sous la pression des Carib – Indiens caraïbes – et qui survécurent à Cuba et aux Bahamas.

archipel des Bahamas = environ sept cents îles et deux mille cinq cents îlots ou masses rocheuses émergeantes.

Armée du Salut : fondée à Londres, en 1865, par William Booth, la Mission chrétienne essaima dans l'Empire britannique et prit le nom d'Armée du salut en 1878.

banglia = bungalow.

barbecue = réception en plein air au cours de laquelle on servait, à l'origine, de la viande grillée : *barbecued meat.*

bozales = Noirs récemment capturés en Afrique par les négriers et devenus esclaves aux États-Unis.

cacique = chez les Arawak, représentant reconnu de sa communauté auprès des autorités britanniques, c'est-à-dire du gouverneur des Bahama Islands.

Cavalier = dans les États esclavagistes cotonniers du Vieux Sud, gentilhomme incarnant les valeurs aristocratiques de l'époque.

Charles Town = Charleston depuis 1783.

Chicagoan : de Chicago.

chickcharnie : animal mythique des Bahamas. Soit un grand hibou, disparu au XVe siècle ; soit le pyrargue, grand rapace diurne, semblable à l'aigle. Le pyrargue à tête blanche sert d'emblème aux États-Unis.

chowder : sorte de ragoût ou de bouillabaisse, composé de conches, de homard et de poisson, que l'on sert accompagné de riz au curry.

cipayes : en Inde, soldats indigènes engagés au service des Français, des Britanniques ou des Portugais.

esclaves marron = esclaves en fuite.

fox hunting = chasse du renard.

gaïac = arbre porte-bonheur des Lucayens ; son bois est très dense et très dur ; sa résine est utilisée pour fabriquer des onguents de toutes sortes.

gallon = aux États-Unis : 3,785 litres ; au Canada et au Royaume-Uni : 4,546 litres.

General Assembly = Assemblée des Bahamas composée de vingt-neuf membres élus – Blancs, Noirs, mulâtres, Indiens métissés – constituant, depuis 1841, la représentation populaire.

God'dam' = juron : nom de Dieu.

hurricanes = cyclones, ouragans.

hutia = capromys, gros rongeur américain, qui cause des dommages aux récoltes ; espèce protégée aux Bahamas par le National Trust.

Irish Republican Brotherhood : Fraternité républicaine irlandaise.

laird : variante de lord ; en Écosse : grand propriétaire terrien.

landlord = noble propriétaire terrien.

loyalistes = colons américains, restés fidèles aux Britanniques pendant et après la guerre de l'Indépendance américaine.

lunch = déjeuner.

manifest destiny = théorie selon laquelle les Américains seraient élus par la Providence pour dispenser civilisation et démocratie chez leurs voisins plus ou moins proches.

middling = catégorie de coton de Louisiane très appréciée.

mile = 1 609 mètres.

mille marin = 1 852 mètres.

northern = fort vent du nord, issu des anticyclones.

obeah = forme de sorcellerie africaine.

pied = 30,48 centimètres.

pink gin = gin agrémenté d'Angostura bitters, mélange de bitters aromatiques de couleur rosée, créé par le docteur J.G.B. Siegert, à Angostura (Venezuela) et commercialisé dans le monde entier depuis 1830.

punkah = chasse-mouches géant, suspendu au plafond et manœuvré à l'aide de poulies, destiné à ventiler et éloigner les insectes.

Reconstruction : période imposée par le Nord aux États du Sud de l'Union, après la guerre de Sécession.

Taino = Indiens de la tribu des Arawak.

trou bleu = curiosité hydraulique ; cavité où le niveau de l'eau saumâtre varie au rythme des marées, la couche d'eau saumâtre étant recouverte d'une couche d'eau douce.

Harvard University : fondée en 1636 par les premiers colons, installés à Boston, qui réunirent une somme de 400 livres pour créer une école à Cambridge, Massachusetts.

WASP = *White Anglo-Saxon Protestant.*

wreckers : naufrageurs, pilleurs d'épaves.

yellow bird = boisson rafraîchissante mais corsée, portant le nom d'un oiseau des Bahamas et composée de rhum, liqueur de banane, alcool d'abricot et jus d'ananas.

zemis = idoles des Antillais précolombiens ; constitués de pierre, de terre cuite, de craie, voire de coton.

BIBLIOGRAPHIE SÉLECTIVE

ARNAUD Achille, *Abraham Lincoln, sa naissance, sa vie, sa mort, avec un récit de la guerre d'Amérique, d'après les documents les plus authentiques*, Charlieu Frères et Huillery, Paris, 1865.

AZCARATE Pablo de, *La Guerra del 98*, Alianza editorial, 1968.

BALLANTYNE Robert Michael, *The Coral Island*, 1857, réédition Puffin Books, London, 1994.

BARBICHE Jean-Paul, *Les Antilles britanniques de l'époque coloniale aux indépendances*, L'Harmattan, Paris, 1989.

BERGIER Jean-François, *Une histoire du sel*, Office du livre S.A., Fribourg, 1982.

BOTTING Douglas, *Pirates et Flibustiers*, Collection La grande aventure de la mer, Time-Life, 1979.

BURBANK SHATTUCK George, *The Bahama Islands*, Geographical Society of Baltimore, Johns Hopkins Press-MacMillan, New York, 1905.

BYRON, *Œuvres complètes*, Charpentier, Paris, 1838.

CAMPBELL David G., *The Ephemeral Islands*, 1978, réédition MacMillan Education Ltd., London, 1981.

CARLIER Auguste, *Histoire du peuple américain – États-Unis – et de ses rapports avec les Indiens*, Michel Lévy frères, Paris, 1863.

CASAS Bartolomé de las, *Brevísima relación de la destrucción de las Indias*, Cátedra, Madrid, 1987.

CHATEAUBRIAND René de, *Réponse générale à ceux qui m'ont fait l'honneur de m'écrire*, juillet 1797, *Correspondance générale*, tome I, Gallimard, Paris, 1977.

CHIDSEY Donald Barr, *La guerra hispano-americana*, Grijalbo, Barcelona-México, 1973.

COLEMAN Élisabeth-Ann, *Femmes fin de siècle, 1885-1895*, catalogue. Musée de la mode et du costume, Palais Galliera, éditions Paris-Musées, 1990.

COLOMB Christophe, *La Découverte de l'Amérique, Journal de bord et autres écrits, 1492-1493*, éditions François Maspero, Paris, 1979.

COREY Charles B., *The Birds of the Bahamas Islands*, Estes and Lauriat publishers, Boston, 1886.

CORNELL Jimmy, *Routes de grande croisière*, Éditions loisirs nautiques, Cenon, 1999.

CORONIO Guy et l'équipe du Centre de documentation contemporaine et historique de l'École nationale des ponts et chaussées, *250 ans de l'École des ponts en cent portraits*, Presses de l'École nationale des ponts et chaussées, 1997.

CORNWELL Patricia, *Portrait of a Killer, Jack the Ripper, Case Closed*, Time Warner, 2003.

CRATON Michael, *A History of the Bahamas*, Collins, London, 1962.

CRETNEY Stephen M. and MASSON J. M., *Principles of Family Law*, Harry D. Krause publisher, 1990, Londres.

CUNINGHAME Judy, *Flowers in the Bahamas*, Longtail Publishers, Bermuda.

DAVIS Burke, *The Civil War, Strange and Fascinating Facts*, 1913, réédition Faixfax Press, New York, 1982.

DEBOUZY Marianne, *Le Capitalisme sauvage aux États-Unis, 1860-1900*, Seuil, Paris, 1972.

DISTON POWLES Louis, *The Land of the Pink Pearl*, Sampson Low, Marston, Searle & Rivington, Limited, Londres, 1888.

DOUGLAS Robert, *Island Heritage, Architecture of Bahamas*, Darkstream Publications, Nassau, 1992.

DRUON Maurice, *Mémoires. L'Aurore vient du fond du ciel*, Plon-éditions de Fallois, Paris, 2006.

DU BOS Charles, *Robert et Elisabeth Browning ou la plénitude de l'amour humain*, éditions Klincksieck, Paris, 1982.

DUTTON David, *Neville Chamberlain*, Arnold, Londres, 2001.

DUVIOLS Jean-Paul, *L'Amérique espagnole vue et rêvée. Les livres de voyages de Christophe Colomb à Bougainville*, Promodis, Paris, 1985.

EYMA Xavier, *Les Trente-Quatre Étoiles de l'Union américaine, histoire des États et des territoires*, Michel Lévy frères-A. Lacroix, Verboeckhoven et Cⁱᵉ, Paris-Bruxelles, 1862.

GIRAUDOUX Jean, *Amica America*, Émile-Paul frères, Paris, 1918.

GONNARD René, *l'Émigration européenne au XIXᵉ siècle*, librairie Armand Colin, Paris, 1906.

GRUSS Robert, *Petit Dictionnaire de marine*, Éditions maritimes et d'outremer, Paris, 1963.

HANCOCK H. Irving, *Life at West Point*, G. P. Putman's Sons – The Knickerbocker Press, New York and London, 1901.

HANNAU Hans W., Garrard Jeanne, *Flowers in the West Indies*, Argos Inc., Miami.

HASKINS Jim, *The Cotton Club*, Jade, Paris, 1984.

HURET Jules, *En Amérique, de New York à La Nouvelle-Orléans*, Eugène Fasquelle éditeur, Paris, 1906.

JAFFE Bernard, *Savants américains*, Overseas Editions, New York, 1944.

JAMES Henry, *La Scène américaine*, La Différence, 1993.

JOHANET F.-E., *Autour du monde millionnaire américain*, Calmann Lévy, Paris, 1898.

KASPI André, *Le Temps des Américains : 1917-1918*, Publications de la Sorbonne, Paris, 1976.

KIPLING Rudyard, *Poèmes choisis par T.S. Eliot*. Traduit de l'anglais par Jules Castier, Robert Laffont, Paris, 1949.

LACOUR-GAYET Robert, *La Vie quotidienne aux États-Unis 1830-1860*, Hachette, Paris, 1958.

LEMASSON Jean, *Pêcheurs d'éponges et chiens de mer*, Julliard, Paris, 1961.

LOONEY Robert F., *Old Philadelphia in Early Photographs 1839-1914*, Dover Publications, New York, 1976.

LORAIN P., *Origine et fondation des États-Unis d'Amérique, 1497-1620* (revu par M. Guizot), librairie Hachette et Cⁱᵉ, Paris, 1853.

MARIENSTRASS Élise, *la Résistance indienne aux États-Unis, du XVI au XXᵉ siècle*, collection Archives, Gallimard, Paris, 1980.

MAXIMILIEN prince, *Carnets de route de l'expédition sur le Missouri 1833-1834. Le peuple du premier homme*, aquarelles de Charles Bodmer, Flammarion, 1977.

McPHERSON James M., *Battle Cry of Freedom, The Civil War Era*, Ballantine Books, New York, 1989.

MILTON John, *Le Paradis perdu*, Belin-Mandar, Delloye, Paris, 1838.

MOLIÈRE, *Les Précieuses ridicules, Le Dépit amoureux*, Petits Classiques Larousse.

MORAND Paul, *Lettres à des amis et à quelques autres*, La Table ronde, Paris, 1978.

MORENO FRAGINALS Manuel, *Cuba/España, España/Cuba* : *Historia común*, Mitos Bolsillos, Barcelona, 1998.

OATES Stephen B., *Lincoln*, Fayard, Paris, 1984.

OLIVERA Otto, *Viajeros en Cuba 1800-1850*, Ediciones Universal, Miami, 1998.

PASQUET D., *Histoire politique et sociale du peuple américain* (tome II : de 1825 à nos jours), éditions A. Picard, Paris, 1931.

PEEK Basil, *Bahamian Proverbs*, The Providence Press, Nassau, 1966.

PÉREZ HERRERO Pedro, *América latina y el colonialismo europeo, siglos XVI-XVIII*, editorial Síntesis, Madrid, 1992.

PERSHING John, *Mes Souvenirs de la guerre*, Plon, 1931, Paris.

PHILIP Jacqueline, *L'Esclavage à Cuba au XIXᵉ siècle*, d'après les documents de l'Archivo Histórico Nacional de Madrid, L'Harmattan, Paris, 1998.

PINKAS Daniel, *Santayana et l'Amérique du bon ton*, Metropolis, Genève, 2003.

ROGOZINSKI Jan, *A Brief History of the Caribbean*, Meridian, New York, 1994.

POWLES L. D., *The Land of the Pink Pearl*, 1888, réédition Media Publishing Ltd., Nassau, 1996.

RAND Clayton, *Sons of the South*, Holt, Rinehart, and Winston, New York, 1961.

ROOSEVELt Theodore, *La Vie intense*, Ernest Flammarion, Paris, 1904.

ROUJOUX baron de, *Histoire pittoresque de l'Angleterre et de ses possessions dans les Indes depuis les temps les plus reculés jusqu'à la réforme de 1830*, Paris, 1834.

ROUSNAMIERE John, *Les Yachts de luxe*, Collection La grande aventure de la mer, Time-Life, 1982.

ROUX DE ROCHELLE M., *États-Unis d'Amérique*, Firmin Didot frères, Paris, 1837.

SANTAYANA George, *Gens et Lieux*, Gallimard, Paris, 1948.

SAUNDERS Gail, *Bahamian Loyalists and their Slaves*, Caribbean, 1983.

SHELLEY Henry C., *America of the Americans*, Charles Scribner's Sons, New York, 1915.

SIMONIN L., *Le Monde américain, souvenirs de mes voyages aux États-Unis*, librairie Hachette et Cie, Paris, 1876.

STRACHEY Lytton, *La Reine Victoria*, Petite Bibliothèque Payot, Paris, 1993.

TAYLOR Thomas E., *Running the Blockade*, 1896, réédition Naval Institute Press, Annapolis, 1995.

THURSTON PECK Harry, Vingt années de vie publique aux États-Unis 1885-1905, Plon, Paris 1921.

WAGNER Charles, *Vers le cœur de l'Amérique*, librairie Fischbacher, Paris, 1906.

WEIL François, *Histoire de New York*, Fayard, 2005.

WEINTRAUB Stanley, *Victoria, une biographie intime*, Robert Laffont, Paris, 1988.

WEY Francis, *les Anglais chez eux ou Londres au siècle passé*, librairie Hachette et Cie, Paris, 1877.

WHITMAN Walt, *Feuilles d'herbe, Leaves of Grass*, Aubier, 1989. Les Belles Lettres, Paris, 1956.

WILLIAMS Eric, *L'Histoire des Caraïbes, de Christophe Colomb à Fidel Castro, 1492-1969*, Présence africaine, Paris-Dakar, 1975.

WITT Cornelis de, *Thomas Jefferson*, librairie académique Didier et Cie, Paris, 1871.

ZAVALA Silvio, *El mundo americano en la época colonial*, tome I, Porrua, México, 1967.

Guides

APPLETON's *General Guide to the United States and Canada*, D. Appleton and Company, New York, 1893.

ASPINALL Algernon, *The Pocket Guide to the West Indies*, Sifton, Praed and Company, London, 1923.

BAEDEKER Karl, *Manuel du voyageur*, les États-Unis, Baedeker-Ollendorff, Leipzig-Paris, 1894.

BAHAMAS HANDBOOK, Étienne Dupuch Jr. Publications, Nassau, 1971.

COMPASS AMERICAN GUIDES, Henry Leifermann, *South Carolina*, Oakland, Carolina, 1995.

FIN, *The Complete Angler's Guide*, Miami, 1972.

FODOR, *The Bahamas*, New York, Toronto, London, Sydney, Auckland, 1998.

MCMORRAN Jennifer, *Bahamas*, Ulysse, Montréal, 1998.

Bahamas, Turks and Caicos, Christopher P. Baker, Lonely Planet Publications, Melbourne-Oakland-London-Paris, 2001.

Guide de voyage, Ulysse, édition 1998, Montréal, Québec.

Journaux, magazines, revues

Collections de :

Americana Review, New York. Notamment *American Advertising*, 1960.

Musée universel, premier semestre 1874.

National Geographic, Official Journal of the National Geographic Society, Washington D. C.

National Geographic, France, volume 7, numéro 34, juillet 2002.

Revue historique vaudoise, septembre 1957, publiée par la Société vaudoise d'histoire et d'archéologie.

Stars and Stripes, 15 juin 1987.

The Bimini News, Bahamas.

The Nassau Guardian, Bahamas.

The Nassau Guardian, Centenary Number, 1844-1944.

Divers

Hand Book of Gasoline Automobiles, 1904-1906, by the Association of Licensed Automobile Manufacturers, Dover Publications, Inc., New York, 1969.

Harper's Pictorial History of the Civil War, by Alfred H. Guernsey and Henry M. Alden, Harper and Brothers, 1866, réédition Fairfax Press, New York, 1977.

La Reine Victoria, pages choisies de sa correspondance, Hachette, 1909.

The Civil War Almanach, Henry Steele Commager (*introduction by*), John S. Bowman (*executive editor*), World Almanach Publications, Bison Books, New York, 1983.